La
concubine
russe

Guy Saint-Jean Éditeur
3440, boul. Industriel Laval (Québec) Canada H7L 4R9
450 663-1777 • info@saint-jeanediteur.com • www.saint-jeanediteur.com

....

Données de catalogage avant publication disponibles à Bibliothèque et Archives nationales du Québec et à Bibliothèque et Archives Canada.

....

Nous reconnaissons l'aide financière du gouvernement du Canada par l'entremise du Fonds du livre du Canada (FLC) ainsi que celle de la SODEC pour nos activités d'édition.

Gouvernement du Québec – Programme de crédit d'impôt pour l'édition de livres – Gestion SODEC

Adaptation et correction: Émilie Leclerc
Conception graphique de la couverture et mise en page: Olivier Lasser
Photos de la page couverture: Shutterstock/sergiophoto + iStock/Mlenny

Dépôt légal – Bibliothèque et Archives nationales du Québec, Bibliothèque et Archives Canada, 2016

ISBN: 978-2-89758-202-9
ISBN EPUB: 978-2-89758-203-6
ISBN PDF: 978-2-89758-204-3

Imprimé au Canada
1ʳᵉ impression, janvier 2017

 Guy Saint-Jean Éditeur est membre de l'Association nationale des éditeurs de livres (ANEL).

KATE FURNIVALL

La
concubine
russe

ROMAN
Traduit de l'anglais par Elsa Maggion

Guy Saint-Jean
ÉDITEUR

*Pour écrire ce roman, Kate Furnivall s'est inspirée
de la vie de sa mère, réfugiée russe dans une concession
internationale en Chine, où elle vécut sans argent ni papiers
avec sa propre mère. Les personnages et les événements
de ce roman sont toutefois fictifs.*

DANS LA MÊME COLLECTION

Des livres qui rendent heureuse !

Matilde Asensi
Le pays sous le ciel

Erica Bauermeister
Le goût des souvenirs

Carmen Belzile
Comme l'envol des oies

Chris Bohjalian
La femme des dunes

Corina Bomann
L'île aux papillons
Le jardin au clair de lune

Alan Brennert
Moloka'i

Jackie Collins
L'héritière des Diamond
Amants infidèles

Kimberley Freeman
La maison de l'espoir

À ma mère, Lily Furnivall,
dont l'histoire a inspiré ce roman.
Avec tout mon amour.

RUSSIE

Décembre 1917

1

Le train s'arrêta dans un grand bruit. Le moteur palpitant cracha sa vapeur grise dans le ciel blanc et les vingt-quatre wagons de marchandises cahotèrent dans un crissement métallique avant de s'immobiliser en grinçant. Au milieu du paysage gelé et silencieux retentissaient les bruits des sabots et des commandements.

« Pourquoi nous sommes-nous arrêtés ? » murmura Valentina Friis à son mari.

Son haleine flotta entre eux comme un rideau de glace. Dans son désarroi, elle craignait de ne pouvoir bouger que les lèvres.

Elle saisit la main de son mari, non pour chercher de la chaleur cette fois-ci, mais parce qu'elle avait besoin de le savoir encore à ses côtés. Il hocha la tête ; son visage était bleu par le froid, car il avait couvert de son manteau l'enfant endormie dans ses bras.

« Il y a encore de l'espoir, dit-il.

— Promets-le-moi », lui demanda-t-elle dans un souffle.

Il lui sourit, puis tous les deux s'approchèrent des parois de bois rugueux du wagon à bestiaux où ils étaient

11

enfermés et coulèrent un regard dans les interstices entre les planches. Autour d'eux, les autres exilés les imitaient. Le désespoir se lisait dans ces yeux déjà témoins de trop d'horreurs.

« Ils vont nous tuer », déclara d'une voix blanche l'homme barbu assis à droite de Valentina. Il parlait avec un fort accent géorgien et portait une toque de fourrure qui lui couvrait presque entièrement les oreilles. Pourquoi nous arrêterions-nous au milieu de nulle part autrement ?

— Oh Sainte Vierge, mère de Dieu, protégez-nous », implora une vieille femme recroquevillée sur le sol crasseux.

Enveloppée dans plusieurs châles, elle ressemblait à un petit bouddha potelé. Pourtant, sous les haillons qui empestaient, elle n'avait que la peau sur les os.

« Non, babouchka, lança une voix masculine venue du fond du wagon où le vent glacial s'engouffrait implacablement, emplissant les poumons de ses occupants du souffle de la Sibérie. Non, ce doit être le général Kornilov. Il sait que nous sommes dans ce maudit fourgon à bestiaux à mourir de faim. Il ne nous laissera pas dépérir. C'est un grand général. »

Un murmure d'approbation s'éleva parmi les hommes et les femmes au visage osseux, allumant un éclair d'espoir dans leurs yeux tristes, puis un jeune garçon aux cheveux sales, jusque-là allongé dans un coin sans bouger, se leva d'un bond et se mit à pleurer, soulagé. Personne n'avait gaspillé ses forces à verser des larmes depuis longtemps.

« Mon Dieu ! Puissiez-vous avoir raison », lança un homme aux yeux creux, amputé d'un bras dont le moignon était couvert d'un bandage souillé. La nuit, dans son sommeil, il gémissait sans fin, mais pendant la journée il restait silencieux et tendu.

« Nous sommes en guerre, dit-il sèchement. Le général Lavr Kornilov ne peut pas être partout.

— Je vous dis qu'il est ici. Vous verrez.

— Penses-tu qu'il dise vrai, Jens ? »

Valentina leva les yeux vers son mari.

À vingt-quatre ans, elle était petite et fragile, mais un seul de ces regards de braise pouvait, pendant un bref instant, faire oublier à son mari le froid et la faim qui le tenaillaient et le poids de l'enfant dans ses bras. Jens Friis était de dix ans plus âgé que son épouse et craignait, pour sa sécurité, que les soldats bolcheviques n'aperçoivent son merveilleux visage. Il baissa la tête et posa un baiser sur son front.

« Nous le saurons bientôt », répondit-il.

La barbe rousse apparue sur les joues de son mari piquait les lèvres gercées de Valentina, mais cette sensation l'apaisa, tout comme la forte odeur corporelle qu'il dégageait. Cela lui rappelait qu'elle était encore en vie et n'avait pas échoué en enfer, malgré les apparences.

L'idée que ce voyage cauchemardesque sur des milliers de kilomètres de neige et de glace pourrait se prolonger pour toujours, durant l'éternité tout entière, et que c'était sa cruelle punition pour avoir défié ses parents, la hantait, de jour comme de nuit.

La lourde porte coulissante du wagon s'ouvrit violemment et des voix menaçantes crièrent : « *V se vagona, bistro !* » Descendez.

Après la pénombre du wagon, la luminosité du ciel se réfléchissant sur la neige aveugla Valentina. Elle plissa les paupières pour discerner la scène autour d'elle.

Ce qu'elle vit lui glaça le cœur.

Une haie de fusils. Tous braqués sur les passagers débraillés et apeurés qui descendaient tant bien que mal, se rassemblaient en petits groupes, resserrant les pans de leurs manteaux pour se rassurer et se protéger du froid. Jens tendit la main à une vieille femme pour l'aider à descendre du train, mais avant qu'elle ait pu la saisir, on la poussa et elle s'écroula, le visage dans la neige. Elle ne cria pas, n'émit même pas un son. D'un geste brusque, le soldat qui avait ouvert la porte du wagon la remit debout et la secoua sans ménagement, comme un chien malmène un os.

Valentina et son mari échangèrent un regard désolé. Sans un mot, ils firent glisser leur enfant de l'épaule de son père, la placèrent entre eux et la dissimulèrent sous leurs manteaux tandis qu'ils avançaient.

« Maman ? » chuchota-t-elle. À cinq ans, elle avait déjà appris l'indispensable prudence.

« Lydia. Chut », murmura Valentina sans pouvoir s'empêcher de pencher la tête vers sa fille.

Elle vit les grands yeux fauves, le visage en forme de cœur, blanche comme un drap, et les petits pieds bottés avalés par la neige. Elle se serra un peu plus contre son mari pour mieux cacher l'enfant.

Le Géorgien avait vu juste. L'endroit se trouvait vraiment au milieu de nulle part. Un paysage désert de neige et de glace où luisait ici et là la surface d'un rocher balayé par le vent. Au loin, la présence d'arbres squelettiques prouvait que la vie était possible dans la toundra. Pas pour les hommes cependant.

Et aucun homme n'aurait dû y mourir.

Les cavaliers ne ressemblaient pas aux brillants officiers que Valentina avait l'habitude de côtoyer à Saint-Pétersbourg, dans les bals, les troïkas ou sur la Neva, lorsqu'on y patinait, et qui exhibaient leurs uniformes impeccables et leurs manières parfaites. Ces hommes étaient étrangers au monde élégant qu'elle avait laissé derrière elle. Ils étaient hostiles. Dangereux. Une cinquantaine d'entre eux s'étaient alignés le long du train, semblables à des loups aux aguets. Ils portaient des manteaux dépareillés : certains gris, d'autres noirs et un d'un vert terne. Mais tous cajolaient les mêmes fusils à long canon et dans leurs yeux se lisait la même haine fanatique.

« Des bolcheviques, murmura Jens à Valentina tandis qu'on les menait vers un groupe où la plainte des prières ruisselait comme des larmes. Mets ta capuche et cache tes mains.

— Mes mains ?

— Le camarade Lénine aime les voir couvertes de cicatrices et de cors laissés par des années de ce qu'il appelle un travail honnête. »

D'un geste protecteur, il posa la main sur le bras de sa femme.

« Et je ne pense pas que la pratique du piano compte, mon amour. »

Valentina acquiesça, mit sa capuche et glissa sa main libre dans sa poche. Ses superbes gants couleur sable étaient réduits en lambeaux après les mois passés dans la forêt, à marcher pendant la nuit et à manger des vers et du lichen pendant la journée.

« Jens, dit-elle doucement, je ne veux pas mourir. »

Il hocha vivement la tête et désigna de sa main libre le grand soldat à cheval, vêtu du pardessus vert, qui de toute évidence dirigeait la troupe.

« C'est lui qui devrait mourir pour avoir conduit les paysans vers cette folie collective qui déchire la Russie. Les hommes comme lui ouvrent la porte à une brutalité qu'ils appellent justice. »

À cet instant, un officier cria un ordre et d'autres hommes mirent pied à terre. Ils pointèrent des canons sur les visages et dans les dos. Alors que le train haletait dans l'étendue sauvage et désolée, les soldats poussèrent sans ménagement les centaines de déplacés, les firent se mettre en cercle à cinquante mètres de la voie ferrée, puis entreprirent de dépouiller les wagons.

« Non, s'il vous plaît, non ! » cria un homme près de Valentina alors qu'on jetait violemment une brassée de couvertures déchirées et un petit réchaud hors d'un des wagons de tête. Des larmes coulaient sur ses joues.

Elle tendit la main vers lui et le tint par l'épaule. Les mots étaient inutiles. Tout autour d'elle, la crainte se lisait sur les visages livides.

Devant chaque wagon s'empilaient les objets soigneusement préservés, jetés dans la neige par les soldats avant d'être brûlés. Le feu, allumé avec le charbon de la locomotive à vapeur et une giclée de vodka, dévora les dernières miettes d'amour-propre. Vêtements, couvertures, photographies, icônes de la Vierge pieusement conservées et même un portrait miniature du tsar Nicolas II. Noircis, brûlés, réduits en cendres.

« Vous êtes des traîtres. Tous, tant que vous êtes, vous trahissez votre pays. »

L'accusation avait été proférée par le grand officier au pardessus vert. Bien qu'il portât pour seul insigne des sabres croisés sur sa casquette, sa position d'autorité était indéniable. Il se tenait très droit sur sa monture aux muscles puissants, qu'il contrôlait sans peine d'un coup de talon. Ses yeux étaient sombres, son regard impatient, comme si prendre en charge cette cargaison de Russes blancs représentait une tâche répugnante.

« Aucun de vous ne mérite de vivre », déclara-t-il sèchement.

Une plainte sourde s'éleva dans la foule, qui sembla chanceler sous le choc.

L'officier poursuivit en haussant la voix.

« Vous nous avez exploités. Vous nous avez maltraités. Vous pensiez que jamais le jour ne viendrait où vous devriez répondre de vos actes auprès de nous, le peuple de Russie. Vous vous trompiez. Vous étiez aveugles. Où sont toutes vos richesses à présent ? Où sont vos immenses demeures et vos magnifiques chevaux ? C'en est fini du tsar et je jure que vous... »

Un homme cria :

« Dieu bénisse le tsar ! Que Dieu protège les Romanov ! »

On entendit une détonation. L'officier venait de tirer. Une silhouette dans les rangs de devant tomba à terre, tache sombre sur la neige.

« Cet homme a payé pour votre traîtrise. »

Il balaya la foule abasourdie de son regard menaçant et méprisant.

« Vous et ceux de votre espèce étiez des parasites profitant des travailleurs affamés. Vous avez créé un monde cruel et tyrannique dans lequel les riches restaient sourds aux plaintes des pauvres. Et à présent, vous désertez votre pays comme les rats quittent le navire en flammes. Et vous osez emmener la jeunesse russe avec vous. »

Il fit virer son cheval sur un côté et s'éloigna de la foule.

« Maintenant, vous allez nous remettre vos biens. »

Sur un signe de tête, les soldats commencèrent à circuler parmi les déplacés. Ils s'emparèrent des bijoux, des montres, des étuis à cigares, de tout ce qui pouvait avoir de la valeur, y compris l'argent. Les mains irrespectueuses fouillaient les vêtements, cherchaient sous les bras, dans les bouches, entre les seins, les objets dissimulés, gages de survie pour leurs propriétaires. Valentina perdit la bague en émeraude cousue dans l'ourlet de sa robe et Jens fut dépouillé de sa dernière pièce d'or, cachée dans une de ses bottes. Lorsque la fouille fut terminée, seul un faible sanglot se fit entendre dans la foule privée d'espoir, sans voix.

L'officier semblait satisfait. L'expression de dégoût avait quitté son visage. Il se tourna et, d'un cri perçant, donna un ordre au cavalier qui se trouvait derrière lui. Aussitôt, quelques soldats se faufilèrent à travers le groupe, le divisant, y semant la confusion. Valentina se cramponna à la petite main qu'elle tenait dans la sienne et craignit que Jens ne meure avant d'avoir lâché l'autre, car un cavalier s'avançait vers eux. L'enfant émit un faible cri lorsque les sabots du cheval s'approchèrent dangereusement, puis elle agrippa farouchement les mains de ses parents et ne fit plus un bruit.

« Que font-ils ? murmura Valentina.

— Ils prennent les hommes. Et les enfants.

— Oh, mon Dieu, non. »

Mais Jens avait raison. Seuls les femmes et les vieillards étaient ignorés. Les autres étaient séparés du groupe et conduits à l'écart. Des cris d'angoisse déchiraient le paysage gelé et, à l'autre bout du train, un loup s'avança sans bruit, attiré par l'odeur du sang.

« Jens, non, ne les laisse pas t'emmener. Et elle non plus, supplia Valentina.

— Papa ? »

Un petit visage apparut entre eux.

« Ne bouge pas, mon cœur. »

Jens replaçait son manteau pour cacher la tête de sa fille lorsque la bouche d'un fusil lui percuta l'épaule. Il tituba, mais ne perdit pas l'équilibre.

« Toi. Viens par ici », lui ordonna un très jeune cavalier.

Il était très nerveux et semblait simplement chercher un prétexte pour faire feu.

Jens ne perdit pas son assurance.

« Je ne suis pas russe. »

Il sortit son passeport de sa poche d'un geste lent, afin de ne pas perturber le soldat.

« Vous voyez, fit remarquer Valentina, mon mari est danois. »

Le cavalier plissa le front, perplexe. Son chef, attentif, nota l'hésitation. Il éperonna son cheval qui s'avança au milieu de la foule jusqu'au jeune soldat.

« Grodenski, pourquoi perdez-vous votre temps ? »

Cependant, ce n'était pas son subalterne qui retenait son attention, mais Valentina. Elle avait levé la tête vers le soldat pour s'adresser à lui et sa capuche avait glissé, dévoilant ses longs cheveux bruns, son grand front et sa peau pâle. Les mois de privation avaient accentué ses pommettes et ses yeux paraissaient gigantesques.

L'officier sauta en bas de sa monture. De près, il semblait plus jeune qu'à cheval. Il avait sans doute une trentaine d'années, mais son regard était celui d'un homme bien plus vieux. Il saisit le passeport et le consulta rapidement, observant Jens, Valentina, puis Jens de nouveau.

« Mais toi, lança-t-il à Valentina, tu es russe ? »

Derrière eux, les soldats commençaient à tirer.

« De naissance, oui, répondit-elle sans tourner la tête dans la direction des détonations, mais maintenant je suis danoise. Par mariage. »

Elle voulait se rapprocher de son mari, pour mieux cacher leur enfant entre eux, mais n'osait pas bouger. Aussi, elle se contenta de serrer plus fermement la main de la fillette.

Soudain, l'officier frappa Jens à l'abdomen avec son fusil et celui-ci tituba en grognant de douleur, puis un coup sur la nuque le fit tomber dans la neige. Le sang se répandait sur sa surface glacée.

Valentina hurla.

Aussitôt, elle sentit la petite main lâcher la sienne et vit sa fille se jeter aux pieds de l'officier avec la férocité d'un chat sauvage, crachant, mordant et griffant dans un accès de rage. Elle vit comme au ralenti le canon du fusil s'abaisser vers la petite tête.

« Non ! » cria-t-elle en s'emparant vivement de l'enfant avant que le coup ne l'atteigne. Mais des bras plus forts arrachèrent sa fille à son étreinte.

« Non, non, non ! hurla Valentina. Cette enfant est danoise. Elle n'est pas russe !

— Elle l'est, insista l'officier en dégainant son revolver. Elle se bat comme une Russe. »

Il plaça machinalement le canon de l'arme contre le front de la petite fille.

Celle-ci s'immobilisa. Seuls ses yeux trahissaient la peur. Elle ne broncha pas.

« Ne la tuez pas. Je vous en supplie, implora Valentina. S'il vous plaît, ne la tuez pas. Si vous l'épargnez, je ferai n'importe quoi… n'importe quoi. »

À ses pieds, son mari émit un profond grognement.

« Je vous en prie », supplia-t-elle doucement.

Elle défit le premier bouton de son manteau sans cesser de regarder l'officier.

« N'importe quoi. »

Le commandant bolchevique tendit la main vers elle et toucha ses cheveux, sa joue, ses lèvres. Elle retint sa respiration, cherchant à éveiller en lui le désir. Pendant un bref instant, elle pensa l'avoir convaincu. Mais lorsqu'il jeta un regard à ses hommes qui observaient, la convoitant tous, espérant que leur tour viendrait bientôt, l'officier hocha la tête.

« Non. Tu n'en vaux pas la peine. Pas même pour les doux baisers de tes lèvres. Ça causerait trop de problèmes parmi mes troupes. »

Il haussa les épaules.

« Dommage. »

Ses doigts se resserrèrent sur la détente.

« Laissez-moi l'acheter », proposa aussitôt Valentina.

Il se tourna et la dévisagea en fronçant les sourcils. Valentina répéta.

« Laissez-moi l'acheter. Et mon mari aussi. »

Il rit. Les soldats, en écho, partirent d'un rire strident.

« Avec quoi ?

— Avec ceci. »

Valentina s'enfonça deux doigts dans la gorge, puis se pencha tandis que de la bile tiède jaillissait de son estomac vide. Au milieu de la flaque de liquide jaune qui s'étalait sur la couche de neige, on distinguait deux petits sachets de coton, pas plus gros que des noisettes. Sur un geste de l'officier, un soldat barbu les ramassa et les tendit à son supérieur. Il les prit, souillés et humides, dans sa main gantée de noir.

Valentina s'approcha.

« Des diamants », dit-elle avec fierté.

Avec des gestes impatients, il retira l'emballage de coton et deux pépites de glace étincelèrent.

Valentina remarqua l'expression cupide de son visage.

« Un pour acheter ma fille. L'autre pour mon mari.

— De toute façon, je peux les prendre. Tu les as déjà perdus.

— Je sais. »

Subitement, il sourit.

« Très bien. Faisons un marché. Parce que j'ai les diamants et parce que tu es belle, tu peux garder la gamine. »

On poussa Lydia dans les bras de Valentina et la fillette s'agrippa à sa mère comme pour se cacher à l'intérieur.

« Et mon mari, insista Valentina.

— Ton mari, on le garde.

— Non, non. Par pitié, je… »

À ce moment-là, les chevaux arrivèrent en force. Un rang serré fit remonter les femmes et les vieillards dans le train.

Dans les bras de Valentina, Lydia hurla :

« Papa ! Papa ! »

Des larmes coulèrent sur ses joues creuses tandis qu'on emportait le corps de son père.

Valentina ne parvenait pas à pleurer. Elle ressentait seulement un grand vide glacé, aussi sinistre et silencieux que la nature qui défilait sous ses yeux. Elle s'assit sur le plancher malodorant du wagon à bestiaux et s'adossa à la paroi. La nuit tombait et l'air glacial s'infiltrait, gênant sa respiration, mais elle ne s'en apercevait pas. La tête baissée, elle avait les yeux dans le vague. Bien qu'à moitié vide, le wagon était peuplé de chagrin. Le garçon aux cheveux sales était parti, tout comme le Russe blanc persuadé que l'armée arrivait pour leur donner des vivres. Les femmes pleuraient la perte de leurs maris, leurs fils, leurs filles et dévisageaient avec une envie non dissimulée la seule enfant du convoi.

Valentina s'était enveloppée dans son manteau avec sa fille et pourtant cette dernière frissonnait.

« Maman, murmura la fillette, est-ce que papa va revenir ?

— Non. »

Elle posait cette question pour la vingtième fois, comme si en la répétant sans arrêt elle pouvait en changer la réponse. Dans l'obscurité, Valentina sentit le petit corps trembler.

Elle saisit alors le visage glacé de son enfant et lui dit sèchement :

« Mais nous survivrons, toi et moi. La survie, c'est ce qui importe. »

JUNCHOW,
NORD DE LA CHINE

Juillet 1928

2

Une odeur de bouse d'âne flottait dans le marché. L'Anglais au costume de lin couleur crème ne savait pas qu'on le suivait, qu'on épiait ses moindres mouvements. Il tenait un mouchoir blanc sur son nez et se demandait encore une fois pourquoi il était venu dans cette maudite ville.

Subitement, il esquissa un sourire. Maudite, peut-être, mais protégée par ses dieux païens. Le carillon lugubre des gigantesques cloches en bronze du temple retentissait jusqu'à la place du marché et résonnait dans la tête de l'Anglais en une note sourde qui semblait ne jamais s'éteindre. Pour détourner son attention du bruit, il s'arrêta devant l'un des nombreux étals, choisit un bol de porcelaine et le souleva pour l'observer dans la lumière. Il était aussi translucide et fragile qu'un pétale de fleur de lotus et logeait parfaitement dans sa main.

« Début de la dynastie Qing, murmura-t-il avec plaisir.

— Vous achetez ? »

Le marchand chinois vêtu d'une tunique gris terne, attendait, le dévisageant de ses yeux noirs brillants de jovialité forcée.

25

« Vous achetez ? » répéta-t-il.

L'Anglais se pencha en prenant soin que sa veste impeccable n'entre pas en contact avec l'étal de bois. Puis il demanda sur un ton très poli :

« Dites-moi, comment votre peuple peut produire les plus parfaites créations au monde aussi bien que les ordures les plus nauséabondes ? »

De sa main libre, il désigna la cohue d'acheteurs qui envahissaient la place du marché et la caravane de mules ruisselantes de sueur, chargées de hautes piles de blocs de sel qui craquaient sur leur dos robuste alors qu'elles se frayaient un chemin à travers la foule et les étals de nourriture, leur crottin séchant derrière elles dans la chaleur accablante de cette journée. Le muletier au visage couvert de cicatrices de variole, maintenant qu'il avait rejoint Junchow sain et sauf, souriait comme un singe et empestait comme un buffle. Les excréments d'oiseaux enfermés dans des centaines de cages en bambou couvraient les pavés et leur odeur nauséabonde se mêlait à la puanteur de la rigole d'égout qui courait d'un côté de la place. Deux jeunes enfants aux cheveux noirs relevés en queue-de-cheval ébouriffée se tenaient accroupis au bord, mordant gaiement dans une chose verte et juteuse. Dieu seul savait ce que c'était. Dieu et les mouches. Elles abondaient.

L'Anglais se tourna vers le marchand et, avec un geste désespéré, demanda de nouveau :

« Comment est-ce possible ? »

Le vendeur regarda d'un œil éberlué ce diable étranger, ce grand *fanqui*, mais comme le jour même il avait promis à sa nouvelle concubine une paire de pantoufles en satin brodées de rouge, il était peu disposé à perdre une vente.

« Vous achetez ? »

Puis il ajouta, optimiste :

« Très joli.

— Non », répondit l'Anglais.

Il reposa doucement le bol à côté d'une boîte à thé laquée noir et blanc.

« Je n'achète pas. »

Il se détourna. Aussitôt, le marchand suivant l'accosta. Le flot des bavardages, dans cette maudite langue qu'il ne comprenait pas, sonnait à ses oreilles d'Occidental comme des miaulements de chats qui se battent. La chaleur lui tapait sur les nerfs. Il s'essuya le front de son mouchoir et consulta sa montre de poche. C'était l'heure de partir. Il ne voulait pas être en retard pour son dîner au *Ulysses Club* avec Binky Fenton. Ce vieux Binky ne plaisantait pas avec la ponctualité. Et il avait bien raison.

Quelque chose lui heurta l'épaule. Un pousse-pousse le dépassa en cliquetant sur les pavés. Décidément, il y avait beaucoup trop de ces fichus véhicules. Il jeta un coup d'œil au passager du pousse-pousse et s'adoucit aussitôt. C'était une belle Chinoise, jeune et mince, assise très droite et vêtue d'une robe traditionnelle lilas. Ses longs cheveux noirs lui tombaient jusqu'au bas du dos, comme une cape de satin. Au-dessus d'une oreille, elle portait une orchidée couleur crème fixée par un peigne en nacre. L'Anglais ne put apercevoir les yeux de la jeune femme, parce qu'elle les baissait sur ses petites mains posées sur ses genoux, mais il remarqua l'ovale parfait de son visage. Sa peau avait la finesse du bol en porcelaine qu'il avait tenu entre ses mains quelques instants plus tôt.

Un cri rauque détourna son attention vers le porteur qui conduisait le pousse-pousse, mais l'Anglais détourna les yeux avec dégoût. L'homme ne portait rien d'autre qu'un chiffon sur la tête et un pagne crasseux autour de la taille. Pas étonnant que sa passagère préfère regarder ses mains. La manière dont ces autochtones exhibaient leur corps le dégoûtait. Il porta son mouchoir à ses narines. Et cette odeur ! Mon Dieu, comment parvenaient-ils à vivre ?

Soudain, l'appel strident d'une trompette le fit sursauter et il heurta une jeune Européenne qui se tenait derrière lui.

«Veuillez excuser ma maladresse, mademoiselle, dit-il en portant la main à son chapeau. Cet horrible bruit m'a perturbé.»

La jeune fille portait une robe bleu marine et un chapeau de paille au large bord qui dissimulait ses cheveux et son visage, mais il lui sembla qu'elle riait de lui, car le son de trompette annonçait simplement l'arrivée de l'aiguiseur de couteaux sur le marché. Avec un bref signe de tête, l'Anglais traversa la rue. Cette fille n'aurait pas dû se trouver là de toute façon, pas sans chaperon. Une gravure de Sun Wukong, le roi des singes, sur un étal retint un instant son attention, sans qu'il cesse de se demander comment une jeune Blanche pouvait se trouver seule dans la bousculade d'un marché chinois.

Lydia avait des mains habiles. Elle aurait pu voler le sourire du Bouddha sans qu'il s'en aperçoive.

Elle se glissa dans la foule. Le plus difficile était de ne pas regarder derrière elle. L'envie de se retourner pour vérifier qu'on n'avait pas remarqué son vol était si puissante qu'elle lui brûlait la poitrine. Mais elle pressa fermement la main sur sa poche, esquiva l'extrémité usée du bâton d'un porteur d'eau puis se dirigea vers l'arche sculptée de l'entrée du marché. Des étals sur lesquels s'empilaient des poissons et des fruits occupaient les deux côtés de la rue, de sorte que plus haut, à l'endroit où elle rétrécissait, la foule était plus dense. Là, elle se sentirait plus en sécurité.

Elle avait la bouche sèche.

Elle s'humecta les lèvres, risqua un coup d'œil derrière elle et sourit. L'homme au costume couleur crème se tenait encore là où elle l'avait laissé, penché au-dessus d'un étal, s'éventant de son chapeau. Elle aperçut un gamin des rues vêtu de ce qui semblait être un pyjama bleu rôdant derrière lui. L'homme ne se doutait de rien. Pas encore. Mais à n'importe quel moment il pouvait décider de consulter sa montre. C'est ce qu'il faisait lorsqu'elle l'avait remarqué pour la première fois. Cet homme était-il vraiment idiot?

Elle l'avait senti tout de suite. Ce coup allait être facile.

Un léger soupir de contentement lui échappa. Ce n'était pas uniquement l'effet de l'adrénaline après avoir réussi un vol. La simple vue du marché chinois devant elle l'enchantait. Elle adorait l'énergie qui s'en dégageait. Débordant de vie dans chaque recoin, avec ses bruits, son tumulte, les cris haut perchés des marchands et les teintes vives de rouge et de jaune des kakis et des pastèques. Elle aimait l'alignement des toits, leurs bords comme ourlés par le vent et les vêtements amples des acheteurs qui marchandaient le prix des écrevisses, des bols d'anguilles cuites, ou d'un *jin* supplémentaire de pousses de luzerne. C'était comme si l'odeur de l'endroit pénétrait sa peau.

Rien de comparable à la concession internationale. Là-bas, Lydia avait l'impression que les esprits étaient aussi corsetés que les corps.

Elle se déplaçait vite, mais sans trop d'empressement. Elle ne voulait pas attirer l'attention. Même si les étrangers dans les marchés chinois n'étaient pas rares, une jeune fille de quinze ans sans compagnie ne passait pas inaperçue. Elle devait être vigilante. Devant elle s'étendait la large route pavée qui conduisait à la concession internationale ; l'homme au costume crème irait sans doute la chercher là-bas. Lydia n'avait pas l'intention de rentrer. Elle prit une rue perpendiculaire.

Aussitôt, elle heurta un policier.

« Tout va bien, mademoiselle ? »

Le cœur de Lydia battait la chamade.

« Oui. »

C'était un jeune Chinois. Une des recrues municipales qui patrouillaient fièrement dans leurs élégants uniformes bleu marine avec leurs ceintures blanc brillant. Il la regardait d'un air surpris.

« Vous êtes perdue ? Les jeunes femmes ne viennent pas ici. Ce n'est pas convenable. »

Elle fit non de la tête et lui adressa son sourire le plus aimable.

« Non, j'ai rendez-vous avec mon *amah* ici.

— Une nounou devrait savoir qu'il ne faut pas. »

Il fronça les sourcils.

« Ce n'est pas bien du tout. »

Un cri de colère s'éleva du marché derrière Lydia, qui faillit se mettre à courir, mais le policier ne s'intéressait plus à elle. Il porta la main à sa casquette et la dépassa vivement pour rejoindre la place noire de monde. Lydia se sauva aussitôt. Elle monta les raides marches de pierre, passa sous l'arche qui la mènerait au cœur de la vieille ville chinoise avec ses murs antiques gardés par quatre statues de lions. Elle ne s'y aventurait pas souvent, mais dans des moments comme celui-ci, le risque en valait la peine.

C'était un monde de ruelles et de haines sombres. Les pavés, jonchés de légumes piétinés, étaient glissants. Les bâtiments lui semblaient abriter des mystères, cachant des murmures derrière leurs hauts murs de pierre. Ou bien, bas et trapus, ils oscillaient les uns contre les autres, disposés en des angles étranges, près de maisons de thé aux avant-toits recourbés et de vérandas peintes dans des couleurs gaies. Des dieux et des déesses étranges, au visage grotesque, perchés dans des niches insoupçonnées, la regardaient d'un œil mauvais.

Des hommes chargés de sacs et des femmes portant des nourrissons la dépassaient. Ils la dévisageaient avec des regards hostiles et lui disaient des choses qu'elle ne comprenait pas. Mais elle entendit plus d'une fois le mot *fanqui,* diable étranger, et cela la fit frissonner. Au coin d'une rue, une vieille femme en guenilles mendiait dans la poussière, la main tendue comme une serre, des larmes coulant sans qu'elle semble s'en apercevoir le long des profondes rides de son visage osseux. Ces derniers temps, Lydia avait souvent observé ce genre de scène, même dans les rues de la concession internationale. Cependant, elle ne parvenait pas à s'y habituer. Ils l'effrayaient, ces mendiants. Elle faisait des cauchemars dans lesquels elle était l'une d'entre eux, dans le caniveau. Seule, n'ayant rien à manger que des vers.

Elle pressa le pas, la tête baissée.

Pour se rassurer, elle ferma le poing sur le lourd objet dans sa poche. Il lui semblait précieux. Elle avait hâte d'examiner son butin, mais pour l'instant, c'était bien trop dangereux. Un membre d'un des gangs locaux lui couperait la main s'il la surprenait. Elle se força donc à patienter. Comme après chaque vol, la peur lui donnait des frissons et lui nouait l'estomac. Sa respiration ne ralentit que lorsqu'elle atteignit la rue Copper. Des gouttes de sueur lui coulaient dans le dos. Elle se persuada qu'elles étaient dues à la chaleur. Elle réajusta l'angle de son pauvre chapeau, leva les yeux vers le ciel blanc qui s'étalait comme une couverture étouffante sur la vieille ville, puis se mit en route vers la boutique de M. Liu.

Elle se trouvait sous un porche miteux. L'entrée était étroite et sombre, mais sa vitrine gaie resplendissait, entourée de treillis rouge, avec des rouleaux suspendus élégamment peints. On voyait difficilement à l'intérieur. Lydia savait que les Chinois accordent une grande importance aux apparences. Mais ce qui se passait derrière la façade restait une affaire strictement privée. Elle n'avait aucune idée de l'heure, mais elle était certaine d'avoir dépassé la fin du dîner. M. Theo serait fâché qu'elle arrive en retard pour l'école et lui donnerait peut-être un coup de règle sur les doigts. Elle devait se dépêcher.

Lorsqu'elle ouvrit la porte de la boutique, elle ne put retenir un sourire. Elle n'avait peut-être que quinze ans, mais elle savait déjà qu'en Chine espérer abréger une transaction était aussi absurde que d'essayer de compter les pigeons qui tournoyaient dans le ciel au-dessus des toits gris de Junchow.

Il lui fallut quelques instants pour s'habituer à la pénombre. Une odeur de jasmin flottait dans la pièce, fraîche et rafraîchissante après l'atmosphère lourde et humide des rues. En remarquant le bol d'arachides grillées posé sur une table noire dans un angle, elle se rappela qu'elle n'avait rien avalé depuis sa cuillerée de gruau liquide du matin.

Un homme maigre comme un clou, vêtu d'une longue robe brune, sortit d'un pas traînant de derrière un comptoir en chêne. Son visage était ridé comme une noix ; il portait une longue barbe fine au bout du menton et ses cheveux étaient relevés, dans un style mandchou démodé, en une tresse qui lui traînait dans le dos comme un serpent gris. Ses yeux étaient noirs et son regard perçant.

« Bienvenue, mademoiselle, dans mon humble commerce. Mon cœur sans valeur se réjouit de vous revoir. »

Il s'inclina courtoisement et elle lui retourna la politesse.

« Je suis venue parce qu'on dit partout à Junchow que seul M. Liu connaît la vraie valeur des belles choses, dit Lydia d'une voix caressante.

— Vous me faites honneur, mademoiselle. »

Il sourit, enchanté, et désigna la table basse dans un angle.

« Veuillez vous asseoir. Rafraîchissez-vous. Les pluies d'été sont cruelles cette année et les dieux doivent être très en colère pour souffler du feu sur nous chaque jour. Laissez-moi vous offrir une tasse de thé au jasmin pour apaiser le feu de votre sang.

— Merci, monsieur Liu. Avec plaisir. »

Elle s'assit sur un tabouret de bambou et croqua une arachide dès qu'il eut le dos tourné. Pendant qu'il s'affairait derrière un paravent incrusté de paons d'ivoire, Lydia examina la boutique.

Elle était sombre et silencieuse, avec ses étagères poussiéreuses tellement encombrées d'objets qu'ils semblaient se bousculer. Des porcelaines fines du Jiangxi, vieilles de centaines d'années, côtoyaient un poste de radio dernier cri en bakélite brillante couleur crème. Des rouleaux peints avec soin étaient pendus à un sabre et, au-dessus, un étrange arbre tordu en bronze semblait pousser au sommet du crâne d'un singe grimaçant. De l'autre côté, deux ours en peluche étaient appuyés contre une rangée de hauts-de-forme en soie fabriqués à la main rue Jermyn. Un objet bizarre fait de bois et de ressorts en métal était appuyé près de la porte et Lydia mit un moment à comprendre que c'était une jambe de bois.

M. Liu était prêteur sur gages. Il achetait et revendait du rêve pour améliorer le quotidien. Lydia laissa son regard se perdre sur les vêtements pendus au fond de la boutique. C'était là qu'elle aimait s'attarder, devant l'étalage scintillant de robes du soir et de manteaux de fourrure si lourds qu'ils faisaient plier la tringle. Lydia convoitait ce luxe. Avant de quitter le magasin, elle ne manquait jamais de se faufiler jusque-là pour passer les mains dans les fourrures épaisses. Un rat musqué brillant ou un vison couleur miel, elle avait appris à les reconnaître. Un jour, se promit-elle, les choses changeraient. Un jour, elle viendrait pour acheter et non plus pour vendre. Elle entrerait les poches pleines de billets et s'offrirait un de ces manteaux, qu'elle poserait ensuite sur les épaules de sa mère en lui disant : « Regarde comme tu es belle, maman. Nous ne craignons plus rien, maintenant. Tu peux de nouveau sourire. » Sa mère partirait alors d'un rire triomphant. Et elle serait heureuse.

Elle glissa deux autres arachides dans sa bouche et, impatiente, se mit à taper du pied.

Aussitôt, M. Liu réapparut, portant un plateau, un sourire énigmatique aux lèvres. Il posa sur la table deux petites tasses très fines sans anse et une théière. Elle n'était pas émaillée et semblait très vieille. Le vieil homme servit le thé en silence. Curieusement, l'arôme de fleurs de jasmin qui s'en exhalait apaisa Lydia et elle fut tentée de poser immédiatement sa prise sur la table. Mais elle s'en garda bien, car pour faire affaire avec un Chinois, il fallait d'abord bavarder.

« J'espère que vous vous portez bien, mademoiselle, et que tout va pour le mieux dans la concession internationale en ces temps troublés.

— Merci, monsieur Liu, je vais bien. Mais à la concession… »

Elle haussa les épaules à la manière d'une femme du monde, du moins l'espérait-elle.

« Il y a toujours des problèmes. »

Les yeux de M. Liu s'illuminèrent.

« Le bal d'été au Mackenzie Hall n'a-t-il pas été un succès ?

— Oui, bien sûr. Tout le monde était présent et d'une grande élégance. Toutes ces automobiles et ces équipages somptueux ! Et les bijoux, monsieur Liu, vous les auriez aimés. C'était tellement… »

Elle ne parvenait pas à contenir sa mélancolie.

« Parfait, conclut-elle.

— Je suis vraiment très heureux de l'apprendre. Il est plaisant de savoir que les membres des nombreuses nations qui dirigent ce coin inutile de la Chine peuvent pour une fois se rencontrer sans s'égorger. »

Lydia rit.

« Oh, il y a eu beaucoup de différends. Autour des tables de jeu. »

M. Liu se pencha un peu plus.

« À quel sujet ?

— Je crois qu'il s'agissait… »

Elle marqua volontairement une pause pour boire la dernière gorgée de son thé, tenant son hôte en haleine, écoutant ses expirations rapides et impatientes.

« … d'amener ici plus de sikhs d'Inde. Ils veulent renforcer les effectifs de la police municipale, voyez-vous.

— Prévoient-ils des ennuis ?

— Le commissaire Lacock, notre préfet de police, a dit que c'était une simple précaution à cause des pillages à Pékin. Et parce que tant des vôtres affluent dans la concession internationale en quête de nourriture.

— *Ai-ya* nous vivons vraiment une période terrible. La faim et la famine sont partout. »

Il laissa un silence profond s'installer.

« Mais voudriez-vous expliquer à mon esprit lent comment une personne comme vous, si jeune, est invitée à ce très illustre événement au Mackenzie Hall ? »

Lydia rougit puis répondit sur un ton solennel :

« Ma mère était la plus grande pianiste de Russie et jouait pour le tsar en personne dans son Palais d'hiver. Maintenant, elle est très demandée à Junchow. Je l'accompagne.

— Ah, dit-il en s'inclinant respectueusement. Tout est clair à présent. »

Elle n'aima pas beaucoup la manière dont il prononça ces mots. Elle se méfiait toujours de son impressionnante maîtrise de l'anglais. De plus, on lui avait dit qu'il avait été autrefois le commerçant de la compagnie d'extraction Jackson & Mace Mining. Elle l'imaginait, une pioche dans une main et une pépite d'or dans l'autre. Mais la rumeur courait qu'il trempait toujours dans des affaires louches. Elle jeta un coup d'œil aux bijoux scintillants exposés dans une vitrine cadenassée. En Chine, le vol était une pratique courante.

L'usage voulait qu'à présent Lydia réponde à ses vœux de bonne santé.

« Et j'espère que l'affluence en ville fera prospérer votre commerce, monsieur Liu.

— *Ai !* Je suis désolé de le dire, mais les affaires vont bien mal. »

Il exagéra son chagrin en baissant les yeux.

« Feng Tu Hong, le chef de notre nouveau Conseil, cette crotte de serpent, nous mène tous à la ruine.

— Vraiment ? Pourquoi ?

— Il exige des taxes si élevées pour les boutiques du vieux Junchow que cela draine tout le sang de nos veines. Mes vieilles oreilles ne sont pas surprises d'apprendre que les jeunes communistes rôdent la nuit pour accrocher leurs affiches. On en a décapité deux sur la place hier. Les temps sont durs, mademoiselle. Je peine à trouver assez de restes pour nous nourrir, mes trois incapables de fils et moi. *Ai-ya!* Les affaires vont très mal, très mal. »

Lydia parvint à retenir un sourire.

« J'ai de la peine pour vous, monsieur Liu. Mais je vous ai apporté quelque chose qui, je l'espère, va remettre votre affaire sur pied. »

M. Liu inclina la tête : le moment était venu.

Lydia mit la main dans sa poche et en sortit son trésor. Elle le posa sur la table en ébène où il brilla avec autant d'éclat que la pleine lune. La montre était splendide ; l'écrin doré et la lourde chaîne d'argent semblaient valoir une fortune. Elle observa attentivement M. Liu. Son visage resta impassible, mais une lueur de désir illumina son regard. Il détourna les yeux de l'objet et but lentement du thé. Mais Lydia connaissait bien ses petites astuces.

Elle patienta.

Il finit par prendre la montre et sortit un monocle de la poche de sa robe pour l'examiner. Il l'ouvrit, la referma puis marmonna en mandarin en caressant l'écrin. Après quelques minutes, il reposa l'objet sur la table.

« Elle a quelque valeur, déclara-t-il avec indifférence. Mais pas plus que ça.

— Je crois qu'elle en a, monsieur Liu.

— Ah, mais les temps sont durs. Qui peut s'offrir ce genre de choses quand il n'y a rien à manger ?

— C'est une belle pièce. »

Il tendit la main comme pour toucher encore la montre, mais il se ravisa et caressa sa barbe.

« Convenable, admit-il. Encore un peu de thé ? »

Ils négocièrent pendant dix minutes.

À un moment, Lydia se leva, remit la montre dans sa poche et M. Liu fit monter l'enchère.

« Trois cent cinquante dollars chinois. »

Lydia reposa la montre sur la table.

« Quatre cent cinquante, tenta-t-elle.

— Trois cent soixante dollars. Je ne peux pas vous proposer plus, mademoiselle. Ma famille aurait faim.

— Mais elle vaut beaucoup plus.

— Pas pour moi. Je suis désolé. »

Lydia inspira profondément.

« Ce n'est pas assez. »

M. Liu soupira puis, avec un signe de tête qui fit osciller sa longue tresse, refusa.

« Très bien, même si cela me prive de repas pendant une semaine. »

Il marqua une pause et la fixa de son regard pénétrant, attendant sa réaction.

« Quatre cents dollars. »

Elle accepta.

Lydia était heureuse. Elle courut à travers la vieille ville, transportée à l'idée de tout ce qu'elle allait acheter : un sachet de beignets d'abricots sucrés pour commencer, et aussi un beau foulard de soie pour sa mère, et une paire de chaussures neuves pour elle, parce que celles-ci la serraient terriblement, et peut-être un…

Soudain, elle se retrouva dans une rue où la circulation était bloquée. Au milieu d'un chaos total se trouvait une grande Bentley noire, aux énormes pare-chocs en chrome étincelant. Pendant un instant, Lydia n'en crut pas ses yeux tant cette grosse voiture était inconvenante dans le réseau de ruelles conçues pour les mules et les brouettes. Elle les ferma puis les rouvrit, mais le véhicule était toujours là, coincé entre deux pousse-pousse, dont l'un, renversé, avec une roue cassée avait heurté un âne tirant une charrette dont le chargement de racines de lotus s'était répandu dans la rue. L'âne brayait ; les passants criaient.

Tandis que Lydia essayait de trouver le meilleur moyen de contourner ce carambolage sans attirer l'attention, un homme sortit la tête d'une fenêtre arrière de la Bentley et dit d'une voix habituée à donner des ordres :

«Faites reculer ce fichu véhicule et prenez la route qui longe la rivière.

— Oui, monsieur, répondit le chauffeur en uniforme qui donnait des coups de képi au conducteur de la charrette. Bien entendu, monsieur. Tout de suite, monsieur.»

Il hocha la tête, soumis, puis détourna le regard en ajoutant:

«Mais c'est impossible, monsieur. Cette rue est trop étroite.»

Le passager de la voiture, frustré, se frappa le front et hurla quelque chose que Lydia n'entendit pas, car elle était déjà partie. Sans avoir l'air de se presser, elle avait disparu dans une petite rue transversale. Elle savait qui était l'homme de la voiture. Cette crinière blanche. Cette moustache hirsute. Ce nez proéminent. Il ne pouvait s'agir que de sir Edward Carlisle, gouverneur de la concession internationale de Junchow. Évoquer le nom de ce vieux diable suffisait pour envoyer les enfants au lit. Mais que faisait-il ici, dans la vieille ville? Il avait la réputation de fourrer son nez partout et, à cet instant précis, la dernière chose dont Lydia avait besoin était qu'il la remarque.

« *Chyort!* » jura-t-elle à voix basse.

C'était précisément pour éviter le contact des Occidentaux qu'elle s'aventurait ici, sur le territoire chinois. Vendre des objets volés dans la concession aurait été beaucoup trop dangereux. La police faisait en permanence des descentes dans les boutiques de bibelots et chez les prêteurs sur gages, malgré les pots-de-vin qu'elle empochait de toutes parts. On appelait cela le *Cumshaw.* C'était l'usage et tout le monde le savait.

Lydia parcourut du regard la rue dans laquelle elle s'était faufilée: moins large et plus misérable que les autres. Un frisson d'angoisse la saisit. L'endroit, trop étroit pour que le soleil y filtre, était plongé dans la pénombre. Dans la chaleur humide, le linge pendu aux cordes avait un air fantomatique. Au fond de la ruelle, un homme portant un large chapeau chinois et poussant une brouette chargée d'une haute pile d'herbe sèche se dirigeait vers elle. Il avançait lentement, avec peine, sur le sol de terre tassée ; seul le grincement de la roue rompait le silence.

Mais pourquoi un tel silence ?

Soudain, Lydia remarqua, devant un seuil, plus bas dans la ruelle, une femme qui lui faisait signe d'approcher. Son visage était maquillé pour ressembler à celui de ces filles que Polly, l'amie de Lydia, appelait les dames de plaisir ; les yeux fardés de noir, une entaille écarlate en guise de bouche et la peau poudrée de blanc. Mais Lydia eut l'impression qu'elle n'était pas aussi jeune qu'il y paraissait. D'un doigt verni de rouge, elle faisait toujours signe à Lydia d'approcher. La jeune fille, hésitante, se passa la main sur les lèvres : un geste enfantin qui trahissait sa nervosité. Elle n'aurait jamais dû venir ici. Pas avec les poches pleines d'argent. Elle hocha la tête, mal à l'aise.

« Dollars, dit la femme. Vous aimez les dollars chinois ? »

Elle regarda fixement Lydia, mais ne s'approcha pas.

Le silence retomba. Pourquoi n'y avait-il pas de gamins des rues jouant dans le caniveau ou de voisins en train de se quereller ? Il n'y avait pas de vitres aux fenêtres, mais des bandes de papier huilé, meilleur marché que le verre, alors pourquoi n'entendait-on aucun bruit de cuisine ? Toujours le grincement de la roue de la brouette et la plainte stridente des mouches noires. Lydia inspira profondément et remarqua avec surprise que ses paumes étaient moites. Elle tourna les talons et se mit à courir quand, surgi de nulle part, un homme décharné vêtu de noir lui barra le chemin.

« *Ni zhege yochou yochun de ji !* » lui lança-t-il au visage.

Lydia ne comprit pas ses paroles, mais lorsqu'il cracha sur le sol et se mit à siffler, leur sens devint très clair. Malgré la chaleur oppressante, il portait une casquette en fourrure avec des rabats d'oreilles desquels dépassaient des mèches de cheveux gris. Ses yeux noirs brillaient d'un éclat féroce.

Il agita son poing tatoué devant le visage de Lydia. Prise de panique, elle ne savait comment réagir.

« Laisse-moi passer », parvint-elle à dire.

Elle avait voulu imiter le ton cinglant et autoritaire de sir Edward Carlisle. Sans succès.

« *Wo zhishi yao nide qian, fanqui.* »

Encore ce mot. *Fanqui.*

Elle essaya de contourner l'homme, mais il était rapide. Il lui barra le passage. Derrière elle, le grincement de la roue cessa, et lorsqu'elle regarda par-dessus son épaule, la femme trop maquillée et l'homme à la brouette se tenaient dans l'ombre au milieu de la ruelle, observant ses moindres mouvements d'un air sévère.

Une main fine enserra soudain son poignet comme un nœud coulant.

Lydia hurla. Puis les démons de l'enfer eux-mêmes semblèrent libérés. La femme se mit à courir en boitillant dans la ruelle en poussant des cris ; l'homme abandonna sa brouette et se précipita en grognant vers Lydia, une longue faux à la main. Pendant ce temps, son agresseur resserrait son étreinte sur le poignet de Lydia et plus elle tentait de se libérer, plus il y enfonçait les ongles.

Sans un bruit, une quatrième personne pénétra dans la ruelle. C'était un jeune homme, pas beaucoup plus âgé que Lydia, d'une haute stature pour un Chinois, avec un long cou pâle, les cheveux coupés très court et vêtu d'une tunique noire avec un col en V et d'un pantalon large. Son visage resta inexpressif tandis qu'il jetait des coups d'œil rapides et décidés pour évaluer la situation. La colère se lut dans ses yeux quand il avisa la sangsue accrochée au poignet de Lydia, ce qui donna à la jeune fille une lueur d'espoir. Elle voulut crier à l'aide, mais avant qu'elle ait pu ouvrir la bouche, tout autour d'elle devint flou. Un coup de pied lancé à toute vitesse atteignit le vieil homme en pleine poitrine. Lydia entendit des côtes se briser et son agresseur tomba à terre dans un hurlement de douleur.

Quand il s'écroula, elle trébucha puis retrouva l'équilibre, mais au lieu de s'enfuir, elle resta immobile, les yeux écarquillés, émerveillée par les mouvements du jeune homme, qui semblait flotter dans les airs et y rester suspendu avant de lancer un bras ou une jambe avec la rapidité d'un cobra qui attaque. Cela lui rappelait le ballet russe au théâtre Victoria, où Mᵐᵉ Medinski l'avait emmenée l'année précédente. Elle avait entendu parler de ce genre de techniques de combat, mais n'en avait jamais vu. La rapidité des gestes lui faisait tourner la tête. Elle observa le jeune homme s'approcher du vieil homme à la faux et se jeter en arrière, les bras tendus, paume ouverte, comme un oiseau qui prend son envol puis tourner sur lui-même et décoller. D'un bras, il frappa la nuque de l'homme avant qu'il ait pu utiliser son arme. De la bouche rouge de la femme s'échappa un cri de terreur.

Le jeune homme se tourna vers Lydia. Elle retrouva dans ses yeux noirs en amande, un peu enfoncés, le regard bienveillant de son père qu'elle avait presque oublié. Elle était si habituée à lutter que voir quelqu'un la défendre l'avait surprise.

« Merci, *xie xie*, merci », cria-t-elle, le souffle court.

Le jeune homme haussa ses larges épaules comme pour dire que ce combat ne lui avait demandé aucun effort particulier, et en effet, malgré la rapidité de l'attaque et la chaleur écrasante qui régnait dans la ruelle, pas la moindre goutte de sueur ne luisait sur sa peau.

« Vous n'êtes pas blessée ? demanda-t-il avec un accent parfait.

— Non.

— J'en suis heureux. Ces gens sont des ordures et couvrent Junchow de honte. Mais vous ne devriez pas être ici, l'endroit n'est pas sûr pour une… »

Lydia pensa qu'il allait dire *fanqui*.

« Une fille à la chevelure couleur de feu qui atteindrait un prix élevé dans les pièces parfumées au-dessus des maisons de thé.

— Ma chevelure ou moi ?

— Les deux. »

D'un geste de la main, elle repoussa une mèche de cheveux qui avait glissé de sous son chapeau et, ce faisant, elle nota que l'étranger retenait son souffle et esquissait un sourire. Il tendit la main et elle crut qu'il allait passer les doigts dans sa chevelure flamboyante, mais il désigna simplement le vieil homme, qui avait rampé jusqu'au seuil d'une habitation. Sur un côté de la ruelle, on discernait dans l'ombre une jarre en céramique noire dont le goulot était fermé par un bouchon de la taille d'un poing. Plié de douleur, l'homme la brandit en hurlant de rage, la bave aux lèvres, et la jeta violemment aux pieds de Lydia et de son sauveteur. Lydia bondit en arrière alors que la jarre se brisait en mille morceaux ; lorsqu'elle vit ce qui en jaillit, ses jambes se dérobèrent.

Un serpent couleur de jais, de plus d'un mètre de long, glissait vers elle, pointant sa langue fourchue, devinant sa peur. Sa tête décrivit soudain un grand arc et il disparut dans la fissure d'un mur. Lydia manqua de s'étouffer de soulagement.

Elle se tourna vers le jeune homme et constata avec stupéfaction qu'il avait pâli et que ses traits s'étaient figés. Mais il ne regardait pas dans la direction du serpent. Il avait les yeux rivés sur son agresseur recroquevillé devant le seuil, qui les dévisageait, un mélange de méchanceté et de triomphe dans les yeux.

Le jeune homme, sans détourner le regard, dit à Lydia sur un ton pressant :

« Courez ! »

Lydia s'exécuta.

3

Theo Willoughby aimait bien ses élèves. À trente-six ans, il dirigeait une école : la Willoughby Academy de Junchow. Il appréciait la ferveur pure de leurs jeunes esprits et la candeur de leur regard, leur naïveté et leur simplicité. Ignorants du péché originel, indifférents à la pomme maudite cueillie sur l'arbre de la connaissance du Bien et du Mal. Il était pourtant fasciné par le changement qu'ils vivaient durant les années où il les gardait sous son aile, ce chemin parcouru du paradis au paradis perdu.

« Starkey, cessez donc de mâchouiller ce crayon. Il appartient à l'école. Enfin, peu importe, vous allez avaler des vers du bois. »

Des ricanements contenus fusèrent dans la salle de classe. Un élève au deuxième rang passa ses doigts tachés d'encre dans ses boucles brunes et lança à son professeur un regard haineux.

Theo, qui se plaisait à prendre l'air détaché d'un joueur de poker chinois, se contenta d'un signe de tête.

« Remettons-nous au travail. »

Voilà un autre de leurs traits qu'il appréciait : ils étaient malléables. Et si faciles à provoquer. Des chatons avec de toutes petites griffes, qui égratignaient à peine en surface. Leur véritable arme était leur regard. Il pouvait déchirer le cœur si on y accordait trop d'importance, ce qu'il ne faisait pas. Il les aimait bien, mais jusqu'à un certain point. Il ne se berçait pas d'illusions. Ils se tenaient de l'autre côté de la barrière et son travail consistait à les amener à la franchir pour devenir des adultes réfléchis, qu'ils le veuillent ou non.

« Je vous rappelle que vous devez me remettre la rédaction sur l'empereur Yongle demain, dit-il brusquement. Et pas de paresse, s'il vous plaît. »

Aussitôt, une main se leva dans un des premiers rangs. C'était celle d'une jeune fille de quinze ans aux cheveux blonds coupés au carré, dont les joues se creusaient d'adorables fossettes. Elle semblait anxieuse.

« Qu'y a-t-il, Polly ?

— Monsieur, mon père n'apprécie pas que nous apprenions l'histoire de la Chine. Il m'a dit que je devais vous demander pourquoi nous apprenons ce que des barbares païens ont fait il y a des centaines d'années plutôt que… »

Theo frappa si fort sur son bureau avec le bois de la brosse à tableau que toute la classe sursauta.

« Plutôt que quoi ? demanda-t-il. Plutôt que de suivre des cours d'histoire anglaise ? »

Il tendit vivement le bras, désignant un élève au premier rang.

« Bates, donnez-moi la date de la bataille de Naseby.

— 1645, monsieur. »

Il pointa le doigt en direction du fond de la salle.

« Clara, comment s'appelait la quatrième femme de Henri VIII ?

— Anne de Clèves.

— Quand ont été construites les premières routes goudronnées ?

— 1819.

— Lydia... »

Il marqua une pause.

« Qui a importé le pousse-pousse en Chine ?

— Les Européens, monsieur. Du Japon.

— Excellent. »

Theo se leva lentement et se dirigea vers le pupitre de Polly. Sa longue robe de professeur, qui ondulait, faisait l'effet de grandes ailes noires. Il la regarda de haut, comme un corbeau observe un petit oiseau la patte prise dans un piège.

« Donc, mademoiselle Mason, est-ce que ceci montre quelque ignorance de l'histoire de notre noble et victorieux pays au sein de notre petit groupe ? Votre père ne serait-il pas impressionné par la connaissance de toutes ces données historiques ? »

Polly rougit. Elle baissa les yeux, regarda le crayon qu'elle tripotait puis balbutia quelques mots inaudibles.

« Excusez-moi, Polly, dit doucement Theo, je ne vous ai pas bien entendue. Qu'avez-vous dit ?

— J'ai dit oui, monsieur. »

Theo se tourna vers la classe.

« L'un d'entre vous a-t-il entendu Mlle Mason ? »

Au dernier rang, Gordon Trent leva la main en souriant.

« Non, monsieur, j'ai rien entendu.

— Nous allons ignorer cet emploi fautif de la négation par M. Trent. Retournons à vous, mademoiselle Mason. Laissez-moi vous rappeler ma question, Polly. Votre père ne serait-il pas impressionné par la connaissance de toutes ces données historiques ? »

Avant que Polly ait eu le temps de répondre, Lydia se leva.

« Monsieur, dit-elle poliment, il me semble que pour un Anglais, l'histoire chinoise est un peu comme celle de la Russie. »

Theo regagna son bureau d'un pas solennel.

« Éclairez-nous, Lydia. De quelle manière l'histoire de la Chine ressemble-t-elle à celle de la Russie pour un Anglais ?

— Elles sont toutes les deux sans importance, monsieur, pour un Anglais vivant en Angleterre. Je crois que Polly voulait dire qu'elles n'ont un sens qu'ici, en Chine. Et il est plus que probable que nous tous, dans cette classe, allions bientôt vivre en Angleterre. »

Polly lança un regard reconnaissant à son amie, mais Theo ne le remarqua pas. Il fixait Lydia sans rien dire. Il plissa les yeux et crispa la mâchoire, mais au lieu d'exploser comme la classe s'y attendait, il soupira.

« Vous me décevez. D'abord, vous arrivez en retard après le dîner, et maintenant vous manifestez une incompréhension grossière du pays dans lequel vous vivez. »

À cet instant, un crépitement suivi d'une explosion monta de la rue.

« Des pétards, commenta Theo en désignant de la main la fenêtre ouverte. Sans doute un mariage chinois ou une cérémonie importante. »

Il se pencha, subitement intéressé.

« Et savez-vous, Lydia, pourquoi il est de coutume d'utiliser des pétards en ces occasions ?

— Pour éloigner les mauvais esprits, monsieur.

— Exact. Alors, bien que vous déclariez l'histoire chinoise "sans importance", vous en avez quelques notions. »

Il désigna Polly du doigt.

« Mademoiselle Mason, dites-moi qui a inventé la poudre à canon ?

— Les Chinois. »

Il balaya de nouveau la classe d'un geste de la main.

« Qui a inventé le papier ?

— Les Chinois.

— Qui a inventé les écluses ?

— Les Chinois.

— Qui a inventé l'imprimerie ?

— Les Chinois.

— La boussole ?

— Les Chinois.

— Ces choses n'ont-elles aucune importance pour une personne vivant en Angleterre, Lydia ?

— Non, monsieur. »

Il sourit, satisfait.

« Bien. Maintenant que nous avons éclairci ce point, nous allons aborder la dynastie Han. Des objections ? »

Personne ne leva la main.

Theo savait que Li Mei devait regarder par la fenêtre, à l'étage, ses doigts délicats posés sur la vitre comme si elle allait le toucher à travers sa surface. Pourtant, il ne se retourna pas et ne lui lança pas un regard.

Il se tenait devant les portes de l'école, très droit, le dos chauffé à blanc par la chaleur écrasante des grilles en fer forgé sous le soleil de cet après-midi qui ne promettait pas de répit. Ce n'était pas la température élevée qui la dérangeait. C'était l'humidité. Tout au long de l'été, elle vous étouffait et vous privait d'énergie, si bien que vous finissiez par désirer vraiment la fraîcheur de l'automne. Comme toujours, une fois la journée d'école terminée, il avait peigné ses cheveux châtains, s'était débarrassé de son tablier et avait passé une veste en lin. Il arborait un sourire professoral, instaurant une distance sans dédain pour accueillir les mères qui venaient chercher leurs enfants. Il n'accordait pas la moindre attention aux *amahs* et aux chauffeurs.

Il n'approuvait pas ces mères trop occupées à boire le thé, à prendre des leçons de tennis ou à jouer au bridge pour venir chercher leurs enfants elles-mêmes et qui envoyaient les domestiques. Pas plus qu'il n'approuvait ces pères qui envenimaient l'esprit de leurs filles. M. Christopher Mason appartenait de toute évidence à cette catégorie. Theo ressentit une frustration familière. Quel destin pour ce pays quand des hommes de cette espèce, travaillant dans l'administration en plus, tenaient l'histoire extraordinaire de la Chine pour une perte de temps, un sujet qui ne méritait pas d'être appris ? Cela l'écœurait.

« Bonjour, monsieur Willoughby. On dirait qu'il va encore pleuvoir ce soir.

— Bonjour, madame Mason. Vous avez sans doute raison. »

Mme Mason était petite, souriante et avait des fossettes comme sa fille. Ses cheveux blonds étaient retenus par un ruban de velours et ses joues rondes étaient écarlates d'avoir pédalé. De fines gouttes de sueur perlaient au-dessus de sa lèvre supérieure.

Theo sourit.

« Le trajet a-t-il été agréable ? »

Anthea Mason, appuyée sur son tandem vert vif, se mit à rire en jouant avec la sonnette.

« Oh non, je ne l'apprécie jamais, ça monte tout le long du chemin. »

Elle portait un chemisier de coton léger et un short, tous les deux froissés et trempés.

« Mais cela signifie que le trajet de retour est un jeu d'enfant. Surtout avec Polly. »

Theo décida d'aborder le sujet de l'histoire chinoise.

« Madame Mason, je pense que je devrais... »

Mais elle balayait déjà du regard les rangs bien formés des élèves en uniforme bleu marine, alignés dans la cour sous l'œil vigilant de Mlle Courtney, une des jeunes professeurs de son équipe. Theo était fier de son école : un bel édifice de brique rouge avec une allée, une pelouse d'un côté et une cour de l'autre. À l'intérieur, les planchers étaient toujours fraîchement cirés et les tableaux noirs très propres.

« Ah, voilà ma fille. »

Mme Mason la salua de la main.

« Polly ! Il y a des crêpes pour la collation, ma chérie. »

Polly, gênée, rougit, et Theo eut de la peine pour elle. Elle se détacha du groupe de ses camarades et avança en traînant les pieds. Lydia l'accompagnait. Les deux jeunes filles se parlaient à voix basse, mais grâce à des années de pratique, Theo avait développé des facultés auditives proches de celles des chauves-souris pour comprendre les murmures de ses élèves.

« Oh mon Dieu, Lyd, tu aurais pu te faire tuer. Ou pire. »

Polly, les yeux écarquillés, parlait sur un ton inquiet en tirant son amie par le bras comme si elle voulait la traîner hors de la bouche des enfers.

« Si tu l'avais vu… La manière dont il… »

Sentant que Theo les regardait, Lydia s'interrompit brusquement.

« Salut, Polly, dit-elle nonchalamment avant de s'éloigner.

— Lydia ! » s'exclama Mme Mason sur un ton enjoué.

Theo nota qu'elle regardait sa fille d'un air préoccupé.

« Veux-tu te joindre à nous pour la collation ? Je pourrais demander à un pousse-pousse de t'amener.

— Non merci, madame Mason.

— Il y a des crêpes. C'est ce que tu préfères.

— Je suis désolée. Je ne peux pas aujourd'hui. J'adorerais, mais j'ai des courses à faire.

— Pour ta mère ?

— C'est ça. »

Polly observait son amie avec inquiétude. Theo ne comprenait pas ce qui n'allait pas. Mais il fut distrait de ses pensées par une question d'Anthea Mason qui exigeait toute son attention.

« Ah, monsieur Willoughby, j'allais oublier. Mon mari m'a chargée de vous dire qu'il aimerait s'entretenir avec vous et qu'il vous serait reconnaissant de le rejoindre au club demain soir. »

Elle hocha gracieusement la tête puis rit comme pour atténuer l'aspect obligatoire du rendez-vous.

« Ah, vous les hommes, que feriez-vous sans billard et sans brandy ? »

Puis elle partit en pédalant en rythme avec sa fille et Theo cessa de sourire. Ses épaules s'affaissèrent.

« Zut », dit-il à voix basse.

En se retournant, il manqua de heurter Lydia. Ils étaient tous les deux troublés et chacun présenta ses excuses. Elle baissa la tête pour cacher son visage avec le bord de son chapeau. Quand le tandem s'était éloigné à travers la circulation dense dans un tintement de sonnette, Theo avait été surpris par l'expression de ses yeux couleur ambre. Il y avait lu un intense désir qui avait trouvé un bref et douloureux écho dans son propre cœur.

Que désirait-elle autant ?

La bicyclette ? Il savait que la jeune fille était pauvre. Personne n'ignorait que sa mère était une réfugiée russe, sans homme pour subvenir aux besoins de la famille ; enfin, sans mari. Mais la bicyclette n'était pas en cause. Non, cela ne ressemblait pas à Lydia. Convoitait-elle Polly ? Après tout, ce ne serait pas la première fois qu'il verrait une élève tomber amoureuse d'une personne de son propre sexe, et ces deux-là étaient très proches. Il regarda le chapeau de Lydia qui jaunissait avec l'usure et dont le fond était maculé à plusieurs endroits. Elle devait souvent le laisser tomber ou le retenir d'une main sale lorsque le vent venu de la grande plaine du Nord soufflait. S'il s'était agi d'une autre, il lui aurait suggéré de demander à ses parents de lui en acheter un neuf.

Les parents commencèrent à affluer et il dut leur serrer la main en souriant. Quand il n'y eut plus personne dans la cour, il fut surpris d'y voir encore la jeune Russe.

« Mon Dieu, Lydia, que faites-vous ici ?

— J'attendais. Je voulais vous poser une question, monsieur le directeur. »

Theo dans sa barbe. Il avait déjà remarqué que les élèves usaient volontiers de son titre quand ils attendaient quelque chose de lui. Néanmoins, il adressa à Lydia un sourire encourageant.

« Qu'y a-t-il ?

— Vous savez tout de la Chine et de ses usages, alors… »

Il s'étrangla de rire.

«Je ne vis ici que depuis dix ans. Il faudrait toute une vie pour connaître vraiment ce pays, et encore, ce serait très superficiel.

— Mais vous parlez le mandarin et vous êtes très instruit.»

Elle regardait Theo droit dans les yeux avec une impatience qui l'intriguait.

«C'est vrai, admit-il doucement.

— Alors pourriez-vous me renseigner, s'il vous plaît?

— Eh bien, tout dépend de ce que tu veux savoir.

— Le nom d'une technique de combat chinoise. Celle où on vole dans les airs en utilisant les pieds. J'ai besoin d'en connaître le nom.

— Ah, les Chinois sont célèbres pour leurs arts martiaux. Il y en a plusieurs sortes, chacune possède son style et sa philosophie. Mon préféré est le tai-chi-chuan. C'est difficile à traduire parce que le terme recouvre plusieurs concepts, mais on pourrait traduire par "poing yin et yang".»

Son élève l'écoutait avec une attention qu'il aurait aimé lui voir plus souvent en classe.

«Mais ce que vous décrivez ressemble au kung-fu.

— Kung-fu, répéta Lydia.

— C'est ça. La traduction littérale est "maître du mérite". Les Japonais l'appellent karaté. Cela signifie "main vide". En d'autres termes, il s'agit d'un combat à mains nues.»

Lydia sourit pour elle-même, un doux et joyeux sourire qui éclaira son visage.

«Oui. C'est ça.

— Mais pourquoi avez-vous donc besoin de vous informer sur le combat à mains nues?»

Elle lui adressa un sourire espiègle.

«Parce que je veux en savoir plus sur la culture chinoise pour pouvoir juger par moi-même si elle est sans importance ou non, monsieur.

— Eh bien, votre enthousiasme pour en apprendre plus sur le pays dans lequel vous vivez me réjouit, quelle qu'en soit la raison. Maintenant, filez, jeune fille, car j'ai des choses à faire.»

Lydia jeta un coup d'œil à l'une des fenêtres de l'étage puis elle partit sans même dire au revoir à son professeur.

Theo soupira. Lydia Ivanova lui compliquerait toujours la tâche. Déjà dans l'après-midi, il avait dû la punir parce qu'elle était arrivée en retard en classe. La jeune fille suivait le règlement avec une rigueur toute relative. Ce n'était pas vraiment de l'insolence. Cependant, elle avait une manière particulière de marcher, un maintien qui traduisait l'indépendance. Et lorsqu'il lui posait une question, elle levait lentement les yeux vers lui d'une façon qui suggérait qu'elle savait des choses qu'il ignorait. Cela l'irritait.

Mais elle ne l'énervait pas autant que M. Christopher Mason. Theo ferma la lourde grille puis s'autorisa le plaisir exquis de regarder la fenêtre du premier étage.

« Il n'est pas sage de tirer la queue du tigre, mon amour.

— Que veux-tu dire ? »

Theo posa un baiser à la base du cou de Li Mei où il sentit son pouls.

« Je parle de M. Mason.

— Au diable, Mason ! »

Le couple était allongé, nu, sur le lit. Par les volets à demi clos pour ne pas laisser entrer la chaleur filtrait un rayon de soleil qui dessinait un ruban doré et poussiéreux sur le corps de Li Mei, comme si lui aussi brûlait de caresser ses seins.

« Theo, mon amour, je suis sérieuse. »

Theo l'embrassa sur le menton.

« Eh bien pas moi. Je l'ai été toute la journée avec mes petits singes de l'école et maintenant j'ai envie d'être très indiscipliné. »

Elle eut un rire ravi, doux et léger qui lui chatouilla la plante des pieds. La peau de Li Mei exhalait un parfum de jacinthes et avait le goût du miel, mais elle était infiniment plus enivrante. De ses lèvres, Theo effleura la courbe de sa hanche puis posa la joue sur sa cuisse avec un soupir de plaisir.

« Alors tu vois M. Mason demain ?

— Non. Cet homme est une plaie.

— Theo, s'il te plaît. »

Elle lui caressa les cheveux puis lui massa la tête du bout des doigts et il sentit toutes ses tensions s'apaiser. Il adorait le contact des mains de Li Mei. Il ne ressemblait à celui d'aucune autre femme. Il ferma les yeux pour se concentrer sur cette sensation enivrante et reposante.

« Demain, c'est samedi, alors je vais t'emmener à la rivière, murmura-t-il. L'air y est plus frais et le soir nous nous arrêterons chez Hwang et nous mangerons des crevettes roses et des raviolis *kuo tieh* jusqu'à ce qu'on n'en puisse plus. »

Il roula sur le côté et sourit à Li Mei.

« Ça te ferait plaisir ? »

Les yeux noirs de sa fiancée avaient une expression grave. Avec des gestes gracieux, elle ôta l'orchidée couleur crème et le peigne en nacre de ses cheveux, les posa sur la table de nuit et lui adressa un regard sérieux.

« Ça me plairait beaucoup. Mais pas demain.

— Pourquoi pas ?

— Parce que tu dois voir M. Mason.

— Pour l'amour du Ciel, Li Mei, je refuse de courir là-bas comme un toutou chaque fois qu'il me siffle.

— Tu veux perdre l'école ? »

Theo s'écarta, se leva sans un mot, se dirigea vers la fenêtre ouverte et regarda dehors. Son dos était tendu. Après un long silence, il répondit :

« Tu sais que je ne le supporterais pas. »

Un froissement de draps et elle se tenait à ses côtés. Son corps mince serré contre le sien, lui entourant la poitrine de ses bras, la joue sur son omoplate. Il sentait le frôlement de ses longs cils sur sa peau. Ils restèrent muets.

Du haut de la colline, Theo voyait les tuiles des toits de la ville où il vivait depuis dix ans. Une ville qu'il aimait, un refuge loin des commérages dont il avait été victime en Angleterre. Il observa la concession internationale qui s'étendait devant lui, cette petite parcelle de Chine qui semblait s'être transformée pour devenir une partie de l'Europe. Elle se composait d'un curieux mélange de styles architecturaux, avec ses nobles demeures victoriennes côtoyant des avenues à la française fleuries et de grandes terrasses italiennes aux balcons en fer forgé ornés d'exubérantes jardinières.

Les Européens avaient volé ce terrain aux Chinois dans le cadre du traité de réparation après la rébellion des Boxers en 1900. Ils avaient contourné la vieille ville entourée de murailles et construit la leur, beaucoup plus grande, juste à côté, prenant le contrôle des voies navigables avec des canonnières qui remontaient le fleuve Peiho tels des crocodiles gris. La concession internationale, l'avaient-ils appelée, un centre actif de commerce occidental qui ravissait les maîtres là-bas, au pays, en Angleterre, mais restait en travers de la gorge du gouvernement chinois.

Theo hocha la tête. Les Britanniques étaient décidément très doués pour diriger le monde. En effet, même si la concession était internationale, son administration reposait sur les Britanniques, car sir Edward Carlisle apposait sa signature de façon théâtrale sur chaque document et imprimait son caractère sévère au Conseil de la concession. La ville était officiellement divisée en quatre quartiers : britannique, italien, français et russe, gentiment placés côte à côte, comme de vieux amis, mais des querelles concernant la répartition du territoire éclataient constamment. Theo en avait été témoin au *Ulysses Club*. Les Britanniques possédaient maintenant presque la moitié de la ville, car des parcelles étaient prises aux Russes pour être cédées aux Japonais en échange de quantités très importantes d'or. L'argent avait toujours le dernier mot. L'argent et les canonnières.

Theo devait admettre que le quartier britannique était impressionnant, comparé au quartier russe délabré sur sa gauche, où abondaient les habitations exiguës et miteuses.

Avec le clocher des églises, l'horloge de la tour de la mairie, la façade classique de l'*Imperial Hotel*, les massifs de roses taillés à la perfection dans les parcs, il n'était pas étonnant que les autochtones aient qualifié les Britanniques de « diables étrangers ». Seul un diable peut voler votre âme et vous aliéner. Pour les Chinois de Junchow, la concession internationale était une autre planète. Et pourtant, au loin, sur le fleuve aux reflets métalliques, les bateaux marchands à l'ancre à côté des groupes de sampans[1] donnaient une impression d'immuabilité.

Theo sentit les doigts de Li Mei qui lui caressaient la poitrine en décrivant de petits cercles.

« J'ai vu ton ami aujourd'hui au marché. L'homme aux journaux, lui dit-elle.

— Qui donc ?

— Ton M. Parker.

— Alfred ? Que faisait-il là-bas ? »

Le joli petit rire de Li Mei le charma.

« Je crois qu'il cherchait quelque chose de vieux. Je crois qu'il a des ennuis.

— Comment ça ?

— Il est trop anglais. Il ne garde pas les yeux ouverts. Pas comme toi. »

Elle serra Theo plus fort et ricana, mais il ne réagit pas. Elle hocha la tête, déçue. Le parfum du rideau soyeux de ses cheveux flotta dans l'air. Dans la rue, une voiture klaxonna, mais les amants demeurèrent silencieux. Quelques pigeons voletaient. Les sifflets fixés à leur queue tintèrent, pareils au rire des dieux.

« Theo, dit finalement Li Mei, tu veux que je demande à mon père ? »

Theo se retourna brusquement vers elle, le regard soudain sévère.

« Non. Surtout, ne lui demande jamais. »

---

1. Petite embarcation asiatique à voile.

4

L a lampe à gaz du vestibule, dont il fallait sans doute changer le manchon, ne fonctionnait pas, mais Lydia ne le remarqua pas. Elle courut jusqu'au fond du couloir sombre en évitant les trous du linoléum, jeta ses paquets au bas de l'escalier et frappa à la porte du salon de Mme Zarya.

« Qui est-ce ?

— C'est moi, Lydia. »

La porte s'ouvrit sur une grande femme d'âge mûr qui dévisagea Lydia d'un air méfiant.

« *Kakaya sevodnya otgovorka ?*

— S'il vous plaît, madame Zarya, vous savez très bien que je ne parle pas russe. »

Comme si elle avait marqué un point, la femme partit d'un rire retentissant qui fit trembler les minces cloisons. C'était une femme forte au large visage. Lydia la craignait parce que ses paroles pouvaient être aussi violentes que ses étreintes et qu'il importait d'être en bons termes avec elle. En effet, Olga Petrovna Zarya était leur logeuse. Elle occupait le rez-de-chaussée de sa modeste maison et louait les étages.

« Entre, petit moineau, j'ai à te parler. »

Lydia pénétra dans le salon. Il y régnait une odeur de bortsch et d'oignon, bien que Mme Zarya eût ouvert la fenêtre qui donnait sur l'étroite terrasse dallée qu'elle appelait « l'arrière-cour », et les meubles étaient trop grands pour la pièce étroite. À la place d'honneur, sur un chemin de table brodé qui cachait les taches du piano en acajou, trônait une photographie du général Zarya dans un cadre. Il portait l'uniforme blanc de l'armée, avait les bras croisés et un regard sévère et désapprobateur. Lydia évitait toujours de fixer ces yeux sépia. Quelque chose en eux lui donnait la sensation d'être une ratée.

« Ma patience a des limites, déclara Olga Zarya en se campant devant Lydia. Dites à votre paresseuse de mère qu'elle a suffisamment abusé de ma gentillesse. Dites-lui que la semaine prochaine je la mets dehors. *Da*, dans la rue. Qu'espère-t-elle si elle ne…

— Paie pas le loyer ? » coupa Lydia en déposant une liasse de billets sur la table.

Mme Zarya en resta un instant bouche bée puis elle s'empara de l'argent et compta en russe.

« Bien. *Spasibo*. Je vous remercie. »

La logeuse, dont la longue robe noire informe sentait la naphtaline, s'approcha, si près que Lydia put voir son menton trembler de rage.

« Pas en avance, ajouta-t-elle.

— Les deux mois que nous vous devions, plus le mois en cours. Tout est là.

— *Da*. Tout est là.

— Je suis désolée pour le retard.

— Elle a joué de nouveau ? Pour gagner ça ?

— Oui. »

La logeuse acquiesça d'un signe de tête et tendit ses bras énormes comme si elle voulait étreindre Lydia, mais celle-ci recula vers la porte.

« *Do svidania*, madame Zarya.

— Au revoir, petit moineau. Dites à votre mère que… »

Lydia n'écouta pas la suite. Elle ramassa ses paquets et monta l'escalier à la hâte. Comme il n'y avait pas de tapis sur le palier, elle savait que sa mère entendrait le bruit de ses pas sur le plancher rayé et poussiéreux.

« Bonjour, madame Yeoman », dit-elle d'une voix chantante en passant à vive allure devant les pièces du premier étage.

Elles étaient louées par un missionnaire baptiste en retraite et sa femme, qui avaient choisi, pour une raison que Lydia ne s'expliquait pas, d'économiser sur la pension, dans le pays auquel ils avaient voué leur existence.

« Bonjour, Lydia, répondit Mme Yeoman d'une voix joyeuse, comme à son habitude. Tu as l'air bien pressée.

— Est-ce que ma mère est là ?

— Je crois que oui. »

Lydia monta deux par deux les dernières marches qui la séparaient du grenier et y entra précipitamment.

« Maman, regarde ce que je ne nous ai rapporté. Maman, je… »

Elle s'interrompit. Elle avait perdu son sourire.

Elle referma la porte d'un coup de pied. Sa bonne humeur s'évapora à la vue de la vaisselle brisée sur le plancher, des fleurs écrasées et des milliers de plumes éparpillées dans la pièce, comme si elle avait été le théâtre d'un combat de cygnes. Des éclats de miroir jonchaient le sol. Au milieu de ce désordre, Valentina Ivanova était couchée en boule sur le tapis, comme un chat. Elle dormait profondément. Sa respiration était régulière. Sous la table, Lydia remarqua la bouteille de vodka vide.

Lydia, immobile, tentait en vain de reprendre ses esprits. Elle laissa tomber les paquets et les sacs en papier sur le plancher et se dirigea vers sa mère sur la pointe des pieds, comme si elle craignait de la déranger, même si elle savait bien que seul un seau d'eau froide pouvait la réveiller. Elle s'agenouilla à ses côtés.

«Bonjour, maman, chuchota Lydia. Je suis là. Ne t'inquiète pas, je...»

Mais elle ne trouvait pas les mots. Elle avait un nœud dans la gorge et il lui semblait que sa tête allait exploser.

Elle repoussa une mèche de cheveux ébouriffés du visage de sa mère. En général, Valentina les portait torsadés avec élégance et parfois, de manière un peu enfantine, attachés sur la nuque comme Lydia, mais aujourd'hui ils s'étalaient en longues boucles épaisses sur le tapis. Lydia les caressa, mais Valentina ne bougea pas. Ses joues étaient un peu rouges ; même si elle était hébétée par l'alcool, son visage conservait sa beauté et son teint restait frais. Elle portait seulement une chemise gris perle et une paire de bas. Les traînées de mascara sous ses yeux laissaient deviner qu'elle avait pleuré.

Lydia s'accroupit et continua de caresser la chevelure de sa mère, trouvant un certain apaisement à la sentir sous ses doigts. Ce faisant, elle lui raconta en détail comment elle l'avait échappé belle le matin même dans la vieille ville, lui parla de son sauveteur et du serpent répugnant qui l'avait terrifiée.

«Tu vois, maman, j'aurais pu ne pas rentrer à la maison aujourd'hui. J'aurais pu tomber dans les griffes d'un marchand d'esclaves blancs et être envoyée à Shanghai par bateau pour devenir une dame de plaisir.»

Elle émit un son qui était censé être un éclat de rire.

«Tu ne trouves pas que ç'aurait été drôle ? Vraiment drôle.»

Valentina ne se réveillait toujours pas.

La pièce dont les fenêtres étaient fermées empestait la fumée et la cendre de cigarette. Il y faisait une chaleur étouffante. Lydia ramassa la bouteille de vodka vide et, dans un cri de rage, la lança violemment contre un mur. Elle se brisa en mille morceaux.

Lydia mit plus d'une heure à remettre la pièce en ordre. Elle balaya facilement les éclats de porcelaine, de verre et les pétales. Les plumes lui opposèrent plus de résistance. Elles semblaient s'animer et se moquer de ses efforts pour les attraper en voletant hors de portée. Quand elle eut terminé, elle avait une coupure au genou, qu'elle avait posé sur un éclat de porcelaine, une douleur au dos et une poignée de plumes dans les cheveux. Pour couronner le tout, elle avait incroyablement chaud. Elle ôta ses vêtements pour ne garder que son corsage et sa culotte bleu marine.

Valentina dormait toujours. Lydia lui glissa un oreiller sous la tête et l'embrassa sur la joue. Elle avait ouvert les fenêtres, mais cela n'avait aucun effet sur l'humidité puisque la chaleur de la maison montait jusqu'à leur logement sous les toits pour s'y accumuler. Le grenier se résumait à une longue pièce aux murs de travers, éclairée par deux lucarnes, que les quelques meubles bas n'arrangeaient pas. Un tapis usé, gris fade, qui autrefois avait dû être coloré, recouvrait le plancher au milieu. De chaque côté de la pièce, un rideau délimitait deux chambres sans fenêtre. L'intimité n'y était qu'illusoire, si bien que mère et fille adoptaient souvent un silence respectueux.

Lydia ouvrit ses paquets, mais cette abondance inespérée de nourriture appétissante ne la tentait plus. Elle ne prit pas la peine de préparer le repas qu'elle avait prévu. Elle n'avait pas le cœur à ça, ni l'estomac d'ailleurs. Elle rinça machinalement les fruits et les légumes à l'eau froide parce que les Chinois avaient la fâcheuse habitude d'utiliser des excréments humains pour fertiliser les champs, puis les abandonna sur l'égouttoir.

Elle se prépara du lait avec un peu de miel et traîna une chaise jusqu'à la fenêtre pour s'asseoir, les coudes sur le rebord, et observer la rue. Lydia ne voyait rien qui puisse la tirer de son découragement dans cet alignement d'étroites maisons attenantes, identiques, aux façades crasseuses, dont les portes ouvraient directement sur le trottoir. Le quartier russe, comme on l'appelait, habité par des réfugiés russes qui y étaient isolés, sans papiers et sans emploi. Les travaux les moins bien payés allaient aux Chinois, alors à moins de savoir avaler les sabres pour gagner quelques pièces sur la place du marché ou de faire le trottoir, on mourait de faim. Ce n'était pas plus compliqué.

On mourait de faim ou on volait.

Lydia continuait de regarder : le voisin chauve à la canne blanche, les deux sœurs allemandes se promenant bras dessus bras dessous, le chien décharné chassant un papillon, le bébé qui jouait avec son hochet sur le seuil, les voitures qui avançaient au ralenti, les bicyclettes, l'homme à l'air sévère qui poussait une brouette chargée d'un cochon.

Le seul à lever les yeux vers elle fut un homme qui ressemblait à un ours, un Russe sans aucun doute, avec sa masse de boucles luisantes qui s'échappait d'une toque en fourrure et sa barbe épaisse qui dissimulait la moitié de son visage. Le bandeau noir qui lui couvrait un œil lui donnait un air sinistre. Comme sur l'image du pirate Barbe-Rousse dans un des livres de la bibliothèque, à ceci près que l'homme ne serrait pas un couteau étincelant entre les dents. Lorsqu'il passa, Lydia crut voir un loup hurlant estampé sur un côté de ses bottes. Elle aussi avait envie de hurler, mais elle se retint et continua d'observer les passants. N'importe quoi plutôt que de regarder celle qui dormait sur le plancher derrière elle.

Le ciel s'assombrissait tandis que des nuages lourds s'amoncelaient à l'horizon et que dans l'air du soir on pressentait l'imminence de la pluie. Pour se changer les idées, elle se demanda s'il pleuvait en Angleterre. Polly disait qu'il pleuvait sans cesse là-bas, mais Lydia ne la croyait pas. Elle était bien décidée à s'y rendre un jour et à vérifier par elle-même. Elle trouvait étrange que les Européens choisissent de venir vivre en Chine, alors que, à en croire ses lectures, l'Europe semblait posséder tout ce qu'on peut imaginer de beau et de raffiné. À Londres, à Paris, à Berlin. Peut-être plus à Berlin. Et Londres… Le *Ritz*. Le *Savoy*. Buckingham Palace et le *Albert Hall*. Et toutes les boîtes de nuit, tous les théâtres, toutes les boutiques.

Regent Street et Piccadilly Circus. Tout ce qu'on pouvait désirer. Alors pourquoi partir ?

Elle soupira en frissonnant et une goutte de sueur glissa comme une larme de son oreille à son menton. Mon Dieu, elle ne savait pas quoi faire. Elle pensa au temps qu'il faisait en Angleterre. C'était tellement idiot. Elle posa la tête sur ses bras et resta immobile jusqu'à ce que sa respiration redevienne régulière.

« Papa, que dois-je faire pour elle ? S'il te plaît, papa. Dis-moi. Aide-moi. »

Personne ne savait que Lydia s'adressait à son père quand elle avait des ennuis. Même pas Polly. Et encore moins Valentina.

« Papa », chuchota-t-elle de nouveau, simplement pour s'entendre dire ce mot.

Elle finit par abandonner son poste d'observation et examina la pièce, avec son petit poêle à pétrole capricieux et son évier de céramique ébréché. Cependant, sa mère s'était ingéniée à rendre la pièce supportable. Plus que supportable. Elle lui avait donné des couleurs éclatantes. Le vilain canapé en tissu et son fauteuil aux accoudoirs râpés avaient disparu sous des lanières d'étoffe dans de superbes assortiments de violet, d'ambre et de rouge qui ravivaient la pièce. Des brassées de coussins or et bronze conféraient à la pièce une ambiance de langueur bohème, que sa mère qualifiait de *risqué*[2] et Olga Zarya de provoquant. Un châle en soie à franges de la couleur des cheveux de Lydia recouvrait la table en pin, et au centre des bougies disposées sur un plat en laiton projetaient leurs flammes sur l'étoffe cuivrée lorsqu'elles étaient allumées.

Pour Lydia, c'était un chez-soi. C'était tout ce qu'elle possédait. Elle s'approcha encore une fois de la silhouette

---

2. Les mots en italique suivis d'un astérisque sont en français dans le texte original. *(Note de la traductrice.)*

endormie, puis s'assit sur le tapis gris dans la lumière décli-
nante et tint la main de sa mère dans la sienne.

« Ma chérie. »
Valentina redressa sa tête enfoncée dans l'oreiller et
cligna des yeux comme un chat qui s'éveille.
« Ma chérie. Je me suis endormie. Quelle heure est-il ?
— Les cloches de l'église viennent de sonner une heure. »
Lydia ne leva pas les yeux du livre posé devant elle sur
la table.
« Du matin ?
— Il ne fait pas si sombre à une heure de l'après-midi.
— Tu devrais être au lit. Que fais-tu ?
— Mes devoirs. »
Elle n'accordait toujours pas un regard à sa mère.
Valentina s'étira pour délier les nœuds de son dos, s'assit,
puis remarqua l'oreiller. Elle ferma les yeux pendant un
court instant et frissonna.
« Je suis désolée, ma chérie. »
Lydia haussa les épaules avec indifférence et tourna
une page des *Éléments d'histoire anglaise,* même si les mots
dansaient sous ses yeux, incompréhensibles.
« Ne boude pas, Lydia. Ça ne te va pas.
— Dormir par terre ne te va pas non plus.
— Peut-être que si j'étais six pieds dessous ce serait
mieux.
— Maman, ne commence pas. »
Valentina étouffa un petit rire.
« Excuse-moi, mon bébé.
— Je ne suis pas ton bébé.
— Non, je sais, tu as raison. »
Son regard glissa de la tête penchée de sa fille à ses
jambes maigres.
« Tu as grandi. Trop grandi. »
Valentina se leva et s'étira de nouveau, pointant chacun
de ses pieds nus à la manière d'une danseuse, puis secoua

ses longs cheveux qui captèrent la lumière des bougies et s'illuminèrent de reflets. Lydia fit semblant de ne pas remarquer la scène. Mais au lieu de lire le contexte du Riot Act de 1716, les lois promulguées contre les rassemblements rebelles, elle observait discrètement chaque geste de sa mère et fut à la fois soulagée et furieuse de voir à quel point elle semblait calme et bien reposée. Plus qu'elle n'en avait le droit. Où étaient les ravages de la douleur ? La courbe délicate des sourcils de Valentina était encore plus prononcée que d'habitude, comme si la vie n'était qu'une plaisanterie qu'on ne devait pas prendre au sérieux.

Valentina s'assit sur le canapé et tapota le coussin à côté d'elle.

« Viens t'asseoir près de moi.

— Je suis occupée.

— Il est une heure du matin. Attends demain pour être occupée. »

Lydia referma son livre d'un geste brusque et s'avança vers le canapé. Elle s'y installa, raide, assez loin de sa mère, mais celle-ci tendit le bras pour ébouriffer les cheveux de sa fille.

« Détends-toi, ma chérie. Qu'y a-t-il de mal à boire quelques verres de temps en temps ? Ça me permet de supporter la vie. Alors s'il te plaît, ne boude pas.

— Je ne boude pas, rétorqua Lydia sur un ton boudeur.

— Mon Dieu, j'ai terriblement soif, je…

— Nous n'avons plus qu'une tasse et pas de soucoupe. »

Valentina éclata de rire et Lydia esquissa malgré elle un sourire. Sa mère balaya la pièce du regard.

« Tu as tout nettoyé ?

— Oui.

— Merci. Je parie que M. Yeoman a dû croire que c'était la fin du… »

Elle s'interrompit et observa le pan de mur nu près de la porte.

« Le miroir, il est…

— Cassé. Sept ans de malheur.

— Oh doux Jésus, Olga Petrovna Zarya va me tuer et nous demander deux fois sa valeur. Mais les sept prochaines années ne peuvent pas être pires que les sept dernières, n'est-ce pas ? »

Lydia ne répondit pas.

« Excuse-moi, mon cœur », murmura Valentina.

Sa fille connaissait bien ce refrain.

« Au moins, les tasses étaient à nous. De toute façon, j'ai toujours détesté ce miroir. Il était laid et me donnait l'air vieux.

— J'ai préparé de la limonade. Tu en veux ? »

Valentina se tourna vers sa fille et lui caressa la joue.

« Ce serait divin. Je meurs de soif. »

En sirotant la boisson fraîche servie dans une de leurs dernières tasses de thé – cela faisait longtemps qu'elles avaient porté les verres chez le prêteur sur gages –, elle retenait sa tête d'une main, comme si elle allait tomber au moindre mouvement.

« Est-ce qu'on a de l'aspirine ? demanda Valentina à tout hasard.

— Non.

— C'est ce que je pensais.

— Mais je t'ai acheté ça. »

Avec un sourire timide, Lydia exhiba un pain au chocolat et un long foulard de soie rouge foncé qu'elle tenait cachés derrière son dos.

« J'ai pensé qu'il t'irait bien. »

Valentina posa la tasse sur le tapis puis saisit la viennoiserie dans une main et le foulard dans l'autre.

« Ma chérie, dit-elle d'une voix caressante. Tu me gâtes trop. »

Elle regarda longuement les cadeaux, enroula le foulard autour de son cou avec délice puis mordit à pleines dents dans le pain au chocolat.

« Délicieux, murmura-t-elle, la bouche pleine. Il vient de la pâtisserie française. Merci, ma douce. »

Elle se pencha pour embrasser sa fille.

« J'ai un peu travaillé pour aider M. Willoughby à l'école et il m'a payée aujourd'hui », expliqua Lydia.

Elle prononça sa phrase un petit peu trop vite, mais sa mère ne sembla pas le remarquer.

Lydia défronça les sourcils pour la première fois de la soirée. Tout allait rentrer dans l'ordre. Sa mère allait arrêter ses folies. Elle n'essaierait plus de détruire leur fragile univers.

« C'était encore à cause d'Antoine ? » demanda-t-elle sur un ton faussement distrait en jetant un regard oblique à Valentina.

Elle regretta aussitôt sa question.

« Ce sombre imbécile, *podliy ismennik* ! fulmina Valentina. Ne prononce plus son nom. Ce Français est un menteur, un sale crapaud, un serpent sournois. Je ne veux plus jamais le revoir. »

Lydia ressentit un élan de compassion envers Antoine Fourget. Il adorait sa mère et l'aurait épousée s'il n'avait pas été marié à une catholique qui refusait le divorce et avec laquelle il avait quatre enfants qui réclamaient son attention et son soutien financier. Tous les vendredis, il emmenait danser Valentina et volait une heure ou deux chaque fois qu'il pouvait prendre une longue pause pendant le dîner, lorsque Lydia était à l'école. Celle-ci devinait ses visites aux odeurs de tabac et de brillantine qui flottaient dans la pièce.

« Qu'est-ce qu'il a fait ? »

Valentina se leva d'un bond et se mit à arpenter la pièce en se tenant la tête dans les mains.

« Sa femme attend un enfant.

— Oh.

— Ce sale menteur m'a juré qu'il ne s'approchait plus de son lit. Comment a-t-il pu être si… si infidèle ?

— Maman, c'est sa femme.»

Valentina, de rage, rejeta la tête en arrière et ferma les yeux comme si elle était souffrante.

«Il m'avait juré qu'elle l'était uniquement sur le papier.

— Peut-être qu'elle l'aime.»

Valentina rouvrit brusquement les yeux et plaça les mains sur ses hanches dans une posture de défi. Lydia ne put s'empêcher de remarquer leur maigreur.

«T'est-il jamais venu à l'idée que moi aussi je puisse l'aimer?»

Cette fois-ci, ce fut au tour de Lydia d'éclater de rire.

«Non, maman, ça ne m'a pas traversé l'esprit. Tu l'aimes bien, tu t'amuses bien avec lui, mais non, tu ne l'aimes pas.»

Valentina ouvrit la bouche pour protester, puis elle hocha nerveusement la tête et s'effondra comme toujours sur le canapé, au milieu des coussins. Elle passa un bras derrière sa tête.

«Je crois que je vais mourir, ma chérie.

— Pas aujourd'hui.

— Je l'aime un petit peu, tu sais.

— Je le sais bien, maman.

— Mais…»

Valentina plissa les yeux tandis qu'elle observait le visage, le grand nez droit, les hautes pommettes scandinaves et les flammes cuivrées de la chevelure de sa fille.

«Mais le seul homme que j'ai jamais aimé, et que j'aimerai jamais, c'est ton père.»

Elle ferma les yeux.

Le silence envahit la pièce. Lydia frissonna de plaisir, car par la fenêtre une brise humide soufflait des gouttes de pluie rafraîchissantes. Pourtant, rien ne pouvait atténuer la chaleur enivrante comme l'opium qui l'étourdissait.

«Papa», murmura-t-elle. Elle entendit alors le rire sonore de son père. Elle repensa au monde qu'elle voyait comme à travers le prisme d'un kaléidoscope quand, de ses mains robustes, il la lançait dans les airs. En se concentrant encore, elle pouvait retrouver son odeur, ce mélange étourdissant de tabac, d'huile capillaire et de barbe humide qui lui chatouillait le menton.

Ou bien l'inventait-elle ?

Elle craignait tant de perdre les quelques souvenirs qui lui restaient. Elle soupira, se leva, souffla les bougies, se blottit au milieu des coussins près de sa mère et s'endormit.

Un bruit de klaxon dans la rue réveilla Lydia. La faible lumière jaune qui filtrait par les rideaux de sa chambre miniature lui indiquait que la matinée était plus avancée qu'elle ne l'aurait souhaité. Le samedi, elle avait de l'école à neuf heures. En s'assoyant, elle fut surprise par une sensation d'étourdissement et elle se rappela qu'elle n'avait pas mangé la veille. Le cœur lourd, elle se souvint pourquoi.

Mais aujourd'hui tout irait mieux. C'était son anniversaire.

Dans la rue, on klaxonna de nouveau. Elle sauta du lit et se pencha par la fenêtre pour voir ce qui se passait. La pluie avait cessé, mais tout était encore humide et brillant et une nouvelle journée très chaude semblait s'annoncer. De la vapeur commençait à monter des tuiles, sur le toit d'en face. Le ciel était gris terne, mais en bas dans la rue la palette de couleurs la réconforta. Une petite voiture de sport décapotable était garée devant leur porte, dans laquelle était assis un homme brun vêtu d'un polo jaune, un énorme bouquet de roses rouges dans les bras. Il leva les yeux et agita les fleurs dans la direction de Lydia.

« Salut, *ma chérie**, lui cria-t-il. Est-ce que ta *maman** est déjà levée ?

— Salut, Antoine. »

Lydia sourit et eut un geste pour cacher son corsage crasseux.

« C'est ta nouvelle voiture ?

— Oui, je l'ai gagnée hier, aux cartes. N'est-elle pas adorable ? »

Il embrassa le bout de trois doigts dans un geste exagéré et se mit à rire, dévoilant de parfaites dents blanches.

Lydia le considérait comme l'homme le plus séduisant qu'elle ait jamais vu ; non qu'elle en ait rencontré beaucoup, bien sûr, mais elle imaginait qu'on devait bien s'amuser avec lui. Sa mère lui avait dit qu'il avait la trentaine, mais il lui paraissait plus jeune. Il débordait d'un charme juvénile.

« Je vais voir si elle est réveillée. »

Elle courut à l'autre bout de la pièce pour jeter un œil derrière le rideau.

Contrastant avec la partie salon, colorée, la chambre de sa mère avait des murs blancs sans décorations, des draps blancs et une armoire peinte de la même couleur, dont les portes avaient joué et étaient difficiles à ouvrir. Le rideau était un vieux drap jauni par l'usure. Sa mère dormait dans une cellule froide dépourvue d'âme. Parfois, Lydia se demandait ce qu'elle tentait d'y expier.

« Maman ? »

Valentina était allongée au milieu d'un fouillis de draps ; ses cheveux emmêlés s'étalaient sur l'oreiller et, sous ses yeux, des cernes sombres témoignaient de sa fatigue. Elle avait les paupières fermées, mais Lydia ne la crut pas un instant endormie. Les indices trahissaient une nuit agitée.

« Maman, Antoine est là.

— Dis-lui d'aller se faire voir.

— Mais il t'a apporté des fleurs. »

Lydia s'assit au bout du lit, ce qu'elle ne faisait pas sans y être invitée d'habitude.

« Il a l'air vraiment désolé et... »

Lydia chercha un argument pour convaincre sa mère.

« ... il a une voiture de sport. »

Elle omit de dire qu'elle était toute petite et avait une drôle d'allure.

« Alors il n'aura aucun mal à aller se jeter dans le fleuve.

— Tu es trop cruelle. »

À ces mots, Valentina ouvrit brusquement des yeux noirs de désapprobation.

« Et toi, tu es trop gentille avec lui. Pour l'unique raison qu'il est un homme. »

Lydia rougit et se leva. Dans son corsage râpé, elle savait qu'elle manquait de prestance, mais elle leva la tête et déclara :

« Je vais descendre lui dire que tu dors.

— Si tu veux vraiment te rendre utile, dis-lui de m'apporter de la vodka. »

Lydia se glissa de l'autre côté du rideau sans risquer de commentaire. Au-dessus de l'évier, elle s'aspergea le visage d'eau froide, se frotta les dents d'un doigt qu'elle avait plongé dans le sel, et se massa le front pour essayer de dissiper la peur qui l'avait saisie à la simple évocation du mot vodka. Elle enfila son uniforme d'école, attrapa son sac et saisit quelques beignets au sucre. Elle passait le pas de la porte lorsque sa mère l'appela. Doucement cette fois-ci.

« Lydia ?

— Oui ?

— Viens, ma puce. »

À contrecœur, Lydia pénétra dans la chambre blanche. Elle se tenait près du rideau et regardait ses chaussures noires éraflées et trop serrées. Elle était habituée à avoir mal lorsqu'elle les portait comme elle était habituée à avoir mal à la tête.

« Lydia. »

Elle leva les yeux. Sa mère était allongée dans une posture langoureuse, la tête relevée sur les oreillers, les cheveux disposés en éventail, et elle lui souriait en lui tendant une main. Lydia, trop fâchée pour la prendre dans la sienne, demeura immobile.

« Ma chérie, je n'ai pas oublié la date. »

Lydia regarda ses chaussures. Elle les détestait.

« Joyeux anniversaire, mon cœur. *S dniom rozhdenia dochenka.* Je ne pensais pas un mot de ce que j'ai dit à propos de la vodka. Sincèrement. Viens me faire un bisou. Un bisou d'anniversaire. »

Lydia effleura la joue fraîche de sa mère et l'embrassa.

« Assieds-toi un instant.

— Mais Antoine est…

— Au diable Antoine ! s'exclama Valentina avec un geste de dédain. Je veux te dire quelque chose. »

Lydia s'assit sur le lit. Comme elle avait faim, elle mordit dans un beignet et lécha les petits grains de sucre aux commissures de ses lèvres.

« Ça me fait plaisir de te voir manger une douceur le jour de ton anniversaire, mais je suis désolée de ne pas l'avoir achetée moi-même. »

Lydia cessa de manger, le goût sucré laissant soudain place à un sentiment amer de culpabilité.

« Ce n'est pas grave.

— Oui, ça l'est. Ça m'attriste. Je n'ai pas de quoi t'acheter un cadeau, tu le sais. Alors je t'invite à m'accompagner au *Ulysses Club* ce soir. Tu seras ma tourneuse de pages.

— Oh, merci, maman ! s'écria Lydia, ravie, en se jetant dans les bras de sa mère. C'est mon plus beau cadeau d'anniversaire.

— Attention à mes cheveux avec ton beignet.

— C'est ce que je voulais depuis des années.

— Comme si je ne le savais pas. Tu m'as toujours harcelée pour venir aux récitals, et à seize ans, il me semble que c'est le moment. Et ça veut dire que je n'aurai pas à m'épuiser au retour en te racontant que sir Edward a dit ceci et que le colonel Mortimer a rétorqué cela, ni à te décrire les tenues des dames. S'il te plaît, ma chérie, éloigne tes doigts collants de mon visage. »

Lydia se leva et s'essuya les mains sur sa jupe.

« Tu seras fière de moi, maman. On pourra s'entraîner cet après-midi sur le piano de Mme Zarya. Tu sais comme elle aime t'entendre jouer.

— Seulement si ce vieux dragon ne nous a pas jetées dehors avant.

— Oh, j'ai oublié de te dire que j'ai payé le loyer. Et l'argent pour celui du mois prochain est dans le bol bleu sur l'étagère. Alors ne t'inquiète plus pour Mme Zarya.

— Le travail que tu fais pour M. Willoughby doit être vraiment bien payé. »

Lydia acquiesça avec un air étrange.

« Oui. J'ai noté les devoirs des enfants des petites classes. Presque comme un vrai professeur. »

Elle ramassa son sac.

« Merci encore, maman », dit-elle avant de se précipiter vers la porte.

Sa mère lui cria alors :

« Et dis au menteur dans sa voiture en bas qu'il peut jeter ses fleurs à l'égout et ses promesses avec. »

Lydia referma vite la porte derrière elle pour éviter que M. et Mme Yeoman n'entendent.

« Elle n'a que trois roues, critiqua Lydia.

— Tu t'attendais à quoi ? C'est une Morgan. »

Antoine Fourget tapota une des ailes lustrées de la voiture noire.

« Elle a remporté des courses dans le monde entier.

— C'est la même que celle dans laquelle Isadora Duncan est morte l'an dernier ?

— Non. »

Il se signa d'un geste rapide.

« C'était une Bugatti. Mais celle-ci est un petit bijou. J'ai eu de la chance hier soir. »

Les yeux pleins d'espoir, il regarda Lydia.

« Mais en ai-je aujourd'hui ? *Eh bien**, qu'a dit ta *maman** ?

— Rien de bon.

— Elle ne veut pas me voir ?

— Non, désolée.

— Les fleurs ? »

Elle fit non de la tête.

Il s'effondra dans son siège en grognant.

Lydia eut soudain envie de lisser les cheveux ébouriffés d'Antoine, d'en sentir la douceur sous ses doigts, de faire quelque chose, n'importe quoi, pour le soulager de la peine que sa mère lui avait causée. Mais elle ne fit rien.

« Je peux faire un tour avec toi ? »

Il s'efforça de sourire.

« Bien sûr, *chérie**. Une balade jusqu'à l'école ?

— Oui, s'il te plaît. »

Il ôta le bouquet du siège du passager et Lydia y bondit, tenant fermement son chapeau contre elle.

« C'est mon anniversaire aujourd'hui, dit-elle.

— Ah, *bon anniversaire**. »

Il se pencha vers elle et l'embrassa sur les deux joues.

« Alors c'est à toi que reviennent ces fleurs. Mon cadeau pour ton anniversaire. »

D'un geste théâtral qui fit rougir Lydia, il lui tendit le bouquet. Lydia savait que ce n'était pas elle qu'il désirait avoir à ses côtés, mais elle apprécia tout de même la promenade. Elle ne dit pas à l'amant de sa mère que c'était la première fois qu'elle montait dans une voiture. Les constants changements de vitesse et les manœuvres la fascinaient, ainsi que le trottoir qui semblait se déformer sous l'effet de la vitesse. Le vent qui lui fouettait le visage au-dessus du minuscule pare-brise décoiffait ses cheveux, l'obligeait souvent à fermer les yeux et lui coupait le souffle. Quand le klaxon de la Morgan força un pousse-pousse à libérer le passage, elle fut émerveillée.

« Lydia ?

— Mmh. »

Les rues devenaient plus larges alors qu'ils quittaient les ruelles encombrées de mendiants du quartier russe et traversaient la plus jolie partie de la ville, où les cafés et les boutiques ouvraient déjà. Des policiers sikhs enturbannés se tenaient à chaque grand croisement, dirigeant la circulation de leurs mains gantées de blanc. Lydia se pencha au-dessus de la portière et en salua un de la main, pour s'amuser.

« Lydia, reprit Antoine sur un ton plus insistant.

— Oui ?

— Tu crois qu'elle va me pardonner ?

— Je n'en ai aucune idée. Tu la connais. »

Il grommela dans sa barbe et Lydia, craignant qu'il n'accidente la voiture dans un geste de désespoir à la française, s'empressa d'ajouter :

« Mais je suppose qu'elle va vite s'en remettre. Donne-lui quelques jours. »

L'imposante mairie, avec ses colonnes et son drapeau anglais, défila devant leurs yeux, suivie du Victoria Park et sa cohue de landaus poussés par des nourrices. Lydia sentit le vent gifler ses joues alors qu'Antoine accélérait.

« Je l'aime, tu sais, dit-il. Je n'ai pas voulu lui faire de peine. Je n'aurais jamais dû parler du bébé.

— Oui, c'était peut-être une erreur.

— Est-ce qu'elle m'aime ?

— Bien sûr.

— Vraiment ?

— Oui. »

Le sourire radieux qu'il lui adressa excusait bien le mensonge. Elle en frissonna. C'est alors qu'une idée lui vint.

« Antoine, tu sais ce qui pourrait arranger les choses ?

— Quoi donc ? »

Il sortit un bras et prit à gauche sur l'avenue Wordsworth. Le moteur rugit quand le véhicule aborda la montée.

« Si tu offrais à maman un cadeau qui lui fasse vraiment plaisir, tu pourrais reconquérir son amour. »

Il lui jeta un regard affolé.

« Je ne suis pas riche, tu sais. Je ne peux pas la couvrir de bijoux et de parfums comme elle le mérite. Et lorsque je lui ai proposé un peu d'argent, elle a refusé. »

Lydia le regarda, étonnée.

« Pourquoi ?

— Elle m'a insulté, m'a jeté un livre au visage et m'a dit qu'elle n'était pas une prostituée qu'on achète. »

Oh, maman, pensa Lydia en soupirant. Une telle fierté avait un prix.

En haut de la colline, dans le quartier britannique, les demeures étaient élégantes, faites de pierre pâle, entourées de haies parfaitement taillées et de pelouses bien entretenues. On commençait à apercevoir l'école. Lydia devait se dépêcher.

« Non, je ne pensais pas à un cadeau cher, mais plutôt à quelque chose qui la réconforte quand tu n'es pas là. »

Elle le regarda prudemment.

« Quand tu es avec ta femme. »

Il eut l'air perplexe.

« Quoi par exemple ? »

Lydia déglutit et répondit dans un souffle :

« Un lapin.

— Comment ?

— Un lapin blanc avec de longues et jolies oreilles et des mignons yeux roses.

— *Un lapin** ?

— Oui. Elle en avait un quand elle vivait à Saint-Pétersbourg dans son enfance et elle a toujours eu envie d'en avoir un autre. »

Antoine la dévisagea.

« Tu me surprends.

— C'est vrai.

— Je lui en parlerai.

— Non, non, surtout pas. Tu gâcherais la surprise. »

Elle lui sourit, même si, de profil, il ne pouvait pas la voir, et songea qu'il avait un superbe nez romain.

« Elle pensera à toi chaque fois qu'elle caressera sa douce fourrure blanche. »

Elle sentait qu'il y réfléchissait. Il esquissait un sourire.

« Peut-être, dit-il, *c'est possible*.

— Un ruban rouge serait chouette aussi. Au cou du lapin, je veux dire. »

Mais elle n'était pas certaine qu'il ait entendu. Il dépassait une grosse Humber noire dont descendaient trois filles

portant l'uniforme de la Willoughby Academy et qui regardèrent Lydia avec envie. Tenant le bouquet de roses contre
elle, elle embrassa son beau compagnon sur la joue et gagna
l'école d'un pas désinvolte. La journée s'annonçait bien.

Ce fut seulement plus tard, alors qu'elle rêvassait en
classe, le regard tourné vers la fenêtre, qu'elle repensa aux
yeux noirs d'un Chinois qui, à demi caché par les pousse-
pousse de l'autre côté de la rue, l'avait observée au moment
où elle avait passé le portail de l'école.

5

Le *Ulysses Club* était aussi prétentieux que son nom. Theo détestait cet endroit. Il représentait l'arrogance coloniale dont il avait horreur, la suffisance et le mépris. Le bâtiment était situé au cœur du quartier britannique, à l'écart de la route, comme s'il se protégeait du bruit et de l'agitation de la ville derrière une épaisse barrière de rhododendrons et une grande pelouse impeccable. Il exhibait une façade grandiose avec d'imposantes colonnes, un fronton et un portique, ornés de sculptures commémorant la glorieuse conquête.

En montant les grandes marches blanches qui conduisaient à l'entrée, Theo pensa à un temple sacré ; d'une certaine manière c'en était un. Le sanctuaire du conservatisme, du *statu quo*. Il allait sans dire qu'aucune de ces personnes au teint jaune, de cette tribu non croyante qui mentait effrontément et vendait ses enfants, n'était invitée à pénétrer entre ses murs sacrés, sauf par la porte de service.

Li Mei avait raison. Entre deux baisers qui le consumaient et des mots doux qui le rassuraient, elle lui apprit à voir tout cela comme un jeu auquel il devait participer et qu'il devait gagner.

«Ah, Willoughby! Je suis content que vous ayez pu venir. »

Dans le hall au sol dallé de marbre, Christopher Mason s'avançait vers lui à grands pas en lui tendant la main avec un sourire hypocrite. Il avait une quarantaine d'années, une silhouette svelte due à la pratique de l'équitation et la prestance d'un officier, même si Theo savait bien qu'il n'avait jamais mis les pieds sur un terrain de rassemblement. Très tôt, Mason avait opté pour une carrière administrative au sein du gouvernement et cherché un poste en Chine lorsqu'il avait entendu parler des fortunes qui s'y amassaient si on savait s'y prendre. Il avait un regard acéré et ses cheveux bruns peignés vers l'arrière peinaient à cacher sa calvitie naissante. Comme il mesurait près de dix centimètres de moins que Theo, il compensa cette infériorité en parlant très fort alors qu'ils traversaient le hall.

«Vous avez appris la nouvelle? C'est terrifiant. Et vraiment prématuré, si vous voulez mon avis.

— De quoi s'agit-il? »

Theo était prudent, car il savait que dans la ruche oppressante où ils vivaient, une « nouvelle » pouvait signifier que Binky Fenton avait quitté un match de croquet, fou furieux parce qu'on l'accusait de tricher, ou bien que le général Tchang Kaï-chek avait imposé des mesures radicales pour se débarrasser des étrangers. Ces deux événements pouvaient constituer une « nouvelle » et être « terrifiants ». Cependant, une accusation de tricherie aurait été malvenue, alors que voir un Chinois se dédire n'aurait étonné personne. Theo attendit pour comprendre ce qui donnait à Mason ce teint cireux.

«Ce sont nos troupes, le deuxième bataillon de la Garde écossaise rentre au pays sur le *City of Marseille* pour le jour de l'an. Quelle plaie! Nous laisser sans défense dans ce pays plongé dans l'ignorance. Ne sont-ils pas au courant que l'armée nationaliste du Kuomintang se livre à une orgie de meurtres et de pillages à Pékin ? Bon sang, nous avons besoin de renforcer les troupes, pas de les supprimer. Après tout, ce sont nos profits commerciaux qui remplissent les caisses de Baldwin et de son fichu gouvernement. Avez-vous vu l'état du marché financier ?

— Nous allons devoir apprendre à nous débrouiller seuls, rétorqua Theo avec un haussement d'épaules destiné à agacer son interlocuteur. Pourquoi conserver une armée si nous disons vouloir vivre en bonne entente avec les Chinois ? »

Mason s'arrêta brusquement. Theo poursuivit :

« Nous avons besoin d'un traité que nous pourrions tous appliquer pour une fois, un qui soit raisonnable, pas pénalisant. Nous devons céder des concessions, sinon une nouvelle rébellion de Taiping nous attend. »

Mason le dévisagea, puis murmura : « Complice des chinetoques » avant de se diriger à grands pas vers le bar. Des domestiques autochtones, dociles et soignés, passaient en silence dans leurs tuniques blanches boutonnées jusqu'au cou, plateaux d'argent à la main, le visage figé dans une expression polie. Les membres du *Ulysses Club* ne leur accordaient pas plus de valeur qu'au journal de la veille, si ce n'est moins. Un ricanement aigu et sonore s'éleva de la grande véranda à l'arrière du bâtiment. Lady Caroline y buvait un cocktail de gin et d'angustura.

Theo faillit tourner les talons. Abandonner Mason lui aurait fait plaisir, mais il se souvint des conseils de Li Mei et ne bougea pas. « Tu dois jouer le jeu, Theo. Tu dois gagner », lui avait-elle dit. Sa douce Li Mei était tellement intelligente. Il aimait sa manière de se moquer de lui, de ses faiblesses, et sa faculté de s'approprier sa conception stupide de la vie, fruit d'une éducation anglaise raffinée et de son appartenance au corps enseignant, qu'il abordait comme une compétition que l'on doit remporter.

Il rejoignit Mason au bar et regarda autour de lui. La pièce était bondée, comme toujours à sept heures et demie du soir. Ils se regroupaient là, les bâtisseurs de l'Empire britannique. Les grands, les bons. Et les moins bons. Certains, raides dans leur uniforme militaire, assis bien droit dans des fauteuils Chesterfield, d'autres étendus, cigare à la main, sur les nouvelles chaises Lloyd Loom, introduites afin de rendre l'endroit plus accueillant pour la gent féminine.

Theo passa devant la foule près du bar et adressa un signe de tête aux personnes qu'il reconnaissait sans s'arrêter pour leur parler. Plus tôt ce rendez-vous prendrait fin, mieux il s'en porterait. Il vit Mason se diriger vers quatre hommes assis autour d'une table basse en acajou et eut un pincement au cœur. Un nuage de fumée s'élevait au-dessus d'eux malgré les grands ventilateurs qui ronronnaient au plafond et rafraîchissaient la salle tout en éloignant les mouches. Le col empesé de sa chemise fit l'effet d'un garrot à Theo, mais pour pouvoir se joindre à la partie, il fallait porter les vêtements adéquats. Theo s'arrêta, alluma une cigarette turque et engagea la conversation.

« Bonsoir, sir Edward, dit-il sur un ton plein de chaleur. J'ai entendu dire que vous chassiez enfin les marines hors de T'ien-tsin. »

Sir Edward Carlisle leva les yeux de son verre de whisky, l'expression d'ordinaire agressive de son visage adoucie par l'ambiance décontractée, et sourit à Theo. Un ricanement moqueur parcourut le groupe, mais le préfet de police Lacock, lui, resta impassible. Binky Fenton, douanier surmené qui discourait sans arrêt sur l'ingérence des États-Unis, leva son verre en disant sur un ton enthousiaste : « Enfin. »

Theo s'assit à côté d'Alfred Parker, le seul qu'il considérait comme un ami dans cette assemblée. Alfred le salua cordialement et lui tendit la main. Âgé de quelques années de plus que Theo, il venait d'arriver en Chine et écrivait pour le torchon local, le *Daily Herald* de Junchow. Theo le trouvait assez bon journaliste. Son dernier article était un écrit violent sur les pieds bandés. Une coutume cruelle qui n'était plus obligatoire depuis la chute de la dynastie mandchoue en 1911, mais qui restait largement répandue. Dieu merci, les parents de Li Mei lui avaient épargné cette pratique barbare. Alfred Parker avait donné un point de vue pertinent sur le sujet. Pourquoi handicaper la moitié de la main-d'œuvre alors que la population affamée mourait dans les rues? Cela n'avait pas de sens.

« Bonsoir, Willoughby », répondit sir Edward, qui semblait sincèrement enchanté de le voir.

Cependant, comme il agissait toujours avec une grande diplomatie, Theo ne pouvait être sûr de rien.

« Oui, vous avez raison, même si je ne vois pas très bien d'où vous tenez cette information. Le secrétaire à la Marine des États-Unis a ordonné le retrait immédiat de T'ien-tsin.

— Combien d'hommes? demanda Parker, intéressé.

— Trois mille cinq cents. »

Binky Fenton siffla bruyamment et s'enthousiasma.

« Adieu les Américains, bon débarras! s'exclama-t-il.

— Et notre Garde écossaise part en janvier », grommela Mason en claquant des doigts.

Un serveur apparut aussitôt.

« Un scotch soda, mon garçon. Sans glace. Willoughby?

— Un scotch, sec. »

Sir Edward acquiesça. Il détestait voir un bon whisky gâché avec de l'eau.

« Les nationalistes du Kuomintang ont pris le contrôle, dit fermement sir Edward sans laisser paraître son sentiment. À Pékin comme à Nankin, ce qui signifie qu'ils exercent leur autorité à la fois sur la capitale du Nord et sur celle du Sud. Nous devons admettre que la guerre civile est enfin terminée, parmi les seigneurs de guerre, sinon contre les communistes. Le maréchal Chang Tso-lin et son armée du Nord sont épuisés. C'est pour cette raison, messieurs, que le gouvernement britannique a décrété qu'il n'est plus nécessaire d'affecter un contingent aussi important à la défense de nos intérêts en Chine.

— Est-il vrai qu'on facilite le passage du maréchal Chang Tso-lin et de ses hommes vers la Mandchourie ? demanda Alfred Parker, profitant de l'occasion.

— Oui.

— Mais pourquoi ? Les Chinois ont pour habitude de massacrer les ennemis qu'ils battent.

— Vous feriez mieux de poser la question au général Tchang Kaï-chek. »

Sir Edward tira sur son cigare, l'air inquiet.

Cet homme impressionnant, âgé d'une soixantaine d'années, grand, portait un habit de soirée, une chemise à grand col cassé et une cravate blanche. La blancheur de ses cheveux détonnait avec sa moustache de militaire à laquelle un mélange quotidien de nicotine, de tanin et de whisky des Highlands donnait une couleur caramel. En sa qualité de gouverneur de Junchow, lui incombait la tâche impossible de maintenir la paix entre les différentes populations étrangères : française, italienne, japonaise, américaine et britannique, et pire encore russe et allemande qui, depuis la fin de la Première Guerre mondiale, avaient perdu leur statut officiel en Chine et y étaient simplement tolérées.

Mais ce qui l'irritait par-dessus tout, c'était le comportement de ces maudits Américains, qui échouaient souvent dans leurs entreprises et venaient se plaindre de la situation quand les dégâts étaient devenus irréparables. Ce ne serait pas plus mal d'en voir partir, même si T'ientsin s'en trouvait plus exposée. Avec un peu de chance, le contingent de Junchow suivrait. Mais il faudrait encore se méfier des Japonais. Ceux-là lui faisaient froid dans le dos.

Sir Edward s'aperçut que Theo Willoughby l'observait. Il approuva de nouveau, d'un geste presque imperceptible. Il aimait bien le professeur. Ce jeune homme avait du potentiel. Si seulement il renonçait à sa fascination obsessionnelle pour la Chine. Sa liaison avec une autochtone importait peu. Quantité d'hommes de sa connaissance plongeaient dans la piscine jaune de temps à autre. Pas que cela l'attirât lui-même, mon Dieu, non. S'il succombait aux charmes d'une Chinoise, sa chère Eleanor se retournerait dans sa tombe. Elle lui manquait encore et rien ne pouvait atténuer sa douleur. Eleanor aimait bien Willoughby, elle aussi. Elle le trouvait adorable. Un adorable emmerdeur, à s'en fier à l'air agacé de Mason. Il y avait trop de tensions entre ces deux hommes, ça crevait les yeux. Mason pensait avoir le dessus, mais aurait mieux fait de se méfier. Il ne fallait pas sous-estimer ce garçon : il pouvait se montrer imprévisible. Il avait ça dans le sang. L'acte abominable commis par son père le prouvait. Une honte ! Rien d'étonnant à ce que son fils se cache ici, à l'autre bout du monde. Sir Edward prit une bonne gorgée de whisky qu'il fit glisser lentement dans sa bouche avec un plaisir évident.

« Willoughby, dit-il en le regardant par en dessous, vous resterez bien pour le récital de la belle Russe ce soir. »

Il ne s'agissait pas d'une question.

« J'en serai ravi, monsieur. »

Maudit soit-il. Theo ne pourrait pas voir Li Mei de la soirée.

« Quelle surprise de vous trouver ici, Theo », lui lança Alfred Parker.

Le ton de sa voix était aussi courtois que d'habitude, mais il ne pouvait cacher son étonnement.

Ils se tenaient seuls au bar pour remplir de nouveau leur verre et profiter d'un peu de répit, car une discussion animée s'était engagée à propos du danger de l'extraterritorialité, puis pour savoir si les nationalistes auraient conquis Shanghai l'année précédente sans l'aide de Du les Grandes Oreilles et de son gang La Bande verte.

Theo était toujours mal à l'aise quand on abordait le sujet des gangs chinois, car ils l'effrayaient. Il avait entendu des rumeurs concernant leurs activités à Junchow. Des gens égorgés, des commerces soudain avalés par les flammes, un buste décapité flottant dans le fleuve. Mais il restait par amour de la Chine, pour sa beauté à couper le souffle. Elle lui avait volé son cœur. Pas simplement l'exquise délicatesse de Li Mei, mais les lignes somptueuses des vases Ming, le tracé d'un pinceau pour calligraphie, les sens cachés d'une aquarelle représentant un homme qui pêche, le soleil flamboyant déclinant derrière une multitude de sampans qui exposent leurs ordures puantes dans une lueur dorée étrange. Ces sensations le transportaient. Même la sueur et les dents cassées d'un tireur de pousse-pousse ou d'un porteur dans les champs exprimaient la beauté d'un pays qui existait grâce au labeur épuisant de ses millions de miséreux.

Mais les triades, c'était le ver dans le fruit, qui dévore, gâte, souille. Theo s'essuya le front avec un grand mouchoir rouge et passa un doigt dans le col qui l'étranglait pour le desserrer.

« Je ne suis pas ici par choix, dit-il. Mason veut s'entretenir avec moi.

— Cet homme est trop avide de pouvoir. Il tente de tirer profit de toutes les situations. »

Theo eut un rire amer.

« C'est un beau salopard qui s'empare de tout ce qui lui tombe sous la main. Il n'hésiterait pas à abattre celui qui se met en travers de sa route.

— Alors ne le faites pas.

— Je crains qu'il ne soit trop tard.

— Pourquoi ? Qu'avez-vous fait pour le déranger ?

— Oh, les raisons ne manquent pas. Il n'aime pas que sa fille étudie l'histoire de la Chine, ni le fait que j'aie rendu obligatoire l'éducation physique pour les filles comme pour les garçons. Et j'ai interdit l'entraînement du samedi au champ de tir. Pour ça, j'ai failli être pendu par une multitude de pères furieux. »

Parker éclata franchement de rire. C'était un homme grand, au torse robuste, aux manières courtoises. Aujourd'hui, il semblait gêné. Il fouilla dans ses poches en quête de sa pipe, prit son temps pour l'allumer, puis hocha la tête en signe de désapprobation.

« Vous le faites par provocation. »

Theo le dévisagea, surpris. Le journaliste était sérieux. Alfred était vraiment inexpérimenté en ce qui concernait les usages orientaux, mais son intuition lui permettait de voir clair dans le jeu des autres. C'était ce qui en faisait un bon journaliste et la raison pour laquelle Theo s'était pris de sympathie pour lui. Oui, il lui arrivait d'agir en crétin suffisant, en particulier devant les membres du beau sexe, mais dans d'autres circonstances, c'était un homme bien qui avait le bon sens de porter une veste de lin et une chemise à col souple plutôt qu'une tenue de soirée. Cependant, son analyse avait ébranlé Theo. Sans doute parce qu'elle était juste.

« Écoutez, Alfred, je veux simplement éveiller l'esprit de ces enfants.

— Supprimer les activités qu'ils aiment, comme le tir, ne va pas vous y aider, vous savez. Je pense que ça aura l'effet inverse.

— Il n'y a pas si longtemps, nous avons traversé une terrible période de guerre en Europe. Et ici, cela fait vingt ans que dure la guerre civile, sans compter les guerres de l'opium et la révolte des Boxers. Et regardez ce qui se passe en Inde. Quand admettrons-nous qu'on ne résout rien en croisant le fer ?

— Attendez. Nous avons apporté la civilisation et la moralité à ces païens. Nous avons sauvé leurs âmes. La marine et l'armée étaient nécessaires pour nous ouvrir la voie.

— Non, la violence n'est pas une solution. Notre seul espoir pour l'avenir est d'apprendre aux enfants qu'une couleur de peau ou une langue différente de la leur ne font pas de l'autre un ennemi pour autant. »

Il posa une main sur le bras de son ami.

« Ce pays a désespérément besoin de notre aide, pas de nos armées.

— Bon sang, Willoughby, vous n'êtes tout de même pas objecteur de conscience en plus d'aimer les chinetoques ? » lança Mason.

Theo ne se retourna pas. Il sentait monter la colère. Dans le miroir derrière le bar, il voyait le reflet de Christopher Mason qui se tenait derrière lui, le menton relevé comme s'il attendait un coup de poing.

« Monsieur Mason, intervint posément Alfred Parker, je voulais justement m'entretenir avec vous. Les lecteurs du *Daily Herald* aimeraient connaître vos positions en qualité de responsable de l'éducation à Junchow. Je prépare un article sur les perspectives d'avenir pour les jeunes ici. Puis-je organiser une interview ? »

Mason parut surpris, décontenancé, puis s'autorisa un sourire.

« Assurément, Parker. Appelez à mon bureau lundi matin.

— Je vous remercie. »

Mason paraissait s'impatienter. Puis soudain, il attaqua.

« Eh bien, Willoughby, je crois que le moment est venu d'avoir notre petite conversation. »

« Le latin.

— Pardon ?

— Pourquoi enseignez-vous le latin à ma fille ?

— Pour étendre sa maîtrise linguistique.

— Et vous lui faites aussi manipuler des produits chimiques dangereux.

— Monsieur Mason, tous les élèves de mon école apprennent le latin et les sciences, garçon ou fille. Vous le saviez quand vous l'avez inscrite il y a trois ans.

— La poésie latine, dit Mason ignorant l'intervention de Theo, disséquer des grenouilles et couper les pattes des insectes, l'histoire chinoise et toutes ces affaires de concubines et de décapitations, les cours de gymnastique pendant lesquels les filles sautent sur des chevaux et font la roue vêtues de presque rien pendant que les garçons les observent avec des yeux exorbités. Rien de tout ça n'est convenable pour des jeunes femmes.

— Ce ne sont pas de vrais chevaux, mais des équipements de gymnase.

— Ne vous moquez pas de moi, jeune homme.

— Ce n'était pas mon intention. Je précisais simplement que les cours se passent au gymnase et ne sont pas mixtes, ce qui implique que les garçons ne regardent pas les filles, qui d'ailleurs portent des tuniques parfaitement décentes pendant les activités sportives. Personne ne les voit, sauf Mlle Pettifer.

— Je vous dis que ce n'est pas bon pour elles. Mme Mason et moi-même n'aimons pas ça. »

Theo évita de mentionner le tandem avec lequel Mme Mason venait chercher Polly à l'école tous les jours. De toute évidence, elle voyait d'un bon œil l'éducation physique et sportive des filles. Il regarda fixement les profondeurs ambrées de son verre de whisky et essaya de deviner où Mason voulait en venir. Ils étaient assis au fond de la véranda. De l'autre côté, en petits groupes au milieu des palmiers en pot, se trouvaient les femmes, dont les conversations parvenaient aux deux hommes en un doux murmure, sans les déranger.

« Vous pouvez envoyer Polly dans une autre école, monsieur, proposa Theo. Le lycée Saint-Francis vous conviendrait peut-être mieux. »

Mason lui décocha un regard méprisant. Mais il exprimait autre chose qui effraya Theo.

« Ce n'est pas à ça que je pensais, Willoughby.

— À quoi alors ? demanda Theo en portant son verre à ses lèvres.

— J'envisage de fermer l'école. »

Ces mots le glacèrent. Il se sentit pâlir. Il reposa péniblement le verre sur la table et plissa les yeux pour regarder de l'autre côté du terrain de croquet qui, dans la lumière du soir, prenait une couleur lavande. La surface argentée du lac, elle, avait une teinte grise et semblait solide comme la queue d'un dragon. Theo avait vraiment besoin d'une gorgée de scotch, mais il n'osa pas reprendre son verre. Mason était penché vers lui et l'observait avec dureté. Theo s'efforça de se concentrer. Lentement, il appuya le dos contre le dossier de son siège, croisa les jambes et lui rendit son regard.

« Dois-je comprendre que vous allez retirer l'autorisation de la Willoughby Academy ? demanda-t-il froidement.

— C'est une possibilité.

— Je pense que vous allez crouler sous les courriers de protestation pour une initiative aussi absurde. C'est la meilleure école de Junchow et vous le savez. Une éducation plus approfondie pour les filles ne justifie pas…

— Il ne s'agit pas que de cela. »

Theo fronça les sourcils.

« Qu'y a-t-il d'autre ?

— Les fonds manquent. »

Theo sut alors qu'il avait perdu.

« Regarde un peu la femme là-bas. Elle est jolie comme un cœur, non ? Elle tournerait la tête à n'importe quel homme. »

Cette remarque venait d'un groupe bruyant d'officiers en uniforme qui sortaient de la salle de billard.

Theo se dirigeait à grands pas vers le fumoir. Il avait besoin d'être seul. Loin de cette mascarade. Il fallait qu'il réfléchisse à sa stratégie. Le sang battait à ses tempes et il lui semblait qu'un millier de sauterelles bourdonnaient à ses oreilles. Cependant, le commentaire de l'officier le poussa à jeter un regard par-dessus son épaule.

La femme dont il avait parlé était Valentina Ivanova.

Theo se souvint soudain de la maudite invitation de sir Edward au récital. Mason y assisterait, bien sûr, affichant son sourire suffisant, avec son regard de requin avide de pouvoir et ses grandes dents blanches de prédateur qu'il avait pour habitude de tapoter. Mais regarder Valentina

Ivanova remit les idées de Theo en place. Cela lui rappela la légitimité de son combat parce qu'elle traversait le hall accompagnée d'une de ses élèves : la jeune Lydia. Celle qui désirait tant s'informer sur les arts martiaux chinois.

Ensemble, elles étaient éblouissantes. On se retournait sur leur passage. Le visage des femmes se crispait. La mère était magnifique. Sa démarche, le balancement de ses hanches minces et la noblesse de son port de tête faisaient oublier sa petite taille. Sa peau était pâle et parfaite et elle avait relevé ses cheveux bouclés, paraissant ainsi plus grande, plus imposante.

Theo l'avait déjà vue à plusieurs reprises, mais jamais en tenue de sortie. Elle était vêtue d'une robe du soir décolletée en soie bleue qui dévoilait sa gorge élégante et la naissance de ses seins. Elle portait des gants blancs qui lui couvraient les coudes, mais aucun bijou. Elle n'en avait pas besoin. Theo la compara à Li Mei. Celle-ci avait une silhouette moins voluptueuse, un charme plus discret, mais il émanait d'elle une pureté, une espèce de sensualité retenue qu'aucune Occidentale ne pouvait égaler. Comme la porcelaine chinoise comparée à celle de Wedgwood. Seule la beauté de la première vous chavirait le cœur.

« Bon sang, qui est donc cette superbe créature ? demanda l'un des officiers.

— Je crois que c'est la concertiste, répondit un jeune chef de bataillon. Le comité du club soutient le divertissement et elle le personnifie. »

Un rire vulgaire accueillit cette remarque.

« Elle peut venir me divertir quand elle veut.

— Moi, je prendrai la jeune, le lionceau. Elle a l'air de n'attendre que ça.

— Eh bien moi, j'aimerais savoir ce qui se cache sous cette robe avant de… »

Theo s'éloigna. L'alcool les rendait grossiers. Mais dans une communauté où les Occidentales représentaient dix pour cent de la population, ce genre de comportement n'était pas rare. Les bordels fleurissaient, bien fournis en Russes et en Eurasiennes, les laissées-pour-compte d'une discrimination sociale féroce. Theo eut soudain une terrible envie de fuir et de laisser tous ces gens dans l'enfer qu'ils s'étaient créé, mais il se maîtrisa. La soirée n'était pas terminée. Il y avait encore Mason.

Lydia croisa son regard et, peu à l'aise dans sa tenue de soirée, lui adressa un sourire timide. Un lionceau, oui, le militaire avait raison. Des yeux fauves et une crinière flamboyante. Un air indompté. Ce soir, elle avait tout d'une belle jeune femme, mais même dans l'écrin de sa robe abricot dernière mode, avec sa taille basse et son ourlet au niveau du genou, elle suscitait une fascination étrange. Elle pouvait même paraître redoutable. Pourtant, lorsqu'il lui rendit son sourire, elle rougit.

6

Dans la rue Wellington, à l'extérieur du *Ulysses Club*, les réverbères étalaient des mares de lumière jaune au milieu de l'obscurité opaque qui recouvrait tout le pays. La nuit revendiquait le territoire fragile que les étrangers croyaient posséder.

L'obscurité donnait asile au voleur aux petits yeux qui se tenait près du lit de l'enfant endormi du jeune maître pendant que son *amah* jouait au mah-jong au rez-de-chaussée. À la charrette nauséabonde chargée d'excréments humains destinés aux champs. Au couteau sous la gorge d'un Occidental qui avait pensé qu'une dette envers un preneur de paris chinois ne constituait pas une obligation.

Et à Chang An Lo. Comme la nuit tombait, il devenait invisible ; son ombre se fondait sur le tronc tacheté d'un des platanes qui bordaient la rue. Il ne bougeait pas. Il resta immobile même lorsque le rayon argenté d'un éclair découpa le ciel et qu'un rideau de pluie se mit à tomber, faisant frémir les feuilles au-dessus de lui et métamorphosant les voitures en monstres noirs luisants dont les yeux lançaient des faisceaux sur les portes en fer forgé du club. Un militaire armé d'un fusil et portant une casquette à visière contrôlait les entrées.

Chang An Lo appuya la tête contre l'écorce rugueuse et ferma les yeux pour rappeler à son souvenir l'image de la fille sautant du pousse-pousse qui l'avait conduite au club. Il revit sa chevelure flamboyante et l'empressement de ses pas. Il l'avait observée alors qu'elle levait la tête pour examiner les immenses colonnes de marbre et, de son regard perçant, avait compris qu'elle hésitait à avancer. Est-ce qu'elle avait encore le même regard étonné que lors de leur rencontre la veille dans la ruelle, la *hutong* crasseuse ?

Pourquoi s'était-elle rendue là-bas ?

Il s'était posé la question à de nombreuses reprises. S'était-elle égarée ? Mais comment pouvait-on pénétrer dans la vieille ville sans s'en apercevoir ? Le comportement des *fanqui* était étrange et leur esprit boueux et impénétrable. Il passa la main sur ses cheveux coupés ras, sentit l'humidité de la pluie et appuya plus fermement sur sa tête, comme si la pression de ses doigts pouvait faire naître des réponses.

Étaient-ce les dieux qui l'avaient placée sur sa route ?

Il hocha la tête, en colère contre lui-même. Les Chinois ne considéraient pas les Européens d'un œil bienveillant et les dieux de l'empire du Milieu ne devaient rien avoir à faire avec eux. Chang An Lo lui-même ne devait pas les fréquenter, si ce n'est pour ramener leur âme vorace jusqu'à la mer d'où ils étaient arrivés, mais ce qui était curieux, c'est qu'en la croisant la veille dans la *hutong*, il ne l'avait pas perçue comme un diable étranger. Il avait vu un renard glapissant et rusé, semblable à celui qu'il avait un jour libéré de son piège dans les bois. Il avait planté ses crocs dans son bras et lui avait arraché un lambeau de chair avant de courir se mettre à l'abri. Chang s'était furtivement identifié à l'animal, piégé, féroce, se battant pour sa liberté.

Maintenant il y avait cette fille, sauvage comme un renard et animée d'un feu qui étincelait dans ses grands yeux de *fanqui* et jusque dans les flammes de ses cheveux. Elle le brûlerait, il en était sûr. Comme il avait été certain que l'animal pris dans le collet l'attaquerait sauvagement quand il le toucherait. Mais à présent, il était lié à elle, leurs âmes étaient unies et il n'avait plus le choix. Parce qu'il lui avait sauvé la vie.

Il revit la ruelle, un égout répugnant où personne n'oserait s'aventurer. Il aurait pu passer sans regarder. Mais les dieux l'avaient arrêté et il avait tourné la tête. Elle avait éclairé ce recoin noir avec son feu. Il n'avait jamais vu quelqu'un comme elle.

Soudain, il revint à la réalité : la pluie et les grondements du tonnerre dans le ciel. Puis un bruit de pas accompagné du tapotement d'une canne retint son attention. Un homme courbé sous son parapluie passait à quelques mètres de lui. Il portait un haut-de-forme et un lourd imperméable. Il dépassa Chang sans même remarquer sa présence. Avant qu'il ait pu atteindre le club, deux silhouettes se jetèrent à ses pieds sur le trottoir inondé.

Un homme et une femme, des mendiants. Des habitants de la vieille ville dont la voix s'éleva en plaintes aiguës.

Lorsqu'il les aperçut, Chang cracha.

L'homme au chapeau leur jeta une poignée de pièces, accompagna son geste d'un juron puis fit siffler sa canne sur leur dos alors qu'ils rampaient pour les ramasser. Chang le regarda s'éloigner, monter les larges marches blanches et passer l'entrée, tellement grandiose qu'on aurait dit celle du palais d'un mandarin. Il n'entendit pas les mots que l'homme prononçait, mais les gestes qu'il fit lui étaient familiers. Il avait pu les observer dès l'enfance.

Au cours de l'heure qui suivit, le regard de Chang fut happé encore et encore par les fenêtres éclairées. La fille aux cheveux pelage de renard se trouvait là. Il l'avait regardée monter les marches avec l'autre femme. À leurs épaules tendues et à la manière dont elles s'ignoraient, on pouvait deviner la tension entre elles.

Chang sourit pour lui-même alors que la pluie ruisselait sur son visage. Décidément, cette fille renard avait les dents acérées.

7

Lydia visitait le club d'un pas pressé. Elle avait peu de temps et beaucoup à voir.

Valentina lui avait dit: «Reste ici. Je n'en ai pas pour longtemps, dix minutes, tout au plus. Ne bouge pas.»

Elles se tenaient sur le côté de l'escalier monumental où un antique banc en chêne créait un curieux contraste avec l'éclat du chandelier et le pilier ciré, en forme de gland géant. Tout était gigantesque: les tableaux, les miroirs, même les moustaches. Plus grand et plus beau que ce que Lydia connaissait. Même Polly n'était jamais entrée dans cet endroit.

«Et ne parle à personne, avait ajouté Valentina très sèchement en jetant un œil glacial sur les hommes au regard vicieux qui murmuraient entre eux. À personne, tu entends?

— Oui, maman.

— Il faut que je voie le directeur pour régler quelques détails.»

Elle lança un regard dissuasif à un jeune homme en habit avec une écharpe de soie qui s'approchait.

«Tu devrais peut-être m'accompagner.

— Non, tout va bien. Ça me plaît de regarder les gens.

— Le problème, Lydochka, c'est qu'eux aussi aiment te regarder.»

Valentina hésita, mais Lydia s'assit sagement sur le banc et posa les mains sur ses genoux. Sa mère lui tapota l'épaule d'un geste rassurant et se dirigea vers un couloir sur la droite. Alors qu'elle s'éloignait, Lydia l'entendit marmonner:

«Je n'aurais jamais dû lui acheter cette fichue robe.»

Lydia passa le bout des doigts sur le tissu doux. Elle adorait cette robe. Elle n'avait jamais rien porté d'aussi beau. Et ces chaussures en satin crème! Elle allongea la jambe pour les admirer. Elle vivait le moment le plus parfait de sa vie, assise là, dans cet endroit magnifique, vêtue d'une tenue superbe et faisant l'admiration de tous ces gens distingués.

Ça, c'était la vie. Pas la simple survie. C'était… être vivant, plutôt qu'à moitié mort. Et pour la première fois elle eut l'impression de comprendre un peu la peine que ressentait sa mère. Perdre tout ça. Ce devait être comme avancer à tâtons dans un égout pour s'y installer avec les rats. Lydia sentit le sang battre à ses tempes. Son foyer était un grenier. Pour combien de temps encore? Elle saisit un pan de sa robe et serra le poing sur le tissu abricot puis elle glissa les pieds sous son siège afin de ne plus voir ses chaussures.

Regarde ce que je t'ai acheté pour ce soir, ma chérie. Pour ton anniversaire.

Lydia, qui venait de rentrer de l'école lorsque Valentina avait prononcé ces paroles réjouissantes, avait souri, s'attendant à recevoir un ruban pour ses cheveux ou ses premiers bas de soie. Mais pas cette robe ni ces chaussures.

Elle s'était figée, le souffle coupé.

«Maman, avait-elle dit, sans pouvoir détacher le regard de la robe. Avec quoi les as-tu payées?

— Avec l'argent qui était dans le bol bleu.»

— Celui pour le loyer et les courses ?

— Oui, mais…

— Tu as tout dépensé ?

— Bien sûr. C'était cher. Mais ne fais pas cette tête. »

Valentina s'était brusquement interrompue, avait regardé sa fille d'un air inquiet, puis lui avait caressé la joue.

« Ne t'inquiète pas autant, *dochenka,* lui avait-elle dit d'une voix douce. Je serai bien payée pour le concert de ce soir et peut-être qu'il me permettra de décrocher d'autres contrats, surtout avec toi, si jolie, à mes côtés. Considère ça comme un investissement pour notre avenir. Souris, mon cœur. Ne trouves-tu pas la robe magnifique ? »

Lydia approuva timidement sans parvenir à sourire.

« Nous allons mourir de faim, murmura-t-elle.

— N'importe quoi.

— Quand Mme Zarya nous jettera à la rue, nous pourrirons dans le caniveau.

— Arrête le mélodrame, ma chérie. Tiens, essaie-la. Et les chaussures aussi. Je n'ai pas fini de les payer, mais elles sont si jolies ! Tu ne trouves pas ?

— Oui. »

Lydia avait le souffle court.

Mais dès qu'elle enfila la robe, elle fut conquise. Légèrement fendue au-dessus du genou, elle avait deux rangs de broderies perlées aux emmanchures et au col et une large ceinture de satin. Lydia virevolta et sentit le tissu caresser sa peau en exhalant une subtile odeur d'abricot. Ou bien n'était-ce qu'une impression ?

« Elle te plaît ?

— Je l'adore.

— Joyeux anniversaire !

— Merci.

— Maintenant, arrête de me faire la tête.

— Maman, j'ai peur, dit Lydia d'une toute petite voix.

— Tatata. Je t'achète ta première robe élégante pour te faire plaisir et toi, tu me dis que tu as peur. Posséder de belles choses n'est pas un crime. »

Elle posa la tête contre celle de sa fille puis murmura :
« Profites-en, ma belle, apprends à apprécier ce que t'offre la vie. »

Mais Lydia parvint seulement à hocher la tête. Elle adorait sa tenue tout en la haïssant et elle s'en voulait d'en être folle à ce point.

« Tu m'énerves, Lydia Ivanova, tu m'énerves ! lui lança sa mère. Tu ne mérites pas cette robe. Je vais la rapporter.

— Non ! » cria-t-elle, se trahissant.

Quand sa mère lui brossa les cheveux et les coiffa sur un côté en torsade sophistiquée, Lydia remarqua qu'elle portait des gants neufs.

Un officier de marine approcha Lydia alors qu'elle s'éloignait du fumoir auquel elle venait de jeter un œil. La fumée bleutée d'une dizaine de cigares et de quelques pipes lui avait irrité la gorge et l'avait fait éternuer.

« Puis-je vous être utile, mademoiselle ? Vous avez l'air perdue et je ne supporterais pas de voir une demoiselle aussi charmante dans le désarroi. »

L'officier lui sourit. Dans son uniforme blanc rehaussé de galons dorés, il était séduisant.

« Eh bien, je…

— Permettez-moi de vous offrir un verre. »

Quelle intensité dans son regard bleu ! Quel charme dans son sourire ! Et puis il lui avait dit cette phrase qu'elle n'avait entendue qu'en rêve. C'était sa robe qui produisait un tel effet, elle en était persuadée. Sans oublier sa coiffure. Elle avait envie d'accepter, mais elle n'ignorait pas que cet élégant officier aux dents blanches attendrait quelque chose en retour. À la différence de son défenseur de la veille. Il ne lui avait rien demandé et cela l'émouvait bizarrement. C'était tellement… inattendu. Pourquoi un faucon chinois voudrait-il sauver un moineau *fanqui*? Cette question l'obsédait. Elle se rappela l'éclair de rage dans ses yeux noirs et se demanda ce qu'il cachait. Si elle voulait le lui demander, il faudrait le retrouver, mais elle ne connaissait même pas son nom.

« Voulez-vous boire un verre ? » insista l'officier.

Lydia détourna le visage avec dédain et répondit sur un ton détaché :

« J'accompagne ma mère. La concertiste. »

Le jeune homme disparut. Lydia frissonna d'aise. Elle se dirigea vers une porte entrouverte, au-dessus de laquelle une plaque annonçait en lettres de cuivre : Salle de lecture. Elle y entra. Quand elle s'avisa qu'il n'y avait que deux hommes à l'intérieur, elle fut rassurée. L'un d'eux dormait en ronflant doucement, assis dans un fauteuil en cuir, un numéro du *Times* sur le visage. L'autre se tenait près de la fenêtre où la pluie tambourinait. C'était M. Theo.

Il était assis bien droit, les yeux fermés. Un son continu s'échappait de ses lèvres, une sorte de « oum » qu'il répétait sans s'arrêter, un peu comme la mère de Lydia quand elle faisait ses gammes. Il respirait profondément, les paumes tournées vers le ciel. Lydia l'observait, fascinée. Elle avait vu des autochtones dans cette posture, notamment les moines à la tête rasée du temple de la colline au tigre, mais jamais un Européen. Elle parcourut du regard la pièce faiblement éclairée. Sur un des murs se trouvaient des étagères foncées contenant des livres reliés de cuir. Des tables d'ébène couvertes de journaux, de magazines et de revues étaient disposées à intervalles réguliers. Lydia lut un titre : *Moteur gypsy de l'avion moth : nouveau record du capitaine de havilland.*

Sur la pointe des pieds, elle se dirigea vers une des tables. Parfois, elle trouvait un magazine abandonné dans le Victoria Park et elle le lisait encore et encore jusqu'à ce que les pages tombent en lambeaux. Alors ceux-ci, qui étaient en bon état et récents, lui parurent irrésistibles. Elle en choisit un au titre attirant : *Une femme dans la ville*, accompagné d'une illustration montrant une femme longiligne à côté d'un grand chien mince. Lydia l'approcha de son visage pour sentir l'étrange odeur de produits chimiques que dégageaient les pages puis tourna la première. Elle fut aussitôt captivée. Deux femmes posaient sur les marches de la National Gallery à Londres. Elles avaient une allure si moderne avec leurs bonnets dernier cri et leurs robes qui ressemblaient tant à la sienne qu'elle pouvait s'imaginer à leur place sur la photo. Elle entendait presque leurs rires et le roucoulement des pigeons à leurs pieds.

« Sortez ! »

Elle manqua de lâcher le magazine.

« Sortez d'ici ! »

L'injonction venait de M. Theo. Il était penché en avant et la dévisageait. Il ne semblait pas être dans son état normal. Elle s'apprêtait à partir, car elle était habituée à lui obéir en classe, mais le ton de la voix de son professeur la poussa à le fixer à son tour. La tristesse de son regard la stupéfia.

Elle s'avança vers lui d'un pas hésitant.

« Monsieur le directeur ? »

Il tressaillit comme si elle venait de toucher une plaie ouverte puis il se passa la main sur le visage. Lorsqu'il la regarda de nouveau, il avait retrouvé son expression habituelle.

« Qu'y a-t-il, Lydia ? »

Elle ne savait pas quoi dire. Ni comment l'aider. Elle manquait d'assurance, mais elle ne pouvait pas le laisser.

« Monsieur, dit-elle sans avoir la moindre idée de ce qu'elle pourrait ajouter, êtes-vous bouddhiste ?

— Quelle question extraordinaire. Et très personnelle en plus. »

Semblant soudain extrêmement fatigué, il reposa la tête contre le dossier du fauteuil.

« Non, je ne suis pas bouddhiste, même si nombre des enseignements de Bouddha m'incitent à suivre la voie de la paix et de la connaissance. Dieu sait que ce sont des valeurs oubliées dans cet endroit sordide.

— La Chine ?

— Non, je veux dire ici, dans la concession internationale. »

Il ricana bruyamment.

« Où rien n'est concédé, sinon par avidité et corruption. »

Ces paroles désenchantées laissèrent à Lydia un goût amer comme l'aloès. Elle secoua la tête comme pour s'en débarrasser puis abandonna le magazine sur une table.

« Mais monsieur, il me semble que pour quelqu'un comme vous... Enfin... Vous avez... tout. Alors pourquoi ?

— Tout ? Tu veux parler de l'école ?

— Oui. Et une maison, une voiture, un passeport, une place dans la société et... »

Elle allait dire « une maîtresse », belle et exotique, mais elle s'interrompit à temps. Elle ne parla pas d'argent non plus. Il en avait. Au lieu de cela, elle ajouta :

« Tout ce qu'on peut souhaiter.

— Ceci, dit-il en se levant brusquement, n'est que de la boue. Comme le souligne si bien Bouddha, ce que vous appelez "tout" souille l'âme.

— Non, monsieur. Je ne suis pas d'accord. »

Il la dévisagea en fronçant les sourcils d'une manière intimidante, mais elle soutint son regard. Étrangement, un sourire se dessina sur les lèvres de Theo, mais ses yeux restèrent sévères.

« Petite Lydia Ivanova dans votre belle tenue. Comme un bourgeon de magnolia sur le point d'éclore. Vous êtes tellement innocente, tellement pure. Vous n'avez aucune idée de ce qui se passe. Nous vivons dans un monde corrompu dont vous ne savez rien.

— J'en sais plus que vous n'imaginez. »

Il éclata de rire.

« Oh, je veux bien le croire. Je ne vous considère pas comme un mouton obéissant, contrairement à certains de vos camarades. Mais votre jeune âge vous permet encore l'espoir. »

Il s'enfonça de nouveau dans son fauteuil et se prit la tête dans les mains.

« Vous avez encore espoir. »

Lydia regarda les longs doigts tourmentés de Theo enfouis dans ses cheveux et sentit l'angoisse lui nouer la gorge. Elle se rapprocha du fauteuil tandis qu'un léger ronflement s'élevait à l'autre bout de la pièce, puis elle se pencha vers Theo et lui chuchota presque à l'oreille :

« Monsieur, quels que soient mes rêves d'avenir, c'est à moi de les rendre possibles. Si c'est ce que vous entendez par "espoir" alors, oui, j'en ai. »

Elle proféra ces mots avec un ton farouche. Theo releva la tête et lui adressa un regard grave adouci par une pointe d'admiration.

« Ton discours est passionné, Lydia. Mais vide. Parce que tu ignores tout de l'endroit où tu vis. Du fonctionnement de cette ville sordide. Elle n'est que saletés et corruption. La puanteur du caniveau…

— Non, l'interrompit Lydia en secouant la tête avec ardeur. Pas ici. »

D'un geste de la main, elle désigna les livres reliés de cuir, l'horloge française en bronze doré dont les aiguilles marquaient l'écoulement de leurs vies et la porte qui ouvrait sur un monde élégant, immuable et paisible, surveillé par sir Edward Carlisle.

« Lydia, tu es aveugle. Cette ville s'est construite sur l'avidité. On l'a volée à la Chine et on y a installé des hommes insatiables. Je te prie de croire que, par la volonté de Dieu ou celle de Bouddha, c'est ce qui fera sa perte.

— Non.

— Oui. La corruption habite le cœur de la ville. Tu devrais le savoir mieux que quiconque.

— Moi ? Pourquoi ? demanda Lydia, paniquée.

— Parce que tu étudies dans mon école, bien sûr. »

Lydia fronça les sourcils, perplexe.

« Je ne comprends pas. »

Brusquement, Theo s'assombrit.

« Va-t'en, Lydia. Éblouis qui tu veux avec l'éclat de tes convictions et de ta chevelure, mais pas moi. Je te verrai lundi matin. Tu porteras ton uniforme de la Willoughby Academy, avec ses manches trop courtes aux poignets effilochés, et moi ma blouse de professeur. Oublions cette conversation. »

Il la congédia d'un geste et alluma une cigarette avec un air résigné.

Lydia ferma la porte derrière elle. Elle n'oublierait pas cette conversation.

« Lydia, ma chérie, comme tu es jolie. »

Lydia se retourna et vit Mme Mason accourir vers elle. Une femme d'une quarantaine d'années l'accompagnait, grande et mince au point de la faire paraître massive par comparaison.

« Comtesse, permettez-moi de vous présenter Lydia Ivanova. C'est la fille de notre pianiste. »

Anthea Mason se tourna vers Lydia.

« La comtesse Natalia Serova est russe elle aussi, originaire de Saint-Pétersbourg, mais je devrais l'appeler Mme Charonne à présent. »

Comtesse. Le titre impressionna Lydia. Elle portait une robe en soie bordeaux dont la coupe bouffante lui parut étrangement démodée. Elle se tenait très droite, la tête haute, et portait un collier de perles. De ses yeux bleu pâle, elle observait Lydia avec détachement. Lydia, ne sachant pas ce qu'on attendait d'elle, fit une petite révérence.

« Vous avez reçu une bonne éducation, mon enfant. *Devushki ochen redko takie vezhlevie.* »

Lydia baissa les yeux pour ne pas montrer qu'elle ne comprenait pas.

« Lydia ne parle pas russe », expliqua Anthea Mason pour l'aider.

La comtesse haussa un sourcil dessiné avec raffinement.

« Et pourquoi donc ? »

Lydia eut envie de creuser un trou pour s'y cacher.

« Ma mère ne m'a appris que l'anglais. Et un peu de français, ajouta-t-elle très vite.

— C'est scandaleux.

— Allons, comtesse, ne soyez pas si dure avec cette enfant.

— *Kakoi koshmar!* Elle devrait parler sa langue maternelle.

— L'anglais est ma langue maternelle, insista Lydia dont les joues s'empourpraient. Je suis fière de le parler.

— Quelle bonne chose. Défendez les couleurs de la Couronne, ma chère », dit Anthea Mason.

Du bout du doigt, la comtesse releva le menton de Lydia d'un bon centimètre.

« Vous vous tiendriez comme cela, dit-elle avec un sourire amusé, si vous étiez à la cour. »

Elle avait un accent encore plus prononcé que Valentina. Elle semblait rouler les mots dans sa bouche. Elle eut un léger haussement d'épaules et scruta Lydia, qui se sentit mise à nu.

« Vous êtes charmante, mais… »

La comtesse Serova baissa le bras et recula.

« … beaucoup trop mince pour porter une telle robe. Passez une bonne soirée. »

Elle s'éloigna d'une démarche hautaine aux côtés d'Anthea Mason.

« J'ai appris aujourd'hui que Helen Wills a remporté le tournoi de Wimbledon, dit Andrea. N'est-ce pas excitant ? »

D'un geste de la main, elle fit comprendre à Lydia qu'elle était désolée.

Lydia resta immobile pendant une bonne minute. Le hall s'emplissait, mais toujours pas de signe de sa mère. L'anxiété et l'abattement gâchaient le plaisir de porter sa robe neuve. Elle songeait à sa maigreur excessive, à ses seins minuscules et à la couleur horrible de ses cheveux. Elle s'exprimait avec trop de franchise et ses os étaient trop saillants. Dans cette robe elle jouait la comédie et parler anglais était une mascarade. Il est vrai que son accent était irréprochable, mais qui cela trompait-il ?

Pour chasser ses idées sombres, elle releva le menton puis partit à la recherche de sa mère ; le récital commençait bientôt.

Deux silhouettes se tenaient proches l'une de l'autre. Trop, pensa Lydia. Une petite femme menue dans une robe bleue était appuyée contre le mur d'un couloir. Un homme imposant et vorace se penchait vers elle, le visage si près du sien qu'on aurait dit qu'il allait la dévorer.

Lydia se figea. Elle se trouvait au milieu d'un corridor bien éclairé, mais le couloir à sa droite semblait mener vers les quartiers des domestiques ou vers une buanderie. Il faisait chaud et sombre dans ce recoin à l'écart. Le grand palmier près de l'entrée dessinait de longues ombres sur le sol. Lydia avait tout de suite reconnu sa mère. Mais il lui fallut plus longtemps pour reconnaître l'homme penché vers elle. Elle prit conscience avec stupéfaction qu'il s'agissait de M. Mason. Ses mains couraient sur le corps de Valentina comme s'il lui appartenait. Il lui caressait les cuisses, les hanches, le cou, les seins… Et elle ne faisait rien pour le repousser.

Lydia avait la nausée. Elle voulait partir, briser l'attraction, mais elle ne pouvait pas et restait figée, incapable de détourner le regard. Sa mère se tenait parfaitement immobile, la tête, le dos et les paumes de ses mains appuyés contre le mur comme si elle avait voulu le traverser. Lorsque les lèvres de Mason s'emparèrent des siennes, Valentina resta immobile, les yeux grands ouverts, comme une poupée. Pressant le corps de Valentina des deux mains, Mason l'embrassa le long du cou jusqu'au décolleté et Lydia l'entendit gémir.

Elle ne put retenir un hoquet. Cela suffit pour que sa mère tourne la tête. Valentina regarda fixement sa fille en ouvrant la bouche, mais aucun son n'en sortit. Lydia parvint enfin à bouger et se précipita dans un labyrinthe de couloirs. Elle entendait la voix de sa mère derrière elle qui l'appelait.

C'est alors qu'elle aperçut un homme qu'elle avait déjà rencontré. Il se dirigeait vers la sortie, mais regardait dans sa direction. C'était à lui qu'elle avait dérobé la montre.

Elle s'engouffra dans une pièce. C'était un vestiaire avec des rangées de manteaux, d'écharpes, de capes, de pardessus, de chapeaux et de cannes. Sur un côté se trouvait une petite arche qui menait dans la pièce voisine où l'employé responsable du vestiaire parlait en mandarin avec un client et ne pouvait pas l'apercevoir. Les jambes de Lydia chancelaient. Elle inspira profondément et parvint à se glisser jusqu'à une étole de renard roux. Elle caressa la fourrure avec sa joue pour se réconforter. Elle se laissa tomber sur le sol, entoura ses genoux de ses bras, y posa la tête et essaya de s'expliquer les événements de cette soirée.

Tout avait mal tourné. Absolument tout. Elle avait perdu ses certitudes : sa mère, l'école, ses projets, son apparence et même la langue qu'elle parlait. Rien n'était plus comme avant. Mason avec sa mère ! Qu'est-ce que cela signifiait ? Que se passait-il ?

Elle sentit des larmes couler sur ses joues et elle les essuya rageusement. Elle ne pleurait jamais. Jamais. C'était pour les gens comme Polly, ceux qui pouvaient se le permettre. Elle secoua la tête, bondit sur ses pieds et s'efforça de réfléchir. Si tout allait mal, il ne tenait qu'à elle de remettre les choses en ordre.

De ses mains tremblantes, elle lissa sa robe et se mit à fouiller les poches des manteaux. Elle trouva des gants d'homme en cuir et un briquet, mais elle les remit à leur place, car elle n'avait nulle part où les ranger, pas de sac à main ni de poches. Elle découvrit un mouchoir de dame qu'elle glissa sous sa combinaison. Il se vendrait facilement. Elle remarqua ensuite la poche jouffue d'un lourd imperméable bleu marine, encore détrempé par la pluie. Elle y glissa la main et sentit une bourse en cuir.

Vite, avant que quelqu'un vienne, elle en délia le cordon et la retourna. Un collier de rubis scintillants s'étala dans la paume de sa main, comme une tache de sang.

8

Chang observait.
Ils déferlaient du cœur de la concession. Un raz-de-marée sombre de policiers qui bloquaient la rue. Revolver bien calé sur la hanche, casquette à insigne fièrement portée, aussi menaçants que des cobras en colère, ils sautaient de voitures et de camions dont les phares découpaient des faisceaux jaunes dans l'obscurité et ils encerclaient le club. Un homme en costume noir et blanc, la poitrine couverte de médailles et un monocle à l'œil droit, descendit les marches de l'entrée pour les rejoindre. Il criait des ordres avec de grands gestes, à la manière d'un mandarin qui jette des pièces au mariage de sa fille.

Chang observait, patient, la respiration régulière. Il sondait l'obscurité, attentif au danger. Il abandonna sa cachette sous l'arbre pour se glisser dans la nuit alors qu'autour de lui les mendiants, le marchand de tournesols, le vendeur de thé, le garçon mince comme un clou qui faisait des acrobaties pour quelques pièces se fondirent dans le paysage au premier bruit de bottes. Chang trouvait l'air malodorant et il entendait presque la nuée d'esprits de la nuit qui flottaient au-dessus de lui, fuyant une nouvelle invasion barbare.

La pluie tombait encore, plus drue, comme pour les emporter. Elle faisait briller le bitume, forçait les diables en uniforme bleu à baisser la tête, ruisselant sur leurs manteaux alors qu'ils se postaient le long du mur du *Ulysses Club*. L'homme au monocle fut avalé par la bouche béante du bâtiment puis les lourdes portes se refermèrent derrière lui. Un officier armé d'un fusil se posta devant l'entrée. Les clients du club étaient coupés du monde.

Chang savait que la fille renard explorait les pièces de la même façon qu'elle s'était insinuée dans ses rêves. Pendant la journée aussi elle avait pris ses aises dans ses pensées, riant lorsqu'il essayait de l'en chasser. Il ferma les yeux et vit son visage, sa chevelure flamboyante et ses yeux d'ambre qui étincelaient quand elle le regardait, brillants de curiosité.

Et si elle ne voulait pas être enfermée dans le bâtiment du diable blanc ? Mise en cage, piégée. Il devait desserrer le collet.

Il s'écarta du mur de briques derrière lui et s'engagea lentement dans la nuit.

Il s'accroupit à l'arrière du bâtiment dans un buisson aux larges feuilles pendant que ses yeux s'habituaient à l'obscurité. Un haut mur de pierre entourait le parc plongé dans l'obscurité. Le cri aigu d'un animal pris entre les serres d'un faucon ou dans la mâchoire d'une belette lui parvint aux oreilles, mais le martèlement de la pluie sur les feuillages étouffait la plupart des autres sons. Il patienta.

Son attente fut de courte durée. Le faisceau d'une lampe de poche annonça la patrouille de deux policiers, la tête baissée et les épaules voûtées pour se protéger de la pluie qu'ils craignaient. Même si le rayon de lumière dansait de buisson en buisson comme une libellule géante, ils dépassèrent Chang sans le voir. Celui-ci inclina la tête en arrière, offrant son visage à l'averse comme il le faisait sous la cascade dans son enfance. Face à l'élément eau, tout était question d'état d'esprit. Si on le considérait comme un allié quand on nageait dans la rivière ou qu'on lavait son linge, pourquoi deviendrait-il un ennemi quand il venait du ciel? De la coupe des dieux. Ce soir-là, c'était leur cadeau à Chang pour le soustraire aux yeux barbares. Il murmura une prière pour remercier Kuan Yung, la déesse de la clémence.

Il s'avança jusqu'à la route, inspira profondément, en appela aux éléments eau et feu puis entreprit d'escalader le mur. Il bondit, trouva une prise sur une pierre irrégulière, fit un saut par-dessus l'enceinte avant d'atterrir de l'autre côté en silence, dans un mouvement agile qui n'attira pas les regards. Seul un crapaud à ses pieds manifesta sa surprise.

Avant qu'il ait pu faire un pas, un éclair déchira le ciel, éclairant le sol juste assez longtemps pour priver Chang de sa vision nocturne. Sa gorge se serra; sa bouche était sèche. C'était un présage. Bon ou mauvais, il l'ignorait. Il s'agenouilla dans l'obscurité. Il avait peur que ce ne soit une mise en garde contre son aveuglement. Les dieux voulaient sans doute le prévenir que la *fanqui* lui coûterait très cher. Il sentit l'odeur de la terre mouillée, tendit la main, en saisit une poignée et la porta à ses narines. La terre de Chine, ce limon jaune, riche et fertile, dérobée par les barbares. Il la pétrit; elle était froide, comme morte. La mort suivait les étrangers partout.

Chang savait qu'il aurait mieux valu partir.

Il secoua la tête nerveusement puis lécha quelques gouttes de pluie sur sa lèvre. Partir? Impossible. Son âme était liée à celle de la fille renard. De même qu'un poisson ne peut quitter la rivière, il lui était impossible de faire demi-tour. L'hameçon était profondément enfoncé. Il en sentait la douleur dans sa poitrine. Partir, ce serait mourir.

Rapide et silencieux, il marcha dans l'herbe, arbre parmi les arbres, son ombre se mêlant aux leurs. Un hectare de pelouse bien entretenue l'entourait. Le petit lac, les jardins fleuris, les terrains de tennis d'un côté et, de l'autre, la piscine assez grande pour y noyer toute une armée étaient faiblement éclairés par la lumière perçant des fenêtres. Avec ses deux tourelles, l'arrière du bâtiment avait des allures de forteresse, mais les étrangers avaient dû perdre courage et ils en avaient adouci la façade par une grande véranda au toit couvert de plantes grimpantes et par une terrasse en demi-lune à laquelle menaient de larges marches. L'intérieur était caché par des stores en bambou, baissés à cause de la pluie. Il les entendait, battus par le vent, cliqueter comme des ossements contre le montant des fenêtres.

Chang décida d'explorer les lieux en commençant par la droite. Quelque chose voleta près de son visage et se colla sur sa joue. Il l'ôta, pensant qu'il s'agissait d'un papillon de nuit, mais quand il l'observa de plus près, il découvrit un doux pétale de rose. Il s'avisa alors qu'il se tenait au milieu d'un parterre de rosiers dont les fleurs étaient déchiquetées par la tempête. Il examina le pétale dans sa main. Encore un signe. Un signe d'amour. À présent, il savait qu'il la trouverait et cette perspective le réchauffa. Ce soir, les dieux, tout proches, chuchotaient à son oreille. Il déposa le délicat pétale entre les plis humides de sa tunique et ce contact sur sa peau le fit frissonner. Son cœur battit plus vite.

Caché dans l'ombre, il longea le bâtiment et arriva en face des cuisines. Chang voyait les casseroles fumantes et les plans de travail encombrés, mais il n'y avait personne dans la pièce, à l'exception d'un barbare en uniforme de police près de la porte. Où étaient donc les cuisiniers ?

Sans bruit, il se glissa le long du mur et atteignit une fenêtre donnant sur une pièce dont le luxe aiguisa sa convoitise. Ce sentiment le prit par surprise et il tenta en vain de le réprimer. Il méprisait les Occidentaux et tout ce qu'ils avaient amené à l'est, exception faite de leurs livres, qu'il adorait. Cette pièce possédait tout un mur d'ouvrages alignés sur des étagères et mis à la disposition de tous, à l'inverse des fragiles rouleaux chinois, accessibles uniquement aux érudits. Ces pages solidement reliées contenaient tout le savoir.

Des années auparavant, Chang avait appris l'anglais. Avant que son père ne soit décapité derrière les murs de la Cité interdite à Pékin. Une époque dont il préférait ne pas se souvenir, au risque de voir un venin amer contaminer ses pensées. Son professeur particulier utilisait *History of the Great British Empire* pour lui apprendre à lire et Chang s'était presque étouffé lorsqu'il avait découvert à quel point l'Angleterre était minuscule, un misérable crachat comparé à l'océan que représentait la Chine.

Le bruit d'une altercation détourna son attention vers les deux hommes qui se trouvaient dans la pièce. L'un d'eux, Œil de verre, était assis, très raide, à une table et serrait les poings en lançant des insultes qu'il décochait comme des flèches. L'autre, grand, les cheveux blancs et le regard féroce, se tenait, dominateur, au milieu de la pièce. Il ne broncha pas lorsque Œil de verre tapa du poing sur la table et cria si fort que Chang put discerner ses mots. « Je ne le tolérerai pas. Sous mon nez. En qualité de chef de la police j'insiste pour que tout le monde… »

Un chien aboya, déchirant le silence. À la gauche de Chang, quelqu'un se cachait derrière le rideau de pluie. Il frissonna et gagna rapidement un angle du bâtiment aux hautes fenêtres cintrées donnant sur une salle immense, scintillante comme la lumière du soleil sur le fleuve Peiho. C'est là qu'elle devait être, dans cette cage dorée. Aussitôt, il lui sembla que des papillons de nuit voletaient dans sa poitrine.

Il n'y avait aucun homme dans la pièce. Des rangées de chaises y étaient disposées face à un piano à queue. Une très belle femme aux cheveux bruns assise à côté effleurait de temps en temps les touches et buvait dans un verre rempli de glaçons. L'ennui et la solitude se lisaient dans son regard.

Il la reconnut. Il l'avait déjà vue auparavant, sur les marches du club, aux côtés de la fille renard. Chang retenait sa respiration alors qu'il cherchait des yeux l'éclat de cheveux cuivrés dans la foule. La plupart des femmes se tenaient debout en petits groupes ou déambulaient, un verre ou un éventail à la main, une moue agacée sur leurs lèvres maquillées. Quelque chose les contrariait. Il se rapprocha de la fenêtre, et soudain, il la vit. Le monde sembla s'offrir à lui et s'éclairer.

Elle était appuyée contre un pilier de marbre, presque entièrement cachée par une grosse femme aux cheveux ornés de plumes d'autruche. La fille renard paraissait frêle et pâle en comparaison, mais sa chevelure resplendissait de mille feux. Elle jetait des coups d'œil répétés vers la porte. Lorsque celle-ci s'ouvrit sur deux femmes, elle eut l'air affolée. Chang les associa aux porteuses de mort avec leur robe blanche empesée et leur étrange chapeau blanc qui lui rappelaient les nonnes qui avaient voulu lui faire manger le corps du Christ et boire son sang lorsqu'il était enfant. À la seule pensée de cette pratique barbare, il avait encore l'estomac noué. Mais ces femmes-là ne portaient pas de croix ostentatoires à leur cou.

Avec des sourires polis, elles escortèrent deux des femmes les plus jeunes à l'extérieur de la pièce. Lorsque la porte se referma derrière elles, Lydia sembla se détendre et elle se mit à déambuler près des barreaux de sa cage, les bras le long du corps, tirant sur le tissu de sa robe. Il la vit laisser tomber un mouchoir brodé, comme par mégarde, mais Chang vit qu'elle savait exactement ce qu'elle faisait et il se demanda pourquoi. Les étrangers avaient des manières étranges.

Une grande femme portant une robe couleur de prunelle lui parla en passant, mais la fille lui adressa seulement un hochement de tête, le pourpre aux joues. À présent qu'elle s'approchait des fenêtres, l'émotion de Chang était à son comble. Elle avait les pommettes plus délicates que dans son souvenir et ses yeux étaient plus écartés. Autour de ses lèvres, la peau était bleue comme celle d'un enfant malade.

Il se pencha, toucha la vitre humide qui le séparait d'elle et tapa doucement du bout des doigts un rythme qui aurait pu être celui de la pluie. Elle s'arrêta net, fronça les sourcils et regarda la tempête par la fenêtre, la tête penchée, comme le faisait le jeune chien de chasse de son père. Avant qu'elle n'ait le temps de s'écarter, il se mit dans la lumière projetée par la fenêtre et lui fit une révérence.

Sous l'effet de la surprise, ses yeux et sa bouche s'arrondirent puis elle le reconnut et sourit. Pendant un bref instant, il tendit la main vers elle, lui proposant silencieusement son aide. Aussitôt, une main froide s'abattit sur sa tête. Des vagues d'obscurité le submergèrent. La nuit se brisa en éclats tranchants ; pourtant ses muscles se préparèrent à l'action.

D'un mouvement de jambe, il pouvait clouer au sol l'assaillant qui l'injuriait en lui soufflant son haleine aux relents de whisky ou lui écraser la gorge d'un revers de la main. Mais un son l'en empêcha.

Un grognement qui rappelait la mort.

Un chien-loup était caché dans l'herbe humide à ses pieds, prêt à bondir, montrant les dents et poussant un grognement sourd qui glaça le sang de Chang. La bête affamée attendait de le déchiqueter.

Il ne voulait pas tuer le chien, mais il le ferait si nécessaire.

Chang tourna la tête vers l'homme. Il portait une cape bleue de diable pour se protéger de la pluie, il était grand et dégingandé, avec des joues creuses. Le genre d'arbre facile à abattre. Il tenait un revolver à la main. Chang voyait briller son sang sur la crosse. Les lèvres de l'homme bougeaient, mais Chang avait l'impression que le vent hurlait à ses oreilles et il entendait à peine ce qu'il disait.

« Saloperie de Jaune. »

« Voleur de chinetoque. »

« Voyeur. »

« Qui t'a permis d'observer nos femmes, sale… »

Il leva son revolver pour frapper encore une fois.

Chang plongea sur un côté, pivota puis projeta une jambe pour donner un coup de pied. Le chien était rapide : il se jeta entre son maître et son assaillant et enfonça ses crocs dans le pied de Chang, le faisant tomber sur le dos dans l'herbe mouillée. La douleur irradia dans sa jambe pendant que l'animal attaquait l'os. Chang inspira pour évacuer la tension de son corps et utiliser la puissance de la peur. En un seul mouvement, il en libéra l'énergie et, de son pied libre, frappa violemment le chien au museau.

L'animal lâcha prise et s'effondra au sol sans gémir. Chang se releva aussitôt et se mit à courir dans l'obscurité.

« Un pas de plus et je te tire une balle dans la tête. »

Maintenant qu'il avait assommé le chien, Chang savait que l'homme ne le laisserait plus s'enfuir. Cela lui avait fait perdre la face. Alors rester ou s'enfuir, quelle importance ? Cela ne changerait rien à l'issue. Il ressentit une pointe de regret à l'idée d'abandonner la fille. Il se retourna lentement, vit l'expression de violence sur le visage de son assaillant et l'œil noir du revolver qui le fixait.

« Dong Po ! Mais qu'est-ce que tu fais ? »

La voix de la fille s'éleva au milieu de la pluie.

« Je t'ai dit d'attendre derrière le portail, imbécile. Dès que nous serons rentrés, je dirai à Li de te donner une bonne correction pour m'avoir désobéi. »

Lydia lançait un regard furieux à Chang.

Le cœur de Chang bondit dans sa poitrine. Il lutta pour contenir un sourire et parvint à baisser la tête en signe d'excuse.

« Je suis désolé, maîtresse. Ne vous fâchez pas. »

Il désigna la fenêtre.

« Je regardais si tout allait bien. Avec tous ces policiers, je m'inquiétais. »

Derrière la fille se tenait un autre diable en bleu. Il tentait de l'abriter avec un parapluie, mais le vent le secouait, si bien que ses cheveux se détachaient en queue de rat et avaient pris la couleur du vieux bronze. Il portait un costume, mais il était déjà trempé.

« Ted, qu'est-il arrivé au chien ? demanda le deuxième policier.

— Je te préviens, Sarge, si cet imbécile de Jaune a tué Rex, je vais…

— Calme-toi, Ted. Regarde, il bouge. Il doit juste être assommé. »

Sarge se tourna vers Chang et remarqua le sang sur son visage.

« Écoute, dit-il sur un ton presque aimable, je ne sais pas trop ce qui s'est passé, mais ta maîtresse s'est vraiment énervée quand elle t'a vu rôder autour des fenêtres. Elle dit que tu as reçu l'ordre d'attendre près du portail pour leur servir d'escorte à elle et à sa mère quand elles voudraient rentrer en pousse-pousse. C'est vrai que ces tireurs de pousse-pousse sont dangereux. Tu devrais avoir honte de les avoir abandonnées comme ça. »

Chang fixa le sang sur son pied et acquiesça de la tête sans rien dire.

« Vous n'avez aucune discipline, dit le diable en bleu, c'est le problème avec vous. »

Chang s'imagina en train de lui décocher le coup de poing du tigre au visage. Cela lui apprendrait-il le respect ? S'il avait voulu tuer le chien, il l'aurait fait.

« Dong Po. »

Il regarda Lydia dans les yeux.

« Rentre à la maison tout de suite, misérable. On ne peut pas te faire confiance. Tu seras puni demain. »

On aurait dit la grande impératrice Tzu Hsi de l'empire du Milieu, à sa manière hautaine et méprisante de le dévisager.

« Monsieur, dit-elle, je vous présente mes excuses pour le comportement de mon domestique. Assurez-vous qu'on le jette hors du parc, voulez-vous ? »

Puis elle reprit le chemin dans l'autre sens, comme si elle se promenait au soleil plutôt que sous un violent orage. Le policier la suivait avec le parapluie.

«Maîtresse», l'interpella Chang au milieu des rugissements du vent.

Elle se retourna.

«Qu'y a-t-il?

— Pas besoin d'un canon pour tuer un moustique. Ayez pitié. Dites-moi où je serai puni demain.»

Elle réfléchit un instant.

«Pour cette insolence, ce sera à la salle Saint-Saviour. Pour laver ton âme impure.»

Elle s'éloigna sans se retourner.

La fille renard avait la langue bien pendue.

9

« **M**aman? »
Lydia n'obtint pas de réponse. Elle était pourtant
sûre que sa mère ne dormait pas. L'obscurité
régnait dans le grenier. Dehors, la rue était calme et il
faisait doux. Lydia entendit un petit grattement sous son
lit. Une souris ou une coquerelle devait faire sa ronde
nocturne. Elle releva les genoux contre sa poitrine et se
recroquevilla.

« Maman? »

Elle entendait sa mère se retourner dans son lit depuis
des heures et elle avait surpris le léger reniflement qui
trahissait les larmes.

« Maman? murmura-t-elle de nouveau.

— Mmh?

— Maman, si tu avais beaucoup d'argent, quel cadeau
tu t'offrirais?

— Un piano à queue. »

La réponse vint sans hésiter, comme si elle avait anticipé
la question.

« Blanc et brillant comme celui de l'hôtel américain dans
la rue George, dont tu m'as parlé?

— Non, un noir. Un Erard à queue.

— Comme celui sur lequel tu jouais à Saint-Pétersbourg ?

— Oui.

— Je ne sais pas s'il trouverait sa place ici. »

Sa mère rit doucement. Lydia entendit le son étouffé par les rideaux qui les séparaient.

« Si je pouvais m'offrir un Erard, j'aurais aussi le salon pour l'y mettre. Avec des tapis fabriqués à la main à T'ientsin, de magnifiques chandeliers anglais en argent et des bouquets de fleurs sur les tables et les consoles qui exhaleraient un parfum si agréable qu'ils me feraient oublier l'odeur de la misère. »

Le son de sa voix emplissait la pièce. L'atmosphère était tendue. Le grattement sous le lit cessa. Le calme revenu, Lydia enfouit son visage dans l'oreiller.

Après un silence si long que sa fille aurait pu la croire endormie, Valentina demanda :

« Et toi ?

— Moi ?

— Oui. Qu'est-ce que tu t'offrirais ? »

Lydia ferma les yeux et s'imagina l'objet.

« Un passeport.

— Ah oui, évidemment. J'aurais dû deviner. Et où irais-tu avec ton passeport ?

— En Angleterre. D'abord à Londres, puis à Oxford. Polly dit que c'est un endroit beau à pleurer et puis... »

Elle baissa la voix et ajouta sur un ton rêveur, comme si elle était déjà en voyage :

« En Amérique pour voir où ils tournent les films et aussi au Danemark pour trouver l'endroit où...

— Tu rêves trop, *dochenka*. Ça te fait du mal. »

Lydia rouvrit les yeux.

« Tu m'as élevée comme une Anglaise, maman, alors évidemment que je veux aller en Angleterre. Mais ce soir une comtesse russe m'a dit...

— Qui ?

— La comtesse Serova. Elle a dit…

— Pff ! C'est une sale sorcière. Qu'elle aille au diable. Ne t'occupe pas de ce qu'elle a dit et ne lui adresse plus jamais la parole. Elle appartient au passé.

— Écoute, maman. Elle a trouvé scandaleux que je ne parle pas ma langue maternelle.

— Ta langue maternelle, c'est l'anglais, Lydia. Souviens-t'en. La Russie est finie, morte et enterrée. Qu'est-ce que ça t'apporterait d'apprendre le russe ? Rien. Oublie cette idée comme j'ai oublié cette langue. Oublie aussi cette comtesse. Oublie l'existence de la Russie. »

Elle marqua une pause.

« Tu seras plus heureuse comme ça. »

Sa phrase résonna dans l'obscurité, sans appel, et frappa Lydia comme un coup de marteau, la plongeant dans la confusion. D'un côté, elle éprouvait de la fierté à être russe comme la comtesse Serova. Mais elle voulait aussi être une vraie Anglaise. Au même titre que Polly. Avoir une mère qui lui ferait des *crumpets* pour la collation, se déplacerait avec une bicyclette anglaise, lui offrirait un chiot pour son anniversaire, lui ferait réciter sa prière et bénir le roi tous les soirs. Une qui boirait du xérès plutôt que de la vodka.

Elle posa la main sur sa bouche pour retenir un soupir.

« Lydia ? »

Lydia ne savait pas depuis combien de temps le silence s'était installé, mais elle se mit à respirer profondément, comme si elle dormait.

« Lydia, pourquoi as-tu menti ? »

Elle paniqua. Quel mensonge ? Quand ? À qui ?

« Ne fais pas semblant de ne pas m'entendre. Tu as menti au policier ce soir.

— Non.

— Oui.

— Je t'assure que non. »

Un bruit de ressorts à l'autre bout de la pièce fit redouter à Lydia que sa mère ne se lève pour lui parler les yeux dans les yeux, mais non, elle changeait simplement de position.

« Ne crois pas que tu peux mentir sans que je m'en rende compte. Tu tires sur tes cheveux. Qu'est-ce qu'il t'a pris de raconter une histoire pareille à Lacock ? Qu'essaies-tu de cacher ? »

Lydia se sentit mal et ce n'était pas la première fois de la soirée. Elle avait la bouche sèche. Les cloches de l'église sonnèrent trois heures et un cri aigu parvint de la rue. Un cochon ? Un chien ? Plus probablement un être humain. Le vent s'était calmé, mais le silence ne la réconfortait pas. Elle compta à rebours à partir de dix, un truc qu'elle avait appris pour éviter la panique.

« Quelle histoire ? demanda-t-elle.

— *Chyort !* Tu le sais très bien. Tu aurais vu un homme derrière la fenêtre quand tu étais dans la salle de lecture avec M. Willoughby. Suggérant qu'il pourrait s'agir du voleur de rubis.

— Ah ! Ça.

— Oui ça. Un homme grand avec une barbe, un bandeau sur l'œil, un bonnet de fourrure et de grosses bottes ornées de motifs. Voilà ce que tu as dit.

— Oui, acquiesça-t-elle plus timidement qu'elle ne l'aurait voulu.

— Pourquoi tu as menti ?

— Mais je l'ai vraiment vu.

— Lydia Ivanova, que tes paroles t'étouffent ! »

Lydia ne répliqua pas. Elle avait honte.

« Ils vont l'arrêter », continua Valentina sur un ton accusateur.

Non, comment feraient-ils ?

« D'après ta description, il ne fait aucun doute qu'il est russe. Ils vont chercher dans le quartier jusqu'à ce qu'ils trouvent un homme qui y ressemble. Et ensuite ? »

Sa mère n'abandonnait pas.

Pourvu qu'ils ne le trouvent pas.

« C'était un mensonge inconsidéré. Il met quelqu'un en danger. »

Lydia ne réagissait toujours pas. Elle craignait de trop en dire.

« C'est ça ! Boude si tu veux, s'énerva Valentina. Mon Dieu, quelle horrible nuit ! Pas de concert donc pas d'argent, une infirmière irrespectueuse qui me fouille et maintenant ma fille qui, non contente d'abîmer sa belle robe avec la pluie, m'insulte par ses mensonges et son silence. »

Lydia ne bronchait toujours pas.

« C'est ça, dors. J'espère que tu vas rêver de ton fantôme barbu. Peut-être qu'il va te poursuivre avec une fourche pour te remercier d'avoir menti. »

Lydia scrutait l'ombre, trop effrayée pour fermer les yeux.

« Bonjour, ma chérie, tu arrives bien de bonne heure. Tu es venue raconter ton excitante soirée à Polly ? Saper-lipopette ! Quel scandale ! »

Anthea Mason semblait ravie de voir Lydia, comme si trouver l'amie de sa fille sur le pas de la porte avant le déjeuner était la meilleure façon de commencer son dimanche.

« Viens nous rejoindre sur la terrasse. »

Lydia aurait préféré parler à Polly en privé, mais c'était mieux que rien. D'un sourire, elle remercia Mme Mason et la suivit. La maison était grande et très moderne avec un plancher en hêtre blond. Il y faisait toujours très clair, comme si elle capturait les rayons du soleil qui dansaient sur les murs couleur crème et caressaient le cuivre brillant du pavillon du gramophone, objet de convoitise pour Lydia. Ici, pas de papier peint déchiré ou de recoins à coquerelles. Et la maison sentait toujours si bon ! De la cire d'abeille, des fleurs et une délicieuse odeur venant de la cuisine. Ce matin-là : du café et des petits pains.

La vue de la terrasse sur la pelouse ensoleillée et les massifs de roses jaunes était idyllique. Sur la table recouverte d'une nappe en lin blanc, on avait disposé des tasses à thé décorées d'un ruban doré avec de fines anses et une cafetière en argent avec son sucrier, son beurrier et ses pots à marmelade et à miel. M. Mason, en bras de chemise, chaussé de bottes d'équitation, se détendait à un bout de la table, un journal dans une main, une rôtie dans l'autre et Achille sur les genoux. Achille était un gros chat gris à poils longs dont les miaulements rappelaient le son d'une corne de brume.

« Salut, Lyd. »

Polly, assise de l'autre côté de la table, sourit en tentant de cacher sa surprise.

« Salut.

— Bonjour, Lydia, dit M. Mason. Il est vraiment tôt pour une visite, tu ne trouves pas ? »

Il adressa cette remarque à Lydia sur le ton qu'il aurait employé avec le cireur. Sa vue lui répugnait, aussi observat-elle le rince-doigts posé sur la table près de lui et la rondelle de citron qui, bizarrement, flottait à la surface.

« Oui, monsieur, finit-elle par répondre.

— Alors pourquoi es-tu venue ?

— Oh, Christopher, intervint sa femme, nous sommes toujours heureux de voir Lydia, n'est-ce pas, Polly ? Assieds-toi et grignote quelque chose. »

Mais Lydia aurait préféré avaler sa langue plutôt que de prendre place à la table de l'homme qui avait agressé sa mère la veille. Valentina et elle avaient prudemment évité d'évoquer la scène dont Lydia avait été témoin, mais elle la revoyait encore clairement.

« Merci beaucoup, répondit-elle poliment, mais je voudrais juste parler à Polly, si c'est possible. »

Mason s'installa plus confortablement sur sa chaise et jeta son journal par terre.

« Écoute, jeune fille, dit-il, ce que tu veux dire à notre fille, tu peux le dire devant nous. Nous n'avons pas de secrets ici. »

Un mensonge éhonté. Lydia cilla et ouvrit la bouche pour lancer une réplique bien sentie, mais Polly l'en empêcha en se levant d'un bond, sa serviette à la main.

« Papa, nous allons chercher Toby et l'amener au parc.

— C'est une bonne idée. Prends sa balle et n'oublie pas de mettre ton chapeau », dit Anthea Mason en jetant un regard à son mari.

Il détourna le visage et sourit au chat couché sur ses genoux qui l'observait de ses yeux jaunes.

« Ne t'attarde pas.

— Non, nous allons juste faire une petite balade, le rassura Polly.

— La messe est à onze heures précises. Ne nous mets pas en retard.

— Nous serons à l'heure, je te le promets. »

Lorsque Polly passa près de son père, il lui ébouriffa les cheveux, mais ce geste parut bizarre à Lydia, comme si Mason avait vu un autre le faire et décidé de le copier. Polly rougit, mais de toute façon elle était toujours mal à l'aise en présence de son père et ne parlait jamais de lui. Lydia, qui n'y connaissait rien en matière de pères, pensait que c'était normal.

« Polly, j'ai un service à te demander. »

Lydia saisit son amie par le bras.

« Quoi ?

— C'est délicat.

— Je savais que ce devait être important pour que tu t'imposes à mon père de si tôt. Qu'est-ce que c'est ? Vite, dis-moi ! »

Elle enroula la laisse de Toby autour de sa main.

Les deux amies étaient assises sur un banc au soleil et lançaient la balle à l'épagneul tibétain de Polly. Elles avaient évité Victoria Park et ses panneaux *Interdit aux chiens, Interdit aux Chinois* et choisi le jardin Alexandra, où Toby était autorisé à courir tant qu'il ne s'aventurait pas dans les massifs de cannas ni dans la mare aux carpes koï, où les grenouilles en embuscade sous les feuilles de nénuphar déjouaient son flair de chasseur.

« C'est… heu… tu vois… Oh, Polly! Je dois retourner au club.

— Pourquoi?

— Parce qu'il le faut.

— Ce n'est pas une réponse. »

Polly prit un air fâché peu convaincant. Elle n'était pas très douée pour faire la tête à Lydia, mais elle essayait de ne pas le lui montrer.

« Je croyais que les événements de la nuit dernière t'en auraient dégoûtée à jamais. Moi, ça m'aurait révoltée d'être fouillée par une vieille infirmière horrible. »

Elle frissonna.

« Alors? demanda Lydia.

— Alors quoi?

— Est-ce que tu parleras à ton père pour moi? S'il te plaît.

— Oh, Lydia, mais je ne peux pas.

— Tu sais bien que oui. S'il te plaît.

— Mais pourquoi veux-tu retourner au club? Ils ont fouillé tout le monde, toutes les pièces, sans trouver le collier volé. Qu'est-ce que tu veux faire de plus? »

Polly jeta un coup d'œil autour d'elles puis baissa la voix.

« Tu as vu quelque chose? Tu sais qui l'a pris?

— Bien sûr que non. Je l'aurais dit à la police.

— Alors pourquoi?

— Parce que… Bon, d'accord, je vais te le dire, mais tu dois me promettre de garder le secret. »

Polly s'empressa d'acquiescer.

« Croix de bois, croix de fer.

— Tu te souviens du jeune homme qui m'a secourue dans la ruelle vendredi ? Avec ses techniques de kung-fu...

— Oui. Et...

— Il est venu au club hier.

— Pas possible !

— Oui.

— C'est lui qui a volé le collier ?

— Ne dis pas n'importe quoi, bien sûr que non. Il est venu pour me parler de quelque chose. Il a dit que c'était très important. Mais nous avons été interrompus par la police quand elle a découvert la disparition du collier, alors il m'a demandé de revenir aujourd'hui... Je lui suis vraiment redevable, Polly, et je ne sais pas où le trouver sinon là-bas. »

Lydia s'aperçut avec horreur qu'elle était en train de tirer sur une mèche de ses cheveux. Zut. Sa mère avait raison. Elle arrêta sur-le-champ, lança un regard en coin à Polly pour voir si elle l'avait remarqué puis se baissa pour ramasser la balle du chien.

« Il y a quelque chose qui m'échappe, Lyd. »

Lydia lança la balle à Toby.

« Tu dis que ta mère ne te chicane presque jamais, qu'elle te laisse faire ce que tu veux. Je suis verte de jalousie parce que j'aimerais avoir la même liberté, mais... »

Elle se tourna et lança un regard interrogateur à son amie.

« Pourquoi tous ces secrets alors ? Ta mère ou son ami français... ne peuvent-ils pas te faire entrer ? »

Lydia détestait avoir à mentir à la seule personne au monde à qui elle confiait tout, mais elle devait retourner au club le jour même si elle voulait récupérer les rubis qu'elle avait cachés dans la salle de lecture. Et voilà que Polly s'entêtait.

Lydia se leva brusquement puis rejeta la tête en arrière en signe d'impatience.

« Ni ma mère ni Antoine ne sont membres du club, tu le sais bien. Mais si tu as trop peur de demander à ton père de m'y inviter, je le ferai moi-même.

— Mais il voudra savoir pourquoi tu veux y aller.

— Aucune importance. Je lui dirai que j'ai perdu ma broche la nuit dernière.

— Ça va l'énerver. Il va te dire que si tu ne peux pas faire attention à tes affaires, tu ne les mérites pas.

— Polly, tu es un vrai bébé », lança Lydia avant de se diriger vers la sortie.

Polly la suivit en courant avec le chien qui tournait autour d'elle.

« S'il te plaît, Lyd, ne te fâche pas.

— Je ne suis pas fâchée. »

Mais elle était en colère. Contre elle-même. Elle se retourna, regarda Polly, sa jolie robe imprimée de bleuets, ses belles chaussures en cuir verni et ses grands yeux bleus inquiets. Elle se détestait. Elle n'avait pas le droit de mêler son amie si naïve à cette affaire. Lydia était habituée à ce genre de situations, au point d'oublier que les autres pouvaient les trouver angoissantes. Elle prit Polly par le bras et lui sourit.

« Excuse-moi, Polly, je sais que j'ai tendance à m'énerver trop vite.

— C'est à cause de la couleur de tes cheveux. »

Elles rirent, retrouvant leur complicité.

« D'accord, je demanderai à mon père.

— Merci.

— Mais ça ne marchera pas.

— Essaie quand même.

— À condition que tu me racontes tout de ton mystérieux sauveteur chinois quand tu l'auras revu. »

Elle marqua une pause, remit la laisse à son chien, lui caressa les oreilles et, alors qu'elle avait encore le visage tourné, demanda :

« Tu ne crois pas que ce pourrait être un peu dangereux ? Tu ne sais rien de lui.

— Sauf qu'il m'a évité l'esclavage… ou pire. »

Lydia rit.

« Ne t'inquiète pas. Je te raconterai tout.

— À quoi ressemble-t-il déjà ? »

Lydia était tendue. Elle avait envie de parler de son protecteur, d'évoquer les images qui occupaient ses pensées, de décrire l'arc de ses sourcils, la manière dont il avait incliné la tête lorsqu'elle s'était adressée à lui, en la regardant comme s'il devinait ses pensées. Son empressement à le revoir faisait battre son cœur plus vite, sans qu'elle sache pourquoi. Elle songea qu'elle avait sans doute besoin de le remercier et de s'assurer que ses blessures n'étaient pas trop graves. Rien de plus. Par simple politesse.

Mais il lui était aussi difficile de se mentir que de mentir à Polly. Cette subite sensation de se perdre dans un labyrinthe l'effrayait. Et l'exaltait. Une idée lui vint à l'esprit, mais elle l'écarta. Les barrières entre son monde et celui du jeune Chinois étaient si hautes. Et pourtant elles disparaissaient en sa présence. Polly ne comprendrait pas.

Elle-même un peu confuse, elle n'osa pas raconter à son amie la vérité au sujet des événements de la nuit précédente.

« Est-ce qu'il est beau ? demanda Polly en souriant.

— Je n'ai pas vraiment fait attention, mentit Lydia. Ses cheveux sont coupés court et ses yeux sont… comment dire… ils ont l'air de… »

Voir sous ma peau. Est-ce que je peux lui dire ça ?

« Regarder, conclut piteusement Lydia.

— Il est fort ?

— Au combat, il était rapide comme… un aigle.

— Il a le nez croche aussi ?

— Non. Son nez est parfaitement droit et quand il parle son visage est si impassible qu'il a l'air en porcelaine. Il a des mains puissantes et de longs doigts qui…

— Je croyais que tu ne l'avais pas bien regardé. »

Lydia rougit de rage et ravala la fin de sa phrase.

«Viens, dit-elle en commençant à courir vers la sortie, va demander à ton père.

— Très bien, mais je te préviens, il va refuser.»

En effet, Christopher Mason ne donna pas son accord. Décision sans appel. Alors que Lydia servait une cuillerée de gruau de riz dans la salle Saint-Saviour, elle eut honte en se rappelant les mots qu'il avait utilisés pour exprimer son refus. Elle avait vraiment eu envie de damer le pion à cet homme suffisant en glissant au détour d'une phrase qu'elle l'avait vu tripoter les seins de sa mère, mais comment aurait-elle pu? La gentillesse indéfectible d'Anthea Mason et la confiance de Polly l'en dissuadaient. Elle ne pouvait pas leur faire ça. Elle n'avait rien dit et s'était éclipsée. Mais à présent elle était désespérée.

Une autre cuillerée de purée atterrit dans le bol que lui tendait la personne suivante dans la file. Elle ne regarda même pas son visage en servant tant elle était occupée à chercher des yeux le jeune homme aux larges épaules.

«Fais attention, lui dit Mme Yeoman d'une voix enjouée. Tu es un peu trop généreuse, ma chère, et même si Notre-Seigneur a réussi à partager cinq pains et trois poissons entre cinq mille personnes, nous n'avons pas un tel don. Je n'aimerais pas que nous manquions de nourriture plus tôt que prévu.»

Mme Yeoman rit de bon cœur, ce qui la fit paraître moins âgée que ses soixante-neuf ans. Elle avait la peau parcheminée d'une Occidentale qui a passé la plus grande partie de sa vie sous les tropiques et ses yeux étaient presque délavés, mais toujours rieurs. Elle considéra un peu plus longtemps sa jeune compagne puis lui tapota le bras avant de reprendre sa tâche, à savoir distribuer des bols de gruau de riz aux miséreux qui se tenaient dans la file interminable. Leur couleur ou leurs croyances importaient peu à Mme Yeoman; ils étaient égaux devant son Dieu et avaient droit au même amour. Cela lui suffisait.

Lydia se rendait à la salle Saint-Saviour chaque dimanche matin depuis près d'un an. C'était une immense bâtisse au haut plafond avec des poutres apparentes où même les chuchotements faisaient écho. Des dizaines de tables à tréteaux étaient disposées devant deux cuisinières fumantes. Un jour, M. Yeoman était monté voir Lydia et sa mère et avait suggéré avec son zèle habituel de missionnaire qu'elles aimeraient peut-être venir donner un coup de main. Valentina avait refusé en disant que charité bien ordonnée commence par soi-même. Mais Lydia s'était glissée à l'étage du dessous, avait frappé à la porte du couple, inhalé ce mélange unique de pommade au camphre et de violettes de Parme qui caractérisait leur appartement comme la musique des hymnes et l'image désolante de Jésus sur la porte, une lampe à la main et la couronne d'épines sur la tête. Elle leur avait proposé ses services pour la distribution de repas. Dans tous les cas, avait-elle pensé, elle bénéficierait d'un repas chaud par semaine.

Sebastian Yeoman et sa femme, Constance, bien que retraités de l'Église, travaillaient plus dur que jamais. Ils quêtaient, empruntaient et obtenaient des dons de la part de ceux dont on s'y attendait le moins pour continuer à remplir les chaudrons de la grande bâtisse derrière l'église Saint-Saviour chaque dimanche et donner ainsi aux pauvres, aux malades, et même aux criminels, de la nourriture, un sourire amical et quelques mots de réconfort dans une diversité étonnante de langues et de dialectes. Pour Lydia, les Yeoman étaient l'incarnation même de la lampe de Jésus. Une grande clarté dans un monde obscur.

« Merci, mademoiselle. *Xie xie*. Vous êtes gentille. »

Lydia observa plus attentivement la jeune Chinoise en face d'elle. Elle était très maigre, avait les cheveux emmêlés et portait un bébé sur la hanche dans une drôle d'écharpe. Deux autres enfants, endormis, étaient blottis contre elle.

Ils portaient tous des vêtements sales et leur peau était aussi grise et craquelée que le sol poussiéreux. La mère avait un large visage décharné et des mains de paysanne chassée de sa ferme par la famine et les armées de voleurs qui dépouillaient la terre plus sûrement qu'une nuée de sauterelles. Lydia avait souvent eu l'occasion d'observer le visage de ces gens et, dans ses rêves, elle les voyait marcher comme des zombies avant de se réveiller en sursaut au beau milieu de la nuit. À présent, elle ne les regardait plus.

Elle jeta un regard aux Yeoman pour s'assurer qu'ils étaient trop occupés avec le ragoût et l'igname pour remarquer quoi que ce soit puis servit une cuillerée supplémentaire dans le bol de la femme. Les larmes de gratitude qu'elle versa en silence émurent Lydia encore un peu plus.

Enfin, elle l'aperçut. Il se tenait à l'écart, créature souple et vive au milieu de cet endroit qui sentait la mort et le désespoir. Il était trop fier pour recevoir la charité.

Quand elle sortit, il l'attendait. Elle savait qu'il le ferait. Il lui tournait le dos et regardait le petit cimetière voisin de l'église. Il sembla pourtant sentir sa présence parce qu'il dit sans tourner la tête :

« Comment l'esprit de vos morts trouve le chemin de la maison ?

— Pardon ? »

Il se retourna, lui sourit puis s'inclina avant de reprendre une expression neutre. Il se montrait poli, correct. Lydia ressentit une vive déception. Il instaurait entre eux une distance qui n'existait pas auparavant, comme si elle était une étrangère croisée dans la rue. Elle espérait représenter plus que cela.

Elle lui adressa un sourire désolé, comme celui de M. Theo à Polly lorsqu'il se montrait sarcastique.

« Tu es venu, lui dit-elle en levant nonchalamment les yeux vers le clocher de Saint-Saviour.

— Bien entendu. »

Au ton de sa voix, elle regarda dans sa direction. Il s'était approché si discrètement qu'elle ne l'avait pas entendu. Pourtant il était là, si près qu'elle aurait pu le toucher. Et même s'il ne disait rien, il lui parlait avec les yeux. Il détournait légèrement le visage tout en la fixant. Cette fois-ci, elle lui adressa un vrai sourire et il plissa les yeux à la manière d'un chat aveuglé par le soleil.

« Comment vas-tu ? demanda Lydia.

— Bien. »

Cependant, son regard suggérait le contraire et il semblait tendu comme s'il se trouvait au bord d'un précipice, les muscles bandés sous sa fine tunique noire. On aurait dit qu'il était sur le point de sauter. Il émit un étrange soupir, ébaucha un sourire timide et tourna la tête. Lydia aperçut son autre profil.

« Ton visage… », dit-elle avec surprise.

Elle n'ajouta rien parce qu'elle savait que les Chinois considéraient les observations personnelles comme grossières.

« Est-ce que tu as mal ?

— Non », répondit-il.

Il mentait probablement. Sa joue était ouverte et enflée. Un bleu et quelques croûtes marquaient son visage du front à l'oreille. Lydia était en colère.

« Ce policier. Je le dénoncerai pour…

— Avoir accompli son devoir ? »

Il ne plaisantait pas.

« Je pense que ce ne serait pas sage.

— Mais tu as besoin de soins, insista Lydia. Je vais aller trouver Mme Yeoman, elle saura quoi faire. »

Elle se dirigea vers la bâtisse à vive allure pour aller chercher de l'aide.

« Non, s'il te plaît », dit-il d'une voix douce, mais ferme.

Lydia s'arrêta et regarda ce jeune homme qu'elle connaissait sans vraiment le connaître. Il restait immobile. Il ne dévoilait pas tout. Mais que lui cachait-il encore ? Et si

sa réaction l'avait vexé ? Comment l'avait-il interprétée ?
Croyait-il qu'elle le pensait faible ? Ou incapable de se
défendre ? Elle secoua la tête, consciente de pénétrer dans
un monde mystérieux et complexe qui lui était aussi étranger
que la langue chinoise. Elle devait évoluer prudemment.
Elle acquiesça pour lui montrer qu'elle n'agirait pas contre
sa volonté puis se tourna vers les tombes fleuries d'œillets.
Ce monde-là, elle le comprenait.

« Leur âme va au paradis. Peu importe où ils meurent
s'ils sont bons chrétiens, mais s'ils sont mauvais, ils vont en
enfer. C'est ce que nous disent les prêtres, en tout cas. »

Elle le regarda. Au lieu d'observer les tombes, il avait les
yeux rivés sur elle. Elle ajouta :

« Quant à moi, j'irai droit en enfer. »

Puis elle rit.

Il parut choqué pendant un instant puis lui adressa un
sourire timide.

« Je crois que tu te moques de moi. »

Mon Dieu ! Elle avait encore fait un faux pas. Comment
parler avec une personne si différente d'elle ? Jusqu'à
présent, les seuls Chinois avec lesquels elle avait parlé
étaient des commerçants ou des domestiques, et les conversations à base de « Combien ? » ou « Une livre de graines
de soja, s'il vous plaît » ne comptaient pas vraiment. Les
transactions avec M. Liu étaient ce qui ressemblait le plus
à une réelle communication avec un autochtone, et même
ces occasions n'étaient pas exemptes de risque. Elle devait
apprendre.

De manière très formelle, les mains jointes et le regard
vers le sol, elle s'inclina.

« Non, je ne me moque pas de toi. Tu m'as sauvée
dans la ruelle et je te suis reconnaissante. Je te dois des
remerciements. »

Il resta immobile, le visage impassible, mais elle sentit que
quelque chose avait changé en lui, même si elle n'aurait pas
su dire quoi. Il semblait s'être ouvert et elle fut surprise de
sentir l'énergie bienveillante qui émanait de lui.

« Non, rétorqua-t-il, tu n'as pas à me remercier. »

Il s'approcha si près d'elle qu'elle distinguait de minuscules éclats violets dans ses yeux.

« Ils t'auraient tranché la gorge. Tu me dois la vie.

— Ma vie est entre mes propres mains.

— Et moi je te dois la mienne. Sans toi je serais mort. J'aurais une balle dans la tête si tu n'étais pas sortie du club hier soir. »

Il s'inclina de nouveau, en se baissant très bas cette fois-ci.

« Je te dois la vie.

— Alors on est quittes. »

Elle rit, ne sachant pas s'il parlait sérieusement.

« Une vie pour une vie. »

Il ne répondit pas et elle crut qu'il n'avait pas bien compris quand il demanda :

« Est-ce que Mme Yeoman a du fil et une aiguille ?

— Oh, j'imagine. Tu veux que j'aille te les chercher ?

— Oui, s'il te plaît, ce serait gentil. »

Elle examina la tunique à col en V et le pantalon ample qu'il portait. Elle n'y vit pas de trou. Peut-être voulait-il pratiquer une sorte de rituel pour devenir frère et sœur de sang. Cette idée lui fit chaud au cœur et, pour la première fois depuis que le commissaire Lacock l'avait conduite dans la salle de concert la veille, son angoisse disparut.

10

« J e m'appelle Lydia Ivanova. »
Elle lui tendit la main. Chang savait ce qu'elle
attendait, il avait vu les étrangers se saisir la main
pour se saluer. Une coutume dégoûtante.

Un Chinois qui se respecte n'aurait jamais la grossièreté
de toucher quelqu'un, surtout si ce n'est pas une connaissance. Qui voudrait serrer une main qui venait peut-être
d'éviscérer un porc ou de caresser l'intimité de son partenaire ? Les barbares étaient des créatures répugnantes.

Mais la petite main de Lydia, pâle comme un lis, qui
attendait la sienne, l'attirait. Il voulait la toucher, en
éprouver le contact.

Il lui prit la main.

« Je m'appelle Chang An Lo. »

C'était comme tenir un oiseau, doux et chaud, dans sa
paume. Elle était si fragile qu'il aurait pu lui briser les
os. Il ressentait le besoin étrange de protéger cette petite
créature.

Lydia retira sa main aussi naturellement qu'elle la lui
avait tendue et regarda autour d'elle. Il l'avait conduite

hors de la concession en longeant l'arrière du quartier américain puis au bout d'une piste de terre jusqu'à la rivière aux lézards, un petit bras de rivière au milieu des bois à l'ouest de la ville. Le soleil matinal paressait sur l'eau et les bouleaux projetaient leur ombre sur les rochers gris et plats où les lézards zigzaguaient comme des feuilles sous la brise. Au-delà de la rivière, la plaine inondée par la pluie de la veille s'étendait jusqu'aux montagnes éloignées au nord. Elles scintillaient, bleues, dans la chaleur estivale, mais Chang savait que quelque part, caché dans les profondeurs du tigre couché, se trouvait un cœur rouge qui battait chaque jour plus fort. Bientôt, il inonderait le pays de son sang.

« Cet endroit est magnifique, dit la fille renard. Je ne savais pas qu'il existait. »

Lydia souriait. Lui voir cet air réjoui le rendait curieusement heureux. Il la regarda plonger la main dans l'eau et rire quand une hirondelle battit des ailes en frôlant la surface. Les insectes bourdonnaient. Des grillons se chamaillaient dans les roseaux.

« Je viens ici parce que l'eau est propre, expliqua Chang. Regarde, elle vit, elle chante. Regarde ce poisson. »

Dans un frétillement argenté, il avait déjà disparu.

« Mais quand cette eau rejoint celle du fleuve Peiho, les esprits la quittent.

— Pourquoi ? »

Elle semblait perplexe. Était-elle vraiment si ignorante ?

« Parce qu'elle se remplit de l'huile noire des canonnières des étrangers et des poisons de leurs usines. Les esprits mourraient dans la saleté du Peiho. »

Elle le regarda sans rien dire, s'assit sur un rocher, jeta un caillou dans l'eau et étendit ses jambes nues. Chang remarqua un trou dans une de ses semelles. Il regrettait que sa chevelure flamboyante fût cachée sous un chapeau de paille. Il semblait aussi usé que ses chaussures. Lydia observait un petit oiseau brun occupé à extirper un ver logé dans une branche morte.

« Tu parles vraiment bien anglais. »

Elle avait prononcé cette phrase tout doucement et Chang ignorait si c'était pour ne pas déranger l'oiseau ou parce qu'elle se sentait soudain mal à l'aise, seule avec un homme dans cet endroit isolé. Elle avait fait preuve de courage en le suivant ici. Aucune Chinoise n'aurait pris un tel risque. Et pourtant, elle n'avait pas l'air inquiète. Ses yeux brillaient d'impatience.

Chang s'approcha de la berge en gardant ses distances avec Lydia pour qu'elle ne s'alarme pas, puis s'accroupit sur l'herbe encore humide.

« Je suis honoré que tu trouves mon anglais acceptable », dit-il.

Pendant qu'elle était occupée à regarder l'oiseau, Chang retira sa chaussure droite. La douleur se propageait jusqu'à sa tête. Il entreprit de défaire le pansement trempé de sang qui lui couvrait le pied.

« J'ai eu un professeur d'anglais pendant des années. Quand j'étais enfant. C'était un bon enseignant. »

L'odeur putride du linge lui piqua les narines.

« Et mon oncle est allé à l'université. À Harvard. En Amérique. Il disait toujours que l'anglais était la langue de l'avenir et n'utilisait que celle-ci avec moi.

— Vraiment ? C'est comme ma mère. Elle parle je ne sais combien de langues.

— Sauf le mandarin ? »

Elle rit aux éclats et l'oiseau s'envola pour se poser sur une branche. La voix de Lydia se mêla au chant de la rivière et apaisa la douleur au pied de Chang.

« Ma mère me dit sans arrêt que l'anglais est la seule langue qui vaille… »

Lydia étouffa un cri.

Chang tourna la tête et vit qu'elle observait son pied. Elle leva les yeux vers lui et ils se regardèrent pendant un long moment. Puis Chang détourna la tête. Quand il leva son pied posé sur le pansement trempé et le plongea dans le courant de la rivière, elle ne dit rien. Elle l'observa en silence laver ses blessures dans l'eau pour en extraire le poison et les guérir. Des caillots de sang séché remontaient à la surface avant d'être avalés par les poissons. Une traînée de sang attira un banc de minuscules poissons dont le vert se détachait sur les pierres jaunes du lit de la rivière. L'eau fraîche apaisait la douleur de Chang.

Un bruit attira son attention. Lydia était venue s'agenouiller à côté de lui. Elle tenait l'aiguille et le fil à la main. À la sentir si près de lui, il lui sembla que des colombes battaient des ailes contre sa joue. Il avait envie de toucher sa peau laiteuse.

« Tu en auras besoin », dit-elle en les lui tendant.

Il acquiesça. Mais lorsqu'il tendit le bras, elle s'écarta et secoua la tête.

« Ce serait mieux si je le faisais, non ? »

Il acquiesça de nouveau. Elle déglutit. Sa gorge pâle palpita.

« Il te faut un médecin.

— Ça coûte dix dollars. »

Lydia n'ajouta rien. Elle se débarrassa de son chapeau, libérant le redoutable esprit de renard niché dans sa chevelure. Elle se pencha sur son pied et l'observa sans le toucher. Chang l'entendait respirer et sentait son souffle, comme le baiser du dieu de la rivière, caresser sa peau meurtrie.

Chang oublia la douleur cuisante. Il se concentra sur le front de Lydia et le reflet cuivré d'une mèche de cheveux sur la peau blanche de son cou. La perfection. Pas la douleur. Il ferma les yeux et elle commença à coudre. Comment lui dire qu'il aimait son courage ?

« C'est mieux », dit-elle.

Il remarqua le ton soulagé de sa voix.

Elle avait enlevé son jupon d'un geste rapide et assuré puis avec le couteau de Chang elle l'avait découpé en bandes dont elle lui avait ensuite enveloppé le pied. Il ne pourrait pas mettre sa chaussure avec ce pansement. Sans rien demander, elle découpa les bords de la chaussure et la fixa sur le bandage avec deux bandes de tissu. Du travail soigné. La douleur était encore là, mais les saignements avaient cessé.

« Merci, dit-il en inclinant la tête.

— Tu as besoin de poudre de soufre ou d'un produit de ce genre. J'ai vu Mme Yeoman s'en servir pour soigner les plaies. Je pourrais lui demander si…

— Non, ce n'est pas la peine. Je connais quelqu'un qui a des herbes. Merci encore. »

Elle détourna le visage et plongea la main dans l'eau qu'elle laissa couler entre ses doigts. Elle les regardait comme s'ils appartenaient à quelqu'un d'autre, comme si elle était surprise de ce qu'ils avaient fait.

« Ne me remercie pas. Si nous nous sauvons sans cesse la vie, alors chacun est responsable de l'autre. Non ? »

Chang était abasourdi. Elle lui avait ôté les mots de la bouche. Comment une barbare pouvait-elle connaître ce genre de croyances propres à la culture chinoise ? Savoir que c'était la raison pour laquelle il l'avait suivie, avait veillé sur elle. Parce qu'il était responsable d'elle. Comment cette fille pouvait savoir ça ? Quel genre d'esprit possédait-elle, qui voyait si clairement ?

Il sentit un vide quand elle se leva. Lydia enleva ses sandales et entra dans l'eau. Un canard à la tête dorée, dérangé dans son sommeil parmi les roseaux, barbota en descendant le courant aussi vite que s'il avait une hermine à ses trousses, mais Lydia, occupée à asperger d'eau le bas de sa robe, ne sembla pas l'apercevoir. Chang remarqua les taches de sang sur le tissu. Le sien, mêlé aux fibres de la robe de Lydia. Comme s'ils formaient la chaîne et la trame d'une même étoffe.

Elle était silencieuse. Préoccupée. Il observa sa peau illuminée par les reflets de l'eau et ses cheveux enflammés par les rayons du soleil. Les lèvres à demi fermées, elle semblait vouloir dire quelque chose. Chang se demandait quoi. Lydia avait un visage d'ange aux traits fins, de grands yeux couleur ambre, des yeux de tigre et un regard qui le pénétrait jusqu'au cœur. Aucun Chinois ne l'aurait trouvée attirante : un nez trop long, une trop grande bouche, un menton trop fort. Et pourtant Chang ne pouvait en détacher les yeux et éprouvait une satisfaction qu'il ne comprenait pas, mais qui le rendait heureux. En la regardant, il voyait des secrets dissimulés qui dessinaient des ombres sur son visage.

Il s'allongea dans l'herbe, appuyé sur ses coudes.

« Lydia Ivanova, dit-il doucement. Qu'est-ce qui t'inquiète tant ? »

Elle leva les yeux vers lui et, à l'instant où leurs regards se rencontrèrent, il ressentit dans sa chair le lien qui les unissait. Un lien tissé par les dieux. Scintillant et aussi insaisissable qu'une ride argentée sur l'eau, et pourtant aussi solide que les câbles d'acier qui maintenaient le nouveau pont sur le Peiho.

Il tendit la main vers Lydia comme pour l'attirer à lui.

« Dis-moi ce qui pèse si lourd sur ton cœur. »

Elle se redressa, lâchant sa robe qui flotta autour d'elle comme un filet de pêcheur. Il comprit à son regard qu'elle avait pris une décision.

« Chang An Lo, dit-elle, j'ai besoin de ton aide. »

Une légère brise soufflait du Peiho. Elle apportait l'odeur des boyaux de poissons pourris chargés sur les centaines de sampans agglutinés autour des jetées instables et des pontons qui encombraient les berges, mais Chang y était habitué. Derrière les entrepôts autour du port, la puanteur de la bouse de vache bouillie s'élevait des tanneries.

Chang marcha vite. Il détourna son esprit de la douleur aiguë de son pied et se glissa en silence hors du monde assourdissant des berges où vivaient des tribus de mendiants et de bateliers. Les sampans avec leurs stores de rotin battus par le vent dansaient sur l'eau et entrechoquaient leurs passerelles branlantes. Des cormorans affamés étaient perchés sur la proue des bateaux de pêche. Chang savait qu'il ne devait pas s'attarder. Il n'était pas si rare de recevoir une lame entre les côtes et de finir dans le fleuve pour une misérable paire de chaussures.

À l'endroit où coulait le Peiho, plus large que quarante champs, les canonnières britanniques et françaises étaient à l'ancre, leurs drapeaux blanc, bleu et rouge flottant au vent comme une menace. Lorsqu'il les vit, Chang cracha et, du pied, mêla sa salive à la terre. Une demi-douzaine de gros bateaux à vapeur s'étaient mis à quai et des porteurs presque nus avançaient sur les passerelles, pliés en deux sous des fardeaux qui auraient brisé l'échine d'un bœuf. Chang évita le contremaître qui se pavanait, une lourde canne noire à la main, des jurons plein la bouche. De toutes parts, il entendait des éclats de voix, des tintements de cloches, des moteurs rugissants, des blatèrements de chameaux. Des pousse-pousse se faufilaient dans ce chaos, aussi nombreux que les mouches noires qui se posaient partout.

Chang contourna le quai, prit une ruelle où une main tranchée gisait dans la poussière et atteignit les entrepôts, immenses et bien gardés par des diables en bleu, derrière lesquels avait poussé une rangée de cabanes aux toits inclinés. Atteignant à peine une hauteur d'homme et construites avec des morceaux de bois flottants pourrissant, elles tenaient plus de porcheries que de cabanes. On aurait dit qu'un battement d'ailes de papillon aurait suffi à les souffler. Chang s'approcha de l'une d'elles. Une feuille de papier huilé lui tenait lieu de porte. Il l'écarta de la main.

«Salutations, Tan Wah, murmura-t-il.

— Que les serpents de la rivière prennent ta misérable langue. Tu m'as volé mes douces fiancées à la peau sucrée comme le miel. Qui que tu sois, je te maudis.

— Ouvre les yeux, Tan Wah, laisse tes rêves. Rejoins-moi dans le monde où le goût du miel est le plaisir de l'homme riche, à mille lis de ce tas de fumier dont il faut s'éloigner pour rencontrer le sourire des jeunes filles.

— Chang An Lo, espèce de jeune loup ! Mon ami, pardonne la virulence de mes mots. Je demande aux dieux de lever ma malédiction et je t'invite à pénétrer dans mon palace. »

Chang se baissa, se glissa dans la cabane puante et s'assit en tailleur sur un tapis en bambou grignotée par les rats. Dans la pénombre, il discernait une silhouette enveloppée dans des feuilles de papier journal, allongée sur la terre humide, la tête reposant sur un vieux siège de voiture.

« Je te présente mes humbles excuses pour t'avoir dérangé dans tes rêves, mais j'ai besoin d'informations. »

L'homme dans le cocon de journaux s'assit péniblement. Il n'était guère plus qu'une poignée d'os et sa peau avait la teinte jaune caractéristique des opiomanes. À côté de lui, une pipe en argile à long tuyau exhalait une odeur nauséabonde qui viciait l'air de la cabane.

« Les informations coûtent de l'argent, mon ami. »

Les yeux de l'homme étaient à peine entrouverts.

« Je suis désolé, mais c'est comme ça.

— Qui a de l'argent ces temps-ci ? rétorqua Chang. Regarde, je t'ai amené ça. »

Sur le sol, entre eux, il déposa un grand saumon dont les écailles semblaient un arc-en-ciel dans cette niche sordide.

« Il a nagé jusqu'à mes bras ce matin dans la rivière quand il a su que je venais te rendre visite. »

Tan Wah ne le toucha pas, mais, les yeux à demi fermés, il évaluait déjà le poids de pâte noire qui lui apporterait la lune et les étoiles.

« Demande ce que tu veux, Chang An Lo, et je frapperai mon cerveau inutile jusqu'à ce qu'il trouve la réponse.

— Un de tes cousins travaille dans le grand club des *fanqui*.

— Le *Ulysses* ?

— Oui.

— Cet idiot de Yuen Dun, un lionceau qui a encore ses dents de lait et qui engraisse avec les dollars des étrangers pendant que moi… »

Il s'interrompit et ferma les yeux.

« Mon ami, si tu manges le poisson au lieu de l'échanger contre des rêves, tu grossiras toi aussi. »

Tan Wah resta silencieux, se rallongea, ramassa sa pipe et la berça comme un enfant sur sa poitrine.

« Dis-moi, Tan Wah, où vit ton stupide cousin ? »

Le silence s'installa. On n'entendait que les doigts qui caressaient le tuyau d'argile de la pipe. Chang attendait patiemment.

« Dans la rue des Cinq Grenouilles, murmura faiblement Tan Wah. À côté du cordier.

— Mille mercis pour tes paroles. Je te souhaite la santé. »

Chang s'était déjà accroupi, prêt à partir.

« Mille morts, ajouta-t-il en souriant.

— Mille morts.

— Au général de Nankin buveur de pisse. »

Un son plus proche du crachotement que du rire s'éleva de sous les journaux.

« Et aux diables étrangers enculeurs de mules sur notre côte.

— Reste en vie, mon ami. La Chine a besoin de son peuple. »

Quand Chang écarta la feuille de papier huilé, Tan Wah murmura :

« Ils te pourchassent, Chang An Lo. Ne leur tourne pas le dos.

— Je sais.

— Il n'est pas bon de se confronter à la confrérie des Serpents noirs. On dirait qu'ils ont déjà donné ton visage à ronger à leurs chows-chows. J'ai entendu dire que tu avais volé une de leurs filles et pris la vie d'un de leurs gardiens.

— Je lui ai cassé des côtes, rien de plus. »

Un soupir s'éleva dans l'air lourd.

«Espèce de fou. Pourquoi risquer autant pour une limace blanche?»

Chang passa le seuil et s'éclipsa.

Il laissa parler son couteau. La lame était fermement appliquée sur le cou du jeune garçon.

«Ton badge, ordonna Chang.

— Il… il est… dans ma ceinture.»

Le garçon était vert de peur. Il s'était pissé dessus quand Chang l'avait traîné dans l'entrée obscure. Lorsque Chang arracha le badge, il sentit le corps adipeux qui rappelait celui d'une concubine bien nourrie.

«Dans quel endroit du club travailles-tu?

— En cuisine.

— Ah, donc tu voles de la nourriture pour ta famille?

— Non, non. Jamais.»

Chang appuya le couteau et un filet de sang se mêla à la sueur du jeune homme.

«Oui, cria-t-il. Oui, j'avoue, ça m'arrive parfois.

— Alors la prochaine fois, espèce de merde, apportes-en à ton cousin Tan Wah ou son esprit viendra se nourrir dans ton estomac et s'abreuvera de toute l'huile de ton foie.»

Le garçon se mit à trembler, et quand Chang le libéra, il se vomit sur les bottes.

11

« Vous savez, Theo, ce Russe s'est montré incroyablement imprudent, la nuit dernière. L'avoir
laissé comme ça dans la poche de son pardessus.

— Le collier?

— Oui. »

Theo Willoughby et Alfred Parker jouaient aux échecs
sur la terrasse du *Ulysses Club*. Theo aurait préféré un jeu de
cartes, une bonne partie de poker, mais c'était dimanche
et Alfred ne plaisantait pas avec ce genre de choses. Pas
de jeux d'argent le jour du Seigneur. Theo trouvait cela
idiot. Il déplaça son fou et prit un des pions du triangle
défensif d'Alfred.

Celui-ci fronça les sourcils. Il ôta ses lunettes et les nettoya méticuleusement avec un mouchoir blanc. Il avait
un visage rond, simple, et un regard aimable. C'était un
homme solide et honorable qui prenait son temps pour
agir, chose surprenante pour un journaliste. Mais une
certaine tension du visage suggérait à Theo que son ami
était en permanence dans un état proche de la panique.
Peut-être trouvait-il la Chine très différente de ce qu'il avait

imaginé? Au-dessus d'eux, le ciel d'un bleu féroce absorbait toute énergie. Même les feuilles duveteuses de la glycine semblaient pendouiller, épuisées. Sur le terrain de tennis, deux jeunes femmes en tenue blanche se disputaient un point. Theo les observait machinalement.

« C'est bien fait pour lui, dit-il. Je veux parler du Russe. Honnêtement, je m'en fous complètement. Je sais que le vieux Lacock et sir Edward sont fous de rage que cela soit arrivé sous leur nez, mais... »

Il haussa les épaules puis alluma une cigarette.

« J'ai d'autres soucis. »

Parker leva les yeux de l'échiquier, regarda son compagnon, acquiesça et déplaça le cavalier de la reine.

« Il y a une rumeur selon laquelle le Russe était un agent de Staline venu négocier avec le général Tchang Kaï-chek. Il est venu de Nankin et se trouverait à Pékin en ce moment.

— Il y a toujours des rumeurs ici.

— Le collier était destiné à May-ling, la femme de Tchang Kaï-chek. Des rubis provenant de la fabuleuse collection de bijoux de la défunte tsarine, à ce qu'on dit.

— Vraiment? Vous êtes remarquablement bien informé, Alfred. »

Theo se mit à rire sans retenue.

« C'est sans doute dans l'ordre des choses qu'il passe d'une femme de tyran à une autre, mais il ne sera d'aucune utilité à celui qui l'a en sa possession maintenant, dit-il.

— Pourquoi donc?

— Eh bien, personne, pas même un receleur chinois, ne se risquerait à le toucher. Tout le monde le connaît, c'est trop dangereux. Donc le voleur ne peut pas le vendre. L'alerte est donnée et le voleur sait qu'à la simple évocation de rubis, sa tête se retrouvera dans une cage de bambou suspendue en haut d'un réverbère.

— Pratique barbare, observa Parker en frissonnant.

— Vous avez beaucoup à apprendre. »

Ils jouèrent en silence pendant la demi-heure suivante. Ils ne furent tirés de leurs pensées que par le carillon d'une pendule à l'intérieur du club et le piaillement d'un chardonneret. Enfin, Theo, énervé et fatigué du jeu, referma son piège et le roi de Parker tomba.

« Bien joué, mon vieux. Vous m'avez battu en bonne et due forme. »

Serein face à la défaite, Parker se redressa sur sa chaise en rotin et prit son temps pour allumer sa pipe.

« Alors, pourquoi m'avez-vous fait venir ici aujourd'hui ? Je sais que vous détestez cet endroit. Ce n'était pas uniquement pour jouer aux échecs, je présume.

— Non.

— Pourquoi alors ?

— J'ai quelques ennuis avec Mason.

— Le type du département de l'éducation ? Le grand bavard à l'épouse taciturne ?

— Celui-là même.

— Quel problème avez-vous avec lui ?

— Écoutez. J'ai besoin d'obtenir des informations à son sujet, sur quelque malversation qu'il aurait pu commettre dans le passé. Un fait dont je pourrais me servir pour que cette ordure me foute la paix. Vous êtes journaliste, vous avez des contacts et vous savez comment mener des enquêtes. »

Parker sembla choqué. Il tira sur sa pipe puis lentement fit un rond de fumée dans lequel voleta un papillon.

« La situation semble grave. Que manigance-t-il ?

— Je dois une coquette somme à la banque Courtney pour les travaux d'agrandissement de mon école de l'an passé. Mason est un des directeurs de la banque, vous savez qu'il n'est pas d'une moralité sans tache, et il menace de me demander de rembourser le prêt si…

— Si quoi ?

— Si je ne lui obéis pas. »

Parker toussa bizarrement.

« Bon Dieu, Theo, qu'est-ce que cela signifie ? »

Theo écrasa violemment sa cigarette.

« Cela veut dire qu'il veut profiter de Li Mei. »

Alfred Parker rougit jusqu'au bout du nez.

« Écoutez, Theo, c'est inadmissible. Je ne veux pas en savoir davantage. »

Il détourna le regard et suivit des yeux un serviteur en tunique blanche qui s'approchait de la véranda, un petit plateau à la main.

Theo se pencha et donna une tape énergique sur le genou d'Alfred.

« Ne soyez pas ridicule, Alfred. Ce n'est pas ce que je voulais dire. Pour qui me prenez-vous, Li Mei est ma... »

Il s'interrompit parce que Parker lui lançait maintenant un regard accusateur.

« Votre quoi ? Votre partenaire dans l'adultère ? Votre poule ? »

Theo se figea dans une immobilité parfaite. Seule la pâleur de ses lèvres trahissait sa rage.

« Vous venez d'insulter Li Mei, Alfred. Je vous demande de retirer vos propos.

— Je ne peux pas. C'est la vérité. »

Theo se leva brusquement.

« Plus vite l'Angleterre se débarrassera de la camisole de force raciste et religieuse qui paralyse les hommes comme vous et sir Edward et tous les autres inadaptés qui s'entassent dans ce club, plus vite notre peuple et le peuple de Chine seront libres. Libres de penser. Libres de vivre leur vie. Libres de...

— Hé, mon ami. Nous sommes tous ici pour accomplir notre devoir au nom du roi et de notre nation. Vous considérer comme chinois ne doit pas vous laisser supposer que le reste d'entre nous doit oublier les lois de Dieu, le besoin de définir la limite entre le bien et le mal. Dieu sait que dans ce pays cruel et non croyant, sa parole est leur seul espoir. Sa parole et l'armée britannique.

— La Grande-Bretagne n'était pas encore née que la Chine était déjà civilisée depuis des centaines d'années.

— Comment pouvez-vous affirmer que ce pays est civilisé ? »

Theo ne répliqua pas. Il se leva. Son regard était dirigé vers les deux couples qui venaient de rejoindre la pelouse pour jouer au croquet, mais il ne les voyait pas.

« Assoyez-vous, Theo », dit calmement Parker.

Il se sortit de cette situation invraisemblable en débourrant le fourneau de sa pipe et en tapotant le talon de l'index. On entendit le bruit d'une balle qui en heurte une autre et quelqu'un qui s'exclamait :

« Corky, c'est un peu étrange. »

Soudain, Theo s'ébroua comme un chien qui sort de l'eau. Les yeux à demi fermés, il regarda son compagnon.

« Alfred, si je pensais que vous avez raison, je quitterais Junchow demain. Mais je crois en ces gens et en ce que vous appelez ce "pays cruel et non croyant". »

Il se rassit, étendit ses longues jambes pour se donner l'air détendu et fit un signe de la main au serveur chinois. Dans un mandarin parfait, il lui dit :

« Un whisky, s'il vous plaît. »

Il se tourna ensuite vers Alfred et lui sourit.

« Convenons de notre désaccord. Je suis ce que Mason appelle un amateur de chinetoques. »

Alfred était censé rire. Mais il ne le fit pas.

« Vous ne pouvez pas avoir le beurre et l'argent du beurre. Vous voulez que les membres de la haute société envoient leurs enfants étudier dans votre école et pourtant vous vous évertuez à faire étalage de votre mépris pour eux. Comment cela pourrait-il… ? »

Il s'interrompit et regarda le serveur traverser la véranda puis s'éloigner.

« Hé, toi, reviens ici tout de suite.

— Qu'y a-t-il, Alfred ? »

Parker s'était déjà levé. Le domestique les regardait, mais ne s'approchait pas de leur table. Alfred s'avança vers lui à grands pas.

« Qu'est-ce que tu fais ? » lui demanda-t-il.

Le serveur ne répondit pas.

Theo les rejoignit. Quelle mouche avait piqué Alfred ?

« Quelque chose ne tourne pas rond ici, dit Parker en agitant sa pipe en direction du domestique. Regardez-le. »

Theo s'exécuta. Le jeune homme portait une tenue soignée et avait un plateau à la main.

« Je ne vois rien qui cloche.

— Ne dites pas n'importe quoi. Il est blessé au visage.

— Et alors ?

— Et son pantalon ne convient pas. Il est noir, mais ce n'est pas l'uniforme réglementaire. Et ces chaussures, et ce pied bandé. On ne permettrait jamais de servir les membres du club dans cet accoutrement. Ce garçon est un intrus.

— Je travaille, dit le garçon en levant son plateau. Les boissons. »

À bien y penser, Theo comprenait ce qu'avait voulu dire Alfred. Il avait raison, ce garçon ne ressemblait pas aux autres. Son regard était trop fier pour un domestique. Il semblait vouloir vous attaquer, mettre votre tête dans une de ces maudites cages de bambou.

« Qui êtes-vous ? » lui demanda Theo en mandarin.

Alfred montrait du doigt la poche de pantalon pleine à craquer du garçon.

« Videz-la. Tout de suite. »

Le garçon regarda avec insolence le chapeau de Parker puis ses chaussures de marche, mais ne bougea pas.

« Fais ce qu'on te dit, lui intima Theo en mandarin. Vide tes poches ou tu seras fouetté comme un chien errant.

— Allez chercher les gardes, cria Parker. Il y a eu un vol ici la nuit dernière. Cette personne est…

— Vide tes poches », répéta Theo d'un ton brutal.

Pendant un court instant, il crut que le garçon allait se battre. Son regard était plein de colère, de sauvagerie. Mais cela ne dura pas. Sans dire un mot, il retourna sa poche et son contenu tomba sur le carrelage de la véranda. Une grosse poignée d'arachides se répandit sur le sol.

Theo éclata de rire.

«Et voilà votre voleur de bijoux. Ce garçon a simplement faim.»

Mais Parker n'était pas près d'abandonner si facilement.

«Et tes autres poches?»

Le garçon fit ce qu'on lui demandait. De la ficelle de bambou, un hameçon couvert d'argile et une feuille de papier pliée couverte de caractères chinois. Theo la ramassa et la parcourut des yeux.

«Qu'est-ce que c'est? demanda Parker.

— Rien de bien important. Un tract pour un rassemblement quelconque, on dirait.»

Tandis que le garçon se penchait pour ramasser ses affaires, Theo aperçut le manche en os d'un couteau glissé dans sa ceinture et il eut peur pour son ami.

«Laisse-le partir. Cela ne nous concerne pas. Ce garçon avait faim. La Chine a faim.

— Un voleur est un voleur. Qu'il dérobe des arachides ou des bijoux. *Tu ne voleras pas.* Vous vous rappelez?»

Mais Alfred n'était plus en colère. Il avait l'air triste et ses lunettes lui glissaient sur le nez.

«Nous leur devons bien ça. Leur apprendre à reconnaître le bien du mal, pas simplement à poser des rails et à construire des usines.»

Il tendit le bras pour empoigner celui du garçon, mais Theo lui saisit le poignet.

«Non, Alfred. Pas pour cette fois.»

Theo se tourna vers le garçon silencieux aux yeux noirs pleins de haine.

«Va-t'en, lui dit-il très vite en chinois. Et ne reviens pas.»

Le garçon contourna la pelouse, coupa à travers les arbres qui entouraient les terrains puis disparut. Un animal regagnant la jungle, songea Theo, qui se demanda ce qui avait pu le faire sortir au grand jour. Certainement pas des arachides.

«Vous pourriez le regretter, dit Parker en hochant la tête d'un air désolé.

— La miséricorde tomba comme une pluie venue des cieux», ironisa Theo.

Il regarda de nouveau la feuille de papier. Il s'agissait d'un tract communiste sur lequel on pouvait lire : « *Sha! Sha!* Tuez! Tuez les maudits impérialistes! Tuez le traître Tchang Kaï-chek. Vive le peuple chinois. »

Theo était plus inquiet qu'il ne voulait le reconnaître. Tchang Kaï-chek et les nationalistes du Kuomintang avaient pris le contrôle de la situation et méritaient qu'on leur donne une chance, si seulement les puissances occidentales les soutenaient dans la lutte contre les fauteurs de troubles. Les communistes feraient à la Chine ce que Staline avait fait à la Russie : la transformer en dépotoir stérile. Il y avait trop de beauté en Chine, trop d'âme pour qu'on la dépouille. *Que Dieu nous protège des communistes. Dieu et l'armée de Tchang Kaï-chek.*

«Il a dit oui?

— Oui. »

Li Mei l'embrassa dans le cou.

«Je suis contente pour toi. Parker est vraiment un ami. »

Elle posa la joue contre le dos nu de Theo sans cesser de le masser de chaque côté de la colonne vertébrale avec des gestes circulaires. Theo était allongé sur le sol de la chambre. Il était toujours étonné de la force des doigts de Li Mei et du savoir-faire qui lui permettait de trouver les points précis pour chasser les démons de sous sa peau.

«Oui, Alfred est un véritable ami, même si parfois ses opinions sont si rétrogrades qu'elles conviendraient bien à Oliver Cromwell.

— Qui est-ce? Un de tes amis? »

Theo rit tandis qu'elle lui tambourinait sur les omoplates avec les poings.

«Tu te moques de moi.

— Non, mon amour, je t'admire tant.

— Maintenant tu mens. Ce n'est pas bien. »

Elle lui donna de petits coups de poing sur les fesses. Il se tourna, lui saisit les poignets, se leva et souleva son corps nu dans ses bras. Elle sentait le bois de santal et, il ne savait comment, la crème glacée. Il la porta en bas de l'escalier.

« Alfred était furieux d'apprendre que Mason est à ce point corrompu. Scandalisé qu'il veuille m'obliger à l'aider à pénétrer le cartel de l'opium. J'ai juré à Alfred que ce n'est pas parce que ton père en est le chef que je suis impliqué d'une manière ou d'une autre. Tu sais ce que je pense de la drogue.

— Une abomination, c'est comme ça que tu appelles l'opium. »

Il sourit et posa un baiser sur sa tête.

« Oui, ma douce. Une abomination. Alors il a accepté de fouiller dans le passé de ce salaud pour voir s'il trouve quelque chose qui me permettrait de lui lier les mains. »

Il entra dans la salle de classe vide, la berçant dans ses bras.

« Heureusement que c'est dimanche », dit Li Mei en riant.

Il la souleva et l'installa face à lui sur son bureau.

« Quand je serai là demain et que je parlerai du Vésuve à mes élèves, je repenserai à cet instant. »

Il s'inclina vers elle et embrassa son sein gauche.

« Et à celui-ci quand je décrirai un triangle équilatéral. »

Il posa les lèvres sur son mamelon droit.

« Et à celui-là quand je parlerai du cœur sombre et moite de l'Afrique à ces crétins. »

Il embrassa le buisson noir sous son ventre plat.

« Theo, dit-elle d'une voix douce. Fais attention. Ce Mason est un homme puissant.

— Il n'est pas le seul », rétorqua-t-il en riant.

Puis il la coucha doucement sur le sol.

12

« Qu'est-ce que c'est que ça ? »
Valentina se tenait au milieu de la pièce et pointait l'index vers la boîte en carton posée sur le plancher.

Lorsque Lydia était rentrée, elle avait trouvé l'atmosphère du grenier encore plus renfermée que d'habitude.

Les fenêtres étaient fermées et elle ne parvenait pas à définir l'étrange odeur ambiante.

« Tu devrais avoir honte ! » cria Valentina.

Lydia, mal à l'aise, sursauta, tentant de comprendre ce dont sa mère parlait. Honte. De quoi ? De Chang ? Non. Encore une fois, elle était renvoyée à ses mensonges. Lequel ?

« Maman, je... »

Elle regarda fixement sa mère. Ses joues pâles étaient empourprées, son regard noir, ses pupilles dilatées, ses paupières lourdes.

« Antoine est venu, déclara Valentina comme un reproche à sa fille. Regarde, dit-elle en montrant de nouveau la boîte en carton. Regarde là-dedans. »

Lydia s'approcha lentement du carton à chapeau fermé par un nœud de ruban rouge. Elle n'arrivait pas à comprendre pourquoi sa mère faisait toute une histoire parce qu'on lui avait offert un chapeau. Elle les aimait. Plus ils étaient grands, plus ils lui plaisaient.

« Il est petit ? demanda-t-elle en se baissant pour défaire le nœud.

— Ah ça oui.

— Avec une plume ?

— Sans plume. »

Lydia ôta le couvercle et découvrit un lapin blanc.

« Sun Yat-sen.

— Comment ?

— Sun Yat-sen.

— Ce n'est pas un nom pour un lapin ! s'exclama Polly.

— C'était le père de la République. Il a ouvert la voie d'une ère nouvelle pour le peuple chinois en 1911, dit Lydia.

— Qui t'a appris ça ?

— Chang An Lo.

— Pendant que tu recousais son pied ?

— Après.

— Tu es si courageuse, Lydia. Ce n'est pas demain la veille que j'enfoncerai une aiguille dans la chair de quelqu'un.

— Je ne crois pas. Tu le ferais si tu n'avais pas le choix. Il y a beaucoup de choses qu'on peut faire quand on y est obligé.

— Mais tu aurais pu appeler ton lapin Jeannot, ou Moustache, ou même Lewis, comme Lewis Carroll. Un truc mignon.

— Non. C'est Sun Yat-sen.

— Mais pourquoi ?

— Parce qu'il m'ouvre la porte d'une nouvelle vie.

— Ne dis pas n'importe quoi, Lyd. Ce n'est qu'un lapin. Tu vas juste lui faire des câlins comme je fais avec Toby.

— C'est bien ce que je voulais dire. »

Il était une heure et demie du matin quand Lydia quitta sa chaise près de la fenêtre. Chang n'était pas venu.

Mais il pouvait encore arriver. Peut-être se cachait-il quelque part, attendant que la nuit...

Non. Il ne viendrait pas.

Elle avait la bouche sèche. Elle se sermonnait depuis des heures, les yeux rouges de fatigue. Souhaiter sa venue plus que tout n'allait pas le faire venir. *Chang An Lo, je te faisais confiance. Comment ai-je pu être aussi idiote ?*

Elle traversa la pièce plongée dans l'obscurité jusqu'à l'évier et but une gorgée d'eau fraîche. Elle souffrait plus qu'elle ne pouvait le supporter. Chang An Lo l'avait trahie. Le seul fait d'y penser la chagrinait. Elle avait appris longtemps auparavant qu'on ne peut se fier qu'à soi-même, mais elle avait cru qu'il était différent, qu'elle et lui étaient soudés. Ils s'étaient mutuellement sauvé la vie et elle était intimement persuadée qu'ils avaient... un lien. Et pourtant ses promesses ne valaient pas trois sous.

Il savait que le collier était sa seule chance de prendre un nouveau départ, de commencer une nouvelle vie à Londres ou même en Amérique, dont les citoyens étaient censés être égaux. Une vie rêvée. Sans ombres. Une occasion de rendre à sa mère au moins un peu de ce que les rouges lui avaient pris. Un piano à queue avec des touches en ivoire qui sonnent divinement et le plus beau des manteaux d'hermine, pas un de la boutique de M. Liu, d'occasion, mais flambant neuf.

Elle ferma les yeux. Debout dans l'obscurité, pieds nus et vêtue d'une combinaison usée qui avait appartenu à quelqu'un d'autre, elle se fit à l'idée qu'il ne reviendrait pas. Et qu'elle ne reverrait pas le collier de rubis. Finie aussi la nouvelle vie avec ses promesses de bonheur. Finie.

Sa gorge se serra. Elle se mit à tousser. Elle cherchait la porte à tâtons, s'y cogna l'orteil, l'ouvrit et descendit les deux étages. Elle gagna la porte donnant sur le jardin à l'arrière de la maison, tira sur le loquet jusqu'à ce qu'il cède et se jeta dans la nuit fraîche. Elle inspira avec difficulté. Profondément. À deux reprises. Elle essaya de chasser la colère, le désespoir, la déception, la peur, la rage et le désir, le besoin et l'envie. C'était encore plus difficile.

Finalement, la panique cessa. Elle tremblait, transpirait, mais elle respirait normalement. Et elle arrivait à réfléchir. C'était primordial.

Il faisait très sombre dans le jardin étroit à l'odeur de moisissure. Mme Zarya, qui n'arrivait pas à jeter ses affaires, y entreposait le mobilier abîmé qui finissait de se détériorer avec les piles de casseroles rouillées et les vieilles chaussures. Lydia se dirigea vers une table sur laquelle était posée une caisse à thé très abîmée dont le couvercle avait été remplacé par du grillage. Elle approcha le visage.

« Sun Yat-sen, chuchota-t-elle. Tu dors ? »

Elle entendit l'animal bouger et renifler puis sentit son museau contre son nez. Elle souleva le grillage et prit le lapin dans ses bras, où il se blottit, la tête enfouie dans le creux du coude de Lydia. Elle resta là, à bercer le petit animal ensommeillé. Elle se surprit à chanter tout bas une vieille berceuse russe de son enfance puis leva les yeux vers le ciel étoilé.

Elle ne reverrait plus Chang An Lo. Elle l'avait cru quand il lui avait dit qu'il lui rapporterait le collier caché dans le club. Mais la tentation avait sans doute été trop grande. Elle avait fait une erreur. Elle n'en commettrait pas d'autres.

Elle remonta l'escalier sur la pointe des pieds. Elle tenait encore le petit corps chaud dans ses bras et caressait du bout des doigts la fourrure soyeuse de ses longues oreilles. Son souffle lui chatouillait la peau comme du duvet. Elle ouvrit la porte du grenier et fut étonnée de découvrir la lueur d'une bougie derrière le rideau de la chambre de sa mère. Lydia se précipita dans son coin de la pièce, soucieuse de cacher Sun Yat-sen. Mais à l'instant où elle poussa le rideau, elle se figea.

« Maman », dit-elle.

Sa mère, chemise de nuit de travers, regardait le lit vide de Lydia d'un air affolé. Ses cheveux étaient ébouriffés et des larmes coulaient sur ses joues.

« Maman ? » murmura de nouveau Lydia.

Valentina tourna la tête.

« Lydia ! cria-t-elle. *Dochenka.* Je croyais qu'ils t'avaient emmenée.

— Qui ? La police ?

— Les soldats. Ils sont venus avec des fusils. »

Le cœur de Lydia battait à tout rompre.

« Ici ? Ce soir ?

— Ils t'ont arrachée à ton lit et tu as crié et crié encore et tu en as frappé un au visage. Il t'a mis le canon d'un revolver dans la bouche et t'a cassé les dents et ils t'ont traînée dehors dans la neige et…

— Maman. Maman. »

Aussitôt, Lydia passa un bras autour des épaules tremblantes de sa mère et la serra contre elle.

« Allez, maman, ce n'est qu'un mauvais rêve. Juste un mauvais rêve. »

Valentina était engourdie par le froid et secouée de spasmes, comme si quelque chose se brisait en elle.

« Maman », murmura Lydia.

Elle avait enfoui son visage dans la chevelure trempée de sueur de sa mère.

« Regarde-moi. Je suis là. Je vais bien. Nous sommes en sécurité. »

Elle lui montra ses dents.

« Tu vois, elles sont toutes là. »

Valentina observa la dentition de sa fille et tenta de donner un sens aux images qui se bousculaient dans sa tête.

« Tu as fait un cauchemar, maman. Ce n'était pas réel. Ça, c'est réel », dit Lydia en embrassant sa mère sur la joue.

Valentina secoua la tête comme pour chasser l'incohérence. Elle toucha les cheveux de Lydia.

« Je te croyais morte.

— Je suis vivante. Nous sommes là, toutes les deux, dans cette maison sinistre où Mme Zarya compte son argent au rez-de-chaussée et où l'appartement des Yeoman sent l'huile de camphre. Rien n'a changé. »

Elle s'imagina les rubis entre des mains chinoises.

« Rien. »

Valentina inspira profondément.

Lydia la reconduisit à son lit où la bougie crépitante éclairait la nuit de sa flamme irrégulière. Elle la borda et posa un baiser sur son front. Dans ses bras, Sun Yat-sen avait l'air affolé. Elle l'embrassa sur la tête. Valentina semblait ne pas l'avoir remarqué.

« Je vais laisser la bougie allumée », murmura Lydia.

C'était du gaspillage, ce qu'elles pouvaient difficilement se permettre, mais sa mère en avait besoin.

« Attends.

— Tu veux que je reste ?

— Oui. »

Valentina souleva le drap.

Sans un mot, Lydia se glissa dans le lit, s'allongea sur le dos, sa mère d'un côté, le lapin de l'autre. Elle resta éveillée au cas où Valentina changerait d'avis et regarda les ombres danser au plafond.

« Tu as les pieds glacés », dit Valentina.

Elle était plus calme à présent. Elle appuya la tête contre celle de sa fille.

« Tu sais, je ne me souviens plus de la dernière fois où nous avons dormi ensemble.

— Quand tu as eu cette infection à l'oreille et que tu as eu de la fièvre, lui rappela Lydia.

— C'est vrai ? Ce devait être il y a trois ou quatre ans, l'époque où Sylvia Yeoman t'a dit que j'allais peut-être mourir.

— Oui.

— Vieille sorcière. Ce n'est pas une fièvre ou une armée de bolcheviques qui auront raison de moi. »

Elle serra la main de sa fille, qui lui rendit son geste.

« Parle-moi de ta vie à Saint-Pétersbourg, maman. L'histoire de la visite du tsar dans ton école.

— Non, tu la connais.

— Mais tu ne me l'as pas racontée depuis mes onze ans.

— Tu as une curieuse mémoire des dates, Lydochka. »

Lydia ne répondit rien. Ce moment était trop précieux. Sa mère pouvait se replier sur elle-même à tout instant et devenir inaccessible. Valentina soupira puis fredonna un passage d'un *Nocturne en mi bémol* de Chopin. Lydia se détendit et sentit Sun Yat-sen s'étirer contre elle et poser son petit menton sur son sein. Ce contact la chatouillait.

« Il neigeait, commença Valentina. Mme Irena nous avait fait cirer le plancher jusqu'à ce qu'il scintille comme la glace aux fenêtres et qu'on puisse s'y voir comme dans un miroir. C'était à la place du cours de français. Nous étions très excitées. Mes mains tremblaient tellement que je craignais de ne pas pouvoir jouer. Tatiana Sharapova s'était trouvée mal à son pupitre et on l'avait envoyée au lit.

— Pauvre Tatiana.

— Oui. Elle a tout manqué.

— Mais c'est toi qui aurais dû être malade, lui souffla Lydia.

— Exact. C'est moi qu'on avait choisie pour jouer pour lui. Le père de toutes les Russies, le tsar Nicolas II. C'était un grand honneur, le plus grand dont pouvait rêver une fille de quinze ans à cette époque. Il est venu nous voir parce qu'on étudiait à l'institut Ekaterininski, la meilleure école de Russie, meilleure que celles de Kharkov et de Moscou. Nous représentions l'élite et il le savait. Nous étions fières comme des princesses et nous tenions la tête si haut qu'elle frôlait les nuages.

— Est-ce qu'il t'a parlé ?

— Bien sûr. Il s'est assis au milieu de la salle sur une grande chaise de bois sculpté et m'a demandé de commencer. J'avais entendu dire que Chopin était son compositeur préféré, alors j'ai joué un *Nocturne* de toute mon âme. Et à la fin, il n'a pas caché ses larmes. »

Lydia en versa une à son tour.

« Nous étions en rang, vêtues de notre cape blanche et de notre tablier, il s'est avancé vers moi et m'a embrassé le front. Je me rappelle sa barbe qui chatouillait et l'odeur de la brillantine. Les médailles à sa poitrine brillaient tant que j'ai pensé qu'elles avaient été touchées par le doigt de Dieu.

— Raconte-moi ce qu'il a dit.

— Il a dit: "Valentina Ivanova, vous êtes une grande pianiste. Un jour vous jouerez pour moi et l'impératrice à la cour, au Palais d'hiver, et vous serez l'étoile de Saint-Pétersbourg." »

Un silence recueilli emplit la pièce et Lydia eut peur que sa mère ne continue pas.

« Est-ce que le tsar avait emmené des gens avec lui ? demanda-t-elle comme si elle l'ignorait.

— Oui, une suite de courtisans de premier rang. Ils se tenaient près de la porte et ont applaudi quand j'ai fini.

— Y avait-il quelqu'un de spécial parmi eux ? »

Valentina inspira profondément.

« Oui. Il y avait un jeune homme.

— Comment était-il ?

— Il ressemblait à un jeune guerrier viking. Des cheveux plus lumineux que le soleil et des épaules assez solides pour porter la lourde hache de Thor. »

Valentina eut un petit rire et Lydia s'imagina la mer et les embarcations des Vikings.

« Tu es tombée amoureuse ?

— Oui, répondit Valentina d'une voix douce. Je suis tombée amoureuse au moment même où j'ai posé les yeux sur Jens Friis. »

Lydia frissonna de joie. Cela apaisa sa douleur ; elle ferma les yeux et imagina le grand sourire de son père et ses bras forts croisés sur sa poitrine. Elle essaya de s'en souvenir, pas simplement de se le représenter. Mais elle n'y parvint pas.

« Il y avait aussi quelqu'un d'autre », dit Valentina.

Lydia écarquilla les yeux. Cela ne faisait pas partie de l'histoire. Elle se terminait par le coup de foudre.

« Quelqu'un que tu as rencontré, ajouta Valentina, décidée à lui en dire plus.

— Qui ?

— La comtesse Natalia Serova. Celle qui a eu le toupet de te dire que tu devrais parler russe. Mais où ça l'a menée de parler russe, je te le demande ? Nulle part. Quand les chiens rouges ont commencé à mordre, elle était la première sur la liste pour prendre un train et quitter la Russie, avec tous ses bijoux, sur les rails du transsibérien, sans même attendre de savoir si son mari à Moscou était vivant et avant d'épouser un ingénieur des mines français ici, à Junchow. Il est quelque part dans le nord en ce moment.

— Alors elle a un passeport, elle.

— Oh oui. Français. Depuis son mariage. Un jour ou l'autre, elle se retrouvera à Paris sur les Champs-Élysées à siroter du champagne et à exhiber ses caniches pendant que je pourris dans ce taudis. »

L'histoire était gâchée. Lydia sentit le moment de bonheur s'évanouir. Elle resta allongée une minute de plus à regarder les ombres danser puis elle dit :

« Si tu vas mieux, je vais retourner dans mon lit. »

Sa mère n'ajouta rien.

« Tu vas bien, maman ?

— Aussi bien que possible. »

Lydia l'embrassa et en se glissant hors du lit, elle emporta le petit lapin endormi.

« Merci, ma chérie. »

Valentina avait fermé les yeux.

« Merci. Éteins la bougie en passant. »

Lydia prit une profonde inspiration et souffla.

« Lydia ? »

Son nom flotta dans l'obscurité.

« Oui ?

— N'amène plus jamais cette vermine dans mon lit. »

Les cinq jours suivants furent difficiles. Où que Lydia se rendît, elle ne pouvait s'empêcher d'essayer de trouver Chang An Lo. Dans une mer de visages chinois, elle cherchait la tête fière et la joue blessée. Un simple mouvement derrière elle et elle se retournait. Un cri de l'autre côté de la rue ou une ombre dans l'embrasure d'une porte, il ne lui en fallait pas plus. Mais après cinq jours à regarder par la fenêtre de la salle de classe en quête d'une silhouette sombre rôdant près de la grille de l'école, l'espoir mourut.

Elle avait trouvé à Chang toutes sortes d'excuses : il était malade, son infection au pied s'était aggravée ou alors il se cachait en attendant que l'histoire du collier soit oubliée. Peut-être même n'avait-il pas réussi à le récupérer et s'inquiétait-il de perdre la face s'il l'admettait. Mais si c'était le cas, il le lui aurait fait savoir d'une manière ou d'une autre. Il se serait assuré de ne pas la laisser sans nouvelles. Il savait ce que les rubis signifiaient pour elle. Tout comme elle n'ignorait pas l'importance qu'ils pouvaient avoir pour Chang. Dans ses cauchemars, Lydia le voyait fouetté et enchaîné dans une cellule.

Ou pire, bien pire. Chang était mort comme son père, en la protégeant. Elle rêva qu'on jetait son cadavre dans un torrent noir et tumultueux puis se réveilla en gémissant. Pendant la journée, elle restait sur le qui-vive. La concession internationale était un nid à commérages et à rumeurs, donc si on avait attrapé le voleur ou retrouvé le collier, elle l'aurait appris.

Chang était un voleur, bon sang. Tout simplement. Il avait pris le bijou et il était parti. Le code de l'honneur chez les voleurs semblait ne plus exister. Belle récompense pour avoir sauvé la vie de quelqu'un ! Elle lui en voulait tellement qu'elle lui aurait arraché les yeux, aurait sauté sur le pied qu'elle avait recousu, simplement pour le voir souffrir autant qu'elle. Dans sa tête résonnait un grincement épouvantable, pareil aux dents d'une scie mordant le métal, et elle ne savait pas s'il était dû à la fureur ou à la faim. Elle se faisait réprimander par M. Theo pour son manque d'attention.

« Cent lignes, Lydia : *Je ne dois pas rêver.* Reste ici pendant le dîner pour les faire. »

Je ne dois pas rêver.

Je ne dois pas rêver.

Je dois rêver.

Je rêve.

Je dois.

Les mots semaient le trouble dans ses pensées et prenaient leurs propres couleurs sur la page blanche, si bien que « rêver » était parfois rouge, parfois violet et tourbillonnait sur le papier. « Ne pas » restait noir comme du charbon et elle ne l'écrivit pas, laissant un espace vide jusqu'au moment où son professeur lui demanda de lui remettre sa punition. Elle griffonna précipitamment les « ne pas » manquants. Theo eut une moue amusée, ce qui ne fit qu'amplifier le tintamarre dans la tête de Lydia. Alors elle baissa les yeux et examina la tache d'encre que le stylo avait laissée sur son doigt. Aussi noire que le cœur de Chang.

Sitôt rentrée de l'école, elle ôta son uniforme et son chapeau, enfila une vieille robe et se rendit au parc en quête de nourriture pour Sun Yat-sen. La population affamée arrachait toutes les mauvaises herbes, mais à Victoria Park Lydia trouva un banc que les pissenlits avaient envahi. Personne ne les avait ramassés parce que les Chinois n'y étaient pas admis. Sun Yat-sen aimait les feuilles abîmées et sautait sur les genoux de Lydia comme une rafale blanche lorsqu'elle lui en donnait. Elle se souciait plus du repas du lapin que du sien.

Quand elle eut rempli son sac en papier avec des feuilles et de l'herbe, elle prit la direction du marché aux légumes dans l'espoir d'en ramasser quelques-uns sous les étals. Il faisait chaud et humide ; à travers la fine semelle de ses sandales, le trottoir lui brûlait les pieds. Elle resta à l'ombre autant que possible et regarda les autres filles faire tourner leur délicate ombrelle ou disparaître dans le café *La Fontaine* pour manger une crème glacée ou au salon de thé *Buckingham* pour déguster des sorbets et des sandwichs de pain de mie au concombre.

Lydia détourna le regard. Elle n'y pensa plus. Les choses ne se passaient pas bien à la maison. Pas bien du tout. Valentina n'avait pas quitté le grenier depuis le concert annulé et semblait avoir adopté un régime de vodka et de cigarettes. L'odeur musquée de la brillantine d'Antoine flottait dans la pièce, mais il n'était jamais là quand Lydia rentrait. Elle ne trouvait que les coussins en désordre sur le plancher et sa mère à différents stades de désespoir.

« Ma chérie, lui avait-elle dit la veille, il est temps que j'aille chez Frau Helga, si elle veut bien de moi.

— Ne dis pas ça. Elle tient un bordel.

— Et alors ?

— Il n'y a que des prostituées là-bas.

— Si plus personne ne me paie pour faire courir mes doigts sur un piano, je dois gagner ma vie en les utilisant autrement. Ils ne sont plus bons qu'à ça, dit-elle en montrant à sa fille ses mains aux doigts déformés comme les branches cassées d'un vieil éventail.

— Si tu t'en servais au moins pour laver les planchers et suspendre tes vêtements, cet endroit ne serait pas une telle porcherie.

— Pfff… »

Valentina avait passé les mains dans ses cheveux et s'était recouchée de manière théâtrale, laissant Lydia lire assise sur une chaise près de la fenêtre.

Sun Yat-sen dormait sur son épaule et lui murmurait ses rêves à l'oreille. Elle avait emprunté un livre à la bibliothèque : *Jude l'obscur*, de Thomas Hardy et elle le lisait pour la troisième fois. Sa profonde tristesse la réconfortait. La pièce était en désordre, mais elle n'y faisait pas attention. La veille, en rentrant de l'école, elle avait trouvé les vêtements de Valentina abandonnés sur le plancher, signe d'une nouvelle dispute avec Antoine. Mais cette fois-ci, Lydia avait refusé de les ramasser et les avait contournés. Et il n'y avait rien à manger. Sa mère et elle avaient terminé depuis longtemps le peu de nourriture acheté avec l'argent de la montre.

Lydia savait qu'il lui fallait apporter sa robe neuve chez M. Liu, mais elle ne pouvait s'y résoudre. Tous les jours elle se promettait de le faire le lendemain, sans faute, mais la robe restait pendue au mur pendant que Lydia maigrissait à vue d'œil.

Le Strand était vide lorsque Lydia arriva. La chaleur de plomb avait chassé les gens des rues, mais malgré l'heure tardive le marché aux légumes dans la vieille place bruyante tout au fond était très animé. Le Strand était le quartier commerçant principal de la concession internationale, dominé par la façade gothique du grand magasin Churston, où les femmes achetaient leurs sous-vêtements, les hommes leur cave à cigares et où Lydia flânait les jours de pluie.

Elle le dépassa et gagna le marché, à la recherche d'un étal sur le point de fermer où on jetterait à la poubelle des feuilles de chou ou un fruit abîmés. Mais chaque fois qu'elle en repérait un, une ribambelle de gamins chinois se disputant les restes comme des rapaces la devançait. Après une demi-heure de prospection, elle cueillit un épi de maïs tombé sur le sol à la suite d'un coup de coude malheureux et s'enfuit à la hâte.

Elle l'avait placé dans le sac en papier et venait à peine de quitter le trottoir pour traverser la route derrière une charrette tirée par un âne qu'on le lui arracha.

« Rends-moi ça ! » cria-t-elle en tentant d'attraper le voleur par la peau du cou.

Mais il lui échappa. Elle suivit des yeux les cheveux noirs de jais du garçon qui se faufilait dans la circulation.

Il ne semblait pas avoir plus de huit ans, mais il filait aussi vite qu'une belette. Lydia le poursuivit, zigzaguant, puis tournant précipitamment, elle heurta un jongleur dont les anneaux volèrent de toutes parts. Malgré sa difficulté à respirer, elle allongea sa foulée aux enjambées deux fois plus grandes que celles du gamin belette. Elle n'allait pas laisser Sun Yat-sen mourir de faim ce soir.

Soudain, le garçon s'arrêta quelques mètres devant elle. Il se retourna et lui fit face. Il était petit, crasseux, avec des jambes maigres comme des brindilles et avait un abcès sous un œil, mais il était très sûr de lui. Il leva le sac en papier pendant quelques secondes en la regardant, immobile puis il le laissa tomber avant de reculer.

Lydia regarda autour d'elle. La rue était calme, mais pas déserte. Une petite voiture brune avec un pare-chocs cabossé était garée de son côté et deux Anglais bricolaient le moteur d'une moto de l'autre côté. L'un d'eux racontait une plaisanterie où il était question de belle-mère et de perroquet. Lydia se trouvait dans une rue anglaise, pas dans une ruelle du vieux Junchow. Il y avait des voilages aux fenêtres. Elle était en sécurité. Alors pourquoi se sentait-elle aussi mal à l'aise ? Elle s'approcha lentement du garçon.

« Espèce de sale voleur ! » lui cria-t-elle.

Il ne répondit pas.

Sans le quitter des yeux, elle se baissa, ramassa le sac et le serra contre elle. Mais avant qu'elle ait pu dire ouf, quelqu'un la bâillonna d'une main et, en un éclair, la jeta à l'arrière de la petite voiture. Elle avait une lame de couteau sous l'orbite et une voix rauque grognait quelque chose en chinois.

Le sang bouillonnait à ses tempes et son cœur battait à tout rompre, mais elle envoya un coup de pied dans le tibia de son agresseur.

« Reste tranquille. »

Cette voix-là était plus douce. Il y avait deux hommes dans le véhicule, deux voyous : l'un au visage large qui empestait l'ail et l'autre avec un regard dur et des traits fins. Ce dernier tenait le couteau.

« Si tu fais des histoires, tu perds ton œil. »

Elle entendait les Anglais rire à leurs plaisanteries de l'autre côté de la rue.

« Compris ? »

Elle cligna de l'œil gauche.

L'autre homme retira la main de sa bouche.

« Que voulez-vous ? demanda-t-elle dans un souffle. Je n'ai pas d'argent.

— Pas de l'argent. »

Il secoua la tête.

« Où est Chang An Lo ? »

Lydia sentit une goutte de sueur lui couler dans le dos.

« Je ne sais pas. »

La pointe du couteau pénétra dans sa peau. Sa paupière lui brûla.

« Où est-il ?

— Je n'en ai aucune idée, mais ne me faites pas de mal. Je vous dis la vérité. Il est parti. Je ne sais pas où.

— Tu mens.

— Non, c'est vrai. »

Elle tendit un doigt.

« Coupez-le et je vous répondrai la même chose. Je ne sais pas où il est. »

Les deux hommes hésitèrent et échangèrent un regard sceptique. Elle remarqua alors le serpent noir enroulé tatoué sur le côté de leur cou.

« Mais je peux essayer de deviner », ajouta-t-elle avant de lui cracher au visage.

L'homme à l'expression sévère lui cracha dessus à son tour et l'autre se pencha vers elle.

« Où ?

— En prison. »

Les deux hommes avaient l'air furieux.

« Pourquoi ?

— Il a volé quelque chose au *Ulysses Club*. On l'a arrêté et jeté en cellule. On va certainement l'emprisonner à T'ien-tsin. C'est ce que font les Anglais d'habitude. Vous ne le reverrez pas de sitôt. »

Un échange houleux éclata entre les deux hommes, puis le dur cria quelque chose à Lydia, lui saisit le bras et la jeta violemment sur le trottoir. Elle entendit le choc de sa tête contre la bordure, mais elle ne sentit rien. La voiture démarra. Le gamin était sans doute parti depuis longtemps. Comme elle était soulagée ! Elle se releva tant bien que mal. Un des Anglais l'aperçut et lui demanda :

« Vous allez bien, mademoiselle ? »

Elle fit oui de la tête et descendit la rue, le sac en papier à la main.

13

Maudit Chang An Lo. Elle lui avait sauvé la vie une deuxième fois. Mais qu'est-ce que cela lui apportait? Une bosse sur la tête et une coupure à la paupière. Pas de collier. Pas de piano à queue.

De retour au Strand, Lydia s'étonna de trembler. Elle avait chaud, elle était moite et énervée. Elle avait l'impression d'avoir du sable dans la bouche et rêvait d'une boisson fraîche avec de la glace et d'une tranche de mangue. Elle n'avait eu des glaçons qu'une fois, quand Antoine lui avait offert un jus de framboise dans le quartier français pendant qu'ils attendaient que sa mère ait choisi un chapeau. Elle avait sucé les cubes gelés jusqu'à avoir la langue engourdie.

Elle poussa la porte vitrée de Churston et releva ses cheveux un instant. Au moins, il ferait plus frais ici. Les gigantesques ventilateurs en cuivre au plafond maintenaient la fraîcheur. La foule se pressait dans le grand magasin. Une Américaine aux cheveux courts achetait du parfum; un homme tenait en souriant une paire de boucles d'oreilles en jais près du visage de sa femme. Ou plutôt de sa maîtresse, songea Lydia.

Au-dessus d'eux, de petites boîtes en bois remplies d'argent liquide et de reçus glissaient en sifflant sur des câbles dans un mouvement de va-et-vient jusqu'à une petite niche dans un coin. Là, une femme dont le visage rappelait une chèvre rassemblait l'argent et notait d'une toute petite écriture le montant de chaque transaction. D'habitude, Lydia aimait regarder les gestes rapides de ses mains toujours en mouvement, mais aujourd'hui, elle n'était pas d'humeur. En réalité, elle n'avait le cœur à rien. Regarder les présentoirs de sacs à main en peau de serpent et les boîtes à bijoux en nacre n'arrangeait rien.

Elle fit demi-tour pour partir et faillit bousculer un homme qu'elle avait déjà vu. Elle reconnut la veste crème et le chapeau de la semaine précédente au marché chinois. L'homme à la montre, l'Anglais avec un faible pour la porcelaine. Elle s'écarta, non sans l'avoir surpris en train de glisser son portefeuille dans la poche extérieure de sa veste avant de se diriger vers la sortie. Il tenait sous le bras un petit achat emballé dans du papier de soie blanc.

La décision fut vite prise. Elle se souvint à quel point il avait été facile de le détrousser. De toute façon, il fallait être inconscient pour ranger ainsi son portefeuille. Quand il atteignit la porte, Lydia était là. Il la tint ouverte pour elle, portant la main au bord de son chapeau avec courtoisie. Elle lui sourit en sortant.

Une fois dans la chaleur de la rue, elle n'eut le temps de faire que deux pas. Pas un de plus. On lui saisit le poignet.

«Jeune fille, je voudrais récupérer mon portefeuille.»

Il ne cria pas, mais la rage dans le ton de sa voix la fit rougir.

«Pardon ?

— N'aggravez pas votre cas. Rendez-moi mon portefeuille. Tout de suite.»

Elle tenta de dégager son poignet, mais l'homme était fort.

«Mon portefeuille.»

De sa main libre, elle souleva le sac en papier. L'homme en retira son bien et, cette fois-ci, le rangea dans la poche intérieure de sa veste. Cependant, il ne lâcha pas son poignet. Elle baissa la tête. Que voulait-il de plus ?

« Excusez-moi, tenta-t-elle.

— Cela ne suffit pas. Vous méritez une bonne leçon, mademoiselle. Je vous conduis tout droit au poste de police.

— Non !

— Je vous avertis, si vous protestez, je ferai appel à des agents de la circulation. Vous ne serez pas dans une position très honorable, je vous le dis. »

Il partit en l'entraînant derrière lui. Quelques passants se retournèrent, mais personne n'intervint. Lydia paniqua. Elle pourrait se laisser tomber sur le trottoir, mais à quoi cela l'avancerait-il ?

Ils marchaient vite, en silence.

« Monsieur ?

— Je m'appelle Parker.

— Monsieur Parker, je ne recommencerai pas.

— En effet. Et je vais m'en assurer.

— Que va-t-il m'arriver ?

— La police vous jettera en prison. Un voleur ne mérite pas autre chose.

— Même s'il a seulement seize ans ? »

Sans ralentir, il l'examina comme si elle était un scorpion. Elle lui rendit son regard.

« Il y a une semaine jour pour jour, on m'a volé. Sans doute un voleur chinois pas plus vieux que vous. Sans doute pauvre et affamé. Mais cela n'excuse pas le vol. Rien ne l'excuse. C'est une transgression du commandement de Dieu et des lois humaines. S'il m'avait demandé de l'argent, je lui en aurais donné. Par charité. Mais pas ma montre. Pour l'amour de Dieu, tout, mais pas ça.

— Si j'avais demandé, vous auriez donné ? »

Il la regarda. Il semblait confus.

« Non, je ne l'aurais pas fait.

— Mais je suis pauvre.

— Vous êtes blanche. Vous pourriez faire mieux. »

Il n'ajouta rien. Elle devait réfléchir vite. Ils arrivaient devant l'imposante église Sainte-Augustine, grise et austère. Lydia eut une idée tellement tentante que les doigts lui démangèrent.

« Monsieur Parker ? »

Il ne tourna pas la tête.

« Monsieur Parker, il faut que j'entre ici.

— Comment ?

— Je dois me rendre dans cette église. »

Cette fois-ci, il la regarda, abasourdi.

« Pourquoi ?

— Si je dois aller en prison, j'ai besoin d'abord de me repentir devant Dieu. »

Parker s'arrêta brusquement.

« Est-ce que vous vous moquez de moi, jeune fille ? Me prenez-vous pour un imbécile ?

— Non, monsieur. »

Elle baissa les yeux avec modestie.

« Je sais que j'ai mal agi et j'ai besoin de demander pardon au Seigneur. S'il vous plaît, ce ne sera pas long, je vous le promets. »

Il hésitait.

« Pour laver mon âme. »

Il ne répondit pas. Les bruits de la rue semblèrent s'atténuer. Lydia retenait sa respiration.

Il ajusta ses lunettes.

« Très bien. J'imagine que je ne peux pas vous le refuser. Mais ne croyez pas vous échapper. »

Il la conduisit en haut des marches, serrant toujours son poignet, et ouvrit la lourde porte en chêne.

Elle s'immobilisa.

Il s'arrêta et la dévisagea, agacé.

« Qu'y a-t-il maintenant ? »

Elle secoua la tête. Elle n'avait encore jamais pénétré dans une église. Et si Dieu la foudroyait?

Il sentit qu'elle avait peur.

« Dieu te pardonnera, même si j'en suis incapable. »

Les poings serrés, elle entra. Elle ne s'attendait pas au changement de température, ni au haut plafond voûté qui les dominait comme s'ils n'étaient que des fourmis. Elle frissonna. L'endroit sentait un peu comme le jardin de Mme Zarya. Cependant, le cœur de Lydia se mit à battre plus fort quand elle aperçut les vitraux. La lumière et les couleurs étaient tellement intenses! La Vierge portait une robe d'un bleu plus vif que des plumes de paon et le sang du Christ avait la teinte des rubis que Chang lui avait volés.

« Assoyez-vous. »

Elle s'assit sur un banc au fond. Elle regarda la statue à échelle humaine du Christ au-dessus de l'autel, s'attendant à voir du sang perler de son flanc à tout moment. Quelques fidèles étaient assis sur d'autres bancs, silencieux, la tête baissée, récitant des prières en chuchotant. Cependant, le calme régnait dans l'église. Lydia comprenait pourquoi les gens s'y rendaient: pour retrouver la paix. Son pouls ralentit et le sentiment de panique diminua. Ici, elle pouvait réfléchir.

« Prions », dit Parker.

Il posa la tête sur ses mains, se penchant vers le banc de la rangée de devant.

Lydia l'imita.

« Seigneur, murmura Parker, pardonne-nous, pauvres pécheurs. Pardonne sa faute à cette jeune fille et apporte-lui la paix que donne le repentir. Seigneur, guide-la de ta main secourable, par la grâce de Jésus-Christ notre sauveur, amen. »

Entre ses doigts, Lydia vit un ver du bois ramper vers les chaussures bien cirées de Parker. Il y eut un long silence pendant lequel elle envisagea de s'enfuir, maintenant qu'il lui avait lâché le poignet. Mais elle ne le fit pas. Il la rattraperait sans problème au premier mouvement si elle abandonnait cette stupide position de prière, et de toute façon, elle aimait bien l'atmosphère sereine de cet endroit. Quand elle fermait les yeux, elle avait l'impression de flotter. Elle regardait en bas, disait au revoir de la main aux rats et à la faim. Est-ce que les anges ressentaient ça? Légers, insouciants et…

Elle rouvrit brusquement les yeux. Qui prendrait soin de sa mère et de Sun Yat-sen si elle s'envolait sur un nuage blanc? Dieu ne semblait pas avoir beaucoup travaillé pour les millions de Chinois qui mouraient de faim ici, alors pourquoi s'encombrerait-il de Valentina et d'un lapin décharné?

Les yeux à demi fermés, elle savoura le silence.

«Monsieur Parker?

— Oui.

— Puis-je réciter une prière aussi?

— Bien sûr. C'est pour cela que nous sommes ici.»

Elle prit une profonde inspiration.

«S'il te plaît, Seigneur, pardonne-moi. Pardonne-moi mon péché et fais que ma maman se remette de sa maladie pendant que je serai en prison, s'il te plaît, ne la laisse pas mourir comme papa.»

Elle se souvint d'une chose qu'elle avait entendue dans la bouche de M\ :sup:\ me Yeoman.

«Et bénis soient tous tes enfants en Chine.

— Amen.»

Quelques minutes plus tard, ils se redressèrent sur leur banc. Parker ne la regardait plus avec colère, mais avec inquiétude. Il posa la main sur son épaule.

«Où vivez-vous? lui demanda-t-il. Comment vous appelez-vous?»

— Lydia Ivanova.

— Vous dites que votre mère est malade?

— Oui. Elle est alitée. C'est pour ça que j'ai dû venir en ville toute seule et voler votre portefeuille. Pour acheter des médicaments.

— Dites-moi la vérité, Lydia, avez-vous déjà volé ? »

Lydia se tourna vers lui et lui lança un regard outré alors qu'ils pénétraient dans le quartier russe en pousse-pousse.

« Non. Jamais. Qu'on m'arrache la langue si je mens. »

Il acquiesça en souriant. Lydia trouvait qu'il ressemblait à un hibou. Des lunettes rondes, un visage rond et un petit bec de hibou en guise de nez. Mais il ne possédait pas la sagesse de cet oiseau. Elle ne doutait pas que, quand il aurait vu sa mère comateuse dans leur grenier lugubre, il se laisserait émouvoir et la libérerait. Il oublierait la police et lui donnerait peut-être quelques dollars pour manger. Elle lui jeta un regard oblique. Il avait un cœur, non ?

« La montre qu'on vous a volée avait-elle une grande valeur ? » demanda-t-elle.

Le pousse-pousse s'engageait dans sa rue, qu'elle trouva désespérément sordide.

« Oui, mais là n'est pas la question. Elle avait appartenu à mon père. Il me l'a donnée avant de partir en Inde, où on l'a tué, et je la portais depuis. Savoir qu'il l'avait eue dans sa poche toutes ces années et qu'elle était maintenant dans la mienne avait pour moi une signification particulière. »

Lydia détourna le regard. Qu'il aille au diable.

Elle monta les deux étages à toute vitesse. Elle entendait le bruit des pas de Parker derrière elle. Cela la surprit. Il devait être en meilleure forme qu'elle ne croyait. Elle ouvrit la porte du grenier, balaya la pièce du regard et se figea.

Elle ne sentit pas Parker la heurter, mais elle entendit son cri de surprise.

« Maman, dit Lydia, tu vas… mieux.

— Que veux-tu dire, ma chérie ? Je n'avais rien. Rien du tout. »

Rien du tout. Valentina se tenait au milieu de la pièce. Ses cheveux étaient brillants et parfumés et elle portait une robe en soie bleu marine avec un grand col blanc qui mettait en valeur son décolleté. Bien ajustée sur les hanches, la jupe était plus ample, dissimulant savamment la maigreur. Lydia ne connaissait pas cette robe. Elle trouva sa mère splendide.

Mais pourquoi maintenant ? Pourquoi avait-elle choisi de se transformer en oiseau de paradis maintenant ? Pourquoi ?

Parker toussa.

« Qui est notre visiteur ? Ne vas-tu pas nous présenter ?

— Maman, voici M. Parker. Il souhaite te rencontrer. »

Valentina lui adressa un sourire enjôleur et l'attira dans son univers. Elle lui tendit la main d'un geste élégant et accueillant. Il la serra.

« Enchantée de faire votre connaissance, monsieur Parker. »

Elle eut un petit rire à son intention.

« Veuillez excuser notre triste petite demeure. »

Lydia remarqua alors que la pièce avait changé. Les fenêtres étaient ouvertes, toutes les surfaces étaient cirées, chaque coussin était à sa place. Le grenier baignait dans une douce lumière dorée et il n'y avait ni bouteilles vides sur le plancher, ni chaussure oubliée sous la table. La pièce sentait la lavande et Valentina avait rangé les cendriers.

Ce n'était pas ce que Lydia avait prévu.

« Madame Ivanova, c'est un plaisir de faire votre connaissance. Mais je crains de ne pas avoir une bonne nouvelle à vous annoncer.

— Vous m'inquiétez.

— Je vous demande de m'excuser pour le désagrément que cela peut vous causer, mais votre fille a des problèmes. »

Malgré ces mots, il regardait Lydia sans colère et elle se sentit moins en danger. Peut-être n'allait-il pas mentionner l'épisode du portefeuille ?

« Lydia ? »

Valentina secoua la tête avec grâce, ce qui fit danser sa crinière brune.

« Qu'a-t-elle encore fait ? Elle n'a pas de nouveau nagé dans la rivière ?

— Non. Elle a volé mon portefeuille. »

Un silence s'installa. Lydia attendit l'explosion, mais elle ne vint pas.

« Je vous prie d'excuser le comportement de ma fille. Je vous promets que j'aurai une discussion avec elle, dit Valentina d'une petite voix inquiète.

— Elle m'a dit que vous étiez malade. Qu'elle avait besoin d'argent pour des médicaments.

— Ai-je l'air malade ?

— Pas du tout.

— Alors elle a menti.

— J'envisage de porter plainte.

— S'il vous plaît, ne le faites pas. Laissez passer cette erreur. Cela ne se reproduira pas. »

Elle se tourna vers sa fille.

« N'est-ce pas, *dochenka*?

— Je ne le ferai plus.

— Présente tes excuses à M. Parker.

— Ne vous inquiétez pas, elle l'a déjà fait. Et surtout, elle a demandé pardon à Dieu. »

Valentina haussa un sourcil.

« Vraiment ? Je suis si heureuse de l'apprendre. Je sais à quel point elle se soucie de sa jeune âme. »

Lydia, le rouge aux joues, jeta un regard mauvais à sa mère.

« Monsieur Parker, dit-elle calmement, excusez-moi de vous avoir menti et volé. C'était mal, mais quand je suis partie, ma mère…

— Lydia, ma chérie, pourquoi ne pas proposer une tasse de thé à M. Parker ?

— Ma mère était sortie et j'avais très faim, poursuivit Lydia. Je n'ai pas réfléchi. J'ai menti parce que j'avais peur. Je suis désolée.

— Jolie formulation. J'accepte vos excuses, mademoiselle Ivanova. Oublions l'incident.

— Monsieur, vous êtes le meilleur des hommes. N'est-ce pas, Lydia ? »

Lydia se retint de rire et se mit à préparer le thé. Ce n'était pas la première fois qu'elle voyait un homme laisser sa raison sur le seuil d'une pièce quand sa mère s'y trouvait. Il suffisait d'un battement de ses longs cils. Les hommes étaient tellement bêtes. N'avaient-ils pas conscience d'être abusés? Ou bien s'en fichaient-ils?

« Assoyez-vous, monsieur Parker, et dites-moi ce qui vous amène dans ce pays extraordinaire », dit Valentina, changeant habilement de sujet.

Parker prit place sur le canapé et Valentina s'assit près de lui. Pas trop, mais suffisamment.

« Je suis journaliste. Et les journalistes s'intéressent toujours aux événements extraordinaires », répondit-il.

Il regarda Valentina et rit timidement.

Lydia l'observait secrètement. Le corps entier de Parker était attiré par sa mère, même ses lunettes semblaient aimantées par elle. Il aurait peut-être fait n'importe quoi pour un jupon, mais son rire était agréable. Elle écouta leur conversation d'une oreille, car ses pensées étaient confuses.

Que s'était-il passé exactement? Pourquoi sa mère portait-elle une nouvelle robe? D'où lui venait-elle? Un cadeau d'Antoine? Possible. Mais cela n'expliquait pas la propreté de la pièce ni l'odeur de lavande.

Elle posa leur unique tasse remplie de thé devant M. Parker et lui adressa un sourire timide.

« Je suis désolée, nous n'avons pas de lait. »

Il sembla légèrement déconcerté.

« Vous devez le boire nature, dit Valentina en riant, comme nous le buvons en Russie. C'est plus exotique. Ça va vous plaire.

— Ou bien je pourrais aller chercher du lait, proposa Lydia. Mais j'aurais besoin d'argent.

— Lydia ! »

Parker observa la robe délavée de Lydia, ses sandales rapiécées et ses poignets fins. Il venait tout juste de comprendre que quand elle avait dit « pauvre », cela signifiait qu'elle ne possédait rien. Même pas du lait. Il sortit deux billets de vingt dollars de son portefeuille et les lui tendit.

« Va acheter du lait, s'il te plaît. Et quelque chose à manger. Pour toi.

— Merci. »

Elle s'esquiva avant qu'il ait le temps de changer d'avis.

Il ne fallut pas plus de dix minutes à Lydia pour trouver du lait et une demi-livre de biscuits, mais quand elle rentra, Valentina et Parker se tenaient prêts à sortir. Valentina passait des gants neufs.

« Lydochka, si je ne pars pas immédiatement, je vais être en retard à mon nouveau travail.

— Comment?

— Oui, je commence aujourd'hui.

— Qu'est-ce que tu vas faire?

— Entraîneuse.

— Vraiment?

— Oui. Ne fais pas cette tête.

— Où?

— À l'hôtel Mayfair.

— Mais tu as toujours dit que les entraîneuses ne valaient pas mieux que…

— Allons, Lydia, ne sois pas bête. J'adore danser.

— Tu ne supportes pas les hommes qui ont deux pieds gauches. Tu dis que c'est comme se faire piétiner par un élan.

— Je ne risque rien ce soir, puisque M. Parker m'a gentiment proposé de m'accompagner pour s'assurer que je reste pas le long du mur le premier soir.

— Aucun risque, intervint galamment Parker.

— Êtes-vous bon danseur, monsieur Parker? demanda Lydia.

— Je danse convenablement.

— Alors tu as de la chance, maman. »

Sa mère lui adressa un regard énigmatique, puis quitta le grenier au bras de Parker. Lorsqu'ils arrivèrent à l'étage du dessous, Lydia entendit Valentina s'exclamer : « Mon

Dieu, j'ai oublié quelque chose. Auriez-vous l'amabilité de m'attendre au rez-de-chaussée ? Ce ne sera pas long. »

Le bruit des pas de sa mère résonna dans l'escalier. La porte s'ouvrit puis claqua.

« Espèce de pauvre idiote ! »

La main de Valentina vola. La tête de Lydia fut projetée en arrière.

« Tu pourrais être en prison. Avec des rats et des violeurs. Ne t'avise pas de sortir ! hurla-t-elle. Pas avant mon retour. »

Puis elle partit.

Sa mère n'avait jamais levé la main sur elle auparavant. Lydia en tremblait encore tant le choc avait été grand. Elle porta la main à sa joue en feu et laissa échapper un gémissement rauque. Elle arpenta la pièce, cherchant l'apaisement dans le mouvement, comme si elle pouvait marcher plus vite que le cours de ses pensées. Elle remarqua le paquet de chez Churston que Parker avait oublié dans son empressement à accompagner Valentina. Elle le ramassa, l'ouvrit et découvrit un étui à cigarettes en argent orné de pierre d'azur et de jade.

Elle fut secouée par un fou rire incontrôlable qui s'interrompit lorsqu'elle prit conscience de l'absurdité de la situation. Le collier d'abord, et maintenant l'étui à cigarettes, tous les deux à portée de main, mais inaccessibles. Exactement comme Chang An Lo. *Chang, où es-tu ? Que fais-tu ?* Tout ce qu'elle désirait lui avait filé entre les doigts.

Lorsque son fou rire cessa, elle se sentit si vide qu'elle engloutit les biscuits un par un, jusqu'à ce qu'il n'en reste plus qu'un seul. Elle l'écrasa, le mélangea à l'herbe et aux feuilles et descendit porter son repas à Sun Yat-sen.

14

L e haut mur était blanchi à la chaux, et la porte en chêne noir ornée d'une sculpture qui représentait l'esprit de Men-shen. Pour protéger du mal. Un lion en décorait les montants. Theo Willoughby examina leurs yeux de pierre et se sentit plein de haine. Quand un corbeau noir se percha sur la tête de l'un d'entre eux, il aurait voulu qu'il lui arrache le cœur avec ses serres. Comme il aurait voulu arracher celui de Feng Tu Hong.

Il appela le gardien.

« Monsieur Willoughby. Je viens voir Feng Tu Hong. »

Il avait choisi de ne pas s'exprimer en mandarin.

Le gardien, en tunique grise et chaussures de paille, se courba jusqu'au sol.

« Feng Tu Hong vous attend », dit-il.

Sa femme conduisit Theo de l'autre côté de la cour. Sa démarche faisait pitié. Ses pieds n'étaient pas plus grands qu'un pouce, bandés et rebandés jusqu'à leur faire exhaler une odeur putride à travers le tissu. Comme ce pays infernal, corrompu et insondable. Ce jour-là, Theo était fermé à la beauté de la Chine. Chaque cour qu'il traversait révélait des trésors de beauté propres pourtant à ravir tous ses sens : des carillons pour enchanter son âme, des statues et des paons pour charmer son regard et, partout dans la lumière du crépuscule, des lis blancs qui rappelaient au visiteur sa mortalité. Au cas où il serait assez téméraire pour l'oublier.

« Espèce de putain de caniveau, suceuse de diable ! »

Les mots déchirèrent la pénombre.

Theo s'arrêta brusquement. À sa droite, dans un pavillon à la décoration luxueuse, des lanternes en forme de papillon projetaient une pâle lueur sur deux jeunes femmes. Elles faisaient une partie de mah-jong. Elles étaient élégamment vêtues de soie, mais l'une trichait et l'autre l'injuriait.

« Venez », murmura la guide de Theo.

Il la suivit. Les cours étaient destinées à exhiber la richesse. Plus il y en avait, plus le propriétaire faisait étalage de son argent. Feng Tu Hong était de ceux qui aiment se faire valoir, Theo ne le savait que trop bien. Quand il passa sous une arche finement sculptée à laquelle étaient suspendues des lanternes en forme de dragon et qui ouvrait sur la dernière cour, une silhouette d'homme jaillit de l'ombre. Il devait avoir trente ans à en juger par l'ardeur encore trop juvénile de son regard. Il tenait le manche d'un couteau logé dans sa ceinture.

« Je te fouille », dit-il à Theo sans ménagement.

Il était trapu et musclé. Theo le reconnut.

« Tu devras user de ta lame d'abord, Po Chu, dit Theo en mandarin. Je ne suis pas venu pour être traité comme un chien. Je suis là pour parler à ton père. »

Il contourna Po Chu et se dirigea vers l'élégant bâtiment devant lui, mais avant qu'il ait pu atteindre les marches, une lame acérée comme les griffes d'un tigre était plaquée entre ses omoplates.

« Je te fouille », grommela Po Chu d'une voix plus dure.

Theo s'en fichait. Il n'avait pas l'intention de perdre la face. Pas ici. Il se tourna. La lame était maintenant pointée sur son cœur.

« Tue-moi, grogna-t-il.

— Avec joie.

— Po Chu, pose cette arme immédiatement et demande pardon à notre invité. »

C'était Feng Tu Hong. Sa voix grave résonna, couvrant le murmure venu des autres cours.

Po Chu lâcha le couteau, tomba à genoux et inclina le buste vers le sol.

« Mille pardons, père. Je ne voulais que votre sécurité.

— Je suis honoré que tu me protèges, espèce de tas de fumier. Demande pardon à notre invité.

— Honorable père, ne m'ordonnez pas ça. Je m'arracherais les tripes et je regarderais les rats les dévorer plutôt que de demander pardon à ce fils de diable. »

Feng fit un pas vers lui. Sous sa robe pourpre, on devinait des jambes capables de frapper un homme à mort et des épaules aux muscles aussi puissants que ceux d'un bœuf. Il dominait son fils dont le front était encore penché vers le sol.

« Fais tes excuses », ordonna-t-il.

Po Chu inspira longuement.

« Mille pardons, Theo Willoughby. »

Theo inclina la tête, accordant son pardon avec mépris.

« Ne refais plus cette erreur, Po Chu, si tu veux rester en vie. »

Theo tira un petit couteau de sa manche et le jeta au sol.

L'homme prosterné lâcha un cri.

Son père croisa les bras sur sa poitrine avec un grognement de satisfaction. Dans les ombres mouvantes du crépuscule, Feng Tu Hong ressemblait à Lei Kung, le terrible dieu du tonnerre, mais à la place du marteau ensanglanté il tenait à la main un petit serpent noir aux yeux pâles comme la mort, qui s'enroulait autour de son poignet et tirait la langue en direction de ses proies.

« Je croyais ne jamais vous revoir dans cette maison, Theo Willoughby. Pas tant que je serais vivant et encore assez fort pour vous trancher la gorge.

— Je ne pensais pas poser de nouveau le pied sur ce tapis. »

Le sol était couvert d'une soie fine couleur crème tissée par les meilleurs artisans de T'ien-tsin. Theo l'avait offerte à Feng Tu Hong quatre ans plus tôt.

« Mais les choses changent, Feng. On ne peut jamais savoir ce qui nous attend.

— Ma haine pour toi est intacte. »

Theo lui adressa un sourire entendu.

« La mienne envers toi aussi. Mais laissons cela de côté. Je suis là pour parler affaires.

— Qu'est-ce qu'un professeur peut y connaître ?

— Celle que je vais te proposer remplira tes poches et t'ouvrira le cœur. »

Feng émit un grognement dédaigneux. Tous les deux savaient que quand il s'agissait d'affaires, il n'avait pas de cœur.

« Ce ne sont pas tes vêtements de Chinois, dit Feng en tendant son gros doigt vers la longue robe brune de Theo, son manteau en feutre et ses pantoufles en soie, ta maîtrise de notre langue et ton intérêt pour les enseignements de Confucius qui peuvent te permettre de raisonner ou de faire des affaires comme un Chinois. Tu n'en es pas capable.

— Je choisis les tenues chinoises parce qu'elles sont plus légères en été et plus chaudes en hiver et elles n'empêchent pas le sang de circuler jusqu'au cerveau comme une cravate et un col. Ainsi mon esprit est libre de suivre le chemin tortueux comme celui de tout Chinois. Et je réfléchis suffisamment en chinois pour savoir que ma proposition nous satisfera tous les deux et jettera un pont au-dessus des flots noirs qui nous séparent. »

Feng partit d'un gros rire sans joie.

« Bien parlé, l'Anglais. Mais qu'est-ce qui te fait croire que ça va m'intéresser ? »

Il parcourut la pièce de ses yeux noirs puis regarda de nouveau Theo. Celui-ci comprit où il voulait en venir. L'endroit n'aurait pas été plus luxueux s'il avait appartenu à l'empereur T'ai Tsu, mais sa décoration tape-à-l'œil agaçait Theo, amateur de la pureté des lignes chinoises. Tout ici était en or, sculpté ou orné de pierres précieuses. Même les oiseaux chanteurs dans leur cage dorée portaient des colliers de perles et buvaient dans des bols Ming incrustés d'émeraudes. Le fauteuil dans lequel Theo était assis, doré à la feuille d'or, avait des accoudoirs en jade taillés en forme de dragons dont les yeux étaient des diamants aussi gros que l'ongle de son pouce.

Cette pièce constituait à la fois un signe de richesse et un avertissement. En effet, de chaque côté de la porte se tenaient deux objets pour rappeler au visiteur sa subordination. D'un côté, se dressait une armure aux milliers d'incrustations de métal et de cuir, semblables à la peau d'un lézard, et dans un des gants était fichée une lance assez acérée pour vous arracher le cœur. De l'autre, un ours noir d'Asie avec une entaille blanche sur la poitrine se tenait sur ses pattes de derrière, la gueule ouverte.

Une fillette âgée d'une douzaine d'années entra dans la pièce, chargée d'un plateau.

« Ah, Kwailin nous apporte le thé », dit Feng.

Il la regarda ensuite leur servir une petite tasse de thé vert et une friandise parfumée. Malgré ses petits membres dodus, ses mouvements étaient gracieux. Ses paupières gonflées suggéraient qu'elle avait passé des journées entières allongée dans un lit à manger des dattes et des abricots secs. Theo comprit tout de suite qu'elle était la nouvelle concubine de Feng.

Il but son thé. Mais cela ne lui ôta pas le goût amer qu'il avait dans la bouche.

« Feng Tu Hong, dit-il, le temps glisse avec la marée. »

Aussitôt, Feng congédia la fillette d'un geste de la main. En partant, elle adressa un sourire timide à Theo, qui se demanda si elle serait fouettée pour cela plus tard.

« Alors, l'Anglais, de quoi voulais-tu me parler ?

— J'ai rendez-vous avec un homme important, un grand mandarin de la concession internationale qui veut faire commerce avec toi.

— Et que vend-il, ce mandarin ?

— Des informations. »

Le regard de Feng s'obscurcit. Theo sentit son cœur battre plus vite.

« Des informations en échange de quoi ?

— Il veut un pourcentage.

— Non. Il aura un paiement.

— Feng Tu Hong, on ne marchande pas avec cet homme. »

Feng serra les poings et les frappa l'un contre l'autre.

« C'est moi qui décide des conditions.

— Mais il détient les informations qui libéreront ta route des canonnières étrangères. »

Feng regarda fixement Theo et pendant un long moment, aucun des deux hommes ne prit la parole.

« Un pour cent, finit par offrir Feng.

— Tu m'insultes. Et tu insultes mon mandarin.

— Deux pour cent.

— Dix.

— Ha ! rugit Feng. Il croit pouvoir me voler ?

— Huit pour cent de chaque cargaison.

— Et toi, ça te rapporte quoi ?

— Deux pour cent en plus. »

Feng se pencha en avant. Sa grande mâchoire sombre rappelait à Theo celle de l'ours empaillé.

« Cinq pour cent pour le mandarin. Un pour toi. »

Theo prit soin de ne pas exprimer sa joie.

« Marché conclu. »

« Il a dit oui ? demanda Li Mei.

— Il a dit oui. Et il ne m'a pas tué. »

Il avait dit cela pour plaisanter, mais Li Mei détourna le visage, tirant entre eux le rideau de ses cheveux soyeux.

« Mon amour, chuchota Theo, je suis sain et sauf.

— Pour l'instant. »

Elle regarda par la fenêtre le brouillard qui montait du fleuve, noyant les lampadaires et avalant les étoiles.

« Tu as vu mes cousines ? demanda-t-elle doucement. Mon frère ?

— Oui.

— Et ?

— Tes cousines jouaient au mah-jong dans le pavillon.

— Elles avaient l'air d'aller bien ? »

Elle se tourna enfin vers Theo, sans pouvoir dissimuler son impatience.

« Est-ce qu'elles souriaient, est-ce qu'elles riaient, est-ce qu'elles semblaient heureuses ? »

Theo la prit par la taille et frôla ses cheveux des lèvres. Son odeur suffisait à éveiller son désir.

« Oui, ma douce, elles étaient charmantes avec leurs cheveux retenus par des peignes en argent, leurs robes couleur jade et jaune, les perles à leurs oreilles et leurs regards souriants. Insouciantes comme des oiseaux au printemps. Oui, elles avaient l'air heureuses. »

Ses paroles la réconfortèrent. Elle porta les doigts de Theo à ses lèvres et posa un baiser sur chacun d'eux.

« Et Po Chu ?

— Nous avons parlé. Nous n'étions pas ravis de nous voir.

— Je le savais. »

Il haussa les épaules.

« Et mon père ? Tu lui as transmis mon message ?

— Oui.

— Qu'est-ce qu'il a dit ? »

Cette fois-ci Theo ne mentit pas. Il resserra son étreinte.

« Il a dit : "Je n'ai plus de fille du nom de Mei. Elle est morte pour moi." »

Li Mei appuya son visage sur la poitrine de Theo, si fort qu'il craignit qu'elle ne puisse plus respirer, mais il ne dit rien et serra simplement son corps frémissant.

15

Chang An Lo se déplaçait de nuit. C'était plus sûr. Son pied le faisait encore souffrir et, en montagne, il progressait lentement. Le trajet de retour prenait trop de temps. Ils avaient failli le capturer.

Il les entendait respirer. Percevait le souffle de leurs chevaux et le bruit de la pluie tombant sur leurs capes en peau de chèvre. Il calma les battements de son cœur et s'allongea sur le ventre dans la boue. Les sabots n'étaient qu'à quelques centimètres de lui, mais l'obscurité le sauva. Il remercia Ch'ang O, déesse de la lune, d'avoir détourné le visage cette nuit-là. Il vola ensuite un âne dans une étable d'un village au fond de la vallée et laissa une poignée d'argent en dédommagement.

Juste après l'aurore, alors que le vent de la grande plaine du nord faisait voler la poussière jaune du limon dans ses narines et sa bouche, il aperçut Junchow. À cette distance, elle semblait manquer d'unité. Les sommets des toits de la partie orientale s'élevaient à côté des constructions droites de la concession internationale. Chang essaya de ne pas s'y représenter Lydia ni d'imaginer ce qu'elle pouvait penser de lui. Il voulut cracher par terre, mais la poussière avait asséché sa bouche. Il murmura : « Mille malédictions pour les envahisseurs *fanqui*. La Chine pissera bientôt sur les diables étrangers. »

Pourtant, malgré les malédictions et la haine, une diablesse étrangère l'avait envoûté et il ne désirait pas plus se débarrasser d'elle que de sa propre âme. Caché dans les profondeurs d'un buisson, son ombre se mêlant à celles des arbres, il avait envie de la voir, même s'il avait conscience de risquer plus qu'il ne pouvait perdre.

Dans le ciel, les traînées rouges lui rappelaient le sang versé.

L'eau était froide. Les courants forts du fleuve s'enroulaient comme des tentacules autour de ses jambes de nageur expérimenté, si bien qu'il devait lutter pour progresser. Heureusement, la fille renard lui avait recousu le pied. Il remercia les dieux pour ses mains habiles. Arriver par le fleuve lui permettait d'éviter les sentinelles et les nombreux gardes qui surveillaient les routes menant à Junchow. Il avait attendu la nuit. Les sampans et les jonques[3] qui dansaient en aval avec leurs voiles noires, sans lumière à la proue, le dépassaient en se rendant à leurs rendez-vous clandestins. Au-dessus de lui, les nuages dérobaient les étoiles au ciel. Le fleuve protégeait bien ses secrets.

Une fois la berge atteinte, il resta silencieux et immobile près de la coque pourrissante d'une embarcation retournée et écouta les bruits dans l'obscurité, essayant de discerner des ombres en mouvement. Il était de retour à Junchow, près d'elle une fois encore. Après avoir passé du temps avec les rats comme seule compagnie, il se glissa dans la ville.

« *Ai !* Mes yeux sont heureux de te voir. »

Le jeune homme à la longue cicatrice sur la joue salua Chang, soulagé.

---

3. Bateau traditionnel asiatique à voiles.

« Je vais pouvoir dormir cette nuit, maintenant que tu es de retour sain et sauf, jurant encore. Tiens, bois ça, on dirait que tu en as besoin. »

Les flammes de la torche sifflèrent et crachèrent sur le mur des lueurs tremblantes comme des créatures vivantes.

« Yuesheng, je te remercie. Ils sont passés près cette fois-ci, les serpents gris de Tchang Kaï-chek. Quelqu'un leur a murmuré à l'oreille. »

Chang, engourdi par le froid, but d'un trait le petit verre de vin de riz, dont la chaleur le ranima. Il s'en servit un second.

« Celui qui a fait ça aura la langue coupée. »

Les deux jeunes hommes se trouvaient dans une grande cave. De l'eau suintait sur les parois de pierre tapissées de lichen aux couleurs vives. Le bruit des presses d'imprimerie était étouffé par les murs et le plafond épais. Au-dessus d'eux se trouvait une usine de textile où les machines cliquetaient toute la journée ; seul le contremaître connaissait l'existence de celles qui fonctionnaient au sous-sol. Il était syndicaliste, communiste, se battait pour la cause et fournissait l'huile, l'encre et les seaux de vin de riz aux activistes nocturnes. Depuis que les nationalistes du Kuomintang avaient pris le pouvoir et que Tchang Kaï-chek jurait d'éliminer la menace communiste en Chine, chaque souffle représentait un danger ; chaque pamphlet appelait le sabre du bourreau. Une demi-douzaine de jeunes gens s'agglutinaient autour des presses, une demi-douzaine de vies sur le fil.

Yuesheng tira une lamelle de poisson séché de son sac et la tendit à Chang.

« Mange, mon ami, tu vas avoir besoin de forces. »

Chang avala sa première bouchée depuis plus de trois jours.

« Les dernières affiches sont réussies, celles qui réclament de nouvelles lois sur le travail des enfants. J'en ai vu plusieurs en venant, dont une sur la porte du bâtiment de la municipalité », dit Chang.

Yuesheng rit.

« Oui, celles-là, c'est l'œuvre de Kuan. »

En entendant son nom, une jeune femme mince leva les yeux des sacs qu'elle remplissait de pamphlets et adressa un signe de tête à Chang.

« Dis-moi, Kuan, comment t'arranges-tu pour toujours coller tes affiches aux endroits les plus exposés, malgré la présence de Feng Tu Hong ? Est-ce que tu voles avec les esprits de la nuit, invisible pour les hommes ? » lui demanda Chang dans le vacarme des presses.

Kuan rejoignit les deux hommes. Bien que récemment diplômée de droit de l'université de Pékin, elle portait une ample veste bleue et un pantalon de paysan. Elle avait un regard sérieux. Elle ne croyait pas aux doux sourires que la plupart des femmes de Junchow offraient au monde. Ses parents l'avaient mise dehors sous prétexte qu'elle les humiliait en coupant ses cheveux court et en travaillant à l'usine. Cela l'avait encouragée à lutter pour que les femmes ne soient plus tenues en laisse par leur père ou leur mari ni rouées de coups sans raison. Elle possédait le courage de la fille renard, mais pas cette flamme, cette lumière qui pouvait éclairer une pièce, cette chaleur si intense que les lézards se précipitaient à ses côtés.

Où était Lydia ? Quelque part en train de le maudire, sans doute. Il l'imagina, l'attendant les sourcils froncés de colère, et cette évocation le fit partir d'un rire que Kuan interpréta mal. Elle lui adressa un de ses rares sourires.

« Ce président du Conseil à tête de chameau, Feng Tu Hong, mérite un traitement spécial, dit-elle.

— Dis-moi ? Que s'est-il passé pendant mon absence ? »

Son sourire s'effaça.

« Hier, il a ordonné une purge parmi les ouvriers de la fonderie d'acier, visant ceux qui demandaient de meilleures conditions de sécurité aux fourneaux.

— Douze ont été décapités dans la cour pour servir d'exemple aux autres. »

Yuesheng cracha et passa la main le long de la cicatrice de sabre sur sa joue. Elle semblait palpiter et brunir.

Chang fut envahi par la colère. Il ferma les yeux et se maîtrisa. Ce n'était pas le moment, le danger était trop proche.

« L'heure de Feng Tu Hong viendra, dit-il calmement. Je vous le promets. Et ceci la fera venir plus vite. »

Il sortit un bout de papier de la poche en cuir pendue à son cou.

Yuesheng le saisit, le lut, et acquiesça, satisfait.

« C'est un billet à ordre, annonça-t-il aux autres. Pour des fusils Winchester. Cent. »

Six visages s'illuminèrent de sourires et un jeune homme leva un poing taché d'encre en signe de remerciement.

« Tu t'es bien débrouillé », dit Yuesheng avec de la fierté dans la voix.

Chang était content. Yuesheng et lui étaient liés par une amitié fraternelle. C'est en elle qu'ils puisaient leur force. Il posa la main sur l'épaule de Yuesheng et ils échangèrent un regard complice. Chaque inspiration, ils l'avaient gagnée.

« Les nouvelles du Sud sont bonnes, lui dit Chang.

— Mao Tsé-toung ? Est-ce que notre chef déjoue toujours les pièges des ventres gris ?

— Il a échappé de justesse à la capture le mois dernier. Mais son camp militaire à Jiangxi s'étend jour après jour et ils y viennent de tout le pays comme des abeilles vers une ruche. Certains avec seulement une pioche à la main et la conviction au fond du cœur. L'heure approche où Tchang Kaï-chek découvrira qu'en trahissant notre pays, il a signé son arrêt de mort.

— C'est vrai qu'il y a eu une autre altercation près de Canton la semaine dernière ? demanda Kuan.

— Oui, répondit Chang. Un train rempli de troupes du Kuomintang a sauté et… »

Le bruit sourd de la porte métallique qui s'ouvrit brusquement en haut de l'escalier couvrit la voix de Chang et un garçon au regard paniqué se jeta dans la cave.

« Ils sont…, hurla-t-il. Les troupes sont… »

Un projectile traversa le plafond et le garçon tomba face contre terre, sa veste maculée de rouge.

Soudain, on s'activa dans la cave. Yuesheng s'était préparé et chacun savait quoi faire. Les torches furent éteintes. Le pas des ennemis qui dévalaient l'escalier retentit dans l'obscurité, leurs voix s'élevèrent, lançant des ordres à des ombres puis deux balles sifflèrent contre les murs. Mais une échelle avait été dressée au fond de la pièce. Des verrous bien graissés coulissèrent. Une trappe s'ouvrit. Les silhouettes des activistes se détachaient sur un carré de nuit alors qu'ils se glissaient un par un à l'extérieur.

Chang, dernier au pied de l'échelle avec Yuesheng, distingua dans le noir un soldat qui approchait et, d'un coup violent, il décrocha la mâchoire de son poursuivant qui gémit de douleur. En un éclair, Chang saisit son fusil et tira une rafale de balles qui sifflèrent dans la cave.

« Sauve-toi ! cria-t-il à Yuesheng.

— Non, toi d'abord. »

Chang toucha le bras de son ami.

« Va-t'en. »

Yuesheng grimpa à l'échelle sans plus attendre. Chang tira de nouveau, sentit une balle du Kuomintang siffler dans ses cheveux, puis bondit sur les barreaux à la suite de Yuesheng. Des balles traversèrent la trappe et Chang sentit soudain un poids mort dégringoler sur lui. Il eut l'impression qu'on venait de lui arracher le cœur.

Il chargea le corps de Yuesheng sur ses épaules, sauta par l'ouverture et s'enfuit en courant dans la nuit.

16

« **E**ncore un peu de vin, Lydia?
— Merci, monsieur Parker.
— Est-ce permis? Elle n'a que seize ans.
— Oh, maman, je suis adulte maintenant.
— Pas autant que tu crois, ma chérie. »
Alfred Parker sourit avec indulgence. À la lumière des bougies, les verres de ses lunettes étincelaient.

« Juste celui-ci. Cette soirée est spéciale après tout.
— Spéciale? »
Valentina leva un sourcil.

« En quoi?
— C'est le premier repas que nous prenons ensemble. Le premier d'une longue série, je l'espère, car c'est un honneur de me trouver en compagnie de deux femmes aussi belles », répondit Alfred.

Il leva son verre à Lydia puis à Valentina.

Valentina baissa les yeux un moment, caressa doucement la peau pâle de son cou comme si elle réfléchissait à la proposition puis plongea le regard vers Parker. Comme on tend un piège, songea Lydia en observant avec intérêt l'effet produit sur Alfred Parker. Il rougissait de plaisir. Les yeux profonds de sa mère et ses lèvres entrouvertes lui chaviraient l'esprit et lui soutiraient bien plus que ce que Lydia aurait pu lui voler.

« *Garçon**, appela-t-il, une autre bouteille de vin rouge, s'il vous plaît. »

Ils soupaient dans un restaurant du quartier français. Lydia avait commandé un *steak au poivre**. Le maître d'hôtel lui avait fait une révérence comme si elle était un personnage important qui pouvait s'offrir un repas dans un endroit comme celui-ci. Bien entendu, elle portait sa robe abricot et elle s'appliquait à regarder les autres clients avec l'indifférence d'une habituée.

Personne ne pouvait deviner que ce soir était une première à de nombreux égards. Son premier repas dans un restaurant. Son premier steak. Son premier verre de vin.

« Je te fais confiance pour choisir un plat relevé », avait plaisanté Valentina.

Lydia observait Parker attentivement, copiait ses gestes pour savoir quel ustensile d'argent utiliser et remarqua la manière dont il se tamponnait la bouche avec sa serviette. Lorsque sa mère lui avait dit qu'Alfred les avait invitées à souper, elle avait été surprise. Encore une première. Jamais un ami de sa mère n'avait proposé à Lydia de les accompagner lors d'une sortie et cela lui avait mis la puce à l'oreille, mais son envie de manger au restaurant avait eu raison de l'instinct qui lui dictait de se méfier de Parker.

« Très bien, je viendrai. Mais à condition qu'il ne me fasse pas la leçon, avait-elle dit à sa mère.

— Il ne le fera pas. »

Valentina avait alors pris le menton de Lydia dans sa main et l'avait secoué gentiment.

« Mais tiens-toi bien et sois gentille. Même si ça te semble difficile. C'est important pour moi.

— Et Antoine ?

— Qu'il aille se faire voir ! »

Tout s'était bien déroulé jusque-là. Elle avait commis un seul petit faux pas quand Parker lui avait aimablement proposé de goûter un escargot et qu'elle avait répondu sans réfléchir :

« Non merci, j'ai mangé assez d'escargots pour toute une vie. »

Valentina lui avait lancé un regard furieux et lui avait donné un coup de pied sous la table.

« Vraiment ? » Parker avait paru surpris.

« Oh oui, avait vite répondu Lydia, chez mon amie Polly. Sa mère en raffole.

— Je la comprends. Avec une sauce au beurre et à l'ail ?

— Délicieux. »

Elle rit malicieusement.

« N'est-ce pas, maman ? »

Valentina leva les yeux au ciel. Elle n'avait pas envie qu'on lui rappelle les nuits où sa fille et elle avaient cherché des escargots sous la pluie, les délogeant des buissons et des pelouses. Parfois même un ver de terre ou une grenouille. Quelle puanteur dans la casserole !

Lydia adressa un sourire mielleux à Alfred Parker.

« Maman m'a dit que vous êtes journaliste. Ce doit être passionnant. »

Elle nota le soupir de soulagement de sa mère.

« Oui, je suis journaliste au *Daily Herald.* La Chine vit une période trouble de son histoire, mais elle est très intéressante. Tchang Kaï-chek amène enfin un peu d'ordre à ce malheureux pays, Dieu merci. Oui, mon métier est passionnant. »

Il lui adressa un large sourire qu'elle lui rendit.

« Dis-moi, Lydia, tu lis les journaux ? »

Lydia parut surprise. Cet homme ne se rendait-il pas compte que pour le prix d'un journal on pouvait acheter deux brioches à la vapeur, des *ban baos*, et avoir le ventre plein ?

« Mes devoirs me prennent tout mon temps.

— Ah oui, évidemment, c'est admirable. Mais cela te ferait du bien de lire un journal de temps en temps, pour savoir ce qui se passe ici. Pour t'ouvrir l'esprit, t'informer de l'actualité.

— Je suis suffisamment ouverte d'esprit et j'apprends des choses tous les jours. »

Elle reçut un nouveau coup de pied sous la table.

« Lydia étudie à la Willoughby Academy, dit Valentina en jetant un regard noir à sa fille. Elle a bénéficié d'une bourse. »

Parker sembla impressionné.

« Elle doit être très intelligente. »

Il se tourna vers Lydia.

« Je connais bien ton directeur. Je lui parlerai de toi.

— Ce n'est pas la peine. »

Il rit et lui tapota la main.

« N'aie pas peur. Je ne lui dirai pas comment nous nous sommes rencontrés. »

Lydia prit son verre et huma le contenu en maudissant Parker.

Valentina vint à sa rescousse.

« Vous avez raison au sujet des journaux. Cela lui ferait du bien d'étendre ses connaissances, et quoi qu'il en soit, ce serait divertissant de lire vos articles.

— Dans ce cas, je vais m'assurer que vous receviez le *Daily Herald* tous les jours sans faute. »

Il se pencha vers Valentina. Lydia était certaine qu'il respirait son parfum.

« Rien ne me ferait plus plaisir.

— Monsieur Parker ? »

Il détourna les yeux de Valentina à contrecœur.

« Oui, Lydia.

— Peut-être que j'en sais plus que vous sur ce qui se passe dans cette ville. »

Parker se cala contre le dossier de sa chaise et dévisagea Lydia comme s'il lisait dans ses pensées, si bien qu'elle se demanda si elle ne l'avait pas sous-estimé.

« Je sais que votre mère vous accorde une liberté qui vous permet de vous livrer à davantage d'activités que la plupart des jeunes filles de votre âge, mais malgré tout, Lydia, je trouve étrange que vous supposiez en savoir plus que moi, du haut de vos seize ans. »

Elle savait qu'elle devait s'arrêter là, boire une gorgée de ce vin délicieux et le laisser continuer à faire les yeux doux à sa mère, mais elle n'en fit rien.

« Une chose est sûre, c'est que votre précieux Tchang Kaï-chek a trompé ses partisans et piétiné les trois principes sur lesquels Sun Yat-sen a édifié la Chine.

— *Chyort vosmi !* Lydia ! s'écria Valentina.

— C'est absurde, dit Parker en lançant un regard désapprobateur à Lydia. Qui t'a mis dans la tête une idée aussi ridicule ?

— Un ami. »

Avait-elle perdu l'esprit ?

« Il est chinois », ajouta-t-elle.

Valentina se redressa et tapota de ses ongles le pied de son verre.

« Et qui est cet ami chinois ? demanda Valentina sur un ton glacial.

— Il m'a sauvé la vie. »

Un silence pesant s'installa, puis Valentina éclata de rire.

« Tu n'es qu'une menteuse. Où l'as-tu rencontré ?

— À la bibliothèque.

— Ah, je vois, intervint Parker. Cela explique tout. Un intellectuel d'extrême gauche qui parle beaucoup et n'agit pas.

— Tu dois le tenir à distance. Regarde ce que les intellectuels ont fait à la Russie. Les idées sont dangereuses. »

Valentina tapa du poing sur la table.

« Je t'interdis formellement de revoir ce Chinois.

— Allons, maman, ne t'inquiète pas. Qu'il soit mort ou vivant, ça m'est bien égal. »

Lydia venait de sortir des toilettes et se frayait un chemin entre les tables quand elle entendit une femme l'interpeller.

«Mademoiselle Ivanova, je présume. Quelle surprise de vous voir ici. »

Elle se retourna et rencontra son regard bleu pâle.

«Comtesse Serova, s'étonna-t-elle.

— Je vois que vous portez encore cette robe.

— Elle me plaît.

— Ma chère, j'aime le chocolat et je n'en mange pas sans arrêt. Permettez-moi de vous présenter mon fils. »

Elle fit un pas de côté afin que Lydia puisse voir le jeune homme qui la suivait. Il était grand avec un visage ovale, des cheveux bruns bouclés et affichait une expression hautaine, les yeux à demi fermés, comme si le monde ne valait pas la peine de faire l'effort de les ouvrir entièrement.

«Alexei, voici la jeune Lydia Ivanova. Elle vient de Saint-Pétersbourg elle aussi. Sa mère est pianiste.

— Concertiste, plus exactement», corrigea Lydia.

La comtesse concéda un sourire.

«Bonsoir, mademoiselle Ivanova. »

Le ton de sa voix était assuré. Il fit un signe presque imperceptible de la tête et dirigea son regard vers un point situé près de la racine des cheveux de Lydia.

«J'espère que vous passez une agréable soirée. »

Valentina aurait certainement répliqué : *Je passe un moment parfaitement délicieux, merci. On mange vraiment bien ici, vous ne trouvez pas ?* Réplique légère, gaie et trop convenable pour être vraie.

Mais la réponse de Lydia fut brève.

«Oui. »

Un silence gênant s'annonçait.

«Je dois filer », dit Lydia.

Elle regarda la comtesse et la vit observer, à l'autre bout de la salle, Valentina qui avait la tête penchée près de celle d'Alfred Parker et lui parlait doucement. Lydia trouvait sa mère plus belle que jamais ce soir-là, avec sa robe bleu marine et blanc, les cheveux, presque noirs sous la lumière tamisée, relevés sur le sommet de la tête et les lèvres maquillées de rouge vif. Lydia était surprise que tous les clients ne la regardent pas.

« Ravie de vous avoir revue, comtesse. Bonsoir. *Do svidania.*

— Ah, ce soir vous parlez russe, on dirait. »

Lydia n'avait pas l'intention de se laisser prendre au piège. Elle sourit et retourna à sa table, se remémorant les conseils de Mme Roland à l'école. *Faites partir le mouvement des hanches, jeunes filles, en toute occasion. Si vous voulez une démarche de dames, le mouvement doit partir des hanches.* Lorsque Lydia se rassit, Valentina remarqua la comtesse Natalia et son fils à l'autre bout de la salle. Lydia vit sa mère écarquiller les yeux, puis vite détourner le regard. Lorsque les Serova passèrent devant eux quelques minutes plus tard, les deux femmes s'ignorèrent.

Lydia prit un des chocolats à la menthe qui accompagnaient le café. Elle se dit qu'elle pourrait vraiment s'y habituer.

Alfred et Valentina la laissèrent devant la porte d'entrée.

« Dors bien, ma chérie. »

Par la fenêtre côté passager, Valentina adressa à Lydia un au revoir d'un geste de la main. L'Armstrong Siddeley noire, trop large sur la chaussée étroite, roula lentement jusqu'au coin de la rue. Ses feux arrière s'allumèrent, puis elle tourna. Ils avaient dit qu'ils se rendaient au *Silver Slipper,* une boîte de nuit. Lydia était seule dans le noir. Les cloches de l'église sonnèrent onze heures. Elle compta les coups. Le *Silver Slipper.* Si on y dansait après minuit, est-ce qu'on se transformait en citrouille ? Ou en comtesse ?

Elle repoussa ces idées idiotes, ouvrit la porte et monta l'escalier. Elle avait les jambes en coton, comme si elle avait laissé son énergie au restaurant. Elle avait aussi un violent mal de tête. Elle ne savait pas si c'était l'humidité ou le vin qui lui faisait l'effet d'une enveloppe de plomb. Elle aurait dû être heureuse. La soirée avait été excitante après tout. Alfred Parker s'était montré attentif et courtois. Plus exactement, il était généreux. Précisément ce dont elle avait besoin. La vie s'arrangeait. Alors pourquoi se sentait-elle si mal ? Qu'est-ce qui n'allait pas chez elle ? Pourquoi cette sensation dans l'estomac, comme une crampe ?

Elle poussa la porte du grenier. Parker ne faisait pas tout cela pour elle. Il l'avait attrapée en train de voler et il savait qu'elle lui avait menti. Il faisait partie de ces hommes à principes, pleins de certitudes au sujet du bien et du mal. Répétant le sacro-saint discours sur la religion et la monarchie comme clefs de voûte de l'Angleterre. Les Anglais n'appelaient-ils pas ce genre de personnage un brave homme ? Lydia soupira, exaspérée. Un homme comme Parker pouvait se permettre de donner des leçons de morale, de la même manière qu'il pouvait se faire plaisir en soupant dans un restaurant chic. Il ne remettrait pas ses idées en cause.

Mais à présent, il avait rencontré Valentina.

Lydia alluma l'unique bougie posée sur la table et, aussitôt, elle fut entourée d'ombres difformes qui bondissaient sur les murs et menaçaient le petit halo de lumière. Il faisait une chaleur insupportable dans la pièce. La fenêtre était entrouverte, mais Lydia pouvait à peine respirer. Elle enleva sa robe pour sentir le contact de l'air chaud sur sa peau, espérant que cela l'apaiserait.

« Ne fais pas ça. »

En entendant cette voix, Lydia eut le souffle coupé. Elle la reconnut tout de suite et, bien qu'elle fût douce, son cœur se serra. Elle se retourna rapidement, mais ne vit personne.

« Qui est là ? cria-t-elle, le cœur battant à tout rompre. Sors de ta cachette.

— Je suis là. »

Le rideau de sa chambre bougea.

Elle s'approcha et le tira. Chang An Lo était assis sur son lit.

« Sors d'ici.

— Écoute-moi, Lydia Ivanova. Écoute ce que j'ai à te dire.

— J'ai très bien entendu. Tu as volé mon collier de rubis, tu l'as vendu quelque part dans le Sud et tu as donné l'argent. Et tu penses que je vais te croire ?

— Oui.

— Tu n'es qu'un sale menteur, un voleur odieux, sournois et sans scrupules. »

Furieuse, elle arpentait la pièce sans se soucier le moins du monde d'être à moitié déshabillée.

« Et je regrette de ne pas avoir laissé ce policier te mettre une balle dans la tête quand l'occasion s'est présentée.

— Je suis venu te dire…

— Que tu m'as volée. Eh bien, merci beaucoup. Maintenant, va-t'en. »

Elle lui montra la porte.

« Non, je veux t'expliquer mon geste. »

Le voleur se tenait encore au milieu de la pièce, aussi calme et détendu que s'il lui avait apporté des fleurs au lieu de mensonges, et elle avait envie de l'étrangler. Elle lui avait fait confiance, avec une naïveté vraiment stupide, elle qui ne se fiait à personne. Et qu'avait-il fait ? Il avait traîné sa confiance dans les égouts et lui avait brisé le cœur.

« Sors d'ici ! hurla-t-elle. Allez, sors. Je sais pourquoi tu as fait ça et je n'ai pas envie d'écouter tes histoires, alors… »

Elle s'interrompit, car on venait de frapper violemment à la porte.

« Tout va bien, Lydia ? » demanda M. Yeoman dans le couloir.

Lydia croisa le regard de Chang et pour la première fois elle y lut la peur. Il se tenait prêt à l'attaque.

« Non, lui murmura-t-elle méchamment. Non.

— Avez-vous des ennuis, ma chère ? Avez-vous besoin d'aide ? »

Yeoman était un vieil homme, trop faible pour Chang. Lydia se précipita à la porte et l'entrouvrit. Son voisin du dessous se tenait sur le palier, un tisonnier en laiton à la main.

«Je vais bien, merci de vous être inquiété. Je... me disputais simplement avec un... ami. Désolée de vous avoir dérangé. »

Il la regarda dans les yeux. Il ne semblait pas convaincu.

« Êtes-vous sûre que je ne peux pas vous aider ?

— Absolument. Merci quand même. »

Elle ferma la porte et s'y appuya. Elle respirait avec difficulté. Chang n'avait pas bougé.

« Tu as des voisins aimables, dit-il calmement.

— Oui, acquiesça-t-elle d'une voix encore plus douce, des voisins qui ne me trompent pas avec des discours hypocrites. »

Chang serra la mâchoire et voulut parler, mais elle le devança.

« Si ma mère rentrait maintenant et te trouvait ici, elle t'écorcherait vif, avec ou sans tes prises de kung-fu. Alors... »

Elle attrapa sa robe et se rhabilla.

« On va sortir et tu me diras tout dans la rue. Ensuite je ne veux plus jamais te revoir. Compris ? »

Il inspira et Lydia eut la sensation de manquer de souffle.

« Compris. »

Elle le conduisit jusqu'à une maison, deux rues plus loin. C'était plutôt une carcasse d'habitation parce qu'elle avait brûlé neuf mois plus tôt, mais elle se dressait encore, comme une dent pourrie, au milieu d'une rangée de bâtisses et servait de refuge aux rats, aux chauves-souris et à quelques chiens sauvages. Malgré l'absence de toit, on pouvait s'y sentir à l'abri. Une fine bruine avait commencé à tomber, rafraîchissante, et Lydia frissonnait.

« Alors ? »

Il prit son temps. En silence, il se fondit dans l'ombre et se glissa dans les pièces en ruine, pas plus palpable que le vent soufflant du fleuve. Lorsqu'il se fut assuré que personne d'autre ne s'était réfugié au milieu des décombres, il la rejoignit.

« Maintenant, parlons », dit-il.

À la lueur qu'un lampadaire éloigné diffusait jusqu'à eux, Lydia observa attentivement Chang. Il avait changé. Elle ne savait pas exactement en quoi, mais elle le sentait comme elle sentait la pluie sur son visage. L'expression plus triste de sa bouche l'incitait à écouter ses explications, à le croire sincère et à comprendre les raisons de son abattement. Mais au lieu de cela, elle rejeta la tête en arrière et se rappela qu'il l'avait utilisée, que l'intérêt qu'il lui portait ne valait rien. Des mensonges et de la boue.

« Alors parle, dit-elle.

— Il t'aurait tuée.

— Qui ?

— Le collier.

— Tu es fou. »

Elle s'imagina étranglée après l'avoir mis à son cou.

« Non, je dis la vérité. Tu l'aurais apporté à l'un de ces serpents de la vieille ville qui ne posent pas de questions. Sans se salir les mains, ils volent les voleurs qui frappent à leur porte. Mais personne n'aurait touché ce collier, personne n'aurait pris ce risque.

— Pourquoi ?

— Parce que tout le monde sait qu'il devait être offert à Mme Tchang Kaï-chek. Alors tu serais repartie bredouille, et avant d'être rentrée chez toi on te l'aurait volé puis on t'aurait éliminée.

— Tu essaies de m'effrayer.

— Si je voulais te faire peur, Lydia Ivanova, il y a bien d'autres choses que je pourrais dire. »

De nouveau, à l'expression de sa bouche, elle devina un chagrin qu'il aurait voulu dissimuler derrière un visage impassible. Au milieu des ruines, sous la pluie tombant d'un ciel noir comme la mort, elle se sentit soulagée. Elle inspira profondément.

« On dirait que je te dois encore la vie, dit-elle en frissonnant.

— Nous sommes liés, toi et moi. »

Il tendit le bras dans le halo de lumière qui les séparait et toucha le bras de Lydia, un frôlement sur sa peau, pas plus fort qu'un battement d'ailes de papillon.

« Nos destins sont liés l'un à l'autre aussi fermement que les bords de la blessure que tu as recousue. »

Sa voix était aussi douce que sa main. Lydia sentit sa colère s'apaiser puis disparaître. Et si c'étaient encore des mensonges qui s'échappaient de cette bouche qu'elle voulait croire ? Elle croisa les bras autour de sa poitrine, refusant de laisser le reste de sa colère s'évanouir. Elle en avait besoin. C'était son armure.

« L'engagement suppose le partage, non ? Et cela ne change rien au fait que tu m'as volé le collier. Si tu l'as vendu dans un endroit où personne ne connaît son impor-tance, ce serait la moindre des choses de partager l'argent. Cela me semble juste. Moitié-moitié. »

Elle tendit la main.

Il rit. C'était la première fois que Lydia l'entendait rire et cela lui fit un effet étrange. Un court instant, elle oublia leur dispute.

« Tu es comme un renard, une fois que tu as planté tes crocs, tu ne lâches plus. »

Elle ignorait si c'était une insulte ou un compliment, mais elle ne prit pas la peine de le lui demander.

« Combien t'en a-t-on donné ? »

Il la dévisagea. Il souriait encore.

« Trente-huit mille dollars. »

Lydia s'assit brusquement sur un muret.

« Trente-huit mille dollars, c'est une petite fortune. Ma petite fortune », murmura-t-elle.

Un silence se fit. Seule une belette qui courait vers la porte le rompit. Chang sauta dessus.

« Trente-huit mille, répéta Lydia savourant ce mot comme si c'était du miel.

— C'est le nombre de morts qu'il y a eu à Shanghai et à Canton. »

Canton? De quoi parlait-il? Qu'est-ce que cette ville pouvait avoir à faire avec son argent…? Puis elle se souvint du massacre de l'année précédente. Tout le monde en avait parlé. Et il y en avait eu un autre, cette fois à Shanghai où, sur les ordres de Tchang Kaï-chek, les nationalistes du Kuomintang avaient tendu un piège aux communistes et les avaient éliminés lors d'un combat de rue sanglant. Ils appelaient ça une purge. Mais en Chine cela n'avait rien d'exceptionnel et passait presque inaperçu. Il y avait toujours des seigneurs de la guerre, comme le général Zhang Xueliang et Wu Peifu, pour pactiser et se trahir lors de guerres sauvages. Mais pourquoi Chang avait-il parlé de l'incident de Canton en particulier?

Soudain, elle comprit. Elle se leva d'un bond.

« Tu es communiste, c'est ça? »

Chang ne répondit pas.

« C'est dangereux. On décapite les communistes.

— Et on met les voleurs en prison. »

Ils se dévisagèrent dans l'obscurité, sans prononcer les accusations qu'ils auraient pu se lancer. Lydia frissonna, mais cette fois-ci, Chang ne la toucha pas.

« Je vole pour survivre, lui fit remarquer Lydia. Pas au nom d'un idéal. »

Elle s'écarta de lui puis ajouta:

« Je ne peux pas me le permettre. »

Elle n'entendit pas Chang s'éloigner. Soudain il fut de nouveau devant elle. La pluie faisait briller ses cheveux et donnait une teinte argentée à sa peau.

« Regarde. Regarde ça. »

Il tenait la belette morte à la main.

« C'est mon repas de ce soir. Ce n'est pas moi qui mange au restaurant en disant des mensonges et en faisant des sourires hypocrites. Alors ne me parle pas du prix des idéaux. »

Lydia rougit.

« Réglons cette affaire maintenant, dit-elle sur un ton plus dur qu'elle n'aurait voulu. Je veux ma part de l'argent.

— Tu es toujours aussi affamée qu'un renard. Tiens. Nourris-toi avec ça. »

Il lui tendit une pochette en cuir. Elle la saisit. Elle était légère, trop légère. Elle marcha jusqu'à l'endroit où la lumière du lampadaire était plus forte. Elle défit le cordon, fit glisser le contenu de la pochette dans sa main et ne découvrit que quelques pièces de monnaie. Est-ce que quelques dollars achèteraient son silence ? Valait-elle si peu à ses yeux ? Elle se retourna et rejoignit Chang en trois pas rapides. Elle lui lança les pièces d'argent au visage.

« Va au diable ! Pourquoi me sauver la vie pour la gâcher ensuite ? »

Elle ne rentra pas chez elle. Elle ne supportait pas l'idée de se retrouver seule dans cette pièce misérable. Alors elle marcha. Vite. Comme si elle pouvait ainsi se débarrasser de sa colère.

Ce n'était pas prudent de traîner à cette heure-là. Les histoires d'enlèvement et de viol ne manquaient pas dans la concession internationale, mais cela ne l'arrêta pas. Elle voulait aller au bord du fleuve pour échapper aux milliers de gens qui se battaient pour leur mètre carré d'air et d'espace à Junchow. Peut-être que là-bas elle respirerait mieux. Non, son désespoir n'était pas si grand. Elle savait que des rats y rôdaient ainsi que des hommes en quête de drogue armés de couteaux, alors elle choisit de se diriger vers le haut de la ville, où les rues étaient sûres et où des chiens montaient la garde.

Elle était en colère contre Chang An Lo. Mais pire, elle s'en voulait. Elle n'avait pas résisté à son attirance et se sentait… Elle essaya de défaire le nœud des émotions qui l'étouffaient, mais elles étaient confuses, emmêlées, et quand elle cherchait à les démêler, une angoisse épouvantable lui déchirait la gorge. Elle donna un coup de pied sur un caillou et l'entendit heurter l'enjoliveur d'une voiture stationnée devant une maison. Un chien aboya. Une voiture, une maison, un chien. Avec trente-huit mille dollars, elle pourrait s'offrir tout cela. Douze dollars chinois valaient une livre anglaise. Parker le lui avait dit le soir même. C'était plus qu'il ne lui en fallait pour deux passeports, deux places sur un bateau pour l'Angleterre et une petite maison en briques avec une salle de bains et du plancher pour danser. Une petite pelouse pour Sun Yat-sen aussi, ce serait bien.

Elle mit fin à sa rêverie. C'était trop. Elle repoussa ces pensées, mais ne parvint pas aussi facilement à oublier le regard intense de Chang et le murmure de ses doigts sur sa peau. Il résonnait en elle, se propageait à son corps entier.

Elle réfléchit à ce qu'il avait de différent ce soir. Il avait maigri, mais il ne s'agissait pas de cela. Non, il y avait quelque chose dans son visage, ses yeux, l'expression de sa bouche. Une expression de profonde douleur, différente de celle qu'il avait lorsqu'elle lui avait recousu le pied. Lydia voulait vraiment savoir ce qui lui était arrivé pour causer un tel changement depuis la journée de la rivière aux lézards. Cependant, elle se jura qu'elle ne lui parlerait plus jamais. Ce soir, à cause de lui, elle s'était sentie… Comment?

Mal. Il l'avait fait culpabiliser.

Elle entra en escaladant la grille en fer forgé entre deux piliers de pierre et, cachée dans l'ombre de la haute haie qui entourait la propriété, courut sous la pluie vers l'arrière de la maison.

« Lydia! Tu es trempée. »

Polly, ensommeillée, écarquillait les yeux.

« Désolée de te réveiller. Je suis simplement venue pour te raconter… »

Polly tira sur le haut de sa robe, la lui enleva et la secoua en s'exclamant sur un ton désolé :

«J'espère qu'elle n'est pas fichue.

— Oh, Polly, oublie la robe. La dernière fois que je l'ai portée, elle s'est mouillée aussi et a très bien séché. Enfin presque. Une ou deux taches tout au plus, alors quelques autres ne feront pas une grande différence. »

Polly accrocha la robe à un cintre avec soin.

«Tiens, mets ça. »

Elle tendit à Lydia une robe de chambre blanche avec de petits éléphants roses aux poignets et à l'ourlet. Lydia la trouva enfantine, mais la passa quand même pour couvrir son corps délicat. Celui de Polly était tout en courbes, ses seins étaient déjà lourds alors que ceux de Lydia étaient tout petits. *Quand tu mangeras à ta faim, ils s'arrondiront, ne t'en fais pas,* lui avait dit sa mère. Mais Lydia en doutait.

Polly s'assit sur son lit et invita Lydia à la rejoindre.

«Assieds-toi et dis-moi tout. »

C'était une des choses que Lydia aimait chez Polly. Elle s'adaptait facilement. Cela ne la dérangeait pas le moins du monde d'être réveillée au beau milieu de la nuit parce qu'on frappait à sa fenêtre ; elle était heureuse de l'ouvrir pour accueillir son invitée trempée. Escalader jusqu'au deuxième étage était facile, Lydia l'avait souvent fait. Par le treillis, le long du toit de la véranda et un saut sur le rebord de la fenêtre. Heureusement, Christopher Mason prenait grand soin de ses chiens, auxquels il permettait de dormir dans l'arrière-cuisine quand il pleuvait. Il n'y avait donc aucun risque de se faire mordre.

«Comment ça s'est passé ? demanda Polly, à qui l'excitation donnait l'air d'une enfant. Il t'a plu ?

— Qui ?

— Alfred Parker. Qui d'autre ? Ce n'est pas de lui que tu es venue me parler ?

— Oh, oui. Oui, bien sûr. Le souper à *La Licorne*.

— Alors, que s'est-il passé ? »

Lydia se remémora la soirée.

« C'était amusant. J'ai mangé des crevettes sauce à l'ail. » Elle souffla au visage de Polly pour le lui prouver.

« Du steak au poivre et…

— Non, non. Parle-moi plutôt de lui. Comment l'as-tu trouvé ?

— Il s'est montré… gentil. »

Lydia fut surprise d'employer ce mot, mais en y réfléchissant, c'était vrai.

« Sans intérêt ? demanda Polly.

— Ça oui. Il est aussi ennuyant qu'un cours de latin. Il croit tout savoir et veut qu'on soit d'accord avec lui. J'ai eu l'impression qu'il aime être admiré. »

Polly ricana.

« Ne sois pas stupide, Lyd, tous les hommes aiment ça. C'est naturel chez eux.

— Vraiment ?

— Oui. Tu n'as jamais remarqué ? Ta mère est très douée pour leur donner cette impression et c'est pour ça qu'ils se pressent autour d'elle.

— Je pensais que c'était à cause de sa beauté.

— La beauté ne suffit pas. Il faut être intelligente. »

Polly secoua ses cheveux ébouriffés en souriant gentiment.

« Ma mère ne sait pas le faire.

— J'apprécie ta mère telle qu'elle est. »

Polly sourit.

« Moi aussi.

— Est-ce que tes parents sont couchés ?

— Non. Ils sont à une fête chez le général Stowbridge. Ils ne seront pas rentrés avant quelques heures. »

Polly se leva d'un bond.

« Il n'y a personne sauf les domestiques, mais ils sont dans leurs appartements. Tu veux descendre et boire du chocolat chaud ? »

Lydia sauta sur l'occasion.

« Oui. »

Elles sortirent de la pièce, descendirent l'escalier et gagnèrent la cuisine. Lydia s'y sentit mieux. En toute honnêteté, elle n'aimait pas vraiment la chambre de Polly ; elle la rendait nerveuse. Plus exactement, c'est le comportement de Polly dans cette pièce qui la mettait mal à l'aise. Lydia avait vite appris à ne rien toucher. Rien du tout. Si elle prenait une brosse à cheveux sur la coiffeuse ou un livre sur l'étagère, Polly s'agitait et s'empressait de remettre l'objet exactement là où il était rangé. Avec les poupées, c'était encore pire. Elle avait vingt-trois magnifiques poupées au visage en porcelaine et vêtues de robes brodées à la main alignées sur une étagère. Si la moindre boucle de cheveux bougeait, elle se sentait obligée de les enlever toutes et de les réinstaller. Cela durait une éternité.

Lydia s'en tenait à l'écart. Étrangement, les obsessions de Polly se limitaient à la chambre. À l'école, son bureau était bien plus désordonné que celui de Lydia. C'était comme si dans l'intimité de sa chambre elle laissait libre cours à ses angoisses et à ses peurs, mais qu'ailleurs elle les cachait en souriant. Lydia s'assurait toujours que personne ne contrarie Polly, pas même M. Theo.

« Je vais voir ce que fait Toby, dit Polly. Je n'en ai pas pour longtemps. »

Elle disparut dans l'arrière-cuisine.

Lydia erra dans le hall, faisant glisser ses pieds sur le plancher ciré jusqu'à ce qu'il grince, puis jeta un œil dans le salon pour voir le gramophone et son cornet en cuivre, dans l'espoir que ce bel objet lui ferait oublier Chang. Mais cela ne l'aida pas, au contraire. À côté du salon se trouvait le bureau du père de Polly, toujours fermé à clef. Lydia tourna la poignée. Cette fois-ci, la porte était ouverte.

Il faisait sombre, mais Lydia n'osa pas appuyer sur l'interrupteur. Le grand bureau en chêne au milieu de la pièce était éclairé par la lumière du couloir. Derrière se trouvaient des meubles de rangement en bois. Sur le mur d'en face était accroché un tableau représentant un grand cheval gris à côté du portrait d'un jeune garçon à l'expression timide. Sans doute Christopher Mason enfant. Mais un ouvrage relié de cuir posé sur le bureau retint l'attention de Lydia. Elle jeta un coup d'œil par-dessus son épaule pour voir si Polly arrivait, s'approcha du bureau et se pencha pour observer le livre. Sur la couverture, elle lut « agenda » en lettres dorées. Elle l'ouvrit, puis le feuilleta jusqu'à la page du jour du concert : samedi 14 juillet.

L'écriture de Mason était grande et peu soignée : un gribouillis à l'encre noire difficile à déchiffrer, mais elle en lut assez. *Six heures : ai monté Timberley. Huit heures et demie : rendez-vous pour le déjeuner avec sir Edward à* La Résidence. En dessous quelque chose avait été écrit puis rayé par de gros traits noirs suivis de : *Tiffin avec Mackenzie* puis *Willoughby 19 h 30.* Enfin, en petits caractères au bas de la page : *V.I. au club.* C'était souligné.

V.I.

Valentina Ivanova.

Donc leur rencontre était prévue.

« Lydia ? »

La voix de Polly lui parvint de la cuisine.

« J'arrive », répondit Lydia.

Elle parcourut les pages précédentes. *V.I. V.I. V.I. V.I. V.I. V.I.* Une fois par mois. De janvier à juillet. Elle regarda les pages du mois d'août. Un rendez-vous était prévu le 18.

« Lyd ? »

Polly n'était pas loin.

Lydia referma l'agenda et regagna la porte au moment où Polly arrivait.

« Qu'est-ce que tu fais là ? demanda Polly avec un regard horrifié. Personne n'a le droit de venir ici, même pas ma mère. »

Lydia haussa les épaules sans répondre. Elle était trop bouleversée.

Dans la cuisine, les deux filles soufflaient sur leur tasse de chocolat. Polly riait parce que Lydia lui racontait comment les lunettes d'Alfred Parker avaient glissé sur son nez quand Valentina lui avait demandé d'ôter une miette de son cou. Elles entendirent une clef dans la serrure de la porte d'entrée. Polly se figea, mais Lydia réagit vite. Elle versa le reste de sa boisson dans l'évier, rangea la tasse dans un placard et se glissa derrière la porte de la cuisine, où on ne la verrait pas. Elle eut juste le temps de regarder son amie, qui avait l'air paniquée. *S'il te plaît Polly, sers-toi de ta tête.*

« Alors je ne crois vraiment pas que… »

Christopher Mason s'interrompit au milieu de sa phrase. Ses semelles faisaient grincer le plancher. Il se rapprochait.

« Polly, tu es là ? »

Pendant un instant très désagréable, Lydia craignit que son amie ne restât plantée comme un lapin ébloui par les phares d'une voiture, mais elle se ressaisit et gagna l'entrée pour accueillir son père.

« Bonsoir, père. Avez-vous passé une bonne soirée ?

— Aucune importance. Qu'est-ce que tu fabriques debout à cette heure-ci ?

— Je n'arrivais pas à dormir. Il fait trop chaud et j'avais soif. »

Lydia trouva la voix de son amie très étrange, mais Mason ne sembla pas le remarquer. L'élocution de ce dernier trahissait sa consommation de brandys.

« Oh, pauvre chérie, murmura Anthea Mason. Je vais te chercher une limonade fraîche. Ça t'aidera à…

— Non merci, j'ai déjà bu.

— Eh bien, moi je vais en boire une. J'ai un horrible mal de tête. »

Lydia entendit le cliquetis des talons hauts.

« Maman ?

— Oui.

— Installons-nous au salon. Je veux que tu me dises tout de la fête et de la toilette de Mme Lieberstein. Est-ce qu'elle…

— Il est beaucoup trop tard pour ce genre de futilités, l'interrompit Mason. Tu devrais être au lit.

— Oh, s'il te plaît.

— Non, je ne le répéterai pas. Va te coucher.

— Mais…

— Fais ce que ton père te dit, Polly. Nous parlerons de la fête demain. Promis. »

Quand le bruit des pas de Polly lui parvint de l'entrée, Lydia retint son souffle.

Puis la porte de la chambre de son amie se referma et ce fut comme un signal pour ses parents.

« Tu es trop douce avec elle, Anthea.

— Non, je…

— Allons, tu lui passerais même un meurtre si je n'étais pas là. Je ne le tolérerai pas. Tu ne te rends pas compte que tu manques à tes devoirs ? C'est à toi de veiller à son éducation.

— Comme tu l'as fait ce soir, tu veux dire ?

— Qu'est-ce que tu sous-entends exactement ? »

Anthea ne répondit pas.

« Eh bien ? J'exige de connaître le fond de ta pensée. »

Un silence s'installa, qui fut rompu par un long soupir.

« Tu sais très bien de quoi je parle.

— Bon sang, femme, je ne suis pas devin.

— L'Américaine, ce soir, à la fête. C'est la manière dont tu voudrais que Polly se comporte ?

— Pour l'amour de Dieu, c'est donc de ça qu'il s'agit. Et c'est pour cette raison que tu m'as fait rentrer si tôt ? Ne sois pas ridicule, Anthea. Elle se montrait simplement aimable et moi aussi, rien de plus. Son mari est une de mes relations d'affaires et si tu étais un peu plus ouverte et sociable, un peu plus drôle lors de ces…

— Je vous ai vus vous montrer "aimables" sur la terrasse. »

Elle dit cela sur un ton calme, mais la gifle qui suivit résonna dans l'entrée et le cri de douleur d'Anthea fit sortir Lydia de sa cachette. Elle s'avança sur le seuil de la cuisine, mais les Mason étaient trop absorbés pour la remarquer. Christopher, ramassé comme un taureau, le cou rentré dans les épaules, un bras tendu, se préparait à frapper de nouveau. Sa femme, le buste fléchi en arrière, porta une main à la joue où une marque rouge s'étendait jusqu'à la tempe. Elle avait perdu une boucle d'oreille.

Anthea ouvrait de grands yeux, comme Polly, mais ils exprimaient un tel désespoir que Lydia ne put se contenir plus longtemps. Elle se précipita vers eux, mais trop tard. Une autre claque envoya valser Anthea. Elle tituba, se rattrapa au porte-parapluie, courut dans le salon et claqua la porte derrière elle. Mason entra comme un fou dans la salle à manger où il rangeait le brandy et referma la porte d'un coup de pied. Lydia se trouvait au milieu de l'entrée, tremblante de colère. Elle entendait des pleurs étouffés venant du salon. Elle eut envie d'y aller, mais elle n'y serait pas la bienvenue. Alors elle monta l'escalier sans chercher à être discrète et retourna dans la chambre de Polly.

Aussitôt, elle sut que son amie avait entendu la dispute. Assise sur le bord du lit, le visage très pâle, elle serrait une poupée dans ses bras en sanglotant sans le moindre regard pour Lydia. Celle-ci s'approcha, s'assit à côté de son amie et lui prit la main. Elle la serra. Polly s'appuya contre elle sans dire un mot.

17

Chang était encore là quand la fille renard revint dans la maison en ruine. Il l'avait attendue, seul dans l'obscurité, certain qu'elle reviendrait avant qu'elle ne le sache elle-même. La pluie avait cessé ; l'éclat d'un mince croissant de lune faisait scintiller les briques mouillées et une des pièces que Lydia lui avait jetées. Il savait à quel point l'argent était important pour elle, mais il savait aussi qu'il ne la ferait pas revenir. Dès qu'elle eut franchi le seuil, il constata qu'elle n'était plus en colère et n'avait plus l'air de vouloir lui enfoncer un sabre dans le cœur. Il remercia les dieux. Cependant, ses membres semblaient lui peser et ses épaules étaient voûtées comme le dos d'un chameau. Cela lui fit de la peine.

Lydia s'arrêta en attendant que ses yeux s'habituent à l'obscurité.

« Chang An Lo, appela-t-elle. Je ne te vois pas, mais je sais que tu es là. »

Comment pouvait-elle en être sûre ? Sentait-elle sa présence comme il sentait la sienne ? Il s'écarta du mur et avança vers une zone éclairée par la lune.

« Ton retour m'honore, Lydia Ivanova. »

Il s'inclina pour lui montrer qu'il ne voulait plus de dispute.

« Pourquoi es-tu communiste ? demanda-t-elle avant de s'écrouler sur un bloc de béton, vestige d'une cheminée. Quelle folie te pousse à vouloir être communiste ?

— Je crois en l'égalité.

— Dit comme ça, ça a l'air simple.

— Mais c'est simple. C'est la cupidité des hommes qui complique tout. »

Lydia eut un grognement de mépris qui l'étonna. Aucune Chinoise n'avait fait un bruit pareil en présence d'un homme.

« Rien n'est jamais aussi simple, dit-elle.

— Ça peut l'être. »

Les mandarins de son monde occidental lui avaient bourré la tête de mensonges et l'avaient aveuglée avec les brumes de la tromperie, si bien qu'elle voyait ce qu'ils lui demandaient de voir au lieu de ce qu'elle avait devant les yeux. Elle n'avait pas la langue dans la poche, mais elle ne savourait que le goût du mensonge. Elle ne savait rien de la Chine, rien qui soit vrai. Il retourna s'accroupir, le dos contre le mur de briques, et se pencha pour mieux voir le visage de Lydia. Il ne l'avait jamais vue à ce point immobile, ne l'avait jamais entendue parler d'une voix si blanche.

« Est-ce que tu sais, demanda-t-il sur un ton doux afin de ne pas la mettre en colère, qu'on vend encore les femmes et les enfants comme esclaves ? Que des propriétaires volent aux paysans leur nourriture et leurs récoltes ? Que l'armée prend les hommes dans les villages, laissant les faibles et les vieillards mourir de faim ? Tu le sais ? »

Elle le regarda, mais son visage resta impassible.

« La Chine ne va pas changer, dit-elle. Ce pays est trop grand et trop vieux. J'ai appris à l'école comment les empereurs règnent tels des dieux depuis des milliers d'années. Tu ne peux pas…

— Nous pouvons. »

Il sentit le sang battre dans sa poitrine en pensant à ce qui devait être accompli. Il voulait la mettre au courant.

« Nous pouvons rendre les gens libres de penser, de travailler pour un salaire correct. Libres de posséder des terres. Les travailleurs chinois sont moins bien traités que des cochons. On les écrase dans le fumier comme des scarabées. Mais les riches mangent dans des assiettes en or et étudient dans les rouleaux de Confucius comment être un homme de bien. »

Il cracha.

« Que l'homme de bien passe une journée à quatre pattes dans les champs. Voyons ce qui lui importera plus : un mot parfait dans un des poèmes de Po Chu-i ou un bol de riz dans le ventre. »

Il ramassa un bout de brique et le fracassa contre le mur.

« Qu'il mange son poème.

— Mais tu as appris des poèmes, dit Lydia d'un ton où Chang sentait poindre l'impatience. Tu es instruit et je sais que c'est la seule manière de progresser. Tu as dit toi-même que tu venais d'une famille aisée, que tu as eu des professeurs particuliers et…

— C'était avant qu'on m'ouvre les yeux. J'ai vu ma famille chevaucher le dos brisé d'esclaves et j'ai eu honte. L'éducation doit être pour tous. Pour les femmes comme pour les hommes et pas uniquement pour les riches. Elle ouvre l'esprit sur l'avenir aussi bien que sur le passé. »

Il pensa à Kuan et à son diplôme de droit ; elle était si farouchement déterminée à ouvrir les yeux des travailleurs qu'elle était prête à travailler seize heures par jour dans un atelier où chaque semaine dix employés mouraient d'accidents ou d'épuisement. Cette fille renard ignorait tout cela. Elle faisait partie des *fanqui* privilégiés et voraces qui avaient avalé d'énormes bouchées de son pays avec leurs navires de guerre et leurs fusils. Que faisait-il avec elle ? Lui demander de changer de point de vue serait comme demander à un tigre de se débarrasser de ses rayures.

Il se leva. Il allait la laisser à ses pièces éparpillées et à ses vols. Un jour on l'attraperait, un jour elle serait imprudente malgré le soin avec lequel il veillait sur elle.

« Tu t'en vas ?

— Oui. »

Il inclina le buste. Son cœur se serra.

« Ne pars pas. »

Il fit semblant de ne pas entendre et lui tourna le dos.

« Alors dis-moi au revoir. »

Sa voix semblait encore plus blanche, comme si cette fois-ci elle savait qu'il ne reviendrait plus. Elle laissa échapper un soupir plaintif et lui tendit les mains à la manière des étrangers.

Chang se dirigea vers l'endroit où elle était assise, se pencha pour lui prendre les mains et, en approchant son visage du sien, il sentit l'odeur de la pluie dans ses cheveux. Il inspira, emplissant ses poumons de son odeur jusqu'à ce qu'elle occupe tout son esprit, comme la brume du fleuve envahit le ciel la nuit. Il tenait sa main dans la sienne et ne parvenait pas à la lâcher. La lune disparut derrière un nuage, si bien qu'il ne voyait plus son visage, mais il sentait la chaleur de sa peau contre la sienne.

« Et les étrangers ? demanda-t-elle dans un murmure. Dis-moi, Chang An Lo, qu'est-ce que les communistes ont l'intention de faire aux *fanqui* ?

— Mort aux *fanqui* », répondit-il.

Mais il ne souhaitait pas plus sa propre mort que la sienne.

« Alors, je dois placer ma confiance en Tchang Kaï-chek », dit Lydia.

Elle souriait ; il le savait au ton de sa voix, mais il n'aimait pas qu'elle dise une chose pareille, même pour plaisanter. Sa colère avait un goût de cendre.

« Un jour, les communistes vont gagner, je t'avertis, Lydia Ivanova. Vous, les Occidentaux, ne voyez pas que Tchang Kaï-chek n'est qu'un tyran. »

Il cracha de nouveau parce qu'il venait de prononcer le nom du diable.

« Il n'a soif que de pouvoir. Il a proclamé qu'il conduirait notre pays vers la liberté, mais il ment. Et le comité central du Kuomintang est un chien qui sursaute quand il entend le claquement du fouet. Il détruira la Chine. Il étouffe dans l'œuf toute tentative de changement et pourtant les étrangers le nourrissent de dollars pour l'amadouer comme un empereur donne des oiseaux à manger à son tigre pour le faire chanter. »

Il serrait sa main trop fort et il sentait ses os craquer, même si elle ne se plaignait pas.

« Ça n'arrivera jamais, conclut-il.

— Mais les communistes tuent de sang-froid, dit-elle sans retirer sa main. Ils coupent la langue de leurs ennemis et leur versent du pétrole dans la gorge. Ils interrompent la production des nouvelles industries chinoises avec leurs grèves et leurs sabotages. C'est ce que M. Parker m'a dit ce soir. Alors pourquoi leur as-tu donné l'argent du collier ?

— Pour acheter des armes. Ton M. Parker déforme la vérité.

— Non, il est journaliste. »

Elle secoua la tête. Quelques gouttes éclaboussèrent la joue de Chang et il frissonna.

« Il doit savoir ce qui se passe, c'est son métier, insista-t-elle. Et il pense que Tchang Kaï-chek sauvera la Chine.

— Il se trompe. Ton journaliste doit être sourd et muet.

— Il dit aussi que les étrangers représentent le seul espoir pour ce pays de sortir de sa situation moyenâgeuse et de se moderniser. »

Chang lui lâcha la main. Il ressentit une vive colère contre l'arrogance des diables étrangers et maudit leur soif d'argent, leur ignorance et leur dieu guerrier qui dévorerait tous les autres. Lydia le regardait d'un air embarrassé. Elle ne comprenait pas et ne comprendrait jamais. Que faisait-il ? Il recula, la laissant avec les mensonges de son

M. Parker, mais ses doigts lui semblèrent aussi vides qu'une rivière sans poissons.

« Il ne t'a pas dit que les étrangers démembraient la Chine ? Ils réclament des réparations financières pour les anciennes rébellions. Ils paralysent notre économie et nous dépouillent.

— Non, il ne me l'a pas dit.

— Il ne t'a pas dit non plus que les étrangers plongent le visage ensanglanté de la Chine dans le fumier avec leurs lois extraterritoriales appliquées dans les villes qu'ils nous ont volées ? Les *fanqui* ne tiennent pas compte des lois chinoises et en créent de nouvelles qui leur sont avantageuses.

— Non.

— Ni qu'ils ont neutralisé notre bureau des douanes, qu'ils contrôlent nos importations et que leurs navires de guerre se multiplient dans nos mers et nos rivières comme des guêpes dans une caisse de mangues ?

— Non, Chang An Lo. Il ne m'en a pas parlé ! »

Pour la première fois, elle semblait fulminer.

« Mais il a dit que, tant que le peuple chinois n'aurait pas vaincu sa dépendance à l'opium, il ne serait rien de plus qu'une nation féodale, toujours soumise aux caprices de quelque seigneur. »

Chang eut un rire dur et sonore qui retentit entre les murs en ruine.

Lydia l'observa sans rien dire. Les ombres lui cachaient son visage. Une créature nocturne voleta au-dessus de leur tête, mais ils ne levèrent pas les yeux.

« Encore une chose que Parker a oublié de mentionner. »

Il parlait si doucement qu'elle devait se pencher pour l'entendre. Il sentit de nouveau l'odeur de ses cheveux humides.

« Quoi ?

— Ce sont les Britanniques qui ont introduit l'opium en Chine.

— Je ne te crois pas.

— C'est pourtant vrai. Demande à ton journaliste. Ils l'ont rapporté d'Inde dans leurs bateaux. Ils ont échangé la pâte noire contre notre soie, notre thé, nos épices. Ils ont amené la mort en Chine, pas seulement avec leurs fusils. Aussi sûrement qu'ils ont apporté leur dieu pour piétiner les nôtres.

— Je ne savais pas.

— Il y a beaucoup de choses que tu ignores. »

Sa propre voix avait un accent de tristesse.

Pendant le silence qui suivit, il songea à s'en aller. Cette fille n'était pas bien pour lui. Elle troublerait son esprit avec la ruse du *fanqui* et le déshonorerait. Et pourtant, comment pouvait-il partir sans déchirer son âme ?

Les phares d'une voiture balayèrent leur abri, éclairant la main dans laquelle Lydia tenait une pièce de monnaie.

« Apprends-les-moi », demanda-t-elle à Chang.

Il s'agenouilla devant elle et commença son récit.

Cette nuit-là, Yuesheng apparut à Chang en rêve. La balle qui lui avait transpercé les côtes et s'était logée dans son cœur avait disparu, mais la blessure ouverte demeurait et son visage était lisse comme dans les souvenirs qui précédaient cette période sombre.

« Salutations, frère de cœur », dit Yuesheng sans ouvrir la bouche.

Il portait une belle robe, une casquette brodée et un faucon chasseur était perché sur son bras.

« Tu me fais un grand honneur de me rendre visite avant que tes os ne soient sous terre. Je pleure la perte de mon ami et je prie pour que tu sois en paix.

— Oui, je marche avec mes ancêtres dans des champs où le blé pousse en abondance.

— J'en suis heureux.

— Mais ma bouche est pleine de paroles amères et je ne pourrai ni manger ni boire tant que je ne les aurai pas crachées.

— J'aimerais les entendre.

— Tes oreilles vont brûler.

— Qu'elles brûlent.

— Chang An Lo, tu es chinois. Tu viens de la grande et antique ville de Pékin. Ne déshonore pas l'esprit de tes parents et ne porte pas la honte sur le vénérable nom de ta famille. Elle est *fanqui*. Elle est diabolique. Chaque *fanqui* apporte la mort et la peine à notre peuple ; et pourtant elle aveugle tes yeux. Tu dois y voir clair en cette période dangereuse. La mort approche. Il faut que ce soit la sienne, pas la tienne. »

Soudain, dans un bouillonnement sonore, le trou dans le corps de Yuesheng se remplit de sang noir à l'odeur de brique brûlée, et il poussa un cri semblable à celui d'une belette.

18

L orsque Theo arriva sur la berge à minuit, il jura. Le fleuve était si calme qu'on l'aurait cru repassé et le clair de lune étendait ses longs doigts à la surface, anéantissant tous ses espoirs. Le bateau ne viendrait pas. Pas par une nuit comme celle-ci.

Il attendait maintenant dans les roseaux depuis plus d'une heure. La pluie drue et les nuages lourds avaient offert la discrétion d'une nuit noire sans âme, tout juste éclairée de temps en temps par la lumière d'un sampan trouant l'obscurité. Pourtant, aucun bateau n'était venu. Ses yeux se fatiguaient à force de scruter les ténèbres. Il tenta de se distraire en imaginant ce qui se passait un mile en amont, dans le port de Junchow. Des bateaux de patrouille parcouraient la côte. Il entendit la déflagration d'un fusil. Son pouls s'accéléra.

Caché sous les branches d'un saule pleureur dont les ramures pendaient dans l'eau au milieu des roseaux, il eut peur d'être trop bien dissimulé. Et s'ils ne le trouvaient pas ? Zut ! La vie était toujours entravée par des « si ».

Et s'il avait dit non. Non à Mason. Non à Feng Tu Hong. Et si…?

«Le maître vient?»

La question le fit sursauter, mais il n'hésita pas. Il accepta la main que lui tendait un petit homme ratatiné et sauta dans sa barque. C'était risqué, mais Theo était trop engagé pour faire marche arrière maintenant. Dans le silence rompu seulement par le battement des rames dans l'eau, ils descendirent le fleuve en serrant la berge, cherchant l'ombre des arbres. Il ne savait pas exactement quelle distance ils parcoururent ni combien de temps ils mirent, car, à plusieurs reprises, le petit homme, pressentant le danger, avait immobilisé l'embarcation dans les roseaux en attendant d'être rassuré.

Theo ne parlait pas. Les sons se propageaient vite dans le silence de la nuit et il n'avait aucune envie de prendre une balle dans la tête, alors il restait immobile, les mains accrochées aux deux bords de l'embarcation, et attendait. Avec les rayons de la lune qui éclairaient le fleuve, il doutait que le rendez-vous puisse avoir lieu, mais il espérait le bon déroulement de ce premier essai. L'attente lui faisait l'effet d'un verre de brandy; il aimait cette sensation grisante. Cette nuit était trop importante. Il glissa une main dans l'eau pour calmer son impatience.

Soudain surgit devant eux une grande jonque avec des voiles noires à moitié roulées. Elle était ancrée dans une crique insoupçonnée. Theo lança une pièce de monnaie au petit homme et monta à bord du bateau.

«Écoute, l'Anglais.»

Le capitaine de la jonque parlait mandarin avec un étrange accent guttural. Theo avait du mal à le comprendre.

«Regarde.»

Il adressa un large sourire carnassier à Theo, dévoilant des dents pointues, piqua deux crevettes frites avec la pointe de son poignard et les lança en l'air. Elles décrivirent un arc et terminèrent leur vol dans sa bouche.

Il tendit son poignard à Theo.

«À ton tour.»

L'homme portait une veste matelassée, comme par temps froid, et empestait comme un buffle d'eau. Theo choisit deux grosses crevettes dans le plat en bois devant lui, les fit tenir en équilibre sur la lame et les lança. La première atterrit dans sa bouche, mais l'autre rebondit sur sa joue et tomba. Aussitôt, un chat gris bondit de sous un rouleau de cordage, dévora la crevette et retourna furtivement à sa cachette. Theo le regarda, étonné. On en voyait rarement. Il supposa que l'animal vivait sur le bateau, parce que s'il s'était aventuré sur la terre ferme il aurait été écorché et mangé avant d'avoir eu le temps de se salir les pattes.

L'hôte de Theo éclata d'un rire tonitruant et insultant. Il frappa ensuite du poing sur la table basse qui les séparait et avala le contenu de son gobelet en corne. Theo l'imita. La boisson avait un goût épouvantable et piquait comme un serpent, mais elle détendit Theo, qui en but un second verre avant de sourire au capitaine de la jonque.

«Je demanderai à Feng Tu Hong de me servir tes oreilles sur un plateau comme paiement pour le travail de ce soir si tu ne me montres pas plus de respect», dit Theo en mandarin.

Il lut la peur dans les yeux de l'homme.

Theo planta la pointe du poignard dans la table en le faisant vibrer. Une lampe à huile pendue à un crochet au-dessus de la table dessina l'ombre en forme de crucifix du poignard sur les genoux de Theo. Il dut se rappeler qu'il n'était pas superstitieux.

«Quand arrive le bateau? demanda-t-il.

— Bientôt.

— Quand a lieu la renverse du courant?

— Bientôt.»

Theo haussa les épaules.

«La lune est haute. Tout le monde peut voir les secrets du fleuve.

— Donc, l'Anglais cette nuit nous allons apprendre si ta parole vaut son poids en pièces d'argent.

— Et si ce n'est pas le cas ? »

L'homme se pencha et retira le poignard de la table.

« Si ta parole ne vaut pas mieux que les promesses d'une pute de *hutong*, alors cette lame fera un voyage… »

Il rit de nouveau soufflant son haleine fétide au visage de Theo.

« De là… »

Il pointa le couteau vers l'oreille gauche de Theo.

« À là. »

Il fit un mouvement jusqu'à son oreille droite.

« Il n'y aura pas de patrouille ce soir. Je le tiens de source sûre.

— Que ta langue ne mente pas, l'Anglais, ou aucun de nous ne sera là pour voir le soleil se lever. »

Il but un autre gobelet d'alcool fort, se leva lourdement de la souche qui lui servait de siège et gagna le pont sans dire un mot.

Le vaisseau craquait, tanguait et grinçait doucement à chaque remous pendant sa progression. Theo sentait l'odeur des eaux salées du golfe Chihli qui couvrait la puanteur du poisson pourri et du pétrole entreposés dans la hutte en rotin où il était installé. Elle avait un toit bas et incurvé et les tiges tressées étaient infestées d'insectes qui tombaient sur sa tête ou dans son assiette de crevettes frites. Il remarqua un mille-pattes qui rampait sur sa chemise, l'en ôta avec dégoût et le jeta dans le gobelet de son hôte.

« Vous en voulez encore ? » lui demanda la femme du capitaine.

Elle était petite, timide et son regard ne croisait jamais celui de Theo.

« Non merci. La mer transforme mon estomac en gamin boudeur incapable d'apprécier la bonne chère. Plus tard, peut-être, quand tout sera terminé. »

Elle acquiesça, mais ne partit pas. Theo se demanda pourquoi. Elle se tenait là, ronde et grasse dans sa tunique informe. Ses cheveux noirs étaient tirés en arrière et relevés en un chignon lâche. Elle observait le chat en silence. Theo attendit, mais elle ne parla pas.

« Qu'y a-t-il ? » lui demanda-t-il gentiment.

Elle déglutit comme si une arête s'était coincée dans sa gorge.

« Craignez-vous que les fusils viennent ce soir ? Parce que j'ai promis qu'ils ne nous attaqueraient pas pendant que… »

Elle secouait la tête en tortillant de ses doigts boudinés son collier de perles d'ambre.

« Non. Seuls les dieux savent ce qui arrivera ce soir.

— Alors qu'est-ce qui vous préoccupe ? »

On entendit un cri venant du pont et quelqu'un passa devant la hutte en courant. La femme se tourna vers Theo et l'observa pour la première fois. Son regard affolé le troubla.

« C'est Yeewai, dit-elle. Ce n'est pas prudent qu'elle soit là parmi ces hommes. Ils sont brutaux. Je vous en supplie, maître, amenez-la à la concession internationale, où elle sera en sécurité. »

Elle s'approcha si près de Theo qu'il sentit l'odeur de graisse dans ses cheveux. Elle tendit le poing, l'ouvrit et quatre pièces d'or étincelèrent dans sa paume.

« Prenez ça. Pour vous occuper d'elle. S'il vous plaît. C'est tout ce que j'ai. »

Elle lança un regard inquiet vers l'entrée de la hutte, craignant que son mari ne revienne. Theo suivit le mouvement de ses yeux. Il s'attendait à voir une très jeune fille et hochait déjà la tête pour marquer son refus.

« S'il vous plaît. »

Elle lui prit la main, y déposa l'argent puis se tourna et attrapa le chat. Elle écrasa contre son visage le museau du vieil animal, qui émit un son désagréable ; Theo supposa qu'il s'agissait d'un ronronnement. La femme jeta ensuite le chat dans une boîte en bambou et enroula de la ficelle autour pour maintenir le couvercle fermé. Elle plaça la boîte dans les bras de Theo.

« Merci, maître », dit-elle d'une voix étranglée.

Des larmes coulaient sur ses joues.

« Non », dit Theo.

Il lui tendit la boîte, mais elle était déjà partie. Il se trouvait seul dans la hutte avec une créature désagréable du nom de Yeewai.

« Doux Jésus ! Pas maintenant. Je n'ai pas besoin de ça. »

Il posa la boîte près du cordage et donna un coup de pied dedans. L'animal lui répondit par un grognement pareil au son d'un fourneau et lui griffa la chaussure.

Le vent soufflait plus fort et le pont oscillait dangereusement sous ses pieds. Theo eut envie de s'accrocher au garde-corps, mais il ne s'accorda pas ce luxe. Le capitaine du bateau se tenait à côté de lui, aussi immobile que les rochers qui menaçaient de percer l'embarcation s'ils approchaient trop de la rive. Ils scrutaient l'embouchure du fleuve aux vagues argentées sous la lune qui dévoilait une goélette à deux mâts à la longue proue sombre. Elle avait fait une lente bordée hors de la baie et glissait maintenant dans leur direction, ses voiles blanches déployées sur le ciel sombre comme les ailes d'une grue.

« Vous saurez bientôt si je suis de parole, murmura Theo.

— Ma vie en dépend, grogna le capitaine.

— Et la mienne dépend de vos qualités de marin. »

Le vent emporta sa réponse. Soudain l'équipage aperçut une petite embarcation. À une quinzaine de mètres, celui de la goélette fit de même. Des silhouettes échangèrent de brèves répliques à voix basse puis les deux bateaux fendirent les eaux jusqu'à ce que les bâbords se frôlent pour faire passer une caisse de proue en proue. Il ne fallut pas plus de dix minutes pour que les chaloupes retournent à leur vaisseau et que la caisse soit mise en sécurité dans la cabane en rotin.

Theo ne parvenait pas à la regarder, alors il resta sur le pont, d'où il entendait le capitaine de la jonque se taper sur les cuisses en riant comme une hyène. Theo demeura à la proue durant le trajet de retour, fut tenté de fumer une cigarette, mais se ravisa. Maintenant qu'ils transportaient des produits de contrebande, ils étaient vraiment en danger et le bout incandescent d'une cigarette aurait pu les condamner. La lampe à huile de la hutte avait été éteinte et ils remontaient le fleuve telle une ombre, avec le seul éclat de la lune pour les trahir. Theo se glissa un petit cigare turc entre les lèvres et l'y laissa sans l'allumer.

Il faisait confiance à Mason, mais au plus profond de lui, il savait que c'était une erreur. Si cet imbécile ne s'était pas acquitté de sa part du marché, le capitaine ne se trompait pas. Aucun d'eux ne verrait l'aube. Maudit soit-il. Inquiet, il suça le cigare en grognant, goûta son amertume et le jeta à l'eau. L'intérêt personnel tenait lieu de bible à Mason. Theo devait s'arrêter à cette évidence.

Il pria pendant tout le trajet pour que le ciel s'obscurcisse.

Soudain, un patrouilleur surgit des profondeurs de la nuit. Son moteur se mit à rugir et le bateau les poursuivit dans une crique étroite, pointant ses puissants projecteurs sur la jonque dans une déferlante de vagues à la proue. La jonque oscillait dangereusement. Deux hommes sautèrent à l'eau. Dans un accès de folie, Theo envisagea de les suivre, mais il était déjà trop tard. On entendit un coup de fusil tiré en l'air en signe d'avertissement. Les officiers en uniforme foncé semblaient prêts à tirer de nouveau. Theo se réfugia dans la cabane et, avant que ses yeux aient pu s'habituer à l'obscurité, il sentit la pointe d'un couteau dans son dos. Aucun mot ne fut échangé. Parler n'était pas nécessaire. Que Mason aille au diable avec son serment. « Il n'y aura pas de patrouilleurs ce soir. Vous serez en sécurité, je vous le jure. Ils vous veulent à bord du bateau.

— Comme otage pour assurer leur sécurité, je présume. »
Mason avait ri comme si Theo venait de plaisanter.
« Pouvez-vous le leur reprocher ? »
Non, Theo ne pouvait pas.

On frotta une allumette et la lampe à huile s'alluma, dégageant une odeur désagréable. Theo fut stupéfait de découvrir près de lui le capitaine de la jonque. Sa femme tenait le poignard tandis qu'il grognait des paroles brutales que Theo ne comprenait pas, mais qu'il devinait. La longue lame courbe du sabre que le capitaine brandissait ne servirait pas à ouvrir la caisse à ses pieds.

« *Sha!* cria-t-il à la femme. Tue.

— Yeewai, s'empressa de dire Theo. Je l'emmènerai. »

La femme hésita pendant une fraction de seconde, mais cela suffit à Theo pour tirer son revolver de sa poche et le pointer vers le cœur du capitaine.

« Lâchez vos armes. Tous les deux. »

L'homme se figea. Theo le vit estimer la distance jusqu'à sa gorge. C'est à ce moment-là qu'il sut qu'il devait tirer. L'un d'eux allait mourir et ce ne serait pas lui.

« Maître, venez vite, dit l'un des matelots de pont. Venez voir. Les esprits de la rivière ont fait fuir le patrouilleur. »

En effet, le bruit du moteur s'éloignait ; la lumière brutale des projecteurs avait disparu. La hutte était de nouveau plongée dans l'obscurité. Theo abaissa son arme et le capitaine de la jonque bondit sur le pont.

« Ils bluffaient, marmonna Theo. Les officiers de la patrouille voulaient simplement nous mettre au courant.

— De quoi ? murmura la femme.

— Du fait qu'ils savent ce que nous faisons.

— Est-ce bon signe ?

— Bon ou mauvais, cela n'a pas d'importance. Ce soir, nous gagnons. »

Elle sourit. Pour la première fois, elle semblait heureuse.

L'air était fétide dans la cabane sur la berge du fleuve, mais Theo le remarqua à peine. La nuit arrivait presque à son terme. Il avait regagné la terre ferme et bientôt il serait dans son bain, où Li Mei le frictionnerait de ses doigts gracieux. Il se sentait si soulagé qu'il eut soudain envie de donner un coup de pied à l'entrejambe de Feng Tu Hong. Au lieu de cela, il le salua en s'inclinant.

« Ça s'est bien passé ? demanda Feng.

— Comme sur des roulettes.

— Alors la lune n'a pas volé votre sang ce soir ?

— Comme vous le voyez, je suis là. Votre bateau et votre équipage sont en mesure de procéder, une nuit prochaine, à une autre collecte. »

Theo mit un pied sur la caisse posée entre eux sur le sol comme s'il lui appartenait de la lui remettre ou pas. C'était une illusion, les deux hommes le savaient. Dehors, une charrette se tenait prête.

« Le mandarin de votre gouvernement est vraiment un grand homme, dit Feng en s'inclinant poliment.

— Si grand qu'il parle aux dieux », ajouta Theo en tendant la main à Feng.

Celui-ci eut un rictus en guise de sourire puis il sortit deux pochettes de la sacoche de cuir qu'il portait en bandoulière. Il les tendit à Theo. Des pièces tintaient à l'intérieur, mais l'une était plus lourde que l'autre.

« N'oubliez pas laquelle est pour vous », dit doucement Feng.

Theo acquiesça, satisfait.

« Non, Feng Tu Hong, je n'oublierai pas ce que je dois à ce mandarin, vous pouvez en être sûr. »

« Ne te mets pas en colère.

— Je suis tout à fait calme. »

Pourtant, Li Mei se tenait immobile devant la fenêtre, sans rien dire. Theo ne s'y attendait pas.

« S'il te plaît, Mei.

— Elle est juste bonne à cuire.

— Tu es dure.

— Regarde-la, Theo, elle est dégoûtante.

— Elle attrapera les souris.

— Un piège aussi les attraperait, et il ne sentirait pas le chameau.

— Je la laverai.

— Mais pourquoi ?

— Je l'ai promis à sa maîtresse.

— Tu lui as promis de la prendre. Ça ne signifie pas que tu ne peux pas la manger.

— Pour l'amour du Ciel, Mei, c'est cruel.

— À quoi va-t-elle servir ? Elle n'est bonne qu'à manger, dormir et se faire les griffes sur nous. Elle est laide et méchante. »

Theo regarda la chatte grise recroquevillée sous une chaise. Ses yeux jaunes étaient pleins de pus et de haine. Elle était vraiment laide avec sa moitié d'oreille, son museau balafré et sa fourrure pelée.

Theo, gagné par l'épuisement, soupira.

« Peut-être ai-je l'espoir d'être recueilli par une bonne âme quand moi aussi je serai vieux et laid. »

Il la surprit en train de lui sourire.

« Oh Theo, tu es tellement… anglais. »

Allongé dans le lit sans trouver le sommeil, Theo sentait le souffle régulier de Li Mei sur son cou et se demandait quel rêve faisait tressaillir ses paupières. Il s'en voulait tant pour ce qu'il avait fait qu'il ne parvenait pas à dormir. Trafic de drogue.

Il se rappela la raison pour laquelle il avait risqué sa vie là-bas sur le fleuve. Son école. Il ne renoncerait pas à la Willoughby Academy. Il ne pouvait pas. Et de toute façon, cela résoudrait-il vraiment ses problèmes ?

Il se promit que ces expéditions nocturnes cesseraient bientôt.

19

Lydia était à son pupitre lorsque la police vint la chercher. Elle était en train de noter une liste des ressources minérales en Australie dans son cahier d'exercices. Il semblait y avoir beaucoup d'or là-bas. Mlle Ainsley fit entrer l'officier anglais dans la salle de classe, et avant même qu'il n'ouvre la bouche, Lydia comprit qu'il était venu pour elle. Ils avaient découvert pour le collier. Mais comment? La crainte que par sa faute Chang soit aussi arrêté par la police lui noua l'estomac.

« Que puis-je faire pour vous, brigadier? » demanda Theo.

Il semblait presque aussi bouleversé qu'elle par cette intrusion.

« Je souhaiterais parler à Mlle Ivanova. »

Dans son uniforme foncé, le policier impressionnait la classe; avec ses larges épaules et ses grands pieds, il semblait occuper tout l'espace, du sol au plafond. Il était poli, mais froid.

Theo marcha jusqu'au pupitre de Lydia et posa une main sur l'épaule de son élève. Cette marque de soutien l'étonna.

« De quoi s'agit-il ? demanda-t-il au policier.

— Veuillez m'excuser, monsieur, mais je ne peux pas vous le dire. Je dois simplement l'amener au poste de police pour lui poser quelques questions. »

Lydia ressentit une telle panique qu'elle pensa s'enfuir, mais elle savait qu'elle n'avait aucune chance de réussir. De toute façon, ses jambes tremblaient trop. Il ne lui restait plus qu'à mentir et à être convaincante. Elle se leva puis adressa au brigadier un sourire plein d'assurance qui lui crispa douloureusement les joues.

« Bien sûr, monsieur. Je serai heureuse de vous être utile. »

Theo lui tapota le dos et Polly lui sourit. Lydia parvint à poser un pied devant l'autre et se demanda si on pouvait entendre son cœur battre la chamade.

« Mademoiselle Ivanova, vous vous trouviez au *Ulysses Club* la nuit où le collier de rubis a été volé.

— Oui.

— On vous a fouillée.

— Oui.

— Et on n'a rien trouvé.

— Non.

— Je vous présente nos excuses. »

Lydia resta silencieuse. Elle se tenait sur ses gardes. Elle était sûre qu'il lui tendait un piège, sans deviner lequel.

Elle avait à faire au commissaire Lacock en personne. Elle avait vraiment des ennuis. Se trouver au poste était déjà mauvais signe, mais y être escortée et devoir s'asseoir devant ce bureau, c'était comme si les portes de la prison se refermaient sur elle. Elle s'imaginait enfermée entre quatre murs nus au milieu des coquerelles, des puces et des poux, manquant d'air, privée de vie. Elle avait peur de craquer, d'avouer, simplement pour ne plus se trouver face à cet homme.

« Vous avez fourni un témoignage cette nuit-là. »

Elle aurait aimé qu'il s'assoie. Il était debout derrière le bureau, tenait une feuille à la main — qu'y était-il écrit? — et la dévisageait avec un regard si dur qu'elle le sentait percer à jour ses mensonges. Son monocle n'arrangeait rien. Lacock portait un uniforme très foncé, presque noir, avec des galons dorés et argentés sans doute destinés à intimider. Cela fonctionnait très bien, mais elle n'avait pas l'intention de laisser paraître son inquiétude. Elle se concentra sur les touffes de poils qui lui sortaient des oreilles et sur les taches de vieillesse de ses mains.

«Commissaire, ma mère a-t-elle été informée de ma présence ici?»

Elle posa la question sur un ton hautain. Comme l'auraient fait la comtesse Serova ou son fils.

Il fronça les sourcils et se gratta nerveusement la tête.

«Est-ce nécessaire pour l'instant?

— Oui. Je veux qu'elle soit à mes côtés.

— Alors nous allons la chercher.»

Il fit signe au jeune policier qui se tenait près de la porte et celui-ci sortit. Un de moins.

«Ai-je besoin d'un avocat?»

Il posa la feuille de papier en haut d'une pile sur son bureau. Lydia avait envie de la lire, même à l'envers, mais elle n'osa pas détourner le regard du visage de Lacock. Comme s'il jouait au chat et à la souris, il l'observait avec une expression amusée. Lydia avait les mains moites.

«Je ne crois pas que ce soit nécessaire, ma chère. Nous vous avons seulement fait venir pour identifier un suspect.

— Pardon?

— L'homme que vous avez décrit dans votre témoignage. Le rôdeur que vous avez vu par la fenêtre de la bibliothèque. Vous vous souvenez?»

Il attendait une réponse. Lydia était si soulagée qu'elle ne parvenait pas à parler. Elle acquiesça.

«Bien. Alors allons-y.»

Il gagna la porte. À la grande surprise de Lydia, ses jambes la portèrent jusqu'au couloir.

La pièce aux murs verts et au sol en linoléum brun était nue. Lorsqu'elle y entra, accompagnée de deux policiers solidement charpentés, les six hommes lui adressèrent un regard hostile. Les suspects étaient encore plus impressionnants que son escorte, avec leurs épaules incroyablement larges et leurs mains énormes. Où les avaient-ils trouvés ?

« Prenez votre temps, mademoiselle Ivanova, et rappelez-vous ce que je vous ai dit, lui conseilla Lacock en la conduisant à un bout de la rangée. Regardez devant vous », ordonna-t-il d'un ton ferme.

Lydia mit un moment à comprendre que sa dernière phrase s'adressait aux suspects.

Que lui avait-il dit ? Elle essaya de se souvenir, mais les suspects silencieux la perturbaient. Elle ne parvenait pas à les quitter des yeux. Tous les mêmes, et pourtant si différents. Plus ou moins grands, jeunes ou massifs. Certains avaient l'air méchants et arrogants, d'autres soumis et brisés. Mais ils avaient tous une barbe noire et fournie, étaient tous ébouriffés et portaient des tuniques grossières et des bottes. Deux avaient un bandeau sur un œil et un autre avait une dent en or. Lacock encouragea Lydia.

« N'ayez pas peur. Marchez simplement le long de la rangée en regardant attentivement chaque visage. »

Voilà. Elle se rappelait ses instructions maintenant. Avancer en silence jusqu'au bout du rang puis faire demi-tour. Elle pouvait le faire. Ensuite elle dirait qu'il ne s'agissait d'aucun d'entre eux. Facile. Elle prit une profonde inspiration.

Le premier homme avait un regard dur et un rictus cruel aux lèvres. Le deuxième et le troisième avaient un visage triste et l'air désespéré, comme s'ils attendaient la mort. Le quatrième était fier. Il portait un bandeau sur un œil et bombait sa large poitrine. Sur son front, à demi cachée par les boucles de ses cheveux, on distinguait une cicatrice. Il la regarda droit dans les yeux et elle reconnut aussitôt l'homme qu'elle avait vu dans la rue la veille du concert. Celui qui portait des bottes décorées d'un dessin de loup hurlant. C'était l'homme qu'elle avait décrit à la police dans l'espoir de détourner les soupçons. Elle ne laissa rien paraître et regarda les deux derniers suspects sans vraiment les voir. Le cinquième était très musclé et avait le nez recourbé. Elle remarqua que le sixième avait un bandeau sur un œil. Crispée, elle fit demi-tour et s'appliqua à recommencer l'identification.

« Prenez votre temps », lui murmura Lacock à l'oreille.

Elle ralentit et se força à observer chacun des visages sinistres. Cette fois-ci, le numéro 4, celui aux bottes avec le motif de loup, haussa un sourcil quand elle le regarda et le commissaire lui posa lourdement sa matraque sur l'épaule.

« Pas de familiarités, dit-il d'une voix trahissant l'habitude de l'obéissance immédiate, ou vous passerez la nuit en cellule. »

Au moment où Lydia pensait que c'était terminé et qu'elle allait pouvoir sortir de cette pièce lugubre, le dernier suspect parla.

« Ne dites pas que c'est moi, mademoiselle. S'il vous plaît. J'ai une femme et… »

Un coup de matraque s'abattit sur sa tête. Du sang gicla de son nez et éclaboussa le bras de Lydia. On la poussa hors de la pièce avant qu'elle ait le temps d'ouvrir la bouche, mais lorsqu'elle fut de retour dans le bureau du commissaire, elle se plaignit.

« C'était brutal. Pourquoi… ?

— C'était nécessaire, croyez-moi, répondit doucement Lacock. Laissez-nous faire notre travail. Si vous donnez un doigt à un de ces russkofs, pardonnez-moi l'expression, il vous prend le bras. On lui a dit de ne pas ouvrir la bouche et il a désobéi.

— Étaient-ils tous russes ?

— Russes et Hongrois.

— Auriez-vous traité un Anglais de cette manière ? »

Lacock fronça durement les sourcils. Il semblait sur le point de lui faire une réprimande cinglante, mais au lieu de cela, il demanda à Lydia :

« Est-ce que parmi ces visages, vous avez reconnu celui du rôdeur que vous avez vu au *Ulysses Club* ? »

Elle hocha la tête.

« Non.

— En êtes-vous certaine ?

— Oui. Absolument certaine. »

Il l'examina attentivement, s'appuya contre le dossier de son fauteuil, ôta son monocle et lui dit sur un ton bienveillant :

« N'ayez pas peur de nous dire la vérité. Nous ne laisserons aucun de ces hommes vous approcher, alors n'ayez crainte. Parlez franchement. C'est le Russe avec la cicatrice, c'est ça ? Vous l'avez déjà vu, j'en suis sûr. »

Lydia sentit soudain la pièce tourner et le visage du commissaire s'éloigna. Elle entendit un bruit sourd.

« Burford, cria Lacock, apportez un verre d'eau. Cette fille est blanche comme un drap. »

Elle sentit une main sur son épaule qui l'empêchait de tomber et une voix qui lui parlait à l'oreille sans qu'elle parvienne à comprendre. On lui mit une tasse dans les mains. Elle but une gorgée. Du thé chaud. Puis une odeur de parfum la tira de sa confusion. L'eau de toilette de sa mère. Elle ouvrit les yeux et vit Valentina.

« Ma chérie, dit-elle en souriant, quelle idiote tu fais.

— Maman. »

Lydia était au bord des larmes tant elle était soulagée.

Sa mère la serra contre elle et Lydia respira son parfum jusqu'à ce qu'elle ait les idées claires. Quand Valentina relâcha son étreinte, Lydia put se redresser sur sa chaise et saisir la tasse de thé d'une main sûre. Elle regarda le commissaire Lacock droit dans les yeux.

« Commissaire, il n'y avait personne dernière la fenêtre la nuit où le collier a été volé.

— Que dites-vous, jeune fille ?

— J'ai tout inventé.

— Écoutez, vous n'avez pas besoin de vous rétracter simplement parce que vous venez de voir de dangereux voyous qui vous ont effrayée. Il est toujours préférable de dire la vérité…

— Maman, dis-lui. »

Valentina fit une petite grimace. Lydia connaissait cette moue de contrariété.

« Comme tu veux, *dochenka*. »

En relevant la tête, elle fit danser les boucles sombres de sa chevelure, puis regarda le chef de la police d'un air sérieux.

« Ma fille est une petite menteuse qu'on devrait fouetter pour vous avoir fait perdre votre temps. Elle n'a pas vu de visage à la fenêtre. Elle invente des histoires pour attirer l'attention. Je vous prie d'excuser sa mauvaise conduite et je vous promets de la punir sévèrement. Je ne pensais vraiment pas que sa stupide fabulation serait prise au sérieux, sinon je serais venue vous informer plus tôt de ne pas en croire un mot. »

Elle baissa les yeux un instant pour manifester la détresse maternelle, puis les leva lentement vers Lacock.

« Vous savez, dit-elle doucement, à quel point les adolescentes peuvent être idiotes. S'il vous plaît, excusez-la pour cette fois, elle ne pensait pas mal faire. »

Elle regarda sa fille.

« N'est-ce pas Lydia ?

— Non, maman », murmura Lydia en retenant un sourire.

« Je suis sérieuse. Je vais te battre avec la cravache de M. Yeoman ce soir.

— Oui, maman.

— Tu me fais honte.

— Je sais. Je suis désolée.

— Au nom du Ciel, qu'est-ce que j'ai raté ? Tu es incontrôlable et tu mérites qu'on t'enferme dans une cage. Tu en as conscience ?

— Oui.

— Bien. »

Valentina s'arrêta sur le trottoir, les mains sur les hanches et dévisagea sa fille.

« Qu'est-ce que je vais faire de toi ? Je suis si contente que le commissaire t'ait réprimandée. C'était une bonne idée. Et il avait toutes les raisons de le faire. Tu ne crois pas ?

— Oui. »

Valentina éclata de rire et posa un baiser rapide sur le front de Lydia.

« Tu es méchante, dit-elle en frappant les doigts de sa fille avec son sac à main. Maintenant, retourne à l'école et ne leur donne plus jamais de raison de me traîner jusqu'au poste de police. Compris ?

— Oui, maman.

— Sois gentille, ma douce. »

Valentina rit de nouveau et tendit la main pour arrêter un pousse-pousse.

« Bureaux du *Daily Herald* », cria-t-elle au porteur en montant, laissant Lydia marcher jusqu'à l'école en haut de la colline.

Au lieu de revenir en classe, elle rentra chez elle. Elle était trop ébranlée. Elle avait failli désigner le suspect numéro 1 et dire : « C'est lui. J'ai vu son visage à la fenêtre. C'est le voleur. » Et cela l'avait effrayée. Cela aurait tout simplifié ; Lacock aurait été satisfait et non pas en colère.

Elle s'assit à l'ombre sur le dallage du petit jardin et donna à Sun Yat-sen des morceaux de feuilles de chou volés à Mme Zarya. Elle lui gratta la tête parce qu'il aimait bien ça, puis caressa sa fourrure soyeuse et ses longues oreilles.

Elle l'enviait de trouver le bonheur dans une feuille de chou. Mais elle le comprenait aussi. La veille, Valentina avait rapporté une grande boîte blanc et or de chocolats Lindt, et au déjeuner, elles s'étaient régalées de pralins et de truffes au chocolat. Alfred était pour le moins généreux.

Elle releva les genoux sous le menton et y posa la tête. Sun Yat-sen se dressa sur ses pattes arrière, posa une des antérieures sur la jambe de Lydia et enfouit le museau dans ses cheveux. Elle caressa le lapin en se demandant jusqu'où on peut aller par amour. Alfred était amoureux de sa mère. N'importe qui pouvait le deviner. Mais quels étaient les sentiments de Valentina pour Alfred? Difficile à dire puisqu'elle ne se livrait jamais. Sans doute ne l'aimait-elle pas.

Lydia médita sur le sens de l'expression «être aimé et protégé» jusqu'à ce que le soleil disparaisse derrière la ligne des toits. Puis elle prit le lapin dans ses bras et colla son visage contre le museau de l'animal. Il ne semblait pas gêné d'être serré si fort et elle adorait ça. Elle l'embrassa sur le nez puis décida de le laisser jouer dans le jardin en espérant que Mme Zarya ne s'en apercevrait pas. Ensuite, elle courut au grenier et tira un mouchoir noué caché sous son matelas.

Alors qu'elle traversait la vieille ville, il pesait lourd dans sa poche. Elle accéléra le pas de peur de tomber sur Chang dans une ruelle, mais les regards hostiles et les insultes qu'on lui adressa lui firent souhaiter sa présence. Elle était contrariée de ne pas savoir où il habitait, mais elle n'avait pas été capable de le lui demander, de lui ôter cette étrange carapace sous laquelle il cachait des secrets. La prochaine fois, elle le ferait. La prochaine fois? Son cœur se serra.

Des bris de verre jonchaient les pavés de la rue Copper sans que personne ne s'en préoccupe. Un jeune homme qui portait un joug autour du cou passa devant Lydia en boitillant, laissant des traces de sang à chaque pas, mais la plupart des passants filaient dans la direction opposée sans regarder.

Elle s'arrêta, horrifiée, devant la boutique de M. Liu, ou plutôt ce qu'il en restait. Ce n'était plus qu'une crevasse béante dans la rue. Tout était brisé : la vitrine, le revêtement rouge, l'enseigne et les rouleaux. Même la porte et son cadre étaient tombés. De chaque côté, les boutiques du fabricant de bougies et du vendeur d'amulettes étaient intactes, ouvertes comme à l'habitude ; l'auteur de ce saccage visait donc M. Liu en particulier. Elle s'avança. La boutique du prêteur sur gages avait perdu tout son mystère. La lumière s'y engouffrait, exposant le contenu des étagères aux regards des passants. Lydia était désolée pour lui, car elle connaissait la valeur des secrets. M. Liu, assis sur un tabouret en bambou au milieu de la pièce, tenait sur ses genoux l'épée de Boxer autrefois accrochée au mur. Il y avait du sang sur la lame.

« Monsieur Liu, demanda-t-elle doucement, que s'est-il passé ? »

Il leva les yeux vers elle. Il paraissait plus vieux, beaucoup plus vieux.

« Salutations, mademoiselle. »

Sa voix faisait penser à un petit grattement sur une porte.

« Excusez-moi de ne pas être ouvert aujourd'hui.

— Dites-moi ce qui est arrivé.

— Les diables sont venus. Ils voulaient plus que je ne pouvais donner. »

À ses pieds se trouvaient les vitrines de bijoux, brisées et vides. Les étagères ne semblaient pas avoir été touchées, mais tous les objets de valeur avaient disparu.

« Qui sont ces diables ? »

Il haussa ses maigres épaules et ferma les yeux. Lydia se demanda quels esprits il invoquait. Elle ne comprenait pas pourquoi il n'avait pas remis de l'ordre. Elle se dirigea vers le paravent maintenant piétiné et mit de l'eau à bouillir sur la cuisinière. Elle prépara deux tasses de thé au jasmin et en apporta une à M. Liu, qui gardait les paupières fermées.

« Tenez, monsieur Liu, pour vous apaiser. »

Il esquissa un sourire et ouvrit les yeux.

« Merci, mademoiselle. Vous êtes généreuse et respectueuse avec un vieil homme. »

À cet instant, elle remarqua que ses agresseurs lui avaient coupé sa tresse, de même que sa longue barbe. Cet outrage l'indigna encore plus que le saccage de la boutique.

Elle s'assit sur un tabouret.

« Pourquoi personne ne vient vous aider ? »

Des gens passaient devant le magasin en détournant le regard.

« Ils ont peur », répondit-il.

Il but machinalement une gorgée de thé brûlant.

« Je ne peux pas le leur reprocher. »

Lydia examina le sang sur la lame de l'épée. L'agression devait avoir eu lieu juste avant son arrivée, car à certains endroits il n'avait pas encore séché.

« Qui sont ces diables ? »

Un silence se fit, pendant lequel M. Liu se mit à respirer profondément.

« Vous ne voulez pas savoir de telles choses, répondit-il enfin.

— Oui.

— Alors vous êtes idiote.

— Étaient-ce les communistes ? J'ai entendu dire qu'ils avaient besoin d'argent pour des armes. »

Il lui lança un regard surpris.

« Non, ce n'était pas eux. Comment une étrangère comme vous peut être au courant ?

— Oh, les nouvelles se répandent vite. »

Son regard se fit dur.

« Faites attention, mademoiselle. La Chine n'est pas un pays comme les autres. Les règles sont différentes.

— Alors qui sont les diables qui créent les règles selon lesquelles on peut détruire votre boutique et vous voler ? Que fait la police ? Pourquoi… ?

— Elle ne viendra pas.

« — Pourquoi ?

— Parce qu'on paie les policiers pour qu'ils ne viennent pas. »

Malgré la boisson chaude, Lydia avait froid. M. Liu voyait juste : elle n'appartenait pas à ce monde. Les policiers chinois ne ressemblaient pas au commissaire Lacock, respecté et rassurant. Elle l'avait passionnément détesté quelques heures plus tôt, mais à présent, il lui apparaissait comme une personne raisonnable et honorable. Elle aurait voulu qu'il accoure avec son monocle et qu'il règle le problème. Mais le quartier n'était pas sous sa juridiction. Lydia s'assit sans rien dire. Le silence dura si longtemps qu'elle fut étonnée lorsque M. Liu leva son épée, la pointa devant lui et dit :

« J'en ai blessé un.

— Sévèrement ?

— Suffisamment.

— Où l'avez-vous touché ?

— Je lui ai enlevé son tatouage au cou, répondit-il fièrement.

— Un tatouage ? De quel genre ?

— Quel intérêt ?

— Était-ce un serpent ? Un serpent noir ?

— Peut-être. »

Elle savait qu'elle ne se trompait pas.

« J'en ai vu un.

— Alors détournez le regard ou il vous mordra le cœur.

— C'est un gang, n'est-ce pas ? Une des triades. J'ai entendu parler de ces confréries qui extorquent de l'argent à... »

Il posa un doigt sur ses lèvres.

« Ne parlez pas d'eux. Pas si vous voulez garder vos jolis yeux. »

Elle posa lentement sa tasse sur le plateau en émail. Elle ne voulait pas que M. Liu voie l'expression de son visage. Il lui avait fait peur.

« Qu'allez-vous faire ? »

Il donna un coup d'épée sur le plateau, qui se fendit au milieu. Lydia bondit.

« Je vais les payer, répondit-il dans un murmure. Je trouverai l'argent quelque part et je leur donnerai. C'est le seul moyen de sauver ma famille. Ce n'était qu'un avertissement.

— Puis-je vous aider à balayer le verre et… ?

— Non. »

Il répondit sur un ton sec comme si elle lui avait proposé de lui couper les pieds.

« Non. Mais je vous remercie. »

Elle acquiesça, mais ne partit pas.

« Qu'y a-t-il ?

— Je suis venue pour affaires. »

Il cracha sur le sol.

« Pas d'affaires aujourd'hui.

— Je suis venue pour acheter, pas pour vendre. »

Elle avait aiguisé son intérêt. Ses yeux brillèrent et il retrouva son sourire de commerçant.

« Que puis-je faire pour vous ? Je suis désolé que tant d'articles soient endommagés, mais… »

Il dirigea le regard vers le présentoir au fond de la boutique.

« Les fourrures sont encore en excellent état. Vous les avez toujours aimées.

— Pas de fourrure pour cette fois. Je veux retirer la montre en argent que je vous ai portée. »

Elle glissa la main dans la poche où elle avait rangé le mouchoir.

« J'ai de l'argent.

— Je suis vraiment désolé. Elle est déjà vendue. »

Lydia, contrariée, poussa un petit cri qui le surprit. Il examina attentivement son visage.

« Vous avez été bonne avec un vieil homme alors qu'aucun des siens ne voulait même le regarder. Alors vous avez mérité une récompense. »

Il se dirigea vers la cuisinière et prit un pot brun sur l'étagère où étaient rangées les boîtes à thé vernies. Il souleva le couvercle et en sortit un petit paquet en feutre.

« Tenez, dit-il. Combien vous ai-je payé pour la montre ? »

Elle n'imagina pas un instant qu'il ait pu oublier.

« Quatre cents dollars chinois. »

Il lui tendit une main décharnée aux doigts crochus.

Lydia tira le mouchoir de sa poche et le lui posa dans la main. Ses doigts se refermèrent dessus. Elle prit le paquet en feutre et sans même y jeter un œil, le mit dans sa poche.

M. Liu était content.

« Vous apportez le souffle de feu des esprits avec vous. »

Il la regarda un moment. Elle glissa timidement une mèche de ses cheveux cuivrés derrière son oreille.

« Vous prenez des risques en venant ici, mais les esprits du feu semblent veiller sur vous. Vous êtes l'une d'entre eux. Mais le serpent ne craint pas le feu, il aime sa chaleur, alors avancez prudemment.

— Je n'y manquerai pas. »

Tout en se frayant un chemin vers la sortie parmi les débris, elle regarda par-dessus son épaule.

« Le feu dévore les serpents, dit-elle. Vous verrez.

— Ne vous approchez pas d'eux. Ni des communistes. »

Lydia fut surprise qu'il les mentionne. Sur un coup de tête, elle lui demanda :

« Êtes-vous communiste, monsieur Liu ? »

L'expression de son visage ne changea pas, mais elle sentit la porte se refermer entre eux.

« Si j'étais assez fou pour soutenir le communisme et Mao Tsé-toung, dit-il d'une voix forte comme s'il voulait qu'on l'entende dans la rue, je mériterais qu'on embroche ma tête sur un piquet près du mur d'enceinte pour que tout le monde puisse y jeter des ordures.

— Bien entendu », dit Lydia.

Il lui sourit puis la salua en s'inclinant.

20

Pour ce qu'elle en savait, Chang pouvait être déjà mort. Les mots résonnaient dans sa tête comme ces maudites cloches de cuivre. Ils avaient pu le traquer et frapper. Comme pour M. Liu. En pire.

Elle traversa la vieille ville en sens inverse, cherchant des yeux la marque des Serpents noirs dans la foule bruyante qui battait les pavés des ruelles. Dans un recoin, elle tomba sur la boutique d'un conteur entouré d'un public d'admirateurs assis sur des bancs. L'un des auditeurs la regarda en plissant les yeux comme s'il la reconnaissait. Elle ne l'avait jamais vu, elle en était sûre. Il portait un long foulard noir enroulé autour du cou et elle eut envie de l'arracher pour voir ce qu'il cachait. Trouverait-elle un serpent ? Ou le même sang que sur l'épée de M. Liu ? En descendant la rue, elle eut l'impression qu'il la suivait des yeux. Elle accéléra, passa de l'autre côté de l'arche puis prit le Strand jusqu'à la concession.

À la bibliothèque, elle serait en sécurité, car elle était interdite aux Chinois.

Elle atteignit le bâtiment en pierre aux fenêtres gothiques et à la porte en ogive qui se trouvait au milieu de la concession, sur la place principale. Lydia faillit oublier d'adresser un bonjour poli à Mme Barker à l'entrée. Elle se précipita ensuite dans l'une des dizaines de longues allées sombres dont les étagères atteignaient le plafond et la parcourut jusqu'au bout, comme un renard rejoint sa tanière.

Elle inspira profondément. C'était un combat sans arbitre ni règle du jeu. Ses poumons semblaient refuser de s'emplir d'air et ses genoux tremblaient au rythme de son pouls saccadé. Chang An Lo, où es-tu ? se demandait-elle, en proie à une panique atroce qui l'exaspérait. Cependant, l'adversité la stimulait. Elle se débarrassait d'images obsédantes de serpents et d'épées qui se bousculaient dans sa tête. Elle retrouva enfin ses esprits.

Il n'était pas mort. Bien sûr que non. Elle l'aurait senti. Elle en avait la certitude. Mais elle devait le trouver, le prévenir.

Évidemment, l'homme qui écoutait le conteur n'était pas l'un d'entre eux. Il l'avait uniquement dévisagée parce qu'il n'aimait pas voir des diables étrangers dans la vieille ville, voilà tout.

Évidemment. Ne sois pas idiote.

Elle s'effondra sur le carrelage froid, appuya la tête contre la rangée de livres anglais derrière elle. Elle n'avait aucune idée de leur contenu, mais leur contact lui plaisait. Ils la rassuraient. Elle ferma les yeux.

« Il est temps de partir, Lydia. »

Elle rouvrit les yeux. La lumière des néons l'éblouit. Elle cilla et se leva d'un bond.

« Tu t'es assoupie ? J'imagine que tu as dû travailler trop longtemps. »

Mme Barker avait un visage aimable. Son nez était couvert de taches de rousseur. Parfois, elle gardait un caramel pour Lydia.

« On ferme dans dix minutes. »

— Ce ne sera pas long », dit Lydia avant de s'engager dans une autre allée.

Sa tête lui pesait, comme un sac de plomb. Elle était encore habitée par les images violentes qui avaient hanté son court sommeil, mais elle reconnut immédiatement l'homme qui attrapait un livre en haut d'une étagère ; il n'avait pas remarqué sa présence. Elle aperçut le titre de l'ouvrage : *Photographie : le nu féminin.*

« Bonjour, monsieur Mason. J'ignorais que vous vous intéressiez à la photographie. »

Il sursauta, manquant de lâcher le livre, mais se ressaisit et tourna distraitement la tête. L'expression de son visage était aimable, mais son costume sombre lui donnait un air autoritaire et distant.

« Eh bien, je suis surpris, je ne m'attendais pas à te voir ici. Tu ne devrais pas être chez toi en train de faire tes devoirs ?

— Je cherche des livres.

— Dépêche-toi alors, Mme Barker veut fermer.

— Oui, oui. »

Lydia fit glisser nonchalamment ses doigts sur les tranches d'une rangée de recueils de poésie et attendit pour voir si Mason reposait le livre. Ce qu'il fit.

« Vous savez ce que j'aimerais, monsieur Mason ? »
Elle ne prit pas la peine de le regarder.
« Quoi donc ?
— Une crème glacée. »
Il parvint à lui sourire et lui répondit :
« Alors laisse-moi t'en offrir une. »

La pluie avait recommencé à tomber, drue et cinglante, quand Lydia se décida enfin à rentrer. Dans le grenier, elle trouva sa mère en train de se préparer pour sortir, ce qui la contraria. Ah oui, son nouveau travail, songea Lydia qui avait presque oublié. Il payait le loyer et c'était ce qu'elle voulait. Elle ne pouvait pas se plaindre, mais elle n'avait pas envie de rester seule, pas ce soir-là. Valentina torsadait habilement ses cheveux sur le sommet de sa tête. Elle était radieuse.

Mais il n'était pas seulement question de travail.

« Est-ce qu'Alfred te rejoint ce soir ? »

Elle ramassa une des épingles à cheveux de sa mère qui était tombée sur le plancher et en retira deux longs cheveux bruns qu'elle entortilla autour de son doigt.

Valentina fredonnait quelques notes de la *Cinquième Symphonie* de Beethoven et se tut pour appliquer le rouge à lèvres rouge vif que Lydia aimait tant.

« Oui, il vient me chercher. »

Devant le miroir, elle vérifiait son maquillage.

« Il vient à l'hôtel tous les soirs où j'y travaille et achète toutes mes danses. C'est comme dans un rêve.

— Tes rêves sont bien tristes, maman.

— Arrête, ne dis pas n'importe quoi, répliqua Valentina. Il nous aide. D'où crois-tu que sort ton souper ? »

Elle montra une assiette avec une grosse part de pâté au veau, du melon et du pain.

« Tu devrais être reconnaissante. »

Lydia ne dit rien, s'assit à la table et ouvrit l'un des recueils de poésie qu'elle avait rapportés de la bibliothèque. Elle le feuilleta et lança comme si elle venait tout juste d'y penser :

« Tu pourrais lui proposer de monter quelques minutes pour que je puisse le remercier. »

Valentina cessa de se poudrer le visage. Elle portait de nouveau la robe bleu marine, celle qui avait fait l'admiration d'Alfred Parker, mais Lydia était sûre qu'il l'aurait trouvée divine même en guenilles.

« Pourquoi ? demanda sa mère, méfiante. Qu'est-ce que tu prépares ?

— Rien.

— Avec toi, on doit s'attendre à tout. Cet après-midi par exemple, avec le commissaire. J'étais sérieuse en disant que tu étais incontrôlable et que tu méritais le fouet.

—Je sais, maman. »
Valentina accrocha un collier à son cou.
« Il est joli. Il est nouveau ?
— Mmm.
— Je vais mieux me conduire, tu verras. Alors, tu vas inviter M. Parker à monter avant de partir ? S'il te plaît. »
Valentina se passa la main sur le menton comme si elle cherchait les imperfections.

« Sans doute que oui. »
Alfred Parker adressa un large sourire à Lydia.
« C'est gentil. »
Il portait un élégant costume gris et s'était coiffé avec de la brillantine. Lydia le jugea convenable pour une fois, malgré ses lunettes. Il buvait la vodka qu'elle lui avait servie dans une tasse. Lydia s'était rassise avec son livre.
« Tu fais tes devoirs ?
— Oui. »
Il s'approcha et jeta un coup d'œil au livre. Son gilet sentait le tabac.
« Wordsworth.
— Oui.
— Tu aimes la poésie ?
— Oui.
— Ah.
— Lydochka, dit Valentina sur un ton beaucoup trop poli, tu n'avais pas quelque chose à dire à Alfred ?
— Oui. »
Alfred lui sourit de nouveau.
Lydia prit une profonde inspiration.
« Je suis désolée de m'être aussi mal comportée avec vous et je veux vous remercier d'avoir été aussi gentil avec moi. »
Elle dirigea le regard vers le collier de sa mère.
« Avec nous. Et je voulais aussi vous donner ça. »
Elle avait prononcé la phrase plus vite qu'elle n'en avait l'intention. Elle lui tendit la petite bourse en feutre nouée

avec le ruban rouge de la boîte dans laquelle Antoine leur avait offert Sun Yat-sen. Alfred semblait impressionné.

« Lydia, ma chère, ce n'est pas la peine. Vraiment.

— J'y tiens. »

Même sa mère avait l'air contente.

« Merci, c'est très aimable », dit-il en acceptant le cadeau.

Un peu gêné, il embrassa Lydia sur la joue. Il dénoua soigneusement le ruban et ouvrit le paquet, s'attendant à quelque babiole faite à la main. Quand il découvrit la montre en argent, il blêmit et s'assit lourdement sur le canapé.

Valentina parla la première.

« Mon Dieu ! Où l'as-tu trouvée ? Elle est magnifique.

— Chez le prêteur sur gages. »

Alfred manipulait la montre, ouvrait le couvercle, remontait le mécanisme, réglait les aiguilles. Sans la quitter des yeux une seconde, il s'exclama, stupéfait :

« C'est la mienne !

— Oui.

— Comment l'as-tu trouvée ?

— C'est moi qui l'avais portée chez le prêteur sur gages. »

Valentina jeta un regard noir à Lydia par-dessus l'épaule d'Alfred et fit semblant de tordre le cou de sa fille.

Alfred leva lentement la tête et regarda Lydia fixement. Il venait de comprendre.

« Tu l'as volée ?

— Oui. »

Il secoua la tête.

« Tu veux dire que tu m'as volé la montre de mon père ?

— Oui. »

Il passa la main sur sa bouche avant de parler.

« Pas étonnant que tu m'aies demandé si elle avait de la valeur. »

Lydia se sentait plus mal qu'elle ne l'aurait cru. Il avait récupéré la montre, alors pourquoi ne partait-il pas ? Pars, va danser.

Mais il se leva et s'approcha si près d'elle qu'elle voyait les poils de son nez.

«Tu es vraiment détestable, dit-il d'une voix étranglée comme s'il souffrait. Je vais prier pour toi.»

Il tenait la montre dans une main; de l'autre il agrippait le bord de la table. Lydia savait qu'il se retenait d'en dire plus.

«Vous avez retrouvé la montre de votre père, maintenant, bredouilla Lydia sans baisser les yeux. Je pensais que ça vous ferait plaisir.»

Sans un mot, il quitta la pièce.

«*Dochenka*, petite idiote! siffla Valentina. Qu'as-tu fait?»

Il était plus de minuit quand Lydia entendit sa mère rentrer. Le cliquetis de ses talons hauts sur le plancher résonnait dans la pièce silencieuse, mais Lydia resta couchée, tournée vers le mur, et fit semblant de dormir quand Valentina tira le rideau et s'assit au pied du lit. Elle resta là un long moment. Lydia entendait sa respiration irrégulière et le froissement de sa robe. La cloche de l'église sonna minuit et demi, puis, après ce qui lui parut une éternité, une heure. C'est alors que Valentina se mit à parler.

«Tu as de la chance d'être encore en vie, Lydia Ivanova. Il ne t'a peut-être pas écorchée vive, mais j'ai bien failli le faire. Tu me fais peur.»

Lydia voulut se boucher les oreilles, mais elle n'osa pas bouger.

«Je l'ai calmé.»

Valentina émit un long soupir.

«Mais je n'avais pas besoin de ça. Deux fois dans la même journée. La police d'abord et ensuite la montre. Je crois que tu perds la tête.»

Elle se tut un moment. Lydia espérait qu'elle avait terminé. Mais pas du tout.

«Tu mens sans arrêt, c'est ça?»

Valentina attendit une réponse, puis voyant qu'elle n'arrivait pas, elle continua.

« Des mensonges sur la provenance de l'argent. Quand j'y repense, il y en a eu beaucoup. Toutes les fois où tu as dit que Mme Yeoman te payait pour lui faire des courses ou que tu avais trouvé un portefeuille dans la rue ou que tu avais aidé un camarade à faire ses devoirs. Et tu n'as jamais travaillé pour M. Willoughby à l'école, je me trompe ? Cet argent provenait de la montre d'Alfred. Tu es une sale voleuse. »

Valentina inspira profondément. Lydia suffoquait.

« Tu dois arrêter tout de suite ou tu finiras en prison. Je ne le permettrai pas. Tu ne dois pas voler. Plus jamais. Je te l'interdis. »

Soudain, elle sentit que sa mère se levait puis entendit de nouveau le cliquetis des talons. La flamme d'une bougie vacilla à l'autre bout de la pièce. Le bruit du goulot d'une bouteille contre le bord d'une tasse donna la nausée à Lydia. Elle se recroquevilla sous le drap et pressa le poing contre sa bouche jusqu'à se faire mal. Sa mère la détestait. Elle l'avait traitée de sale voleuse. Pourtant, sans ses vols, elles seraient mortes de faim depuis longtemps. Alors où se situaient le bien et le mal ?

Est-ce qu'aider les communistes était bien ou mal ?

Dans sa tête, elle commença à réciter le poème de Wordsworth qu'elle avait appris le soir. Pour noyer le reste de ses pensées. *Seul, j'errais tel un nuage…*

21

Chang entendit à peine Lydia marcher derrière lui, tant elle s'appliquait à étouffer le bruit de ses pas. Avec la ruse du renard. Pourtant, il savait que c'était elle aussi sûrement qu'il sentait battre son propre cœur. Il cessa de regarder le fleuve et se tourna vers elle. Le plaisir de la voir fit couler du miel dans ses veines. Elle ne portait pas de chapeau et sa chevelure cuivrée tombait en cascade sur ses épaules. Cependant, son regard était sombre. Elle avait l'air plus fragile que jamais.

« J'espérais te trouver ici », dit-elle timidement.

Elle désigna la rivière et la mince bande de sable où elle lui avait recousu le pied.

« C'est tellement calme, tellement beau. Mais si tu es venu pour t'isoler…

— Non. »

Il s'inclina et lui tendit la main pour l'inviter à rester.

« Cet endroit était lugubre avant que tu arrives. »

Elle s'inclina à son tour.

« Je suis honorée. »

Elle apprenait les convenances chinoises. Chang fut surpris d'en être aussi touché.

Elle s'assit sur la grande pierre plate, caressa sa surface grise, chaude sous les rayons du soleil, et observa un lézard gris avec de longues griffes acérées qui sortait d'une fente.

« Je dois te mettre en garde. C'est pour ça que je suis venue.

— Pourquoi ?

— Tu es en danger. »

En entendant ce mot, il eut le souffle coupé.

« Quel danger devines-tu ? »

Il s'accroupit lentement au bord de l'eau en tournant la tête pour la voir. Elle portait une robe brune légère qui se fondait avec les arbres. Elle le regardait dans les yeux.

« Le danger vient de la confrérie des Serpents noirs. »

Il poussa un sifflement de colère strident.

« Merci pour l'avertissement. Ils me menacent, je sais. Mais comment en as-tu entendu parler ? »

Elle lui adressa un sourire en coin.

« J'ai discuté avec deux hommes qui portaient des serpents noirs tatoués sur le cou. Ils m'ont traînée dans une voiture et m'ont demandé où tu étais. »

Elle avait clarifié la situation et cela l'apaisa. Il plongea une main dans l'eau pour dissimuler un tremblement. Il devait maîtriser la colère, ne pas la laisser prendre le dessus. Il plongea son regard dans les yeux de Lydia.

« Écoute-moi, Lydia Ivanova. Tu ne dois pas pénétrer dans le quartier chinois. Ne t'en approche pas et sois prudente, même dans la concession internationale. Les Serpents noirs libèrent du poison avec leur morsure et ils sont puissants. Ils tuent lentement et sauvagement et...

— Tout va bien. Ils m'ont laissée partir. Ne prends pas cet air féroce. »

Elle lui sourit et son cœur se remit à battre normalement. Puis elle se passa la main dans les cheveux, comme si elle voulait y recueillir des pensées. Chang comprit à la nervosité de ses doigts qu'elle allait changer de sujet.

« Où habites-tu, Chang An Lo ? »

Il hocha la tête.

« Il vaut mieux que tu ne le saches pas.

— Ah.

— Tu seras plus en sécurité si tu ne sais rien de moi.

— Même pas ce que tu fais comme travail ?

— Non. »

Contrariée, elle gonfla les joues et souffla comme le font parfois les lézards, puis inclina la tête et lui adressa un sourire aguicheur.

« Est-ce que tu me diras au moins ton âge ? Ce n'est pas dangereux, n'est-ce pas ?

— Non. Bien sûr que non. J'ai dix-neuf ans. »

Il trouvait ses questions impolies, beaucoup trop personnelles, mais sachant qu'elle les posait par simple curiosité, il ne s'en offusqua pas. Elle était *fanqui* et espérer que les diables étrangers fassent preuve de subtilité était comme attendre d'un crapaud le chant de l'alouette.

« Et ta famille ? Tu as des frères et sœurs ?

— Toute ma famille est morte.

— Je suis désolée. »

Il sortit sa main de l'eau et retira une grenouille-taureau de la boue.

« Tu as faim ? »

Chang fit un feu. Il mit à cuire la grenouille ainsi que deux petits poissons dans des feuilles et Lydia dégusta sa part devant lui, avec plaisir. Il tailla deux bâtons au couteau pour en faire des baguettes et prit plaisir à lui apprendre comment les utiliser. Son éclat de rire lorsqu'elle fit tomber le poisson provoqua un murmure parmi les saules et Lo-shen, la déesse de la rivière, s'arrêta certainement pour écouter.

Lydia se détendit d'une manière que Chang ne lui connaissait pas. Ses membres se décontractèrent ; l'ombre quitta ses yeux. La méfiance disparut de son regard. Il savait ce que cela signifiait : elle se sentait en sécurité. Suffisamment pour lui raconter qu'à huit ans elle s'était cassé un bras en tentant d'exécuter une pirouette, comme les acrobates de rue. Pour que la fracture ne s'aggrave pas sur le chemin du retour, une jeune Chinoise avait confectionné une attelle avec deux baguettes et du tissu. Sa mère l'avait chicanée, mais dès que son bras avait été remis, elle avait demandé à une danseuse russe de lui apprendre à faire une pirouette correctement. Pour lui faire la démonstration, Lydia se leva d'un bond, sauta dans les airs et réalisa une pirouette parfaite pendant laquelle sa robe passa par-dessus sa tête d'une manière fort peu décente. Elle se rassit et sourit à Chang. Il adorait son sourire.

Il rit et l'applaudit.

«Tu es l'impératrice de la rivière aux lézards, dit-il en inclinant le buste.

— J'ignorais que les communistes appréciaient les impératrices», plaisanta-t-elle.

Elle s'étendit sur le sable, ses pieds nus plongés dans l'eau fraîche.

Chang songea qu'elle le taquinait, mais comme il n'en était pas sûr, il ne dit rien et se contenta de la regarder. Elle mordait le bout de sa langue comme si elle goûtait la brise qui soufflait de la rivière. Elle était mince avec de petits seins, mais avait de trop grands pieds selon les critères chinois. Elle ne ressemblait à aucune autre. Si étrange, si passionnée, cette créature qui ne respectait aucune règle lui insufflait une mystérieuse ardeur qui lui rendait la séparation difficile.

«Il faut que je parte, dit-il d'une voix douce.

— Vraiment?

— Oui. Je dois aller à un enterrement.

— Je peux t'accompagner?

— Ce n'est pas possible», répondit-il sèchement.

Son audace aurait mis à l'épreuve même la patience des dieux.

Ils marchaient à l'arrière de la procession. Des trompettes sonnaient. Chang sentait la présence de la fille renard derrière lui puis son exaltation quand elle s'agrippa à lui. Petite et mince comme une jeune Chinoise, elle passait inaperçue dans les vêtements qu'il avait empruntés pour elle : tunique blanche, pantalon ample et large chapeau de paille. Cependant, sa présence l'inquiétait.

Est-ce que Yuesheng aurait protesté ? Est-ce que l'apparition d'une *fanqui* à ses funérailles n'allait pas accroître la furie des esprits malins que les tambours, les cymbales et les trompettes repoussaient ? *Oh, Yuesheng, mon ami, je suis envoûté, c'est vrai.*

Même le ciel était blanc, couleur du deuil, pour pleurer Yuesheng. En tête du cortège solennel, le cercueil était drapé de soie blanche et les porteurs étaient vêtus de blanc. Des prêtres bouddhistes en robe jaune frappaient leurs tambours et dispersaient des pétales blancs sur la route qui serpentait jusqu'au temple. Alors que la foule se resserrait, Chang sentit la joue de Lydia frôler son épaule.

« L'homme qui porte la longue robe blanche et le *ma-ga*, celui prosterné par terre derrière le cercueil, est le frère de Yuesheng, murmura-t-il.

— Et qui est l'homme immense avec le… ?

— Chut ! Ne parle pas. Garde la tête baissée. »

Il jeta un œil par-dessus son épaule, mais ne vit personne qui leur prêtât attention.

« Le grand, c'est le père de Yuesheng. »

Le chant des prêtres couvrait leur conversation.

« Qu'est-ce qu'ils jettent en l'air ?

— Des billets de fausse monnaie. Pour apaiser les esprits.

— Dommage que ce ne soient pas des vrais, chuchota-t-elle tandis qu'un billet de cinquante dollars volait devant son nez.

— Chut ! »

Lydia ne dit plus un mot. Il était agréable de constater que le renard pouvait tenir sa langue. Durant la lente marche vers le temple, Chang pensa à Yuesheng et à leur relation. Chang avait été attristé que son ami, fâché avec son père, ne l'ait pas revu ni ne lui ait parlé depuis trois ans. Trois longues années. Les ancêtres seraient mécontents qu'il ait négligé le respect filial, mais le père de Yuesheng n'était pas un homme qu'on pouvait honorer facilement.

Dans le temple, on déposa le cercueil au pied de l'autel, devant les statues en bronze de Bouddha et de Kuan Yin. L'odeur de l'encens flottait dans l'air. Des moines psalmodièrent des prières. Les banderoles blanches, les fleurs blanches, les mets fins, les fruits et les friandises, tout était destiné à honorer Yuesheng. L'assemblée endeuillée inclinée vers le sol du temple rappelait un manteau de neige. Puis dans une grande urne de bronze on fit brûler des objets en papier pour permettre à Yuesheng de les utiliser dans sa prochaine vie : une maison, des outils, des meubles, une épée et un fusil, même une voiture et un jeu de tuiles de mah-jong. Mais le plus important était les lingots recouverts de feuilles d'or et d'argent.

Chang observait la fumée qui s'élevait pour devenir le souffle des dieux et il commença à ressentir une certaine sérénité. La douleur aiguë de la perte s'atténua. Yuesheng était mort courageusement, en héros au service de la cause. À présent, son ami était en sécurité et en bonnes mains, il avait accompli sa mission. En remarquant la grande silhouette dans les premiers rangs de l'assemblée, Chang sut que, pour lui, le travail ne faisait que commencer.

« Vous êtes celui qui m'a ramené le corps de mon fils et pour cela, ma dette envers vous est colossale. Demandez-moi ce que vous voulez. »

Le père de Yuesheng portait un bandeau blanc sur la tête. Sa veste et son pantalon brodés de blanc soulignaient sa musculature. La large ceinture à sa taille était cousue de perles dessinant un dragon.

Chang inclina le buste.

« C'était un honneur de servir mon ami. »

L'homme le dévisagea. Son visage avait une expression dure et son regard était perçant. Chang n'y lisait pas la peine du deuil, mais cet inquiétant personnage n'exprimait pas ses émotions à la légère.

« On lui aurait coupé les bras et les jambes et on les aurait dispersés si vous ne m'aviez pas apporté son corps. Le Kuomintang agit ainsi pour effrayer les révolutionnaires. L'esprit de mon fils aurait sans doute erré des années à leur recherche avant de retourner entier auprès de nos ancêtres. Pour ce cadeau, je vous remercie. »

Il inclina la tête.

« Mon cœur est heureux pour votre fils. Son esprit sera satisfait que vous offriez un cadeau en retour. »

L'homme plissa les yeux.

« Dites-moi ce que vous voulez et vous l'aurez. »

Chang fit un pas vers lui et dit doucement :

« Votre fils a donné sa vie pour la cause en laquelle il croyait, pour éveiller l'esprit du peuple de Chine aux paroles de Mao Tsé…

— Taisez-vous. »

Le père de Yuesheng détourna la tête. Il avait la mâchoire serrée.

« Dites-moi quel cadeau vous désirez.

— Une presse à imprimerie. »

L'homme inspira bruyamment.

« Celle de votre fils a été détruite par le Kuomintang.

— J'ai donné ma parole. Vous aurez la presse. »

Chang inclina légèrement la tête.

« Vous faites un grand honneur à la mémoire de votre fils, Feng Tu Hong. »

Le père de Yuesheng tourna le dos à Chang et se dirigea d'un pas rapide vers le banquet des funérailles.

Chang devait ramener la fille renard chez elle. Elle en avait assez vu. Si elle restait, elle serait démasquée. Les invités ne baissaient plus la tête en signe de deuil, ils la renversaient en arrière pour boire de l'alcool de sorgho, du *maotai*, en discutant. On allait remarquer Lydia. Il regarda par-dessus son épaule et se demanda ce qu'il se passerait s'il lui ôtait son grand chapeau. Est-ce que les esprits de feu de sa chevelure parcourraient la large assemblée d'invités pour faire éclater la vérité sur leur langue : qu'ils n'avaient témoigné aucune gentillesse à Yuesheng de son vivant ?

« Tu lui as demandé ? »

C'était Kuan, son amie. Elle venait d'apparaître devant lui, vêtue de noir et portant un sac sur le dos. Il ne s'attendait pas à ce qu'elle assiste aux funérailles, car son travail à l'usine ne lui laissait aucun temps libre. Chang s'éloigna un peu de la fille renard.

« Oui. Il a accepté. »

Kuan lui lança un regard incrédule.

« Tu as de la chance de porter encore la tête sur tes épaules et pas dans un seau. »

Elle se pencha vers lui.

« T'a-t-il mis en garde contre l'impression de nouveaux pamphlets et de nouvelles affiches ?

— Non. Ce n'était pas la peine. Il nous méprise comme il méprisait son fils. »

Kuan sourit avec bienveillance.

« Ne sois pas si triste, Chang An Lo. Yuesheng est mort en faisant ce qu'il devait faire et il est heureux maintenant.

— Il le sera plus quand nous apporterons la liberté à ce pays enchaîné », murmura Chang sur un ton dur.

Il inspira profondément l'air parfumé.

« Et son père nous aidera à le faire plus vite. Qu'il le veuille ou non. »

22

« V ous avez l'air fatigué, mon vieux », dit Alfred Parker.

Il bourra sa pipe.

« Vous n'avez pas l'air en forme », ajouta-t-il.

Theo se passa la main sur le front. Les yeux lui piquaient.

« Oui, je me sens un peu fatigué. Je ne dors pas très bien ces derniers jours.

— J'espère que vos ennuis avec l'ami Mason ne vous tracassent pas trop ? Il me semble que vous m'aviez dit les avoir résolus.

— C'est le cas. Aucun problème de ce côté-là. Ce sont les examens de fin de trimestre, alors je corrige les copies jusqu'à tard le soir. »

Il aurait pu ajouter qu'il avait passé les trois dernières nuits à bord d'embarcations précaires, à parcourir des yeux l'obscurité. La nuit précédente il avait plu à torrents, mais malgré tout, les collectes nocturnes se déroulaient bien et Theo était surpris de la rapidité avec laquelle sa part augmentait à la fin de chaque expédition. Cela ne pouvait signifier qu'une seule chose : ils devenaient plus audacieux, trafiquant des quantités de plus en plus grandes avec des risques accrus. Ils se fiaient à sa parole et Theo faisait confiance à Mason.

Pas étonnant qu'il n'ait pas l'air en forme.

Parker et lui étaient attablés dans le salon de thé préféré de Theo à Junchow. Parker avait souhaité le rencontrer et accepté de l'y retrouver, sans tenir compte de ses doutes sur l'hygiène et la correction de l'établissement. Sans lait, le thé ne correspondait pas à l'idée qu'Alfred s'en faisait, mais il avait accepté de découvrir un salon de thé chinois traditionnel pour mieux comprendre les autochtones. Theo avait ri. Alfred était peut-être un excellent journaliste quant aux questions européennes en Chine, mais il ne comprendrait jamais les Chinois. Quand la jeune fille vêtue d'une robe chinoise leur avait apporté la théière en céramique et leur avait servi le thé rouge dans de petites tasses, Alfred lui avait adressé un sourire si chaleureux qu'elle avait pointé le menton vers le premier étage. Il n'était même pas venu à l'esprit de son ami, Theo en était persuadé, qu'elle avait pris son amabilité pour une invitation à coucher avec lui et qu'elle l'informait de la présence des filles à l'étage, prêtes à offrir lune et étoiles en échange de quelques dollars.

Autour d'eux bourdonnaient les conversations animées de marchands et de banquiers chinois et même de quelques diplomates japonais, assis à des tables basses en bambou, bien habillés et bien nourris, des hommes qui se trouvaient du bon côté de la barrière. La salle pimpante et colorée donnait aux clients l'impression trompeuse d'avoir de la chance. Des lanternes pourpres, des lions dorés et des oiseaux chantant dans des cages ouvragées créaient une atmosphère sereine, et une fille aux cheveux noirs brillants jouait une douce mélodie sur le *chin*. Le bruit des tuiles de mah-jong ne cessait jamais. D'habitude, Theo trouvait l'endroit paisible, mais pas ce jour-là. Il avait un peu l'impression d'avoir perdu la main. La paix lui semblait bien lointaine.

« Alors, Alfred, qu'avez-vous de si urgent à me dire ?

— Vous m'avez demandé de fouiller dans le passé de Christopher Mason, vous vous souvenez ? Je sais que vous avez dit avoir réglé vos différends avec lui, mais… »

Theo se pencha vers Alfred.

« Avez-vous découvert des squelettes dans le placard ?

— Pas exactement.

— Quoi alors ?

— Simplement quelques malversations.

— Par exemple ?

— Pour commencer, il n'est pas vraiment celui qu'il paraît. Ses parents possédaient une petite quincaillerie à Beckenham, dans le Kent. Ils n'étaient pas dans l'import-export comme il le prétend.

— Bien, bien. Donc le père de Mason était un petit commerçant. Intéressant.

— Ce n'est pas tout. »

Theo sourit.

« Alfred, vous êtes un as. »

Parker ménagea une pause pour rallumer sa pipe.

« Son premier poste était au service des douanes à Londres. Et on dit qu'il ne détestait pas faire commerce des biens de contrebande qu'il confisquait : des alcools français et du parfum, ce genre de choses.

— Curieusement, cela ne me surprend pas.

— Ensuite, il a rejoint le département de l'application des projets, mais seulement après un scandale avec la femme de son patron. Il semble qu'elle aimait les traitements sévères… et qu'il les lui a fournis. »

Parker, mal à l'aise, fronçait les sourcils.

« Un type bien ne se comporterait pas de cette manière. »

Theo fut touché par la naïveté de son ami. Il avait un côté tellement sensible. Son innocence à lui était partie en fumée dans un bureau de Kensington, dix ans auparavant, à la suite d'un coup de feu, et depuis ce jour il s'attendait constamment à découvrir chez les autres leur part de honte. Il semblait en être ainsi. Invariablement. C'est pour cette raison qu'il aimait enseigner. Les enfants étaient un matériau brut; il y avait encore de l'espoir pour eux. Et puis bien sûr, il y avait Li Mei. Elle aussi lui donnait de l'espoir. Parker était un homme étrange parce que ses illusions n'avaient pas été affaiblies par la réalité. Cependant, ce jour-là, il était un peu plus expressif que d'ordinaire.

« Et... »

Parker baissa la voix.

« Il a démissionné après seulement dix-huit mois.

— Éclairez-moi.

— Ce ne sont que des rumeurs. Rien de catégorique, vous comprenez.

— Continuez !

— Pots-de-vin.

— Ah !

— Des enveloppes secrètes. Des bâtiments construits là où ils n'auraient pas dû l'être. Il a quitté son poste juste à temps et embarqué pour Junchow. Dieu seul sait comment il s'est débrouillé pour atterrir au département de l'éducation ici, mais apparemment il fait bien son travail, même si ses subordonnés ne l'apprécient guère. Ils ne m'en ont pas dit plus. Ils ont peur pour leur poste, je suppose.

— Ne réagiriez-vous pas comme eux ? »

Parker sembla surpris.

« Bien sûr que non. Pas si j'étais témoin de manœuvres de corruption. »

La serveuse revint avec une théière de thé brûlant et leur en versa une tasse.

« *Xie xie* », dit Parker.

Theo manqua de s'étouffer avec sa gorgée de thé.

« Bien dit, Alfred.

— Eh bien, j'ai pensé apprendre un peu la langue puisque je suis ici. Ça s'avère utile dans mon travail, mais c'est surtout, mon cher, pour impressionner quelqu'un, dit Alfred en rougissant jusqu'aux oreilles.

— Alfred, cachottier ! Qui est l'heureuse personne ? Je la connais ?

— Eh bien oui. C'est la mère d'une de vos élèves.

— Il ne doit pas s'agir d'Anthea Mason. »

Parker sembla contrarié.

« Bien sûr que non. La dame s'appelle Valentina Ivanova. »

À la simple évocation de ce nom, un sourire timide se dessina sur ses lèvres.

« Pour l'amour du Ciel, Alfred, dit Theo d'un ton sec, vous avez perdu la tête. Vous allez au-devant des ennuis. »

Déconcerté par cette réaction incongrue, Parker écarquilla les yeux.

« Que voulez-vous dire ? C'est une femme merveilleuse.

— Elle est belle, je vous l'accorde. Mais c'est une Russe blanche.

— Eh bien ? Quel mal y a-t-il ? »

Theo soupira.

« Allons, Alfred, tout le monde sait que ces femmes cherchent désespérément à épouser un Européen. N'importe lequel. Les pauvres sont coincées ici sans papiers, sans argent, sans pouvoir trouver de travail. Ce doit être l'enfer. C'est pour cela que dans les bordels de Junchow, la moitié des prostituées sont des Russes blanches. N'ayez pas l'air aussi choqué, c'est ainsi. »

Theo reprit sur un ton plus doux.

« Je suis désolé de vous enlever vos illusions, mais elle se sert de vous. »

Parker hocha la tête, mais Theo comprit qu'il perdait son assurance. Le journaliste enleva ses lunettes et se mit à les nettoyer avec un mouchoir immaculé.

« Je pensais que vous comprendriez, dit-il d'un ton bourru sans lever les yeux. Avec l'importance que vous accordez à l'amour. La manière dont il rend un homme… »

Il s'interrompit.

« Malade ? » proposa Theo.

Parker tenta de sourire.

« Oui. »

Il rechaussa ses lunettes et observa le mouchoir soigneusement plié dans sa main.

« Je vois son visage partout, murmura-t-il. Dans le miroir quand je me rase, sur la page blanche quand je tape mes articles, même sur le sous-main de Gallifrey, mon rédacteur en chef, quand on se réunit pour boucler l'édition.

— Vous êtes bien atteint, mon vieux. Elle vous a pris dans ses filets.

— Je pensais que vous comprendriez.

— Parce que je vis avec Li Mei ? Mais elle n'est pas avec moi pour l'argent, je vous l'assure. D'abord, je n'en ai pas, malheureusement, et de toute façon elle est issue d'une famille riche qui l'a rejetée à cause de moi. La situation est donc très différente. Je vous préviens, vous feriez mieux de ne pas vous approcher de Valentina Ivanova. Elle vous quittera à peine le pied posé sur le sol anglais. »

Parker avait les lèvres pincées. Il repoussa sa tasse sans y avoir bu.

« Je me demandais ce qu'une femme aussi belle et talentueuse me trouvait.

— Allons, Alfred, reprenez-vous. Comme je vous l'ai dit, vous êtes un as. »

Parker haussa les épaules, tendu.

« Pourquoi ne pas simplement profiter de sa présence ? Mettez-la dans votre lit pendant quelques mois et chassez son parfum de votre esprit, alors vous ne...

— Theo, vous avez peut-être une âme païenne et un cœur de pierre, mais pas moi, objecta Parker sans animosité. Je suis chrétien, voyez-vous, et en tant que tel je respecte les commandements de Dieu. Alors, non, je ne vais pas coucher avec elle pour l'abandonner ensuite.

— Vous n'avez qu'à vous en prendre à vous-même, mon ami. »

Un silence s'installa. Une serveuse vint leur proposer des beignets sucrés qu'ils refusèrent d'un geste de la main.

Derrière eux, un homme poussa un cri de joie après sa victoire au mah-jong. Theo alluma une cigarette. Il avait mal à la gorge, il fumait trop ces temps-ci.

« Cessez de la voir maintenant, dit-il doucement, avant de trop vous investir. Je dis ça pour votre bien. Et n'oubliez pas qu'il y a aussi sa fille. Elle n'est pas facile. »

Parker se passa maladroitement la main sur le front, comme pour se remettre les idées en place.

« Je ne sais pas, Theo, vous avez peut-être raison. L'amour me paraît tellement destructeur. L'amour d'une personne, d'un idéal, d'un pays, éclipse tout le reste et déclenche le chaos. Quant à Lydia, ne m'en parlez pas. Son cas est désespéré. »

23

Chang était caché dans l'obscurité, immobile. Ils étaient là, autour de lui. Il entendait le froissement d'une manche, le frottement d'une cuisse contre le mur, le crissement de semelles sur le gravier. Assister aux funérailles avait été une prise de risque. Cela signifiait qu'ils allaient le traquer, il en avait conscience. Mais fuir le dernier hommage à Yuesheng ne lui aurait apporté que le déshonneur. Il devait le respect à son frère d'armes, d'autant plus qu'il aurait pu s'agir de son propre corps gisant dans la cave la nuit de l'attaque du Kuomintang. Alors maintenant les Serpents noirs étaient là. La mort guettait dans l'ombre, attendant son heure.

Chang, adossé à une porte cloutée en chêne logée sous une arche d'une place pavée de la vieille ville, observait le va-et-vient de silhouettes noires qui pressaient le pas pour traverser et restait attentif au moindre mouvement dans les embrasures de portes. Des yeux perçants le cherchaient. Par cette nuit sans lune, il ne verrait pas les lames briller dans leurs poings, mais Chang les sentait proches, assoiffés de sang.

Il compta six hommes, mais en entendait plus. L'un d'eux respirait bruyamment, adossé à un mur sur sa droite, à seulement quelques mètres pour garder l'entrée d'une *hutong* étroite, une ruelle qui menait au cœur du labyrinthe de rues. D'un saut silencieux suivi d'un coup de talon, Chang lui fit rendre son dernier souffle, et avant que le corps n'ait le temps de toucher le sol, il s'élançait déjà dans la ruelle. Une lumière s'alluma à l'étage d'une maison puis Chang entendit un cri derrière lui, mais il ne se retourna pas.

Il avança plus vite. S'enfonça plus profondément dans l'obscurité, glissant sur des ordures. Il entraîna ses poursuivants à travers les ruelles, pour les distancer, et, à un carrefour, celui qui avait pris une dizaine de mètres d'avance sur ses compagnons n'eut pas le temps de voir Chang surgir de l'ombre pour lui fracasser les côtes comme des brindilles jusqu'à ce qu'il ne puisse plus respirer.

Chang se glissait dans l'obscurité tel un serpent traquant sa proie. Un de ses poursuivants perdit l'usage d'une jambe, un autre celui d'un œil. Mais soudain une charrette pleine d'excréments humains lui barra la route et Chang dut s'engager dans une impasse.

Un piège mortel.

Une cour avec des murs sur trois côtés. Une seule entrée. Une seule sortie. Six hommes, le souffle court, crachant leur venin, apparurent devant lui. Trois d'entre eux étaient armés de couteaux, deux brandissaient des épées et le dernier braquait un revolver sur la poitrine de Chang. Il dit quelque chose d'une voix rauque et un homme armé d'une épée s'avança vers Chang en faisant siffler la longue lame dans l'air. Chang reprit son souffle, canalisa son énergie et, avec agilité, passa entre les jambes de son assaillant. Une douleur aiguë le saisit, mais il recula aussitôt de trois pas, bondit dans les airs vers le mur du fond, chercha une prise, glissa, la trouva et décrivit un arc de cercle. Il avait gagné le toit, mais n'était pas en sécurité pour autant. Une balle siffla près de son oreille.

Un cri de colère retentit dans la cour. L'homme au revolver saisit l'épée de son acolyte et lui asséna un coup qui l'éventra. Dans un cri aigu, le blessé tomba à genoux, les mains sur ses entrailles pour tenter de les retenir. Un deuxième coup d'épée le fit taire en envoyant sa tête rouler dans le caniveau. Le revolver fut de nouveau dirigé vers le toit, mais Chang avait disparu.

Lydia avait le temps de réfléchir. Au centre du terrain, il n'y avait plus de gazon, mais tout autour, il s'étendait comme un lac vert scintillant. Les hommes l'entretenaient méticuleusement et le traitaient avec un respect qui déconcertait Lydia, car ils semblaient plus se soucier de lui que de leurs propres enfants. Lydia aimait assister aux parties de cricket. Elle se plaisait à imaginer la même scène à l'autre bout de la planète, en Angleterre. Chaque ville, chaque village était envahi par des hommes vêtus de flanelle blanche qui se pavanaient avec leurs protections et leurs battes, et frappaient de toutes leurs forces les petites balles. C'était d'une futilité réjouissante. Surtout par cette chaleur. Seuls des gens qui n'avaient rien à faire de leur journée pouvaient inventer un jeu aussi bizarre.

Tel peuple portait des vêtements blancs pour jouer, tel autre en signe de deuil. Deux conceptions diamétralement opposées. Des mondes éloignés. Mais qu'arrivait-il si on se trouvait pris entre les deux?

« Encore un peu de thé, ma chère? Vous avez l'air absente.
— Merci, madame Mason. »

Lydia accepta, ne pensa plus à Chang An Lo et se resservit un sandwich au concombre, qu'elle posa sur l'assiette en équilibre sur le bras de sa chaise longue.

La mère de Polly portait de grandes lunettes et un chapeau à large bord fleuri de roses de son jardin, mais ils ne dissimulaient pas le bleu à son œil gauche ni sa joue bouffie.

« J'ai trébuché sur Achille, le vieux chat paresseux de Christopher, et je me suis cognée à la porte. Quelle idiote je fais. »

Lydia l'avait entendue rire devant les autres femmes, mais il était évident à l'expression de leur visage qu'aucune n'avait cru ce mensonge. Lydia la considérait avec un respect nouveau. Venir ici aujourd'hui pour la partie, affronter l'humiliation avec un sourire si franc et servir le thé sans trembler demandait du courage.

« Madame Mason, dit-elle d'une voix forte, quelle jolie robe ! Elle vous va à ravir. »

Elle était toute en frous-frous et motif floral, le genre de robe que seule une Anglaise pouvait porter.

« Oh, c'est gentil, Lydia », remercia Anthea Mason.

Lydia craignit un instant qu'elle ne se mette à pleurer, mais au lieu de cela, elle sourit et déposa un autre sandwich dans l'assiette de Lydia.

Sur le terrain, Christopher Mason marqua un nouveau point, mais Lydia se refusa à se joindre aux applaudissements. À côté d'elle, Polly rayonnait de joie et caressait la tête de son chien pour le distraire. Il boudait d'être en laisse alors que la balle ne demandait qu'à être attrapée.

« Papa est doué, n'est-ce pas, Toby ? Il va être de bonne humeur aujourd'hui. »

Lydia ne parvenait pas à regarder son amie.

« Tu vas te faire tuer, Lyd.

— Ne dis pas de sottises. Ce n'étaient que des funérailles.

— Mais pourquoi tu y es allée ? Aucun Européen n'assiste aux cérémonies chinoises. Les autochtones restent entre eux et nous faisons de même. Comme ça tout le monde est content. Tu dois te faire à l'idée qu'ils ne nous aiment pas et que nous sommes différents. Le rapprochement n'est pas possible.

— Qu'est-ce que tu en sais ?

— C'est comme ça. Tout le monde le sait.

— Tu te trompes. Chang et moi sommes… »

Lydia chercha un mot qui ne choquerait pas Polly.

«Amis. Nous parlons de… choses et je ne vois pas pourquoi nous ne pourrions pas nous fréquenter. Regarde tous les petits enfants qui ont des *amahs* pour les garder, ils les aiment vraiment. Alors pourquoi ça changerait quand ils grandissent ?

— Parce que les règles ne sont pas les mêmes pour eux et pour nous.

— Donc, tu es en train de dire que ça ne peut marcher que si eux adoptent nos lois et notre mode de vie.

— Oui.

— Mais ce sont des êtres humains au même titre que nous. Tu aurais dû voir et entendre leur chagrin aux funérailles. Ils souffraient de la même manière que nous. S'ils se coupent, ils saignent. Alors quelle importance ont les règles ?

— Oh, Lyd, ce Chang An Lo te brouille l'esprit. Il faut que tu l'oublies. Même si je dois admettre que le rapprochement semble fonctionner pour M. Theo et sa superbe Chinoise.

— Mais il ne l'a pas épousée, c'est ça ?

— Exactement.

— Comme Anna Calpin. Quand elle était petite, elle était très attachée à son *amah*, mais maintenant qu'elle a grandi, elle la fait asseoir pendant dix minutes sur le siège des toilettes en hiver pour le réchauffer.

— Tu n'as jamais eu de domestiques chinois, tu ne peux pas comprendre.

— Non, Polly, je ne comprends pas. »

Tout semblait normal dans la rue. Dans un coin, un vendeur chinois essayait d'écouler des graines de tournesol et de l'eau chaude ; un garçon jouait aux billes dans un caniveau et une vieille babouchka, assise dans un fauteuil à bascule sur le pas de sa porte, plumait une pintade. À ses pieds, deux gamins des rues ramassaient les plumes et les fourraient dans une taie d'oreiller. Les grandes roues d'un pousse-pousse faisaient voler la poussière.

Lydia cherchait à comprendre pourquoi elle s'était arrêtée. Elle marchait dans la rue où elle vivait. Elle l'avait arpentée des milliers de fois. Il faisait chaud, l'air était poussiéreux et sa robe lui collait au corps. Elle avait besoin d'une boisson fraîche et se trouvait à dix mètres de chez elle. Alors pourquoi hésitait-elle à rentrer ?

Elle se rappela la mise en garde de Chang : *Fais attention, Lydia Ivanova. Ne dors pas quand tu marches. Ils te laissent partir une fois, mais pas deux.* Eh bien, elle faisait attention, restait sur le qui-vive, et pourtant elle ne voyait rien d'inquiétant. Oh zut ! Polly avait peut-être raison. Peut-être qu'il compliquait tout. Elle reprit son chemin, énervée contre elle-même, mais au moment où elle glissa la clef dans la serrure, elle sentit un mouvement derrière elle. Un déplacement d'air silencieux. Elle ne se retourna pas, s'engouffra dans l'entrée et claqua la porte. Elle s'appuya ensuite contre le battant, retenant son souffle. Elle écoutait.

Rien d'autre que le klaxon d'une voiture, le rire d'un enfant et le cri d'un goéland.

Elle inspira profondément. Avait-elle rêvé ?

Elle laissa passer quelques minutes, mais son cœur battait toujours aussi vite.

« Lydia, *moi vorobushek*, viens par ici. »

Mme Zarya lui faisait signe du fond du couloir. Elle portait un kimono rose vif et avait des bigoudis dans les cheveux.

« J'ai un morceau d'igname pour ton Sun Yat-sen. Tiens, prends-le. »

Lydia avança vers sa logeuse. Ses jambes la portaient à peine.

« C'est très gentil à vous. Sun Yat-sen sera content. »

Dans son poing fermé, elle tenait une touffe d'herbe qu'elle avait discrètement ramassée près du terrain de cricket.

« Vous sortez ce soir ?

— *Da.* Je vais à une soirée, répondit fièrement Mme Zarya. Une lecture de poésie dans la villa du général Manlikov. Un ami de mon mari qui n'a pas oublié la veuve de son vieux camarade.

— Amusez-vous bien. »

Lydia monta l'escalier en courant.

« Merci pour l'igname. *Spasibo.* »

En atteignant la dernière volée de marches, elle entendit des voix qui venaient du grenier. Elles lui firent l'effet d'une gifle. Lydia discerna celle de sa mère, grave et profonde ; l'autre était celle d'un homme qui criait. Ils parlaient en russe. Lydia ouvrit la porte sans bruit. Valentina et son invité étaient assis sur le canapé et accompagnaient leurs propos de gestes amples. Lydia, décontenancée, eut envie de partir, mais il était trop tard. Le grand barbu au bandeau sur l'œil et aux bottes à motif de loup l'avait déjà remarquée. À côté de lui, Valentina avait l'air d'une petite créature exotique perchée sur le bord du divan. L'homme dévisageait Lydia de son œil noir et cela suffit pour lui faire venir le rouge aux joues.

« Écoutez, je suis désolée. Je n'ai jamais voulu que la police vous recherche, je…

— Lydia, intervint sa mère, Liev Popkov ne comprend pas l'anglais.

— Ah… d'accord. Dis-lui que je lui présente mes excuses. »

Valentina traduisit.

Il fit oui de la tête puis, sans quitter Lydia des yeux, se leva en prenant garde de ne pas se cogner au plafond. Elle n'arrivait pas à savoir si c'était par hostilité ou par curiosité, mais quoi qu'il en soit, cela la mettait mal à l'aise. Qu'il ait découvert son adresse la perturbait encore plus. *Chyort !* Elle était horriblement nerveuse.

Il se dirigea vers la porte, où elle se tenait toujours. Il était bien capable de lui arracher la tête d'une seule main.

« Je suis désolée », dit-elle aussitôt pour ne pas lui laisser le temps de sortir ses griffes.

Elle lui tendit la main et, à sa grande surprise, il la fit disparaître dans la sienne pour la serrer doucement. Il lui sembla toutefois qu'il la regardait d'un œil dégoûté.

« *Do svidania* », dit-elle poliment.

Il grogna et quitta la pièce en traînant les pieds.

« Qu'est-ce qu'il voulait ? »

Valentina n'écoutait pas. Elle se servait à boire. Dans un verre, pas une tasse. Encore un signe de la grande générosité d'Alfred.

Sa mère s'examina ensuite dans le miroir tout neuf en sirotant sa première gorgée de vodka.

« Je suis vieille, murmura-t-elle en passant une main sur sa joue, son cou, son décolleté et ses hanches. Vieille et maigre comme un chien errant.

— Arrête. Ne commence pas. Tu es belle. Tout le monde le dit et tu n'as que trente-cinq ans.

— Cet affreux climat m'abîme la peau. »

Elle approcha le visage du miroir et dessina du doigt le contour de ses yeux.

« La vodka abîme ta peau plus vite. »

Sa mère ne répliqua pas. Elle se contenta de renverser la tête en arrière et de vider d'un trait son verre d'alcool, puis elle ferma les yeux quelques instants.

Lydia détourna la tête et regarda par la fenêtre. La vieille femme dans la chaise à bascule s'était endormie et les deux gamins essayaient de lui arracher des mains la volaille à moitié plumée, mais même dans son sommeil, elle la tenait fermement. Lydia se pencha pour les chicaner. Ils détalèrent dans la rue avec leur taie d'oreiller bourrée de plumes. Dans le soleil couchant, le ciel se striait de vrilles mauves.

« Que voulait cet homme ? » demanda Lydia.

Valentina se resservait un verre.

« De l'argent. N'est-ce pas ce que tout le monde veut ?

— Tu ne lui en as pas donné.

— Comment aurais-je pu lui donner de l'argent que je n'ai pas ? »

Lydia envisagea de vider la bouteille de vodka par la fenêtre, mais elle l'avait déjà fait et savait que cela ne servirait à rien. C'était comme fouiller avec un bâton dans un nid de guêpes. Cela ne faisait qu'aggraver la situation.

« Tu ne vas pas travailler ce soir ? »

Valentina lui lança un regard de dédain.

« Pas ce soir, ma chérie. Leur travail, ils peuvent se le mettre où je pense. J'en ai assez. Plus qu'assez de leurs mains baladeuses et de leur familiarité déplacée. J'ai envie de les hacher finement comme du steak tartare.

— Ce n'est qu'un travail, maman. Tu ne le détestes pas vraiment.

— Oui. Je t'assure. Ils puent. Ils ne me toucheraient jamais comme ça si j'étais une des leurs. Ils veulent me baiser.

— Maman !

— Et Alfred aussi. C'est ce qu'il cherche.

— Je croyais qu'il venait pour te protéger des autres.

— Quand il peut. »

Elle avala une gorgée de vodka. Elle s'était servie plus généreusement cette fois-ci.

« Mais il doit souvent travailler tard au journal pour respecter les délais. »

Elle agita les doigts en l'air dans un geste de dérision.

« Ces bêtises qu'ils publient ! Comme si cette colonie était le centre de l'univers !

— Comment ce Russe m'a-t-il trouvée ? »

Sa mère haussa les épaules de manière éloquente.

« Comment tu veux que je sache, ma chérie ? Réfléchis. Par la police, j'imagine. »

Sans en demander davantage, Lydia commença à émincer le morceau d'igname.

« *Dochenka*, j'ai pensé à quelque chose aujourd'hui.

— Que la vodka peut te tuer ?

— Ne sois pas aussi irrespectueuse. Non, je me suis demandé d'où te venait l'argent avec lequel tu as retiré la montre d'Alfred. Dis-moi. »

Lydia arrêta de couper le légume.

« Je veux la vérité, Lydia. Finis les mensonges. »

Lydia reposa le couteau et se tourna vers sa mère, mais celle-ci était retournée devant le miroir et considérait son reflet, qui semblait ne lui procurer aucune satisfaction.

« Je suis passée devant la maison brûlée de la rue Melidan. Un homme et une femme se disputaient, dit Lydia sur un ton détaché.

— Et ? Ils t'ont donné de l'argent ?

— En quelque sorte. La femme a jeté une poignée de pièces au visage de l'homme, ils ont continué de se disputer et puis ils sont partis. Alors j'ai ramassé l'argent. Ce n'était pas du vol. Quelqu'un d'autre l'aurait pris. »

Valentina fronça les sourcils.

« C'est la vérité ?

— Oui.

— Très bien. Mais tu n'aurais jamais dû voler la montre.

— Je sais, maman. Je suis désolée. »

Valentina se tourna et examina sa fille quelques instants.

« Tes vêtements sont dans un état ! Tu es affreuse. Qu'est-ce que tu as bien pu faire aujourd'hui ?

— Je suis allée à un enterrement.

— Dans cette tenue !

— Non, j'ai emprunté des vêtements.

— L'enterrement de qui ? »

Elle se tourna de nouveau face au miroir, car la conversation ne l'intéressait plus.

« Un ami d'ami. Tu ne le connais pas. »

Lydia finit d'émincer l'igname, l'emballa dans un bout de papier, porta un bol d'eau dans sa chambre puis ôta sa robe humide et ses chaussures sales. Elle fit sa toilette et se brossa les cheveux pour en retirer la poussière. Dorénavant elle devrait prendre soin de son apparence, sinon Chang An Lo ne la regarderait jamais comme il avait regardé la Chinoise aux traits fins et aux cheveux courts lors des funérailles. Ils se tenaient tout près l'un de l'autre, comme des amoureux.

« C'est mieux ?

— Ma chérie, tu es charmante. »

Lydia avait passé sa belle robe et ses chaussures neuves, sans trop savoir pourquoi.

« Je n'ai plus l'air affreuse, n'est-ce pas ?

— Non, mon cœur. Tu es très jolie. »

Valentina quant à elle portait sa combinaison de soie grise et ses longs cheveux couvraient ses épaules nues. Elle posa son verre sur la table et s'approcha de Lydia. Même à moitié saoule, elle se déplaçait avec grâce. Cependant, elle avait les yeux rougis comme si elle avait pleuré en silence pendant que Lydia se lavait. Ce pouvait aussi simplement être l'effet de la vodka. Elle prit le visage de sa fille dans ses mains, la regarda intensément et une petite ride apparut entre ses sourcils.

« Bientôt, tu seras vraiment très belle.

— Ne dis pas n'importe quoi. Tu seras toujours la beauté de la famille. »

Valentina sourit. Lydia savait qu'elle avait trouvé les mots justes.

« Tu seras heureuse d'apprendre, ma chérie, que ce soir j'ai décidé de changer. Je vais devenir plus moderne. »

Sa mère ôta les mains de son visage et se dirigea vers le buffet à côté de la cuisinière. Lydia se sentit soudain mal à l'aise. C'était là qu'elles rangeaient les couteaux. Mais sa mère sortit du tiroir une paire de grands ciseaux.

« Non, s'il te plaît. Tout sera différent demain matin. C'est la boisson qui… »

Valentina se plaça face au miroir, saisit une poignée de cheveux et les coupa à la hauteur du menton.

Ni l'une ni l'autre n'osa dire un mot. Toutes les deux étaient étonnées par l'image que leur renvoyait brutalement le miroir : celle d'une femme perdue entre deux mondes.

Après quelques instants, Lydia parla.

« Laisse-moi finir, tu ne vas pas y arriver toute seule. Je vais te faire une coupe vraiment chic. »

Elle prit doucement les ciseaux des mains de sa mère et commença. À chacune des mèches qui tombait, il lui semblait trahir son père. Valentina lui avait toujours dit qu'il adorait ses longs cheveux et lui avait raconté que, tous les soirs avant le coucher, il les lui brossait avec des gestes lents qui les rendaient électriques. Comme des étoiles filantes, disait-il. Lorsque Lydia eut terminé, elle ramassa les boucles, les enveloppa dans un foulard blanc de sa mère et glissa le petit paquet sous son oreiller. La chevelure méritait des funérailles dignes de son nom.

Elle fut surprise de voir un sourire sur le visage de sa mère.

« C'est mieux », dit Valentina.

Valentina secoua la tête et ses cheveux dansèrent, soulignant son long cou.

« Beaucoup mieux, insista-t-elle. Et ce n'est que la première étape. »

Valentina prit la bouteille de vodka à moitié vide sur la table et s'approcha de la fenêtre. Le ciel semblait s'embraser au-dessus des tuiles grises. Elle tendit le bras et versa l'alcool sans même jeter un œil dans la rue.

Lydia observait.

« Tu es contente ?

— Oui.

— Bien. Et fini ce boulot d'entraîneuse.

— Mais nous avons besoin de l'argent pour le loyer. Ne…

— Non. Ma décision est prise. »

Lydia commençait à paniquer.

« Je pourrais peut-être te remplacer.

— Ne dis pas de bêtises. Tu es trop jeune.

— Je pourrais dire que je suis plus âgée. Et tu sais que je danse bien, c'est toi qui m'as appris.

— Non. Je refuse que des hommes te touchent.

— Allons, maman, ne sois pas idiote. Je sais comment me défendre. »

Valentina eut un rire aigu. Elle laissa tomber la bouteille sur le sol et saisit sa fille par le bras.

« Tu ne sais rien des hommes, Lydia Ivanova, rien, et je souhaite que ça dure. Alors ne pense même pas à faire un métier pareil. »

Son regard était noir ; Lydia ne comprenait pas vraiment pourquoi.

« D'accord, maman, d'accord, calme-toi. »

Elle libéra son bras puis suggéra prudemment :

« Je pourrais peut-être trouver autre chose.

— Non. Nous nous sommes mises d'accord il y a long-temps. Tu dois faire des études.

— Je sais et je le ferai, mais…

— Il n'y a pas de mais.

— Écoute, maman, je sais que nous avons dit que la seule manière de nous sortir de ce trou à rats serait que j'arrive à avoir un bon travail plus tard, une vraie carrière, mais en attendant, comment allons-nous… ?

— Ce n'est pas la seule solution.

— Comment ça ?

— Je veux dire qu'il y a un autre moyen.

— Lequel ?

— Alfred Parker. »

Lydia écarquilla les yeux et avala sa salive.

« Non, dit-elle d'une voix étranglée.

— Oui. »

Sa mère rejeta les cheveux en arrière.

« Ma décision est prise.

— Non, non, maman, je t'en prie. »

Lydia avait la gorge sèche.

« Il n'est pas assez bien pour toi.

— Allons, ma chérie. Je suis sûre que ses amis diront que c'est moi qui ne suis pas assez bien pour lui.

— N'importe quoi.

— Tu crois ? Écoute, Lydia. C'est un homme bien. Antoine ne t'a jamais dérangée, alors pourquoi Alfred te gênerait-il ?

— Avec Antoine, c'était sérieux.

— Eh bien, sache que je veux faire les choses sérieusement avec Alfred. »

Elle avait parlé d'une voix douce en caressant une mèche de Lydia comme pour retrouver la sensation de cheveux longs.

« Je veux que tu sois gentille avec lui.

— Mais maman, je ne peux pas… parce que…

— Parce que quoi ? »

Lydia gratta le plancher du bout de sa chaussure.

« Parce qu'il n'est pas papa. »

Valentina poussa un étrange petit gémissement.

« S'il te plaît, Lydia, non. Cette époque est terminée. Il faut vivre au présent. »

Lydia saisit le bras de sa mère.

« Je trouverai un travail, dit-elle, affolée. Je nous sortirai de là, je te le promets. Tu n'as pas besoin d'Alfred. Je ne le veux pas dans notre maison. Il est suffisant, idiot, plein de manies et il nous rebat les oreilles avec sa Bible et… »

Elle reprit son souffle.

« Ne t'arrête pas en si bon chemin. Termine.

— Il porte des lunettes et pourtant il n'arrive pas à voir que tu le mènes par le bout du nez. »

Valentina haussa élégamment les épaules.

« Allez, du calme. Laisse-lui du temps. Tu vas t'habituer à lui.

— Mais je n'en ai pas envie.

— Tu ne veux pas me voir heureuse ?

— Tu sais bien que oui, mais pas avec lui.

— C'est un monsieur très bien.

— Non. Il est trop… ordinaire pour toi. Il va tout changer. Il va nous rendre aussi banales que lui. »

Valentina se redressa.

« C'est insultant et je…

« — Mais tu ne te rends pas compte que j'ai récupéré sa montre uniquement pour me débarrasser de lui ? »

Elle haussait la voix.

« J'ai dépensé toutes ces précieuses pièces parce que je croyais qu'il me détesterait tant qu'il partirait et ne reviendrait jamais. Tu ne comprends pas ? »

Valentina, le visage pâle, restait immobile à regarder sa fille. L'atmosphère était pesante.

« Tu me sous-estimes, finit par dire Valentina. Il ne partira pas.

— S'il te plaît, maman, ne nous inflige pas ça.

— J'ai pris ma décision, Lydia. »

Lydia ne supportait plus de se trouver dans la même pièce que cette nouvelle Valentina Ivanova. Elle attrapa le paquet de papier, sortit de la pièce en trombe et claqua violemment la porte derrière elle.

« Que fais-tu dans le noir, petit moineau ? »

C'était Mme Zarya, enveloppée dans un long manteau de velours et coiffée d'un élégant chapeau orné d'une plume d'autruche noire. À ses oreilles, des diamants en forme de gouttes reflétaient la lumière de la fenêtre, qui les faisait briller comme des lucioles. Lydia reconnaissait à peine sa logeuse.

« Je donnais à manger à Sun Yat-sen, bredouilla Lydia.

— Tu passes un long moment à le nourrir. »

Lydia resta silencieuse. Le lapin était blotti dans ses bras et elle sentait les battements rapides de son cœur contre sa poitrine.

« Il a aimé l'igname ? lui demanda Mme Zarya.

— Oui. Merci encore. »

Il y eut un silence gêné. De la rue s'éleva le couinement d'un cochon. On aurait dit un démon nocturne.

« Vous êtes élégante.

— Merci. Je me rends à la soirée du général Manlikov. »

Une soirée. Russe. Ce serait mieux que le grenier sous les toits.

«Puis-je vous accompagner ? demanda poliment Lydia. Je porte ma belle robe. »

Un sourire se dessina sur le visage sévère de la logeuse.

« *Da.* Tu devrais venir. Tu apprendras peut-être des choses sur le grand pays qui t'a vue naître.

— *Spasibo* », répondit Lydia.

24

Lydia était bien décidée à profiter de sa première véritable soirée. Elle se tenait dans une des grandes villas de l'avenue qui marquait la limite entre les quartiers russe et anglais. Lydia allait souvent y admirer les demeures que des émigrés tsaristes chanceux avaient pu s'offrir avec une poignée de bijoux. Mais ce soir-là, les seuls accents de la musique suffisaient à aggraver son malaise, perçant sa carapace et se déversant en elle comme un torrent dévastateur. La discussion avec sa mère et ses craintes au sujet de Chang l'obsédaient et l'empêchaient de réfléchir.

L'œuvre musicale, un extrait de *Prince Igor*, l'opéra de Borodine, était interprétée par l'une des *mogutchaya kutchka* russes. Elle jouait bien, mais n'égalait pas sa mère. Lydia se concentra sur les doigts de la pianiste, qui effleuraient les touches comme elle avait caressé la fourrure de Sun Yat-sen. À la manière de ceux qui manquent cruellement d'affection.

«Dansons avant que quelqu'un ne se mette à chanter une triste complainte géorgienne», déclara Mme Zarya.

On rangea les chaises contre les murs et les couples commencèrent à envahir la piste de danse. Mme Zarya s'assit lourdement près de Lydia dans un froissement de tissus. Sa robe dégageait une forte odeur de naphtaline et il y avait une petite reprise à l'une des manches. C'était sans doute un accroc, mais Lydia se plut à penser qu'il pouvait s'agir de la trace d'une balle de fusil bolchevique.

« Tu passes un bon moment ? demanda Mme Zarya.

— Oui, très bon. *Spasibo.*

— Parfait. *Otlichno !* »

Curieusement, c'était l'heure de lecture de poésie, au début de la soirée, que Lydia avait préférée. Bien entendu, elle n'en avait pas compris un mot, mais cela importait peu. Elle avait aimé les sons : la voix de la Russie. Les voyelles pleines et les combinaisons complexes de consonnes qui roulaient et résonnaient dans la bouche des lecteurs. Elle avait éprouvé une étrange satisfaction à les entendre et en avait été surprise.

« J'ai aimé la lecture. Et je trouve les chandeliers très beaux. »

Sa réflexion amusa Mme Zarya, qui lui tapota la main.

« Cela ne m'étonne pas, petit moineau. »

Son rire fit tressaillir sa poitrine généreuse.

« Pensez-vous que quelqu'un va m'inviter à danser ? »

Lydia suivait des yeux, avec envie, la valse tournoyante des danseurs. Elle se moquait de savoir qui serait son cavalier, elle aurait même accepté l'un des vieux messieurs au regard triste et à la poitrine décorée de médailles tsaristes. Ce qui lui importait était de se faire inviter. Par un homme de préférence.

« *Niet.* Tu ne dois pas savoir danser.

— Oh, mais oui. Je me débrouille bien. Je sais…

— Non. »

De son éventail replié, Mme Zarya donna un coup sur le genou de Lydia.

« Tu es trop jeune. Ce ne serait pas convenable. Tu es une enfant. Les enfants ne dansent pas avec les hommes. »

À cet instant, le général Manlikov, un homme aux cheveux blancs bouclés, à la carrure impressionnante et à la démarche noble, leur fit une révérence et offrit son bras à Mme Zarya. Elle inclina la tête puis l'accompagna sur la piste de danse. Lydia était agacée d'être traitée de gamine, mais parmi la cinquantaine d'invités, la plupart étaient âgés; certains élégamment vêtus, d'autres, comme Mme Zarya, portaient des vêtements reprisés, mais tous partageaient une même conscience de classe et une même nationalité. La salle de bal était grandiose. De hauts miroirs au cadre doré ornaient le mur qui faisait face aux fenêtres cintrées donnant sur une terrasse et des jardins. Il y faisait noir par cette nuit sans lune, abandonnée des dieux, mais les lumières intenses et les rires des invités encourageaient Lydia.

Elle se leva, gagna les portes-fenêtres et scruta l'obscurité. Rien ne bougeait, pas même une chauve-souris ou une branche. Elle ne voyait personne, mais cela ne signifiait pas pour autant qu'on ne l'observait pas. Cependant, elle sortit sur la terrasse et se mit à danser au son d'une valse de Chopin. L'air humide rafraîchissait ses joues et ses bras nus. Tournoyant au rythme de la musique, elle frissonnait de plaisir. Pendant quelques minutes, elle oublia tout.

«Comme c'est drôle.»

Lydia s'immobilisa puis se retourna. Un jeune homme d'une vingtaine d'années était nonchalamment appuyé contre l'encadrement de la porte. Il se mit à applaudir lentement. C'était presque insultant.

«Merveilleux.

— C'est impoli d'espionner les gens», dit Lydia d'un ton sec.

Il haussa les épaules.

«Je ne savais pas que cette terrasse vous était réservée.

— Vous auriez dû manifester votre présence.

— Votre démonstration de danse était trop… divertissante.»

Il parlait anglais avec un léger accent russe et avait l'air malicieux.

« La soirée organisée par le général Manlikov se déroule dans la salle de bal, pas ici. Un *gentleman* aurait respecté l'intimité d'une dame. »

Sa remarque se voulait incisive, comme celles que Valentina adressait parfois à Antoine.

Le jeune homme sortit de sa poche poitrine un étui en argent, prit son temps pour allumer un petit cigare, en tapant d'abord une extrémité sur le dos du boîtier, puis considéra Lydia d'un œil moqueur. Il claqua ensuite les talons et inclina la tête avec courtoisie.

« Veuillez m'excuser pour mon manque de galanterie, mademoiselle Ivanova. »

Lydia fut stupéfaite qu'il connaisse son nom.

« Nous sommes-nous déjà rencontrés ? » demanda-t-elle.

Mais à l'instant où elle posait la question, elle prit conscience qu'elle parlait avec Alexei Serov, le fils de la comtesse Natalia Serova. Elle le trouvait méconnaissable, à l'exception peut-être de ses manières, aussi hautaines que dans son souvenir. Dans son élégant costume, il avait tout d'un fils de comte russe.

« Je crois me rappeler que nous avons été présentés au restaurant. *La Licorne*, il me semble.

— Je ne m'en souviens pas », lança Lydia avec désinvolture.

Elle s'écarta de lui et s'appuya contre la balustrade en pierre qui bordait la terrasse.

« Je suis surprise que vous vous rappeliez notre rencontre.

— Comme si j'avais pu oublier cette robe.

— Je l'aime beaucoup.

— Visiblement. »

La musique cessa et le silence s'installa. Lydia ne fit aucun effort pour le rompre. Elle sentit la légère odeur du feu de bois mêlée à celle du tabac d'Alexei. Cela lui rappela Chang. Pourtant son parfum évoquait la mer plutôt que la fumée. Pendant un court instant, elle se demanda si sa peau avait un goût salé et se mit à rougir, ce qui l'agaça.

«Vous êtes la jeune fille russe qui ne parle pas russe, n'est-ce pas? demanda Alexei.

— Et vous êtes le Russe qui ne sait pas s'exprimer poliment en anglais.»

Ils échangèrent un regard et Lydia remarqua qu'Alexei avait les yeux d'un vert profond.

«La musique est excellente, observa-t-il.

— Plutôt mauvaise, selon moi. La basse était trop forte et le tempo irrégulier.»

Il eut de nouveau son rictus arrogant.

«Je m'incline devant votre culture.»

Elle ressentit le besoin de montrer que sa connaissance du monde ne se bornait pas à la musique.

«La concession internationale est calme à présent pour que des soirées aussi plaisantes s'y tiennent.»

Elle désigna d'un geste la pièce illuminée.

«Mais tout est en train de changer en Chine.

— Éclairez-moi, mademoiselle Ivanova.

— Les communistes réclament la justice pour les travailleurs, l'abolition de la féodalité et une répartition équitable des terres.

— Oubliez les communistes. La rébellion sera réprimée dans les semaines à venir. Ici même, à Junchow.

— Non, vous vous trompez. Ils sont…

— Finis. Le général Tchang Kaï-chek a demandé l'intervention d'une division d'élite de ses troupes du Kuomintang ici même pour nous débarrasser de ce fléau. Alors vos soirées ne sont pas menacées, soyez sans crainte.

— Je ne m'inquiète pas», mentit-elle.

Le déchaînement de musique gaie et entraînante d'un fox-trot s'éleva de la salle de bal.

Sans réfléchir, Lydia demanda à Alexei:

«Voulez-vous danser?

— Avec vous?

— Oui.

— Ici?

— Oui. »

À l'expression de son visage, on aurait cru qu'elle venait de lui proposer de plonger dans les égoûts.

« Je préfère refuser. Vous êtes trop jeune. »

Lydia était piquée au vif.

« Ne serait-ce pas vous qui êtes trop vieux ? » répliqua-t-elle.

Elle reprit sa danse solitaire, comme si elle avait oublié sa présence. Cependant, elle était dérangée qu'Alexei Serov n'ait pas la courtoisie de partir. Elle gardait les yeux à demi fermés et ne le regardait pas. Elle l'ignorait pour imaginer que Chang la serrait dans ses bras pendant que son corps virevoltant semblait flotter dans la brise légère d'un bout à l'autre de la terrasse. Le rythme de la musique battait dans ses veines. Elle respirait plus vite et sentait chaque caresse de rosée sur sa peau et chaque battement d'ailes de papillon de nuit qui voletait vers le cercle de lumière.

« *Ya tebya iskala*, Alexei. »

Lydia s'arrêta. Elle avait le vertige.

Une jeune femme se tenait aux côtés d'Alexei, un verre de vin dans chaque main, et prononçait des mots que Lydia ne comprenait pas. Elle portait un bonnet couleur de blé sur ses cheveux blonds et raides ; sa robe, coupée juste sous le genou, comme celle de Lydia, était cousue de perles bleu vif. C'était une robe de maison de couture, une robe qui venait de Paris et qui mettait en valeur ses yeux bleus. La jeune femme regardait Lydia d'un air surpris. Lydia adressa un signe de tête gracieux au couple et regagna la salle de bal la tête haute. Ils se parlaient en russe à voix basse, mais lorsqu'elle pénétra dans la pièce, elle entendit Alexei utiliser l'anglais.

« Cette fille ressemble à son père. Il avait du tempérament lui aussi. Une fois, je l'ai vu jeter son violon au feu parce qu'il n'arrivait pas à en tirer la note qu'il souhaitait. »

Lydia n'en croyait pas ses oreilles, mais elle continua de marcher.

Chang An Lo l'observait, caché sous le feuillage humide d'un saule pleureur, comme il aurait pu regarder le vol d'une hirondelle, par simple plaisir. L'air semblait vibrer autour d'elle et ses cheveux embrasaient la nuit. Il sentait la chaleur et le crépitement du feu.

Il inspira profondément, sentant monter en lui une vague de colère. Cette danse et cette musique lui étaient inconnues, mais il connaissait bien le jeu auquel se livrait Lydia. Elle se comportait comme une jeune chatte devant un mâle en période de rut, caressante et séductrice, se frottant contre ses flancs en ronronnant pour l'aguicher.

L'homme au corps mou prenait un air indifférent, mais il ne la quittait pas des yeux. Chang eut envie de l'embrocher avec un harpon et de le regarder se tortiller. Les Serpents noirs n'étaient pas les seuls à ramper vers elle. L'homme sans os oublia de fumer son cigare, mais il ne manqua pas de suivre chacun des gracieux mouvements de hanches de Lydia. Il ne bougeait pas.

Tout comme la silhouette à côté de l'escalier de la terrasse, cachée derrière la citerne, noir sur noir. Celle d'un homme qui allait cesser de respirer. Un rayon de lumière fit briller le métal d'un shuriken.

Chang tira son couteau de sa tunique. Il veillait sur Lydia.

25

« M aman, c'est vrai que papa jouait du violon?
— Qui t'a dit ça?
— Quelqu'un à la soirée. C'est vrai?
— Oui.
— Pourquoi ne me l'as-tu jamais dit?
— Parce qu'il était mauvais musicien.
— Est-ce qu'un jour il a jeté son violon au feu? »
Valentina rit pour elle-même.
« Oh, plusieurs fois même.
— Alors il avait du tempérament.
— *Da.*
— Je lui ressemble? »
Valentina se remit à se vernir les ongles. Sa nouvelle coupe au carré cachait l'expression de son visage à Lydia.
« Chaque fois que je te regarde, je le vois. »

« Sors du lit.
— Non.
— Ma chérie, tu me rends folle. Tu es restée couchée toute la semaine.

301

— Et alors?

— Je ne te comprends pas. Tu es tellement impatiente de sortir d'habitude… Oh, *dochenka*, ce que tu peux m'énerver. Ce n'est pas parce que ce sont les vacances et que tu as ramené une montagne de livres que tu dois passer ton temps à lire.

— Pourquoi pas? J'aime ça.

— Ne fais pas la mauvaise tête. Qu'est-ce que c'est que ce gros livre?

— *Guerre et Paix.*

— *Oh, gospodi!* Pour l'amour du Ciel, lis Shakespeare ou Dickens ou même ce fichu impérialiste de Kipling, mais pas Tolstoï, s'il te plaît. Pas un Russe.

— Ce qui a trait à la Russie me plaît.

— Ne dis pas n'importe quoi, tu n'y connais rien.

— Exactement. Et il est temps que je m'intéresse à cette culture, tu ne crois pas?

— Non. Il est temps que tu quittes ce lit et que tu ailles chez Polly pour manger une des tartes aux prunes que prépare sa mère et dont tu chantes sans cesse les louanges. Sors. Fais quelque chose.

— Non.

— Oui.

— Non.

— Il le faut.

— Pourquoi veux-tu à ce point que je parte? Parce que tu veux coucher avec Antoine?

— Lydia!

— Ou plutôt Alfred maintenant?

— Quelle grossièreté! Quelle impertinence! Je veux juste que tu fasses des choses normales.

— C'est-à-dire?

— De toute façon, Antoine et moi, c'est terminé.

— Le pauvre.

— Bah, il ne méritait pas mieux.

— Et Alfred, qu'as-tu décidé qu'il mérite?

— Alfred est un homme très gentil. Il a un grand cœur et laisse-moi te rappeler que Dieu dit que le monde appartient aux optimistes.

— Je pensais que tu ne croyais pas en Dieu.

— Ça n'a aucun rapport. Allons, maintenant, dis-moi pourquoi tu restes couchée dans ce grenier étouffant et tu ne sors plus.

— Parce que je n'en ai pas envie.

— Tu sais que tu es bizarre, Lydia Ivanova ? Une fille qui reste au lit des jours entiers avec un lapin blanc sur la poitrine, c'est étrange.

— Mieux vaut être étrange que morte.

— Comment ?

— Non, rien.

— Oh, ma chérie, comme tu m'énerves ! »

Dès l'instant où ils l'avaient conviée au restaurant, Lydia avait deviné la raison de l'invitation. Elle s'était lavé les cheveux, avait passé sa robe abricot et ses chaussures en satin, comme sa mère le lui avait demandé. Cette fois-ci, ils ne soupèrent pas à *La Licorne*, mais dans un restaurant italien. La salle était divisée en petits box aux banquettes en cuir ; sur les tables brûlaient des bougies fixées dans le goulot de bouteilles de vin enveloppées de raphia. Lydia farfouillait dans son assiette de pâtes appelées « *linguine*» et attendait qu'Alfred et sa mère en viennent au but.

Alfred ne cessait de sourire ; elle supposa qu'il souffrait de crampes.

Il lui servit un verre de vin et dit sur un ton enjoué :

«Nous passons un moment agréable, n'est-ce pas, Lydia ?

— Mmh », répondit-elle.

Elle refusait de croiser le regard de Valentina.

«Ta mère m'a dit que tu étudiais toujours très sérieusement, même pendant les vacances. C'est très bien. À quoi t'intéresses-tu en ce moment ?

— À la Russie et au russe. »

Elle lut un éclair de surprise dans les yeux d'Alfred, mais il souriait toujours.

«Comme c'est intéressant. Après tout, c'est ton héritage. Mais en ce moment, Staline brutalise son peuple au nom de la liberté et déforme le sens même de ce mot, alors le pays que tu découvres dans les livres n'est plus celui de la Russie soviétique. On commet des actes barbares, là-bas. Les fermiers et les riches paysans meurent de faim sous ce nouveau régime communiste.

— Comme lorsque le tsar était au pouvoir, vous voulez dire ? »

Valentina laissa échapper un gémissement.

«Allons, Lydia, reprit Alfred sur un ton calme et déterminé, ne nous lançons pas dans cette discussion maintenant. Ce soir, nous célébrons un événement heureux. »

Il lança un regard presque timide à Valentina.

«Ta mère et moi avons une nouvelle à t'annoncer qui, je l'espère, te fera plaisir. »

Valentina resta silencieuse et se contenta de regarder sa fille avec inquiétude.

Lydia se mit à parler. Il lui semblait que, si elle pouvait monopoliser la conversation, Alfred ne dirait rien.

«Monsieur Parker, dit-elle sur un ton préoccupé, vous m'avez dit que mon professeur est un de vos amis, n'est-ce pas ? Eh bien, j'aurais besoin d'un conseil parce qu'il s'est comporté de manière très étrange à la fin du trimestre. Il nous donnait du travail à faire en classe, se cachait la tête dans ses bras croisés sur le bureau et restait immobile comme s'il dormait, mais ce n'était pas le cas parce que parfois je remarquais qu'il nous observait, et Maria Allen pense qu'il doit avoir des problèmes avec sa belle maîtresse et qu'il a le cœur brisé, mais…

— Lydia…, coupa Valentina.

— Mais Anna dit que son père se comporte de la même manière lorsqu'il a la gueule de bois et un jour M. Mason a fait irruption dans la salle de classe, rouge de colère et a traîné M. Theo dans le couloir…

— Lydia ! cria Valentina. Arrête. »

Pour la première fois de la soirée, Lydia regarda sa mère. Elle n'ajouta rien, mais la supplia du regard.

Valentina se tourna vers Alfred.

« Dis-lui. Annonce-lui la bonne nouvelle. »

Alfred lui adressa un grand sourire.

« Lydia, ta mère m'a fait le grand honneur d'accepter de devenir ma femme. Nous allons nous marier. »

Ils guettaient sa réaction.

Lydia fit un immense effort. Elle se força à sourire et, même si ses lèvres lui semblaient scellées, parvint à dire :

« Félicitations. J'espère que vous serez très heureux. »

Sa mère se pencha vers elle et lui posa un baiser furtif sur la joue.

26

Chang An Lo trouva le message. Il sut qu'il venait d'elle avant même de le déplier. Il le caressa, cherchant sur le papier l'empreinte de Lydia. Le message était enfoncé dans un bocal de cornichons vide posé sur le rocher plat de la rivière aux lézards, celui sur lequel Lydia aimait prendre des bains de soleil. Elle avait recouvert d'un rameau l'ouverture du récipient pour le dissimuler aux regards étrangers. Avec la chaleur, les minces feuilles argentées du bouleau avaient séché et flétri. Elle s'était montrée prudente. Aucun nom. Seulement un avertissement.

Les troupes d'élite du Kuomintang arrivent à Junchow. Pour éliminer les communistes. Partez, tes amis et toi. C'est urgent. Partez.

Le dernier mot était souligné en rouge. Au bas de la page, elle avait dessiné un serpent à la tête tranchée avec un flot de sang s'écoulant de la blessure.

La nuit sans lune était noire comme un démon. Une bruine continue étouffait les sons. La gigantesque demeure aux hauts murs sans fenêtres était bien gardée par des sentinelles presque invisibles sous les avant-toits relevés. À l'entrée de chaque cour éclairée par des lanternes lumineuses, des carillons tintaient sans cesse, chassant les mauvais esprits ainsi que les intrus. Mais pour Chang, le chow-chow à la large mâchoire qui rôdait dans la cour centrale représentait la principale menace. Son ouïe fine lui permettait d'entendre les bruits qui échappaient aux hommes.

Chang portait des chaussures de feutre qui étouffaient le bruit de ses pas prudents sur les tuiles. Il ne se dirigeait pas vers la cour centrale, mais vers la précédente avec sa fontaine où l'eau jaillissait de la gueule ouverte d'un dauphin. Des carpes nageaient pareilles à des fantômes dans le bassin. Dans un coin se dressait un vieux prunier chargé de fruits dont les branches s'appuyaient contre la maison comme un vieillard sur sa canne. Chang, vêtu de noir, se cacha dans l'ombre, sur le toit. Il concentrait son attention sur une fenêtre en particulier.

Le garde s'acquittait minutieusement de sa tâche, fouillait avec un bâton dans les buissons et sous les bancs. Chang l'entendit transpercer un reptile sur le sol de marbre. Un grognement sourd s'éleva, tout proche. La lanterne de la véranda éclaira une partie du visage de la sentinelle et Chang aperçut ses yeux perçants. Il attendait qu'un événement vienne rompre l'ennui de sa ronde nocturne. Chang n'avait pas l'intention de se faire remarquer. Pas pour l'instant.

Finalement, le garde se dirigea à grands pas vers la cour suivante où le chien lui adressa un gémissement soumis de bienvenue. Chang profita de la distraction de l'animal pour gagner la véranda en longeant les tuiles du toit, couvertes de mousse et glissantes. Une faible lueur filtrait à travers le rideau de la fenêtre ouverte. Chang pénétra dans la pièce.

Au milieu de la chambre gigantesque trônait un immense lit au cadre de chêne, surmonté d'un baldaquin en soie dont les montants étaient sculptés de chauves-souris aux ailes déployées montrant les crocs et d'oiseaux au long bec dévorant des scorpions et des grenouilles. Sur un côté du lit, une bougie brûlait dans son bougeoir de jade. Tout autour, parmi des flaques de bière, le sol était jonché de verres, de bouteilles, de lanières de cuir. On avait jeté une pipe en ivoire à long tuyau. Un brûle-parfum diffusait une odeur sucrée et enivrante.

Après avoir distingué trois personnes allongées sur le lit, Chang écarta le voilage derrière lequel il se cachait. Deux jeunes concubines se figèrent, le regard affolé, fixant le couteau dans sa main. Elles étaient nues, les poignets attachés à la tête de lit par des lanières de cuir. Leur peau enduite d'huile parfumée luisait. L'une d'elles portait une marque de fouet sur ses petits seins. Un homme à la forte carrure, allongé sur le dos entre elles, ronflait, la bouche grande ouverte. Une traînée de vomissure maculait sa joue et l'oreiller. Il ne portait rien d'autre qu'une ceinture de dents de serpents. Son ventre musclé était couvert d'une forêt de poils.

Chang s'approcha du pied du lit. En un mouvement rapide, il s'y agenouilla entre les jambes de l'homme dont les yeux tressaillaient sous ses paupières fermées. Perdu dans le chaos de ses rêves d'opium, il ne se réveilla pas. Chang saisit une paire de baguettes sur la table de nuit. Les concubines se recroquevillèrent sur les oreillers en tremblant. Leurs longs cheveux scintillaient à la lumière de la bougie.

« Un démon de la nuit, murmura l'une d'elles.

— Ne nous tuez pas », implora l'autre.

Sans prêter attention à leurs remarques, les baguettes à la main gauche, il tira doucement sur le pénis de l'homme. Celui-ci grogna et porta une main à son entrejambe. Chang glissa la lame acérée de son couteau dans les poils et, d'un geste souple du poignet, il entailla la peau fragile.

L'homme poussa un hennissement de cheval qui fit craindre à Chang l'arrivée du garde.

« Silence », siffla-t-il.

De peur ou de douleur, l'homme serra la mâchoire.

« Silence », lui intima-t-il de nouveau.

Par la fente de ses paupières, l'homme lançait à Chang un regard haineux. Puis il dirigea son regard vers le sabre au manche ouvragé accroché au mur au-dessus d'un petit autel, mais Chang pressa plus fort la lame.

« Qu'est-ce que tu veux ? grogna l'homme au corps dur comme la pierre.

— Tes couilles sur un plateau. »

Chang contrôlait la situation. Une position dangereuse. Dans cette gigantesque demeure, avec tous ses serviteurs et ses cours bien entretenues, un seul homme gouvernait en crachant du feu : Feng Tu Hong.

Chang passa sous le porche et atteignit la dernière cour, la plus belle, où étincelaient, malgré l'obscurité et la pluie, les mâchoires menaçantes des lions en bronze. Les gardes et les serviteurs accoururent puis reculèrent, paniqués. Des pétales humides tourbillonnèrent au sol. Le chien grogna, les poils hérissés, puis se raidit sans attaquer.

En effet, Po Chu, traînant les pieds, précédait Chang. La pluie coulait sur la peau nue de son dos et de ses fesses. Il portait encore la ceinture ornée de dents de serpents. Ses poignets étaient liés à ses chevilles par une lanière de cuir, si bien qu'il devait avancer accroupi, par petits bonds, dans la posture humiliante d'une tortue infirme, tandis que Chang maintenait la pointe de son couteau contre ses testicules. Il proférait un flot d'injures qui laissait Chang indifférent.

« Feng Tu Hong, appela Chang. Je tiens ton enculeur de chameau de fils au bout de ma lame. Si tu veux qu'il te donne des petits-fils, ouvre ta porte et laisse-le ramper à plat ventre jusqu'à toi. »

Le vent déroba ses paroles et la nuit les avala. Chang entendit les sabres qu'on dégainait autour de lui, mais aucun garde ne s'approcha et une main rugueuse saisit le chien par le collier. Un vertige de puissance s'empara de Chang, déferla dans ses veines comme un typhon, balayant toute peur sur son passage. Il devait profiter de cet instant, le savourer. Ce pourrait bien être le dernier.

En haut des marches, les portes s'ouvrirent violemment et Feng Tu Hong apparut. Il portait une robe brodée rouge vif et son bandeau blanc pour le deuil de Yuesheng. Il n'était pas armé, mais derrière lui se tenaient deux gardes, Arme à la main. Les revolvers étaient pointés sur Chang.

« Tu as envie de mourir », lança Feng.

Son regard ne trahissait pas sa colère. Il croisa les bras sur son imposante poitrine.

« C'est la deuxième fois que je t'amène un fils, Feng Tu Hong. Mais celui-ci n'est pas mort. »

Chang regarda sans ciller le chef de la triade des Serpents noirs.

« Pas encore. »

Feng dirigea son regard vers son fils, dont la tête frôlait honteusement le sol.

« Po Chu, tu me déshonores encore, dit-il sur un ton méprisant. Je devrais le laisser débiter cette inutile carcasse qui ne me sert pas plus que les ongles d'un singe.

— Allons à l'intérieur pour discuter. Il y aura moins d'oreilles et pas de pluie pour effacer nos paroles », dit Chang.

Feng prit une profonde inspiration qui ébranla tout son corps, puis tourna brusquement les talons et rentra. Chang attendit que ses gardes du corps aient fait de même, puis suivit avec Po Chu, toujours plié en deux, qui lâchait de petits grognements bestiaux. L'homme ligoté ne trouvait rien à dire, comme si le poids de l'insulte paternelle l'avait anéanti. Seule une haine silencieuse l'animait.

Dans l'entrée, contre le mur de droite, des autels, alignés, étaient garnis d'offrandes de nourriture, de boisson et de bâtons d'encens. Au-dessus étaient accrochés des portraits d'ancêtres et de membres décédés de la famille. Chang ne s'était pas préparé à voir une photo de Yuesheng. Il observa le jeune visage confiant. Une douleur vive comme une piqûre dans les points vitaux de ses pieds l'aveugla. Il détourna le regard, mais le souvenir persistait. Il revoyait Po Chu battre son frère jusqu'au sang à cause de son engagement politique en faveur de Mao Tsé-toung et Yuesheng refuser de lever la main pour se défendre. Chang fit pousser un cri aigu à Po Chu en augmentant la pression de la lame sur la chair fragile qui pendait entre les jambes de son prisonnier. Le couteau était un cadeau de Yuesheng. Sa lame était en acier bleu et son manche en corne de buffle avec une licorne chinoise, Chi Lin, sculptée sur chaque face pour porter bonheur. À présent, il menaçait les testicules de son bon à rien de frère.

Cela l'aurait fait rire.

Chang sentait l'esprit de son ami tout proche. Sa voix flottait dans l'air. Peut-être parce que Yuesheng savait qu'ils allaient être réunis. Il venait lui montrer le chemin. Chang secoua la tête.

« Pas encore, Yuesheng », murmura-t-il.

« Bien. »

Comme pour rappeler à Chang qu'il était le maître, Feng s'était placé au centre de la pièce à la décoration d'or et de jade et aux murs ornés d'élégants rouleaux. Il se tenait jambes écartées, bras croisés, le menton ramené vers son large cou, et son visage ne trahissait aucune émotion.

« Alors quel est ton prix cette fois ? Une autre presse d'imprimerie ? Il me semble que c'est ce que coûte un fils. Même indigne.

— Non. »

Du tranchant de la main, Chang frappa Po Chu à la nuque et ce dernier tomba à genoux. Puis Chang lui empoigna les cheveux, tira violemment et fit glisser le couteau jusqu'à sa gorge. Po Chu, les mains tremblantes comme s'il avait les poignets cassés, transpirait abondamment. Il respirait avec peine et lançait des regards paniqués à son père.

«Honorable et sage père, haleta-t-il. Je te supplie d'accorder à ce diable ce qu'il demande. »

Feng cracha.

« Tu n'es rien pour moi.

— Très bien, intervint Chang. S'il n'a pas de valeur, il ne me sera d'aucune utilité. Prépare-toi à rejoindre tes ancêtres, Feng Po Chu. »

Il tira un peu plus sur les cheveux, serra plus fort son couteau et vit les armes se braquer sur lui. Une odeur d'excréments emplit la pièce tandis que Po Chu perdait le contrôle de ses intestins. Du sang coula le long de la lame jusqu'aux doigts de Chang.

« Emporte-le, dit Feng entre ses dents. Emmène mon fils hors d'ici. Ce n'est qu'un poison pour mon cœur. »

Chang poussa un cri à faire trembler les murs, présenta son esprit à ses ancêtres et se prépara pour l'immobilité finale, mais même en ces circonstances le chagrin l'oppressait. Il avait un boulet de plomb dans la poitrine à l'idée de ne plus revoir Lydia de sa vie. Leur lien serait rompu. Il l'avait abandonnée, sa fille renard. Il allait mourir et elle était toujours en danger.

Po Chu cria.

Chang releva le menton de son prisonnier si haut que les tendons de son cou furent sur le point de céder. Po Chu bandait ses muscles pour affronter la dernière entaille.

« Arrête. »

Feng avait parlé. Ses yeux n'étaient plus que des lignes noires dans un visage de pierre.

« Quel est ton prix ? »

Po Chu pleurait en silence.

« Une vie.

— La tienne ?

— Non.

— Parle. Laquelle ?

— Celle de la fille que j'ai prise à tes Serpents noirs dans la *hutong*. Tes hommes sont à ses trousses.

— Parce qu'elle a menti. »

La colère éclatait dans la voix de Feng.

« Elle leur a dit qu'elle ne savait pas où tu te cachais, mais on l'a vue avec toi ensuite. Elle a menti. C'est une question d'honneur.

— Feng Tu Hong, c'est une barbare et comme tous les barbares, elle ne sait rien de l'honneur. Cette fille ne vaut pas ta salive, mais je te rends ton fils, le seul fils qui te reste, en échange de sa pauvre existence. Ce marché me semble honnête.

— Tu m'insultes et tu insultes mon fils. Si tu tiens tant à la vie de la putain barbare, pourquoi ne me l'as-tu pas demandée quand je t'ai promis le cadeau de ton choix pour m'avoir ramené le corps de Yuesheng ?

— J'ai mes raisons. »

Feng lui lança un regard furieux. Quelque part derrière un paravent s'éleva un rire masculin puis on entendit le bruit d'une paire de chaussons sur l'épais tapis de soie quand un homme de haute taille entra dans la pièce, une cigarette à la main.

« Pose seulement des questions si tu es sûr d'obtenir une réponse, Feng. Ce jeune poulain te distance. »

La voix, douce et agréable, appartenait à l'Anglais. Chang se rappela l'avoir vu au *Ulysses Club*. Celui qui parlait mandarin comme si c'était sa langue maternelle. Il portait une longue robe grise, ample, et une casquette brodée. Cet homme tentait de jouer un rôle de composition. Chang en devinait l'effort dans les yeux gris pâle, mais il y avait autre chose, une souffrance qui le pousserait à combattre jusqu'à la mort.

Feng Tu Hong adressa à Chang un regard qui aurait réduit la plupart des hommes au silence, mais l'Anglais esquissa à peine un haussement d'épaules, sourit faiblement et demanda à Chang en mandarin :

« Alors, qui est cette barbare pour laquelle vous négociez d'une manière aussi convaincante ?

— Une fille russe, *fanqui*, sans intérêt, grogna Feng.

— Son nom ? »

Chang nota l'intérêt que l'Anglais tentait de cacher.

« Lydia Ivanova. Ses paroles sont aussi virulentes que ses cheveux sont flamboyants.

— Ah. »

L'Anglais hocha la tête, parut réfléchir en se passant la main sur le front puis se tourna vers Feng.

« Je vous la rachèterai », proposa-t-il d'un air détaché, comme s'il parlait d'un sachet de châtaignes à un vendeur des rues.

Il sortit une bourse de sa poche. Elle semblait lourde.

« La part de ce soir. Pour la gamine. »

Il la lança à Feng qui ne fit aucun effort pour la saisir au vol et elle atterrit sur le tapis dans un bruit mat.

« La fille n'est pas à vendre, dit Feng en enjambant la bourse. Elle est à tuer. Pour servir d'exemple à ceux qui nous mentent. »

Il regardait fixement la lame du couteau sous la gorge de son fils.

« Mais en échange de la vie du misérable tas de merde agenouillé devant moi, je t'offre ta propre vie, Chang An Lo. Et je te promets ma protection. Tu en auras besoin. Sinon, Po Chu fera couler ton sang aussi lentement qu'un sanglier rôti sur la broche. Acceptes-tu ? »

Il y eut un long silence. Le hurlement d'un chien perça l'obscurité.

« J'accepte. »

Chang rangea son couteau.

Aussitôt, un garde bondit et coupa les liens qui entravaient Po Chu. Il se redressa péniblement. Son corps était raide et il tremblait de honte. Ses excréments coulèrent sur ses jambes. Il semblait prêt à mordre Chang.

« Po Chu, j'ai donné ma parole », grogna Feng.

Po Chu resta immobile, à quelques centimètres de Chang, lui soufflant sa haine au visage.

Chang avait triomphé. Po Chu ne servait plus à rien. Son père l'aurait laissé mourir plutôt que de revenir sur sa parole. Et Chang n'aurait pas pu demander la vie de la fille en échange du corps de Yuesheng, car son esprit aurait été déshonoré d'être troqué contre une *fanqui*. De plus, la presse à imprimerie était essentielle pour l'avenir de la Chine et avait coûté la vie à Yuesheng. Cette transaction était équitable.

« Et la fille ? » demanda le grand Anglais.

Feng le regarda, remarqua son inquiétude et eut un petit sourire cruel.

« Eh bien, vois-tu, Theo Willoughby, j'ai donné l'ordre qu'on lui enroule les intestins autour du cou jusqu'à l'étouffement et qu'on lui tranche les seins. »

Theo ferma les yeux.

Chang doutait que ce soit vrai. Qu'il ait ordonné son exécution, d'accord. Mais la manière dont elle devait avoir lieu, non. Le chef des Serpents noirs se fierait à l'inventivité de ses partisans. Avec ces mots, il avait simplement craché du venin au visage de l'Anglais. Chang se demandait pourquoi.

« Feng Tu Hong, je te remercie pour l'honorable marché que nous avons conclu, dit Chang avec la politesse d'usage. Une vie contre une vie. À présent, je t'offre une chose plus précieuse encore. »

Feng, qui se dirigeait à grands pas vers la porte, impatient de s'éloigner de son fils, s'arrêta.

« Qu'est-ce qui peut avoir plus de valeur que la vie ? demanda-t-il.

— Une information. Et celle-ci vient du général Tchang Kaï-chek en personne.

— *Ai-aiyi*. Tu parles avec courage pour un lionceau.

— Mes paroles sont honnêtes. Je possède une information capitale pour toi.

— Et j'ai des hommes qui peuvent te la soutirer dans des tortures auxquelles tu n'as même jamais pensé. Alors pourquoi devrais-je la négocier ? »

Feng tourna les talons.

Theo s'avança et dit :

« Réfléchis, Feng. Cette méthode prend du temps. »

Il fit un geste nonchalant vers Chang, laissant flotter dans l'air des volutes de fumée.

« Dans ce cas précis, l'opération peut même s'avérer très longue. Et c'est peut-être urgent. Quel mal y a-t-il à conclure un marché ? »

Theo rit doucement.

« Après tout, c'est ce que nous avons fait toi et moi, et regarde où cela nous a menés. »

Feng fronça les sourcils. L'impatience le gagnait.

« Bien. Quel nouveau marché me proposes-tu ?

— Je te confierai des informations secrètes provenant du bureau de Tchang Kaï-chek à Pékin. En échange, tu me donnes la Russe aux cheveux de flammes. »

Feng éclata d'un rire retentissant qui détendit sa mâchoire crispée et rassura les témoins de la scène.

« Tu veux cette coquine quoi qu'il t'en coûte, n'est-ce pas ?

— Non. Je la veux. À ce prix-là.

— Soit. Marché conclu.

— On a eu des nouvelles de Tchang Kaï-chek avant qu'il ne rejoigne sa capitale de Nankin. Les troupes d'élite marchent sur Junchow. Elles approchent en ce moment même. Pour détruire tous les communistes, embrocher leur tête devant les murs de la ville et démasquer les membres corrompus du gouvernement de Junchow. En ta qualité d'honorable président de notre Conseil chinois, il me semble que cette information t'est précieuse. »

Il inclina le buste et entendit Po Chu pousser un grognement sourd.

Feng demeura immobile et silencieux pendant un long moment. Il avait blêmi. Enfin, il traversa la pièce à grandes enjambées.

« La fille est à toi, annonça-t-il sans se retourner. Garde-la. Mais ne t'attends pas à en retirer quoi que ce soit de bon. Mélanger les barbares à notre peuple civilisé, c'est faire un premier pas vers la mort. »

Un serviteur à genoux ouvrit la porte et le chef des Serpents noirs quitta la pièce.

Chang adressa un signe de tête à Theo pour le remercier de son aide. Ils n'échangèrent pas un seul mot. Po Chu cracha en prononçant un juron incompréhensible puis disparut dans la nuit. Chang sortit à son tour. Lorsqu'il traversa la deuxième cour, il remarqua une sentinelle en uniforme noir qui marchait péniblement sous le crachin. Dans une main, elle tenait la tête tranchée du chow-chow dont la langue noire pendait comme un serpent brûlé ; dans l'autre, celle du garde à l'expression de rapace. Les erreurs commises dans la demeure de Feng Tu Hong coûtaient cher.

Alors que Chang observait ce spectacle sanglant, il reçut un coup de crosse de revolver sur la tête et sombra dans les ténèbres de l'enfer.

27

C'était le mois de septembre. Il faisait encore chaud. Un ventilateur en cuivre bourdonnait au plafond, mais il ne faisait que brasser l'air étouffant. Lydia en avait assez de rester là, les bras tendus pendant que Mme Camellia fixait les épingles. Le sourire satisfait de sa mère, lovée dans le fauteuil réservé aux clients, l'exaspérait. Mais surtout, elle ne supportait plus le silence de Chang, qui l'obsédait et l'inquiétait.

Pas un mot depuis un mois. Un long mois sans nouvelles.

Il avait dû tenir compte de son avertissement et quitter Junchow. Ce devait être la raison de son silence. Ce qui signifiait qu'au moins il était sain et sauf. Lydia se raccrochait à cette idée, s'y réchauffait les mains et murmurait encore et encore, allongée dans son lit, cherchant le sommeil : « Il est sain et sauf, il est sain et sauf, il est sain et sauf. » Si elle se le répétait un nombre de fois suffisant, elle pouvait changer le cours des choses.

À présent, il se cachait certainement dans des camps d'entraînement de l'Armée rouge chinoise. Lydia l'imaginait en train de tirer sur des cibles, défiler, cirer ses bottes, lustrer sa boucle de ceinture, pratiquer des exercices dangereux suspendu à une corde. N'étaient-ce pas les activités des soldats dans les camps ? Donc, il était sain et sauf. Sans doute. Par pitié, qu'il soit vivant. Que tous ses dieux étranges le protègent. Après tout, il était Chinois. Ils prendraient soin de lui. Cependant, elle inspirait profondément pour calmer son cœur affolé parce qu'elle ne faisait confiance ni à son dieu ni à ceux de Chang.

« Ma chérie, arrête de bouger. Comment veux-tu que Mme Camellia travaille si tu n'arrêtes pas de bouger ? »

Lydia boudait. Valentina semblait extrêmement détendue dans son élégant tailleur crème coupé par Mme Camellia, la couturière la plus en vue de Junchow. Son salon imitait la mode parisienne et la liste d'attente était longue. Quel honneur de pouvoir passer avant les autres grâce aux contacts d'Alfred. Pour son mariage, Valentina était fermement décidée à porter ce qui se faisait de mieux.

« N'est-elle pas adorable dans cette robe, madame Camellia ? »

La propriétaire chinoise du salon leva les yeux vers Lydia et examina son visage quelques instants. Lydia se tenait sur une petite estrade matelassée au milieu de la pièce pendant que Mme Camellia travaillait la soie vert pâle. Dans un angle, un oiseau, perché dans une cage, chantait une cascade de battements et d'arpèges qui irritaient Lydia.

« Elle a l'air charmante, dit Mme Camellia avec un sourire doux. La teinte *eau du Nil** se marie parfaitement à la couleur de ses cheveux.

— Tu vois, Lydia, je t'avais dit qu'elle allait te plaire. »

Lydia ne réagit pas. Elle regardait fixement les épingles de jade dans les cheveux de la couturière.

« Madame Ivanova, quelques coupons de tweed sont arrivés ce matin de T'ien-tsin. Pour l'hiver. J'ai pensé que vous aimeriez peut-être vous faire confectionner un costume dans ce tissu pour votre lune de miel. Voudriez-vous y jeter un œil ? »

La question était posée sur un ton qui laissait supposer un privilège.

« Oui, j'en serais enchantée. »

Mme Camellia fit un signe de tête à sa jeune assistante, qui conduisit Valentina hors de la pièce.

« Mademoiselle, voudriez-vous me dire ce qui vous déplaît dans cette robe ? » demanda Mme Camellia à voix basse.

Comme si elle se préoccupait de cette robe ! Lydia s'efforça de revenir à la réalité et regarda les cheveux lisses comme du satin enroulés sur la tête de la couturière. Un délicat camélia, fait de soie très fine, nichait dans les plis de sa chevelure d'ébène. Elle ressemblait à un petit oiseau à crête noire, coloré et vif, avec sa robe chinoise turquoise dont la fente révélait une jambe élancée. Mais Valentina avait évoqué le fait que, la nuit, Mme Camellia s'habillait à la mode occidentale pour faire la tournée des boîtes de nuit au bras de son dernier amant américain. Elle s'était faite toute seule et avait réussi, elle pouvait choisir.

Elle regarda Lydia.

« Dites-moi comment vous voudriez qu'elle soit.

— C'est ma robe de demoiselle d'honneur. C'est maman qui décide.

— Oui, j'entends bien, mais quel style préféreriez-vous ?

— J'aimerais qu'elle soit plus… plus… »

Elle revit les yeux vifs de Chang. Qu'est-ce qui les ferait briller ?

« Plus quoi ?

— Plus déshabillée. »

Mme Camellia ne rit pas. Elle ne dit pas non plus : *Vous n'avez rien à montrer*. Elle fit oui de la tête et se redressa pour déplacer une pièce de tissu et découdre quelques points.

« C'est mieux ? »

Lydia se considéra dans le grand miroir devant elle. Le col montant pudique choisi par sa mère était devenu un décolleté fluide qui révélait sa peau blanche.

« Beaucoup mieux. Merci. »

Mme Camellia entreprit de rétrécir et raccourcir les manches.

«Madame, vous habitez dans la vieille ville chinoise, n'est-ce pas?

— Mmh, répondit la couturière, qui avait des épingles entre les dents.

— Est-ce que les soldats y sont toujours?»

Les doigts habiles piquaient des épingles aux emmanchures.

«Les ventres gris puants, vous voulez dire?

— Ceux aux brassards jaunes. Ceux de Pékin. Les troupes du Kuomintang.

— *Ai!* Ce sont des diables.

— Alors ils sont encore ici?»

Le charmant sourire de Mme Camellia s'effaça et soudain elle parut son âge.

«Ils emportent tout comme une tempête de sable. Une rue différente chaque jour. Arrachant les artisans à leur tabouret et les copistes à leur bureau. Ils opèrent sur simple dénonciation. Décapitations et exécutions au coucher du soleil jusqu'à ce que nos rues deviennent rouges. Ils déclarent éliminer le communisme et la corruption, mais il me semble surtout qu'ils règlent de vieux comptes.»

Lydia avait la bouche sèche.

«Est-ce que les jeunes sont tués aussi?»

Mme Camellia observa Lydia plus attentivement.

«Oui. Quelques-uns. Les idéaux communistes séduisent la jeunesse.»

Elle baissa la voix.

«En connaissez-vous un?»

Lydia faillit prononcer son nom. Elle désirait tellement avoir des nouvelles.

«Non, je m'inquiète pour eux tous, répondit-elle.

— Je vois.»

La couturière lui prit gentiment la main.

«Beaucoup se sauvent. Il y a toujours de l'espoir.»

La gorge de Lydia se serra et elle eut envie d'arracher leurs yeux aux dieux sans pitié de Chang. Elle se regarda dans le miroir.

«Pensez-vous que des perles vertes iraient bien sur la robe?»

Lydia et sa mère n'abordèrent pas le sujet du mariage. Lydia voyait l'avancée des préparatifs. Elle entendit parler d'une date en janvier, mais elle ne posa pas de questions et on ne lui dit rien. Des lettres arrivaient tous les jours dans de grosses enveloppes, mais Lydia ne faisait aucun commentaire. Lorsque Valentina sortait, Lydia mettait un point d'honneur à ne pas fouiller dans la boîte en bois de rose qu'Alfred avait offerte à sa mère pour leurs fiançailles. Il lui avait aussi fait cadeau d'une bague: un solitaire qui illuminait le grenier. Lydia ne pouvait s'empêcher de penser que M. Liu aurait donné «beaucoup de dollars» pour un tel bijou.

Le temps fraîchit. Toujours pas de nouvelles de Chang, mais les ombres noires ne la suivaient plus dans la rue. Aucun mouvement furtif perçu du coin de l'œil pour la faire paniquer. Ils étaient retournés à leur nid fétide. Elle ignorait pourquoi ils la laissaient tranquille, mais se doutait que ce devait avoir un rapport avec Chang. Il la protégeait, même de loin.

Le soir, Lydia peinait à se concentrer sur ses devoirs. Elle mâchouillait le bout de son stylo et jetait des regards en coin vers la fenêtre, espérant y trouver Chang. Parfois, elle observait sa mère sur le canapé, la bouteille et le verre toujours à sa portée, malgré la démonstration d'abstinence du soir où elle avait coupé ses cheveux. Seule la quantité d'alcool variait. Valentina s'assoyait avec une partition de musique sur les genoux et fredonnait une fugue de Bach pour elle-même, jusqu'à ce qu'elle atteigne un point critique et jette les pages à l'autre bout de la pièce. Ensuite, elle regardait dans le vide où elle distinguait ce que sa fille ne pouvait qu'imaginer.

Lydia tentait de lui parler, mais dans ces moments-là Valentina ne trouvait de réconfort que dans la bouteille. C'était à Lydia de décider du bon moment pour traîner sa mère jusqu'au lit. Si elle le faisait trop tôt, Valentina devenait agressive. Si elle le faisait trop tard, elle ne tenait plus debout. Elle ne semblait pas s'étoffer malgré des repas réguliers. Valentina et Lydia ne mangeaient pas beaucoup. Seul Sun Yat-sen grossissait.

Un dimanche où Alfred était venu chercher Valentina pour assister aux courses, il demanda à Lydia :

« Veux-tu un vrai clapier pour ton lapin ? »

— Oui. »

Lydia avait voulu dire le contraire.

« Eh bien, je serai ravi de t'en acheter un. Allons-y maintenant pendant que ta mère… »

Il adressa un sourire compréhensif à Valentina.

« Fait ce qu'elle est en train de faire. »

Sur la place du marché, Lydia choisit le clapier le plus grand et le plus tape-à-l'œil. Il avait des compartiments séparés, des bols en zinc pour l'eau et la nourriture et un drôle de toit imitant celui d'un temple oriental. Elle savait qu'Alfred payait pour obtenir ses bonnes grâces.

« Lydia, je suis persuadé que nous pouvons réussir à nous entendre pour former une famille avec ta mère. J'aimerais que nous essayions. »

Lydia se mordit la langue. Elle venait de se laisser soudoyer et elle se sentait coupable. Est-ce que sa mère ressentait cela tous les jours ? Le sentiment d'être vendue et sale ? Était-ce la raison pour laquelle elle buvait autant quand il n'était pas là ? Voulait-elle se purifier ? Lydia observa les lunettes brillantes d'Alfred puis ses joues bien nettes et se demanda s'il avait la moindre idée de la souffrance qu'il leur infligeait à toutes les deux. Non, conclut-elle. Alfred Parker était aveugle et très satisfait. Comment pouvait-il imaginer qu'elle ait envie de l'accueillir dans sa famille ?

« Merci pour le clapier », dit-elle froidement avant de regagner le grenier.

Le poisson brun filait dans l'eau froide et claire de la rivière, son grand corps ondulant sur les graviers. Maintenant, pensa Lydia. Maintenant. Tendue et immobile, elle retint sa respiration.

Son harpon s'abattit dans l'eau. Raté. Le poisson s'enfuit. Lydia lança un juron et regagna la petite bande de sable sur la berge de la rivière aux lézards, où elle s'accroupit sous le ciel automnal d'un bleu aveuglant en attendant que la rivière redevienne limpide. Le simple fait de se trouver à cet endroit la rapprochait de Chang. Elle se souvint du contact de son pied blessé, son poids dans sa main, la tension de ses muscles lorsqu'elle l'avait recousu, la chaleur de son sang sur ses doigts. Il avait laissé son empreinte sur elle comme elle l'avait laissée sur lui.

L'opération terminée, il avait soupiré et elle s'était demandé si c'était de soulagement ou, elle savait que c'était idiot, si le contact de ses mains lui manquait déjà. À présent, elle caressait le sable en y cherchant une goutte du sang de Chang. Elle entendait encore le petit rire étrange qu'il avait eu lorsqu'elle lui avait demandé de s'introduire au *Ulysses Club* pour récupérer le collier de rubis. Ce souvenir la glaça. Comment avait-elle pu le mettre ainsi en danger?

«Tu ferais de moi un voleur, lui avait-il dit avec un ton de voix grave.

— On pourra partager l'argent.

— Pourra-t-on aussi partager la peine de prison?

— Ne te fais pas prendre et personne n'aura d'ennuis», avait-elle raillé.

Cependant, elle avait rougi. Elle avait ensuite détourné le visage pour mieux sentir la brise et avait eu envie de lui dire que le jeu n'en valait pas la chandelle. D'oublier le collier. Mais elle n'avait pas pu. Lorsqu'il l'avait regardée, un sourire aux lèvres, elle s'était sentie rassurée. C'était une impression étrange et nouvelle d'être avec quelqu'un sans rien avoir à lui cacher. Il lisait dans ses pensées et comprenait.

Contrairement à Alfred Parker. Celui-ci voulait qu'elle soit la parfaite demoiselle anglaise qu'elle ne serait jamais et qu'elle ne souhaitait pas devenir. Dans sa conception bornée de la vie, il désirait seulement lui voler sa mère en échange d'un lapin et d'un clapier. Quel genre de marché était-ce ?

Oh, Chang An Lo, j'ai besoin de toi. J'ai besoin de ton regard lucide et de tes mots apaisants.

Elle se leva en essayant de ne pas faire de mouvements brusques et scruta l'eau de la rivière. Elle devait attraper un poisson pour Mme Zarya. Elle tira de sa poche un canif volé à un camarade de classe et entreprit d'affûter un peu plus la pointe de son harpon, comme elle avait vu Chang le faire. Ce n'était pas nécessaire, mais couper la branche de saule la réconfortait.

« Grands dieux, *moi vorobushek*, d'où sort cette créature affreuse ? »

Mme Zarya, très étonnée, battit des mains et observa Lydia d'un œil soupçonneux.

« Tu ne me le donnes pas à la place du loyer ? C'est le moment de me régler le mois en cours.

— Non. C'est un cadeau. Je l'ai pêché pour vous. »

Mme Zarya adressa un large sourire à Lydia.

« Malin petit moineau. Viens. »

Lydia fut soulagée que Mme Zarya ne regagne pas le salon avec ses meubles trop grands et la photo du général à l'œil accusateur. Elle la conduisit au bout du couloir, jusqu'à la cuisine. Lydia n'y avait jamais pénétré auparavant. Elle était étroite, meublée de deux chaises et d'une table, et disposait d'une cuisinière, d'un évier et d'un placard. Le tout brun. Elle était propre et sentait le savon. Dans un coin était posé une bouilloire russe rutilante.

« Maintenant, jetons un œil à ce monstre des mers que tu m'as apporté », dit Mme Zarya.

Lydia posa son cadeau sur la table. C'était un gros poisson plat aussi brun que le bois, avec quelques petites taches jaunes sur le dos.

« C'est toi qui l'as attrapé ?

— Oui. »

Mme Zarya eut une mimique d'admiration et le palpa du doigt.

« C'est bien. Je vais le mettre à cuire. Tu veux manger avec moi ? »

Lydia sourit.

« *Spasibo.* C'est gentil à vous, *dobraya. Ya plohaya povariha.* Je suis mauvaise cuisinière.

— Ah, enfin tu parles russe ! *Otlichno !* C'est bien.

— Non, j'apprends avec un livre, mais c'est difficile.

— Dis à ta paresseuse de mère de poser sa bouteille et de t'apprendre les *russkiy yazik.*

— Elle ne le fera pas.

— Ah. »

Mme Zarya ouvrit grands les bras et serra Lydia contre sa poitrine sans lui laisser le temps de réagir. Elle sentait la naphtaline et la poudre.

« Aidez-moi », marmonna-t-elle.

Sa logeuse relâcha son étreinte et lui lança un regard inquiet.

« J'ai besoin d'aide pour apprendre le russe », dit Lydia.

Mme Zarya se frappa la poitrine de la main.

« Moi, Olga Petrovna Zarya, dit-elle triomphante, je vais t'apprendre ta langue maternelle.

— *Da.*

— Mais d'abord, je vais faire griller ce poisson. »

Lydia errait dans les endroits où Chang était susceptible de se trouver. Tous les jours après l'école, elle grimpait jusqu'à la rivière aux lézards, espérant chaque fois l'apercevoir derrière les buissons, occupé à allumer un feu ou découper un poisson, une écorce ou une petite branche de saule. Tous ses gestes étaient agiles, précis. Pas comme les siens. La nuit, allongée dans son lit, elle imaginait Chang qui interrompait son activité et la fixait de son regard pénétrant. Il souriait, heureux qu'elle l'ait retrouvé.

Elle ne savait pas vraiment ce qu'il ressentait pour elle. Peut-être se tenait-il à distance parce qu'il s'était lassé d'elle et des folles disputes *fanqui* qu'elle provoquait. Elle essayait de comprendre. Est-ce qu'elle l'avait insulté en se rendant aux funérailles ? Quel était le problème ?

Pas les ventres gris. Par pitié, que ce ne soient pas les ventres gris.

Son corps était parcouru de frissons chaque fois qu'elle les imaginait le menacer de leurs sabres ou de leurs fusils. Elle voyait les soldats, avec leurs brassards et le soleil brodé sur leurs casquettes, se pavaner dans la vieille ville comme si le monde leur appartenait. C'était de la folie de se rendre là-bas, mais elle ne pouvait pas s'en empêcher. Elle ne s'aventurait pas dans les *hutongs*, mais elle le cherchait dans la foule pressée sur les grandes artères. Elle ne trouvait rien que des regards hostiles et des insultes.

« Ah, mademoiselle, mes yeux brillent du plaisir de vous revoir. Cela faisait longtemps. »

M. Liu lui proposa un siège et lui désigna sa boutique d'un ample geste de la main.

« J'espère que mon humble boutique n'est pas trop répugnante pour vous. »

Lydia sourit.

« Elle paraît changée. Très moderne. Les clients doivent venir ici pour le simple plaisir de voir un endroit d'une telle beauté. »

Le corps sec de M. Liu sembla gonfler de fierté. Il courut vers la cuisinière où attendait une théière neuve en porcelaine crème. Tout était neuf : les étagères, les vitrines, la porte, la fenêtre, jusqu'au tabouret sur lequel il s'assit. Celui en bambou avait disparu avec la table en ébène, qui avait été remplacée par un meuble moderne en chrome et plastique. Les étagères et le comptoir étaient assortis : propres, modernes, affreux. Seuls la cuisinière et le thé au jasmin n'avaient pas changé.

« Je suis impressionnée. Les affaires doivent très bien marcher.

— Les temps sont durs, mademoiselle, mais il y a toujours des gens qui ont besoin de quelque chose. L'astuce, c'est de le leur procurer. »

M. Liu avait l'air plus vieux. Sa peau de noix sèche était plus fine que du papier et ses cheveux avaient blanchi. Mais sa barbe repoussait. Il la caressait sans cesse.

Elle se demanda ce qu'il fournissait aux clients. Des armes ? De la drogue ? Des informations ?

« Monsieur Liu, si je voulais trouver quelqu'un dans la vieille ville, comment devrais-je m'y prendre ? »

Il plissa les yeux, la regarda fixement.

« Avez-vous l'adresse de cette personne ?

— Non.

— Connaissez-vous des membres de sa famille ?

— Non.

— Savez-vous où il travaille ?

— Non. »

Lydia ne remarqua pas qu'il avait dit « il ».

« Connaissez-vous ses amis ? »

Lydia hésita.

« L'une d'entre eux. De vue seulement.

— Bien. »

M. Liu glissa les mains dans ses manches et observa Lydia si longtemps qu'elle commença à se sentir mal à l'aise.

« Ce quelqu'un… aurait-il des ennuis ?

— C'est possible.

— Il se cache ?

— Peut-être.

— Je vois. »

Lydia attendit ce qui lui parut une éternité pendant qu'il réfléchissait.

« L'endroit où vous devez chercher, mademoiselle, ce sont les quais. Le port est un monde où l'on ne connaît ni loi ni identité. Le dollar est la seule langue qu'on y parle. Le dollar et le couteau.

— Monsieur Liu, vous n'êtes pas avare de vos paroles. Merci.

— Soyez prudente. C'est un endroit dangereux. La vie là-bas a moins de prix qu'un cheveu.

— Merci de m'avertir. Je tâcherai de ne pas oublier. »

Elle but son thé et examina les objets exposés dans la pièce. La jambe de métal à côté de la porte avait disparu et à sa place trônait une carapace de tortue géante.

« J'ai un petit objet qui pourrait vous intéresser », dit Lydia.

Impassible, M. Liu but une gorgée de thé.

Elle lui montra un sac à main, cadeau d'Alfred à Valentina. Il lui avait valu un baiser, mais après son départ, Valentina avait frissonné et l'avait jeté sous le lit.

« Rouge ! avait-elle crié. Comme si on m'avait jamais vue avec un sac de cette couleur. »

Il semblait coûter une fortune, avec sa doublure de satin et ses petites perles blanches le long du fermoir. Lydia le posa sur la table. M. Liu l'examina, mais ne le toucha pas.

« Trente dollars », offrit-il.

Lydia en resta bouche bée. C'était plus qu'elle n'espérait. Elle n'allait pas marchander. Elle acquiesça d'un signe de tête. M. Liu sortit un rouleau de billets de sa robe et en compta six, qu'il lui mit dans la main.

« Merci, monsieur Liu. Vous êtes généreux. »

Elle se leva pour partir.

« Faites attention à vous, mademoiselle. On n'a qu'une vie. Il ne faut pas la gâcher. »

Elle enterra les trente dollars dans le bocal au pied du grand rocher plat. Chaque fois qu'elle se rendait à la rivière aux lézards, elle faisait un trait avec un caillou sur la pierre pour marquer son passage. Elle entassa des roches au-dessus de l'endroit où elle avait enterré le bocal, comme un tumulus.

« Tu sauras que tu dois venir ici, Chang An Lo. J'en suis sûre. Trente dollars, ce n'est pas beaucoup, mais c'est toujours ça. J'en apporterai plus, je te le promets. Ça t'aidera si tu es dans le besoin. »

Elle posa la main sur la dernière pierre du tumulus et la referma dessus comme si elle avait touché Chang. Puis elle murmura, pour les dieux auxquels il croyait :

« Ne le laissez manquer de rien. Sauf de moi. »

28

Theo ouvrit brusquement les yeux et se libéra de l'emprise cruelle de ses rêves. Il suffoquait, les ténèbres envahissaient son esprit et il ressentait une douleur aiguë à la gorge.

Il finit par distinguer clairement ce qui se trouvait devant ses yeux.

Le chat. Pour l'amour du Ciel! Ce n'était que le chat. Yeewai était assise sur sa poitrine, ses yeux jaunes à quelques centimètres des siens et avec ses pattes elle lui pétrissait le carré de peau soyeuse entre les clavicules. Elle émettait un bruit de moteur, mais Theo ne savait pas si c'était un ronronnement ou un grognement. Il poussa l'animal sur la couverture et remarqua que Li Mei était déjà levée. Mais quelle heure était-il? Il s'assit. Il lui sembla que sa tête explosait en mille morceaux, qui s'incrustaient dans son cerveau. Le chat lui griffa la main pour manifester sa désapprobation. Theo grogna, passa les jambes sur un côté du lit et se prit la tête entre les mains.

C'était le matin et il avait un goût affreux dans la bouche.

Une nouvelle journée. Doux Jésus!

Theo, assis à son bureau face aux élèves, avait froid. Si froid qu'il s'attendait à voir son haleine s'échapper de sa bouche comme un nuage de fumée. Il frissonna. Il était courbaturé.

Il y avait un poêle derrière lui, mais ce fichu concierge avait encore dû oublier de l'allumer. Theo tendit la main et s'aperçut qu'il chauffait. Les élèves ne semblaient pas gelés. Ce jour-là, ces créatures indisciplinées lui faisaient l'impression de sangsues qui lui pompaient le sang, vidant son esprit pour remplir le leur. Il frissonna de nouveau et essaya de se concentrer sur la pile de feuilles posée sur le bureau, mais les mots dansaient sous ses yeux. Il était arrivé en retard et avait donné un exercice d'histoire à faire aux élèves pendant qu'il tentait de noter les devoirs qu'il aurait dû corriger la veille.

Ces derniers temps, avec les nuits passées sur le fleuve, il était sans cesse gelé et fatigué, de cette fatigue qui vous pénètre les os. Les capitaines chinois des jonques et des sampans ainsi que les matelots s'étaient habitués à lui comme il s'était habitué à eux. Plus de frayeurs. Plus de lames. Et plus de chat, Dieu merci. Ils ne savaient que trop bien soulager la douleur du vent marin qui vous engluait la gorge et dont l'humidité finissait par vous pourrir les poumons. Ainsi, ils lui avaient appris comment rendre l'attente plus courte et éloigner la peur. À la simple idée de la pipe dans le tiroir de la table de chevet à l'étage, ses mains se mettaient à trembler.

Sans s'en apercevoir, il avait posé la tête entre ses bras. Un cri le sortit de sa torpeur. Un garçon brun se disputait un stylo avec une fille.

« Philips, dit Theo d'un ton sec.

— Mais monsieur, je…

— Silence. »

Le coupable lança un regard vers la fille. Elle avait un sourire en coin.

Theo n'ajouta rien. Leurs visages se changeaient en formes grises. Il cligna des paupières pour tenter d'en redéfinir les contours puis parcourut la classe du regard. Peu d'élèves étaient au travail. Des filles chuchotaient derrière leurs mains et un des garçons pliait une feuille de papier avec une précision remarquable pour en faire un avion. Lydia regardait par la fenêtre. Avec peine, Theo se frotta les yeux pour enlever les toiles d'araignée qui y avaient élu domicile. Lydia se retourna et remarqua son geste avec un certain malaise. Cette fille avait une manière de le regarder comme si elle voyait à l'intérieur des trous noirs qu'il tentait de cacher. Il se demanda si elle avait conscience de sa chance d'être encore en vie après cette histoire avec les Serpents noirs et Feng Tu Hong.

Alfred était fou de s'unir à cette famille.

Theo se souvint soudain de la conversation qu'il avait eue avec Lydia au *Ulysses Club* et de son violent désir de donner à son existence la direction qu'elle souhaitait. Par la force de la volonté. Eh bien, la vie n'était pas aussi simple. Cette idiote ne se demandait-elle pas pourquoi elle était la seule étrangère de l'école, la seule élève à n'être pas anglaise parmi tous ces Taylor, ces Smith et ces Fielding? Exception faite de cette Mason, elle ne se joignait jamais aux autres. Theo regarda les cheveux brillants de Polly, penchée sur sa copie. Elle semblait être la seule à vraiment se concentrer sur l'exercice. Soudain, une colère amère le prit à la gorge et il ressentit le besoin de s'en prendre à la pauvre élève sans défense.

Christopher Mason. Son nom lui allait comme un gant. Un homme de pierre.

« Non, lui avait-il dit avec un sourire qui n'en était pas un, autour d'un gin au club. Non. Les choses ne s'arrêteront pas si facilement.

— Allez au diable, avait rétorqué Theo. Ma dette à la banque sera remboursée au début de l'année prochaine et ensuite ce sera terminé pour moi. Terminé.

— Je me vois obligé de m'y opposer.

— Soyez raisonnable. Vous pouvez vous en charger seul. Feng Tu Hong et vous n'avez plus besoin de moi.

— Oh, mais oui, au contraire, Willoughby. Ne vous sous-estimez pas. »

Mason avait un regard louche et un esprit malsain.

« Pourquoi ?

— Parce que, mon cher ami, Feng ne continuera pas les affaires sans vous. Ce vieux diable veut que vous soyez de la partie, sinon il plie boutique, Dieu seul sait pourquoi. »

Un frisson parcourut l'échine de Theo.

« C'est votre problème, pas le mien », conclut-il.

Il se dirigea vers la sortie.

« La prison n'est pas très plaisante à ce qu'on m'a dit. »

Theo fit volte-face. Le désir d'envoyer son poing dans la figure de cet homme tout sourire faillit l'emporter, mais il se ravisa. Il se pencha sur Mason, accentuant leur différence de taille, et lui souffla au visage :

« Est-ce une menace ? »

Mason fit lentement oui de la tête.

« Vous voulez dire que vous me dénonceriez aux douanes ?

— Exactement. Comme trafiquant d'opium. La boue étrangère comme ils disent. Je peux leur fournir les heures, les dates, les bateaux et tout le reste. Des gens vous ont vu. Vous pourriez vous retrouver entre quatre murs avant d'avoir fait *ouf*. »

Mason avait une expression amusée et féroce.

« Si vous me trahissez, je vous ferai descendre aux enfers avec moi, imbécile, je le jure devant Dieu », menaça Theo.

Mason éclata de rire.

« Pauvre idiot, vous vous faites des illusions. Vous n'avez pas de preuve. Rien ne me relie à vos activités nocturnes sur le fleuve. Vous ne croyez tout de même pas que ma banque encaisse cet argent. »

Il rit de nouveau. Un gros rire grinçant qui exaspéra Theo.

« Vous êtes coincé, Willoughby, et vous ne pouvez pas vous en sortir, pas plus qu'un cadavre de son cercueil. Alors profitez de ces bénéfices faciles. »

Il considéra Theo d'un œil moqueur.

« Mon vieux, j'ai l'impression que même vos pupilles en tirent profit. »

Theo avait conscience d'être pris au piège. La rage le consumait et seule la pâte noire semblait le calmer. Li Mei ne comprenait pas. Elle parlait peu, mais il voyait son regard chaque fois qu'il ouvrait le tiroir.

« Monsieur ? »

Theo cligna des yeux, fit marcher son cerveau. Les élèves étaient toujours là. C'était Polly.

« Oui ?

— J'ai terminé, monsieur.

— Dans ce cas, mademoiselle Mason, pourquoi ne me rejoignez-vous pas sur l'estrade pour lire votre travail afin d'en faire profiter ceux qui ne possèdent pas votre vivacité d'esprit ? »

Les épaules de Polly se voûtèrent comme si elle avait voulu disparaître sous son pupitre. Elle marmonna quelque chose.

« Excusez-moi, mademoiselle Mason, je n'ai pas bien entendu.

— J'ai dit que je préférerais ne pas faire cette lecture, monsieur. »

Le rire de Mason, qui résonnait encore à ses oreilles, encouragea Theo. En règle générale, il ne demandait pas à Polly de lire ses travaux devant la classe, car ses compétences scolaires étaient très médiocres, mais tant pis ! Ce jour-là, les choses se passeraient autrement. Debout face à ses camarades curieux, elle commença sa lecture d'une voix éteinte, le rose aux joues. Theo se rendit compte avec surprise qu'elle parlait de Henri VIII et de l'entrevue du camp du Drap d'Or. Était-ce le sujet qu'il leur avait donné ?

Il avait déjà oublié. Polly bafouillait, hésitait, ralentissait le rythme de ses phrases en se faisant toute petite.

« Ça ira, mademoiselle Mason. Vous pouvez regagner votre place. »

Polly lui jeta un regard plein de gratitude et retourna s'asseoir. Elle aurait dû le détester pour cette démonstration de cruauté, le détester autant qu'il se détestait lui-même.

« Je vous félicite, Polly, pour votre attention en classe. Quant au reste d'entre vous... »

Il prit un air menaçant et remarqua quelques paires d'yeux qui le fixaient méchamment.

« Vous resterez ici pendant la pause du dîner et rédigerez un devoir sur la diète de Worms. Vous, Polly, vous en êtes dispensée parce que vous avez bien travaillé. »

Ravie, elle écarquilla ses yeux bleus.

« Monsieur Theo ?

— Qu'y a-t-il, Lydia ?

— Pourriez-vous me traduire quelque chose je vous prie ? Seulement quelques phrases. En chinois. »

La journée d'école était terminée et Theo avait la migraine. Il ne parvenait pas à faire cesser le tremblement de ses membres qu'au prix d'immenses efforts et n'avait qu'une envie : retrouver la pipe, la pâte noire et la cuillère. Mais il devait d'abord s'armer de courage pour affronter l'épreuve rituelle des parents au portail. Par chance, le vent soufflait en rafales dans la cour, si bien que mères et *amahs* ne s'attardaient pas pour discuter. Mais Lydia venait de le solliciter. Qu'avait-elle dit ? Une traduction ? Elle attendait, un bout de papier à la main. Il le prit et vit Lydia regarder ses doigts qui tremblaient. Il lut péniblement les quatre phrases courtes.

1. Connaissez-vous quelqu'un qui s'appelle... ?

2. Pouvez-vous m'indiquer... ?

3. Où est... ?

4. Travaille-t-il/Vit-il ici ?

« Ah. »

Theo sourit à Lydia.

« Le jeune Chinois. Vous le cherchez, c'est ça ? »

La réaction de Lydia le surprit. Elle ouvrit la bouche, les lèvres blêmes. Elle semblait soudain incroyablement jeune, vulnérable comme un poussin à peine éclos.

« Comment le savez-vous ? demanda-t-elle, impatiente. Où est-il ? Vous l'avez vu ? Il va bien ? Est-ce que…

— Doucement. »

Les mains de Lydia tremblaient plus que les siennes.

« Si nous parlons de la même personne, non, je ne connais pas son nom et je ne sais pas où il se trouve. Mais tu n'as pas besoin de t'inquiéter pour lui parce que la dernière fois que je l'ai vu, il était sous la protection de Feng Tu Hong, le grand patron du Conseil chinois et des Serpents noirs, alors il devrait… »

Elle chancela. Theo ne savait pas si c'était l'effet de l'affolement ou du soulagement.

« Quand ? demanda-t-elle dans un souffle.

— Quand quoi ?

— Quand l'avez-vous vu ?

— Oh, il y a quelque temps… Je ne me souviens plus très bien. Il parlait de toi avec Feng Tu Hong.

— De moi, pourquoi ? Que disait-il ? »

Theo était frappé par le dévorant désir de savoir de Lydia. Il lui rappelait le sien.

« Lydia, mon enfant, calme-toi. Il a demandé à Feng Tu Hong d'ordonner à sa confrérie des Serpents noirs de te laisser tranquille, même si je n'ai aucune idée de ce que tu as pu faire pour t'attirer leurs foudres.

— Qu'a répondu Feng ?

— Eh bien, Feng… »

Theo hésita, se refusant à révéler à la jeune fille les détails de cette histoire sordide.

« Feng a accepté. De donner l'ordre de ne plus te poursuivre, je veux dire. Ce n'est pas plus compliqué.

— Monsieur Theo, ne me prenez pas pour une idiote, je vous prie. Je sais comment les choses se passent ici. Qu'a-t-il donné en échange ?

— Des informations au sujet des troupes qui arrivent de Pékin. C'est tout. »

Le visage de Lydia avait pris cette pâleur qu'on rencontre chez les tuberculeux. Theo commençait à s'inquiéter pour elle.

« Je crois que tu devrais t'asseoir une minute et… »

Il lui posa la main sur l'épaule.

« Non. »

Elle recula.

« Je vais bien. Dites-moi ce qui s'est passé.

— Ils l'ont laissé partir.

— Alors ce sont les ventres gris, murmura-t-elle.

— Pardon ?

— La traduction, ajouta-t-elle aussitôt. Vous la ferez ? S'il vous plaît.

— Bien sûr. Pour demain.

— Merci. »

Elle partit rapidement, se battant contre le flot continu des pousse-pousse, puis se mit à courir, son chapeau retroussé par le vent.

Theo était assis à la table de la cuisine. Il avait aligné le matériel.

Tout d'abord une longue pipe en ivoire sculpté avec des décorations en métal bleu. Habituellement, il en admirait les lignes élégantes, mais pas ce jour-là. Ce n'était pas une pipe ordinaire parce qu'elle n'avait pas de fourneau. À quelques centimètres de son extrémité, le tuyau était percé d'un trou. Maintenue contre cet orifice par une bande de cuivre, une coupe métallique en forme d'œuf de pigeon se fermait par un couvercle en bois rehaussé de l'incrustation en ivoire du caractère chinois porte-bonheur *xi*.

À côté de la pipe était placé un minuscule récipient en céramique rempli d'eau. Theo était intrigué, car l'eau ne cessait d'apparaître et de disparaître comme le flux et le reflux d'une vague et, au moment où le récipient semblait vide, il devenait transparent, si bien que Theo pouvait apercevoir le petit brûleur en cuivre posé derrière le pichet.

Ce ne pouvait pas être réel.

Theo se persuada qu'il avait des hallucinations. Pourtant, ses yeux voyaient vraiment ce phénomène étrange.

Près du brûleur, le messager de rêves était logé dans une petite boîte en pierre verte datant de la dynastie Qing. Theo ouvrit le couvercle et ressentit l'habituelle décharge d'adrénaline à la vue de la pâte noire. À l'aide d'une petite cuillère, il en prit l'équivalent d'un pois. Ses mains tremblaient, mais il réussit à verser quelques gouttes d'eau sur la pâte, sans s'apercevoir qu'il en renversait une grande quantité sur la table. Il eut plus de mal à allumer le brûleur, qui n'arrêtait pas de se déplacer. Il saisit fermement le socle pour le stabiliser et parvint enfin à enflammer la mèche.

Bien.

Il tint la cuillère au-dessus de la flamme. Brûlant d'impatience, il dut attendre l'évaporation de l'eau puis la liquéfaction de la pâte. Le produit était de grande qualité, c'était évident, à base de capsules de pavot, le *Papaver somniferum*, pas de tiges ou de feuilles dont l'effet se limitait à une sensation de chaleur et une violente envie de vomir. Lorsque la préparation fut prête, il en remplit minutieusement la petite coupe, referma le couvercle. Il sentait son pouls s'affoler à ses poignets.

Il tira une longue bouffée sur sa pipe. Il garda longtemps la fumée dans ses poumons. Theo put enfin se défaire de sa souffrance. Il eut l'impression qu'un vent tiède d'été soufflait dans ses veines, s'élevant du plus profond de son corps jusqu'à ses membres, délicieux et apaisant. Il tira encore deux bouffées, inspirant pour décharger son esprit et, comme il commençait à planer, il sentit un sourire béat se dessiner sur ses lèvres.

Il eut vaguement conscience de la présence de Li Mei dans la pièce. Elle flotta vers lui. Lorsqu'elle approcha le visage du sien pour déposer un baiser sur ses lèvres, son visage était plus parfait que jamais. Elle avait le goût d'un clair de lune. Il sentait son corps derrière lui tandis qu'elle lui massait doucement le cou.

«Je vais te détendre. Tu n'as pas besoin de la mort noire», l'entendit-il chuchoter.

Puis elle se pencha au-dessus de sa tête et ses longs cheveux lui chatouillèrent la joue. Les larmes qu'elle versait lui firent l'effet de baisers humides.

«Li Mei, je t'aime de tout mon cœur, ma bien-aimée», murmura-t-il alors que ses yeux se fermaient.

Elle l'enlaça passionnément entre ses bras, l'empêchant de respirer. Il entendit confusément sa voix, très lointaine.

«Theo, oh, mon Theo, mon père te tient sous son joug. Tu ne le vois pas? C'est sa manière de se venger de toi pour m'avoir conduite dans le monde des *fanqui*. Theo, tu m'as promis que tu ne le laisserais jamais t'attirer dans la gueule du dragon. Theo, mon amour.»

Quelque part au loin, très loin, Theo entendit Li Mei crier son nom.

Des rêves sombres, plus épouvantables que des démons hérissés de flammes, hantaient le sommeil de Chang An Lo. Ils étaient si fréquents et semblaient si réels qu'il ne savait plus s'il dormait. Il flottait dans l'obscurité. Tournant, s'élevant en spirale, puis sombrant, plongeant dans une boue épaisse qui collait à sa peau et s'insinuait dans sa bouche. La puanteur était étouffante.

Il cherchait son souffle et se mettait à flotter de nouveau, les poumons emplis d'air frais et la bouche rincée par de l'eau fraîche et apaisante. Il aperçut des lucioles dansant dans l'obscurité qui l'enveloppait comme un linceul glacé. Il voyait jaillir des épingles de feu. Et il sentait une odeur de combustion.

La viande grillée. La chair brûlée. Comme lorsqu'il avait fait cuire la grenouille-taureau pour Lydia. Mais cette fois-ci c'était sa propre chair. Il se rappela la chevelure de Lydia flottant au vent quand elle s'était penchée pour saisir l'animal embroché. Des cheveux plus éblouissants que les flammes.

À présent, son esprit de renard l'accompagnait et apaisait la douleur mordante qui torturait ses os et ses muscles à chaque inspiration. Il voyait sa langue, douce et rose, et sentait ses doigts humides sur sa chair à vif. Il percevait des cris et ne savait pas si c'était lui ou Lydia qui les poussait. Mais elle était avec lui, si rayonnante qu'elle occupait toutes ses pensées.

29

La circulation était plus dense qu'à l'habitude. Ou bien Lydia remarquait-elle davantage les voitures? Elles avaient des couleurs plus variées. C'est ce que disait Alfred en tout cas. Il parlait souvent d'automobiles et de moteurs qui portaient des noms tels que Lanchester ou Bean. Valentina prenait alors un air impressionné qui irritait Lydia. Un jour, sa mère avait même demandé ce qu'était un système de transmission. Devant le *Tuson's Tearoom*, Lydia se balançait d'un pied à l'autre pour se réchauffer et se mit à compter les véhicules rouges qui passaient.

«Bonjour, jeune fille. Quelle ponctualité. C'est bien.

— Bonjour, monsieur Parker.»

Lydia et Alfred n'avaient pas encore trouvé de manière de se saluer. Un baiser sur la joue aurait été trop intime et une poignée de main trop formelle. En général, il lui tapotait le bras et elle hochait la tête à de nombreuses reprises. Cela les tirait de cette situation embarrassante.

«Entrons, dit Alfred en poussant la porte du salon de thé d'un air occupé. Il fait vraiment froid dehors.»

Il était emmitouflé dans un cache-nez en laine et un gros pardessus de laine. Lorsqu'il ouvrit la porte pour la laisser passer, Lydia surprit le regard qu'il jetait à son manteau trop fin et trop petit ainsi qu'à ses mains nues. La sonnerie déclenchée par ses pas sur le tapis en coco l'amusa.

« Alors Lydia, que voulais-tu me dire ? »

Elle mordait dans une *tarte au citron** dont l'acidité lui râpait la langue. Parker l'observait attentivement à travers ses lunettes rondes à la monture de métal. Son regard était plus direct, plus admiratif qu'en présence de Valentina. Lydia eut un léger hoquet et abandonna la tarte. La conversation s'annonçait plus difficile que prévu.

« Monsieur Parker, commença-t-elle avec une courtoisie prudente, je vous ai demandé un rendez-vous parce que… »

Elle prit une profonde inspiration.

« Je voudrais vous emprunter de l'argent.

— Ma chère… »

Il rit doucement en se tapotant la commissure des lèvres avec sa serviette pour ôter les miettes de son éclair au café.

« Je suis ravi de constater que tu te tournes vers moi pour demander ce service, comme… »

Il s'interrompit, se racla la gorge et essuya ses lunettes avec son mouchoir immaculé.

Comme quoi ? Comme si elle était sa fille ? Il avait failli le dire, mais s'était ravisé au dernier moment. Elle lui sourit. Il sortait déjà son porte-monnaie, celui qu'elle lui avait volé. Sans ses lunettes, il était presque séduisant, même s'il n'égalait pas Antoine. De plus, il conduisait une berline cabossée, une Armstrong Siddeley, et pas une voiture de sport nerveuse. Elle chassa cette pensée. L'argent. Se concentrer sur l'argent.

Il se pencha vers elle en ricanant.

« Pour quoi en as-tu besoin ? Tu veux t'offrir un petit quelque chose ? Ou faire un cadeau à ta mère peut-être ? Tu peux me le dire.

— C'est pour un ami.

— Oh, un cadeau d'anniversaire sans doute.

— En quelque sorte.

— Je comprends tout à fait. Combien te faut-il ? Vingt dollars, ce sera assez ?

— Plutôt deux cents.

— Quoi ?

— Deux cents dollars. »

Il ne répliqua pas, mais il fronça les sourcils et pinça les lèvres. On aurait cru qu'elle l'avait insulté.

« S'il vous plaît, monsieur Parker. J'en ai besoin pour mon ami. »

Il saisit sa tasse, but une gorgée de thé et dirigea le regard vers la fenêtre derrière laquelle les passants se pressaient, les bras chargés de sacs du grand magasin Churston et de la mercerie Llewellyn's, le col en fourrure de leur manteau remonté sur les oreilles. Lydia eut l'impression qu'il aurait préféré être dehors dans la foule. Lorsqu'il se tourna vers elle, elle connaissait la réponse avant qu'il ne la donne.

« Je suis désolé, Lydia, mais je refuse. Je ne peux pas te donner une telle somme. Pas sans savoir à qui elle est destinée et quel usage cette personne va en faire.

— S'il vous plaît, dites oui. »

Sa voix avait un ton enjôleur. Elle avança la main vers celle d'Alfred, laissant une traînée poisseuse sur la nappe blanche.

Il fit non de la tête.

« C'est très important pour moi, insista-t-elle.

— Écoute, Lydia, pourquoi ne me dis-tu pas simplement qui est cet ami et pourquoi il a besoin de cet argent ?

— Parce que c'est… »

Elle s'apprêtait à ajouter « dangereux », mais elle savait que ce mot le ferait quitter les lieux avec son porte-monnaie.

« C'est un secret.

— Alors je ne peux rien pour toi.

— Je pourrais vous mentir, vous raconter des histoires.

— Je ne préférerais pas.

— Je me montre honnête. J'ai fait appel à vous, qui allez bientôt épouser ma mère, parce que j'avais besoin de votre aide. »

Elle ravala ce qui lui restait de fierté et ajouta :

« Comme une fille le fait avec son père. »

L'espace d'un instant, elle crut avoir triomphé. Une lueur joyeuse brilla dans les yeux d'Alfred, mais elle s'éteignit très vite.

« Non. Absolument pas. Tu dois comprendre qu'il serait de mon devoir de refuser une somme pareille à ma fille si j'ignorais ce qu'elle compte en faire. L'argent se gagne, tu sais, et je travaille très dur au journal donc je…

— Alors les deux cents dollars, je les gagnerai. »

Il soupira et regarda de nouveau par la fenêtre, comme s'il cherchait une échappatoire. À la table voisine, deux femmes coiffées de chapeaux à plumes émirent un rire aigu quand la serveuse leur apporta des *crumpets*. Parker nettoya le verre de ses lunettes. Lydia comprit que c'était un signe de nervosité.

« Comment pourrais-tu les gagner ? demanda-t-il sur un ton désolé.

— Je pourrais aider au journal. Je peux porter les enveloppes, préparer le thé et…

— Non.

— Mais…

— Non. Des employés sont déjà affectés à ces tâches et de toute façon ta mère serait furieuse si je te détournais de tes études.

— Je lui parlerai. Je peux la convaincre de…

— Non. N'en parlons plus. »

Ils se regardèrent fixement, chacun refusant de baisser les yeux.

« Il y a une autre manière de gagner deux cents dollars », dit Lydia.

Le ton sur lequel elle prononça cette phrase inquiéta Alfred. Il se redressa sur sa chaise et croisa les bras sur sa poitrine.

« Restons-en là. Finissons nos pâtisseries et parlons de… »

Il chercha un sujet de conversation.

« Noël ou du mariage. »

Il lui sourit aimablement.

« D'accord ? »

Elle lui rendit son sourire.

« Oui. La cérémonie est prévue pour janvier, c'est bien ça ? »

Alfred acquiesça. Ses yeux brillaient.

« Oui et j'espère que tu es aussi impatiente que nous le sommes, ta mère et moi. »

Elle prit un morceau de sucre et le suçota. Cela parut déplaire à Parker, mais il ne fit aucun commentaire.

« Il me semble que les premiers temps d'un mariage sont importants, dit gentiment Lydia. Vous devez apprendre à vous connaître et vous habituer à vivre ensemble. Accepter les petites habitudes de l'autre, ses petites manies.

— Ce n'est pas faux, dit prudemment Alfred.

— Il me semble donc… »

Lydia grignota un petit bout de sucre.

« Que la présence d'une belle-fille pourrait rendre la situation, disons, plus difficile. »

Alfred se raidit et posa les mains sur la table. Il avait l'air sévère.

« Qu'est-ce que tu insinues ?

— Simplement qu'il vous serait utile que cette belle-fille vous promette de faire exactement ce que vous lui demanderez. Pas de disputes. Pas de désobéissance pendant, disons, les trois premiers mois de votre nouvelle et, je n'en doute pas, merveilleuse vie conjugale. »

Alfred ferma les yeux. Il serrait la mâchoire. Lorsqu'il rouvrit les yeux, Lydia comprit qu'il était passablement fâché.

« C'est du chantage, jeune fille.

— Non, c'est un marché.

— Et si je le refuse ? »

Elle haussa les épaules et croqua de nouveau un bout de sucre.

«Tu me menaces, Lydia ?

— Non, bien sûr que non. »

Elle se pencha vers lui et les mots lui échappèrent.

«Je vous demande de me laisser une chance de gagner les deux cents dollars. Rien de plus. »

Alfred secoua la tête, incrédule. Alors qu'il aurait dû savourer l'arrière-goût sucré de sa pâtisserie, il n'avait dans la bouche que le goût de la cendre.

«Tu es une enfant sournoise, Lydia Ivanova, mais ce genre de comportement indigne devra cesser une fois que ta mère et moi serons mariés et que tu deviendras Lydia Parker. Je sais que ta malheureuse mère serait consternée par ton hypocrisie. »

Il gratta violemment la nappe avec sa fourchette à dessert.

«Trois mois de comportement exemplaire. Tu me donnes ta parole ?

— Oui. »

Il ouvrit son porte-monnaie.

Dans une cour mal éclairée bordée de bottes de foin, un chien gris à l'apparence de loup se faisait mordre à la gorge par un chien blanc. Des morceaux de chair et de fourrure s'en détachaient. Du sang giclait au visage des spectateurs qui s'approchaient trop. L'animal sur le point d'emporter la victoire secouait la tête en tous sens pour arracher de ses crocs l'œsophage de son adversaire. Une de ses oreilles ne tenait plus que par un tendon et une de ses épaules, à demi dépecée, pendait mollement, mais sa prise à la gorge du chien-loup était mortelle et la foule hurlait ses encouragements.

Lydia jeta un coup d'œil au spectacle barbare qui se déroulait dans le cercle de paille, au regard assoiffé de sang des spectateurs, puis elle se précipita vers un mur et vomit en silence. Elle s'essuya la bouche. Elle était venue jusque-là; ce n'était pas le moment de fuir. Pendant cinq jours, après l'école, elle avait parcouru les ruelles du quartier russe à la recherche de Liev Popkov, l'homme ours. Cinq journées de vent et de pluie.

« *Vi nye znayetye gdye ya mogu naitee Liev Popkov* ? Savez-vous où je peux trouver un dénommé Liev Popkov ? » avait-elle demandé encore et encore.

On lui avait jeté des regards méfiants. Quelqu'un qui posait des questions était source de problèmes. On ne lui avait répondu que par la négative.

Jusqu'à ce soir-là. Elle avait trouvé le courage d'entrer dans un des *kabak*, ces bars sombres et miteux aux odeurs de tabac brun et de clients crasseux. Même si elle était la seule femme, elle avait tenu bon et, pour un demi-dollar, un vieux bouc lui avait conseillé d'essayer le combat de chiens derrière l'écurie.

Un combat de chiens… Une mise à mort plutôt.

Les hommes avides de sensations fortes non extra-conjugales se rassemblaient dans la cour pour y assister le vendredi soir. Cela les excitait et leur faisait oublier une semaine de dur labeur. Là, ils pariaient sur la vie et la mort de chiens, sachant que gagner leur assurerait une bonne soirée arrosée de vodka et peut-être même une fille, si la chance leur souriait.

Lydia repéra facilement Liev Popkov qui dominait la foule des spectateurs dont l'haleine s'élevait comme une fumée d'encens dans la nuit glaciale. Il se tenait devant un mur où était suspendue une lanterne qui dessinait son ombre gigantesque sur le sol.

Elle s'approcha de lui et lui toucha le bras.

Il tourna la tête plus vite qu'elle ne s'y attendait et resta bouche bée en la voyant, découvrant ses énormes dents.

« *Dobriy vecher.* Bonsoir, Liev Popkov, dit Lydia. J'aimerais vous parler. »

Elle devait crier pour se faire entendre au milieu du vacarme de la foule et, pendant un instant, elle craignit qu'il ne l'ait pas entendue ou qu'il n'ait pas compris, car il se contenta de la fixer d'un œil noir.

« *Seichas*, le pressa-t-elle. Maintenant. »

Il regarda les chiens. Une artère venait d'être sectionnée et le sang giclait. Comme le visage de Liev Popkov ne laissait paraître aucune émotion, Lydia ne savait pas s'il était en train de gagner ou de perdre. Il finit par se frayer sans peine un passage entre les hommes attroupés jusqu'au mur au fond de la cour. L'endroit était sombre et sentait la moisissure.

« Tu parles notre langue, grogna-t-il.

— Pas très bien », répondit-elle en russe.

Il s'adossa au mur, attendant qu'elle continue. Lydia s'imagina soudain écrasée par la masse de son corps. Elle devait renverser la tête en arrière pour le regarder. Il était vêtu d'un pardessus matelassé qui sentait la graisse et descendait jusqu'à ses bottes, et portait une coiffe de cavalier de l'armée russe en fourrure mitée. Il mâchait quelque chose. Du tabac à chiquer ? De la viande de chien ?

« J'ai besoin de votre aide. »

Cette phrase lui vint en russe plus facilement qu'elle ne l'aurait cru.

« *Pochemu ?* Pourquoi ?

— Je suis à la recherche de quelqu'un. »

Il cracha ce qu'il avait dans la bouche.

« Tu es la *dyevochka* qui m'a attiré des ennuis avec la police. »

Il parlait sur un ton bourru, mais lentement. Lydia ne savait pas s'il s'exprimait toujours ainsi ou s'il le faisait pour qu'elle comprenne plus facilement la langue qu'elle maîtrisait encore mal.

« Pourquoi devrais-je t'aider ? Toi. »

Elle lui montra les deux cents dollars d'Alfred.

30

L iev Popkov ne parlait pas. Lydia non plus. Ils marchaient côte à côte, le dos voûté, contre le vent soufflant du Peiho. Lydia peinait à suivre Liev.

« Ici », grommela Liev Popkov.

Ils venaient d'atteindre une rue pavée, étroite et tortueuse, qui partait du quai. Il y flottait une odeur de boyaux de poisson en décomposition. Elle acquiesça d'un signe de tête. Liev posa sa grosse patte sur l'épaule de Lydia et l'attira contre lui pour la protéger du vent. Auprès de ce grand ours, elle se sentait invincible. Les regards hostiles qu'on leur lançait ne lui faisaient plus froid dans le dos. Lorsqu'un débardeur chinois tendit le bras pour la toucher, Liev lui asséna un coup de coude. Le visage en sang, l'ouvrier poussa un cri strident. Lydia eut un haut-le-cœur. Ils poursuivirent leur chemin sans rien dire. Liev était homme de peu de mots.

Au début de leur incursion dans le quartier des quais, elle avait tenté de lui faire la conversation dans son russe hésitant, mais elle n'avait reçu en réponse que des grognements ou des silences. Elle s'y était habituée. Et puis le mutisme de Liev lui permettait de se concentrer sur des visages aperçus au milieu de la foule pressée qui arpentait les quais, de prendre garde à ne pas glisser sur les pavés des *hutongs* et d'éviter les bâtons en équilibre sur les épaules des centaines de porteurs qui transportaient Dieu sait quoi dans leurs seaux et leurs paniers.

« Lydia Ivanova. »

Lydia releva brusquement la tête de son pupitre. Arrachée à ses rêves, elle regarda M. Theo dans les yeux. Des yeux gris devenus noirs tant les pupilles étaient dilatées. Ses paroles étaient plus mordantes que jamais.

« Êtes-vous parmi nous, mademoiselle Ivanova ? Ou dois-je vous porter un matelas ?

— Non, monsieur.

— Vous me surprenez. J'aurais cru que l'histoire d'amour entre Philippe II d'Espagne et Marie d'Angleterre était suffisamment passionnante pour vous garder éveillée. Les filles de votre âge aiment bien les histoires d'amour, je me trompe ? Même avec de jeunes Chinois.

— Non, monsieur. »

Il lui fit un petit sourire qu'elle ne lui rendit pas.

« Vous serez retenue après la classe. Vous me ferez une rédaction sur…

— S'il vous plaît, monsieur, pas après la classe. Je resterai toute une semaine pendant la pause du dîner, mais…

— Vous ferez votre punition quand je vous le dis, jeune fille.

— C'est juste que… »

Elle ne poursuivit pas. Tous les élèves suivaient la scène. Polly faisait des signes à Lydia, mais celle-ci ne les comprenait pas.

« Lydia. »

Theo s'avança vers son pupitre. Avec sa blouse noire, il ressemblait à un corbeau venu lui picorer les yeux.

354

«Tu seras en retenue aujourd'hui. Après la classe! Compris?»

Elle eut envie de le frapper. Comme l'aurait fait Liev Popkov.

Mais elle baissa la tête.

«Oui, monsieur.»

«Oh, Lyd, tu es folle. Quand apprendras-tu à arrondir le dos devant lui?»

Polly caquetait aux oreilles de Lydia comme une poule avec ses petits.

«Tu n'avais qu'à dire: "Excusez-moi, monsieur Theo, je vous promets que cela ne se reproduira pas" et il t'aurait laissée partir.

— Tu crois?

— Évidemment. Qu'est-ce que tu peux être naïve!

— Mais pourquoi?

— Parce que les hommes fonctionnent comme ça. Ça leur donne une impression de puissance.»

Lydia venait de comprendre. En effet, les hommes recherchaient la jouissance du pouvoir. Elle avait remarqué ses effets en explorant l'univers des quais accompagnée de Liev Popkov et avait appris à quel point c'était agréable. Les hommes puissants faisaient en sorte d'obtenir ce qu'ils désirent. Comme le père de Polly, qui savait comment parvenir à ses fins. Avec les femmes aussi. Lydia frissonna. Une question lui vint à l'esprit, mais elle ne savait pas comment la formuler.

«Polly, tu es beaucoup plus douée que moi pour obtenir ce que tu veux des gens. Parfois, je n'arrive même pas à convaincre ma mère.»

Elle s'interrompit pour se curer un ongle.

«À ce propos, lui arrive-t-il de venir chez vous?

— Quelle idée! Non, bien sûr. Pourquoi viendrait-elle chez nous?

— Je ne sais pas trop. Pour parler avec ta mère peut-être, tu sais, comme le font les mères dont les filles sont amies. »

Lydia haussa les épaules.

« Je me posais simplement la question.

— Tu es bizarre parfois.

— Tu me le dirais si elle le faisait ? Je veux dire si elle venait chez toi.

— Bien sûr.

— Tu promets ?

— Je te le promets.

— Bien.

— Au fait, comment va M. Parker ? demanda Polly.

— Il est toujours dans les parages.

— Tu as tellement de chance. Quand ta mère et lui seront mariés, il te donnera tout ce dont tu as toujours rêvé : une maison, de beaux vêtements, des vacances et tout. »

Elle se mit à rire et donna un petit coup de coude dans les côtes de son amie.

« Et même un uniforme d'école flambant neuf. C'est ce qu'il te faut.

— Non, ce sont les puissants qui te font croire que c'est un besoin.

— Franchement, Lyd, tu es désespérante. »

Liev Popkov attendait Lydia au bout de sa rue. Il devait y être depuis longtemps parce que la neige avait recouvert ses épaules et que son chapeau en fourrure était blanc comme une hermine en hiver.

« Excusez-moi, dit Lydia. *Prastitye menya.* Je suis en retard parce que j'ai dû rester plus longtemps à l'école. »

Liev grogna et, d'un pas traînant, se mit en route. Lydia devait accélérer l'allure pour le suivre. Ils se dirigeaient vers le port, quartier sinistre à l'activité frénétique où tout se vendait, des défenses de rhinocéros aux enfants esclaves. Cependant, Lydia aimait bien y observer les majestueux paquebots et les navires rouillés qui apportaient le reste du monde au cœur de Junchow. Ils lui faisaient paraître l'Angleterre si proche qu'elle pouvait presque la tenir dans sa main. Elle regardait des hommes à l'air détaché et des femmes en manteau de fourrure descendre des passerelles comme si le monde leur appartenait, pendant qu'à leurs pieds des porteurs les suppliaient de les laisser porter leurs bagages. La neige avait cessé de tomber.

« Celui-ci », grogna Liev.

Il la conduisit dans une ruelle sombre et humide où des camelots chinois tentaient de vendre jusqu'aux guenilles dont ils étaient vêtus. Sur un des étals se trouvaient, disposés dans une caisse à thé, des robinets de salle de bains volés dans les entrepôts d'importation voisins du port. Plus bas, des poupées de porcelaine étaient alignées comme des cadavres d'enfants. Lydia n'avait jamais eu de poupée et ne comprenait pas ce qui les rendait si attirantes aux yeux des petites filles. Ni même pourquoi, comme Polly, elles allaient jusqu'à aimer ces fichus jouets.

Un homme joufflu la tira de ses pensées. Il lui parlait en chinois avec un débit rapide et montrait du doigt le bout de la ruelle. Lydia hocha la tête pour lui indiquer qu'elle ne comprenait pas, puis comprit qu'il s'adressait à Liev. L'homme jacassait de plus en plus fort en faisant de grands gestes. Liev hochait simplement la tête de haut en bas. *Niet. Niet. Niet.*

L'homme dégaina un couteau.

Lydia essaya de reculer, mais deux hommes se postèrent derrière elle. Elle eut un instant le souffle coupé puis sa respiration s'emballa. D'une main, Liev Popkov lui saisit le poignet, de l'autre il tira de sa ceinture un poignard à double tranchant. Il bondit en avant avec un grognement caverneux, entraînant Lydia avec lui. Elle glissa sur un légume gelé et, sans plus de manières, Liev la souleva dans les airs tout en taillladant le visage de leur assaillant.

L'affaire était classée. Les hommes disparurent. Du sang commença à se figer sur les pavés. Liev rangea son couteau dans son ceinturon puis, sans lâcher le poignet de Lydia, avança lentement à travers la *hutong* bondée comme si rien ne s'était passé.

« Qu'est-ce qu'il voulait ? demanda Lydia en anglais. Aviez-vous vraiment besoin de jouer du couteau ? »

Liev s'arrêta, la dévisagea, haussa les épaules puis reprit sa route.

Elle reposa la question, en russe cette fois.

« Il voulait t'acheter.

— M'acheter ?

— *Da.* »

Elle n'ajouta rien. Elle tremblait. Maudit ours. Elle détestait qu'il remarque sa frayeur. Elle essaya de dégager son poignet, mais c'était comme tenter d'extraire à la main un rivet sur une épave rouillée.

« Je ne savais pas que vous parliez le mandarin, dit-elle.

— Il a proposé beaucoup d'argent », ajouta Liev.

Il poussa ensuite un grondement, mais au bout d'un moment Lydia comprit qu'il s'agissait d'un rire.

« Allez vous faire voir », lança-t-elle en anglais.

Le grondement se prolongea.

« Ici », cria-t-elle pour le faire taire.

Ils venaient d'atteindre un *kabak*.

À peine la porte passée, Lydia sut qu'elle avait fait une erreur. Vingt paires d'yeux se braquèrent sur eux et les observèrent comme si des serpents s'étaient introduits dans l'établissement. L'atmosphère était à couper au couteau dans le bar au plafond bas. Des odeurs indéfinissables y flottaient. Dans un angle, un poêle crachait de la fumée.

Le visage et les vêtements des clients étaient gris comme la cendre. Les tables en émail craquelé croulaient sous les verres d'alcool fort. Un singe était attaché à un bout du comptoir crasseux derrière lequel se tenait un barman sans oreilles. Ce dernier avait un chiffon sale enroulé autour de la tête et un autre à la main avec lequel il essuyait un verre. Sans quitter Liev Popkov des yeux une seule seconde, il sortit un fusil caché sous le comptoir. Il l'arma avec l'assurance de l'habitude et pointa le canon contre la poitrine de Lydia. Elle se raidit. Le fusil avait l'air d'une antiquité. Sans doute une relique de la révolte des Boxers. Mais cela ne signifiait pas pour autant qu'il n'était pas en état.

Le silence régnait dans la salle.

Liev hocha la tête. Avec des gestes lents, il poussa Lydia derrière lui et la conduisit à l'extérieur.

« Il n'y était pas », dit-elle.

Elle était soulagée d'être toujours en vie.

Liev hocha de nouveau la tête.

« Il y a beaucoup d'autres bars. »

Ce soir-là, ils se rendirent dans dix *kabak* disséminés dans différentes zones du port. On ne les y menaça pas d'une arme, mais on ne leur sourit pas non plus. Les clients leur adressèrent les mêmes regards haineux et les insultèrent en crachant sur le sol.

On commençait à parler du grand ours qui balafrait les visages et de la fille aux cheveux de feu. Lydia constatait qu'on les reconnaissait et que le désir était grand de trancher leurs gorges de *fanqui*. Chaque fois que, dans le silence qui suivait leur entrée, elle observait les visages des clients qui les dévisageaient, Lydia ne s'attendait pas à trouver celui qu'elle aimait tant, mais elle gardait espoir.

Dans l'un des bars, un petit homme trapu se planta craintivement devant eux et leur parla en chinois.

Liev Popkov l'observa et grommela à Lydia en russe :

« Il demande qui tu cherches.

— Dis-lui que son nom ne le regarde pas. Dis-lui de dire à tous ses… »

Elle chercha le mot en russe.

« … *pyanitsam*… clients que la fille aux cheveux roux est venue ici et qu'elle cherche quelqu'un. »

Liev la regarda en fronçant les sourcils.

« Dis-lui », répéta-t-elle.

Il s'exécuta.

Lorsqu'ils sortirent, Liev, sans se soucier des rafales de neige, passa un bras pesant autour des épaules de Lydia.

« Pourquoi tu ne leur dis pas son nom ?

— Parce que ce serait trop dangereux pour lui, *slishkom opasno*.

— C'est un communiste ?

— Non, une personne.

— Comment tu comptes le trouver si tu ne donnes pas son nom ?

— Je suis là. Les gens parlent. Il sera au courant.

— Et il saura que c'est toi ?

— Oui. »

Lydia était couchée, tout habillée. Elle était gelée jusqu'aux os et ne parvenait pas à se réchauffer. Elle était enroulée dans sa vieille couverture comme une chrysalide. Le vieux poêle crachotait et, même si, grâce à Alfred, il était bien alimenté en mazout, sa chaleur ne suffisait pas à combattre le vent glacial qui s'infiltrait par les interstices des fenêtres.

La porte du grenier s'ouvrit brusquement.

« *Blin !* Désolée, ma chérie, je ne voulais pas te réveiller. »

La cloche de l'église sonna deux heures.

« Je ne dormais pas.

— Je vais allumer une bougie. Endors-toi. »

Valentina s'était rendue à une fête avec Alfred. À sa démarche mal assurée, Lydia devina qu'elle avait bu. Elle entendit le bruit d'un briquet qui diffusa une faible lueur dans l'obscurité, puis une chaise traînée sur le plancher. Lydia savait bien ce que sa mère faisait. Elle fumait, assise devant le poêle. Lydia sentait l'odeur du tabac. Valentina buvait aussi. Lydia en était sûre, car sa mère était capable d'ouvrir une bouteille de vodka sans faire le moindre bruit.

« Maman, j'ai vu quelque chose d'horrible aujourd'hui.

— Quoi donc ?

— J'ai vu un bébé mort dans un caniveau. Nu. Un rat lui mangeait les lèvres.

— Ma chérie, s'il te plaît. Ne pense pas à ce genre de choses. Il se passe assez d'horreurs dans ce maudit pays.

— Je n'arrive pas à oublier.

— Viens par ici. »

Lydia se glissa hors du lit, toujours enroulée dans la couverture, et repoussa le rideau. Sa mère était voûtée au-dessus du poêle, une cigarette dans une main, un verre dans l'autre. Elle portait son manteau de fourrure couleur miel. Ses joues étaient rouges.

« Tiens, ça t'aidera à oublier », dit-elle en tendant son verre à sa fille.

Lydia le prit. Elle n'avait jamais bu pour se calmer. Mais là… là, elle avait besoin… d'un remontant. Pour l'aider à conserver l'espoir que Chang était en sécurité quelque part. Lydia ressassait de sombres pensées. Une multitude de visages apparaissaient, comme sortis d'un marécage. Elle voyait le regard attentif de Chang qui voulait tant qu'elle comprenne. Puis lui apparurent un bébé mort aux lèvres arrachées, une mâchoire défoncée, les énormes pupilles palpitantes de M. Theo et tous les visages croisés dans la journée, pleins de haine et de mépris.

Elle but la vodka.

Elle eut un hoquet de dégoût. La chaleur qui se diffusa dans sa poitrine la fit tousser. Elle but de nouveau, plus lentement cette fois-ci. Ses idées s'égayaient. Encore une gorgée. Le goût était amer. Comment pouvait-on boire cet alcool ?

Sa mère l'observait sans rien dire.

Lydia s'assit sur le plancher devant le poêle. Valentina lui caressa les cheveux.

« Ça va mieux ?

— Mmh. »

Valentina ramassa le verre vide et se resservit.

« Tu aimes mon manteau ?

— Non. »

Valentina rit et ébouriffa la fourrure soyeuse.

« Moi oui. »

Lydia appuya la tête contre la jambe de sa mère et ferma les yeux.

« Maman, ne l'épouse pas. »

Valentina caressa de nouveau la chevelure de sa fille.

« Nous avons besoin de lui, *dochenka*, murmura-t-elle. Dans ce monde, quand une femme a besoin de quelque chose, elle doit demander à un homme. C'est comme ça.

— Non. Regarde, nous avons survécu sans homme pendant toutes ces années. On s'en est sorties nous-mêmes. Une femme peut...

— Sottises, pour reprendre une expression d'Alfred. »

Valentina se remit à rire, mais cette fois le cœur n'y était pas.

« Ce sont toujours des hommes qui m'ont engagée pour des concerts. Jamais des femmes. Elles ne m'aiment pas. Elles voient en moi une concurrente. *C'est la vie**. »

Lydia devina la solitude dans ces paroles.

« Ce ne sont pas des sottises, maman. C'est la vérité. On peut se débrouiller.

— *Dochenka*, ne me mets pas en colère. Regarde-toi. Quand tu as voulu un lapin, c'est Antoine qui te l'a offert. La cage, l'argent, viennent d'Alfred. Oh, pas la peine de faire cette tête. Il m'a dit que tu lui as emprunté quelques dollars.

— C'était pour... des choses.

— Ne t'en fais pas. Je ne t'espionne pas. En réalité, Alfred a été touché que tu lui demandes plutôt que de voler.

— Il en faut peu pour lui faire plaisir.

— Il a dit que c'était un signe de maturité et que ton sens moral se développait.

— C'est vrai ?

— Oui.

— Mais maman, je demande de l'aide à des femmes aussi : Mᵐᵉ Zarya, Mᵐᵉ Yeoman… et la mère de Polly m'a appris à faire les gâteaux. Toi, tu m'as appris à danser. Et la comtesse Serova m'a appris à me tenir droite. »

Valentina cessa brusquement de caresser les cheveux de sa fille.

« Quoi ?

— Elle m'a dit de…

— Au nom de tout ce qui est sacré, qu'est-ce que cela a à voir avec cette sorcière ? »

Valentina avala son verre d'un trait.

« Comment ose-t-elle ? Comment ose…

— Maman. »

Lydia regarda sa mère. Son visage était caché dans l'ombre. Seuls ses yeux brillaient.

« Ne te fâche pas, maman. Elle n'a aucune importance. »

Valentina aspira nerveusement une bouffée de sa cigarette et recracha la fumée brutalement.

Lydia frotta sa joue sur la fourrure du manteau.

« Elle ne peut pas te faire de mal. »

Valentina restait silencieuse. Elle écrasa sa cigarette, en alluma une autre et se resservit une vodka. Lydia avait la tête qui tournait un peu et un léger engourdissement l'empêchait d'ouvrir les yeux. Elle voyait le sourire de Chang dans un voile de brume.

« Que fais-tu ces temps-ci après l'école ? lui demanda Valentina.

— Je vais chez Polly. On travaille sur un projet pour l'école. Je t'en ai parlé.

— Je m'en souviens. »

Elle but une gorgée de vodka.

« Ça ne veut pas dire que c'est la vérité. »

Lydia faillit tout lui révéler. Chang et ses bonds spectaculaires, son pied recousu, ses idéaux, la manière dont sa bouche… L'alcool lui avait délié la langue et les mots ne demandaient qu'à sortir. Elle avait besoin d'en parler.

« Maman, qu'ont pensé tes parents de ton mariage avec un étranger ? »

Elle sentit avec horreur le genou de sa mère trembler et, lorsqu'elle releva la tête, elle vit des larmes couler sur les joues de Valentina. Lydia lui caressa doucement le genou.

« Ils m'ont reniée.

— Pauvre maman.

— Ils m'avaient promise à l'aîné d'une grande famille russe de Moscou, mais ton père et moi nous sommes enfuis et mes parents nous ont maudits et m'ont déshéritée. »

En essuyant ses larmes du dos de la main qui tenait la cigarette, elle faillit s'enflammer les cheveux.

« Vous vous aimiez, c'est tout ce qui compte.

— Non, petite idiote. Ça ne suffit pas. On a besoin de plus que ça.

— Mais ensemble, vous étiez heureux. C'est ce que tu m'as toujours dit.

— Oui, c'est vrai. Mais regarde-moi maintenant. La malédiction de ma famille a fait de moi ce que je suis.

— C'est n'importe quoi. Les malédictions n'existent pas.

— Ne te fais pas d'illusions. Ce monstre de Confucius a vu juste pour une chose parmi toutes ses âneries : une femme doit obéir à ses parents. »

Elle tapota la tête de Lydia avec son verre.

« C'est une chose qu'il faut que tu saches, petit chat de gouttière. Les parents savent ce qui est le mieux pour leurs enfants. »

Lydia ne put s'empêcher de rire. C'était incontrôlable. Elle enfouit son visage dans les pans du manteau de sa mère.

« C'est la vodka, murmura Valentina qui se mit à rire aussi.

— Savais-tu, demanda Lydia en ricanant, que Confucius a dit qu'une mère qui allaite devrait donner le sein à ses grands-parents s'ils ne peuvent plus manger solide ?

— Grands dieux ! »

— Et qu'un homme devrait offrir ses doigts à manger à ses parents en période de famine.

— Eh bien, il est temps que je mange les tiens. »

Elle prit la main de Lydia et fit semblant de lui croquer le petit doigt.

Lydia pleura de rire. Elle était secouée de petits hoquets.

« Petite peste ! s'exclama Valentina. Regarde, la vermine est là ! »

Lydia tourna la tête et aperçut les longues oreilles blanches qui remuaient près d'elle. Sun Yat-sen, intrigué par le bruit, avait sauté hors du lit. Elle le prit dans ses bras, embrassa son petit nez rose, posa la tête sur les genoux de sa mère et s'endormit aussitôt.

31

L a journée de Noël fut difficile. Lydia l'endura patiemment.

Sa mère ne dit presque rien, car elle avait la gueule de bois et Alfred était mal à l'aise de recevoir dans son petit appartement sombre de célibataire, situé à la limite entre les quartiers anglais et français.

« J'aurais dû faire une réservation au restaurant », dit-il pour la troisième fois.

Ils étaient attablés et le cuisinier leur présentait une dinde trop cuite.

« Non, mon ange, c'est plus intime ici », le rassura Valentina en esquissant un sourire.

Mon ange? Intime? Lydia se hérissa. Lorsque Alfred lui posa un chapeau en papier sur la tête, elle tenta de paraître gaie.

Mais deux événements marquants rendirent le reste de la soirée presque supportable.

« Tiens, dit Alfred en tendant à Lydia une grande boîte plate fermée par un ruban de satin. Joyeux Noël, ma chère. »

À l'intérieur, elle découvrit un manteau bleu-gris à la coupe superbe, chaud et épais, et sut aussitôt que c'était sa mère qui l'avait choisi.

«J'espère qu'il te plaît, ajouta Alfred.

— Il est ravissant. Merci.»

Il avait un grand col croisé et les poches contenaient une paire de gants bleu marine. Elle enfila la tenue et se sentit merveilleusement bien. Alfred la regardait avec une expression joyeuse, attendant autre chose. Elle eut envie de lui dire: «Ce n'est pas parce que tu m'offres un manteau que ça fait de toi mon père.» Mais au lieu de cela, elle s'avança vers lui, passa les bras autour de son cou et l'embrassa sur la joue. Il sentait le bois de santal. Aussitôt, elle sut qu'elle venait de commettre une maladresse. Elle devina à son regard qu'il pensait que leur relation avait changé.

Croyait-il vraiment pouvoir l'acheter aussi facilement?

L'autre grand moment de la journée fut la découverte du poste de radio en bois de chêne avec une grille devant le haut-parleur. Lydia l'adora. Elle passa le plus clair de l'après-midi à tourner les boutons pour changer de station, faisant vibrer les murs des chansons d'Al Jolson et de la voix sucrée de Noel Coward interprétant «A Room with a View». Elle ignora la plupart des tentatives d'Alfred pour engager la conversation jusqu'au moment où, après un bulletin d'informations concernant Baldwin, le premier ministre, il se mit à louer la sagesse de sa décision de conclure un accord douanier avec le gouvernement de Tchang Kaï-chek et de le reconnaître officiellement, et à manifester sa fierté que la Grande-Bretagne précède les autres États dans cette démarche.

«Mais c'est Staline, et pas nous autres Anglais, qui a eu la bonne idée de faire appel à des conseillers militaires et d'investir des fonds pour aider les nationalistes du Kuomintang. Et maintenant Tchang Kaï-chek, cet idiot, a décidé de se débarrasser des russkofs.

— Ça n'a pas de sens, murmura Lydia qui écoutait encore d'une oreille Adele Astaire chanter "Fascinating Rhythm". Staline est communiste, pourquoi aiderait-il le Kuomintang qui extermine les communistes chinois ? »

Alfred nettoya ses lunettes.

« Il ne faut pas oublier qu'il soutient ceux qu'il donne vainqueurs dans la lutte pour le pouvoir entre Mao Tsé-toung et Tchang Kaï-chek. Cela peut apparaître comme un choix contradictoire de la part de Staline, mais dans ce cas précis, je dirais qu'il a raison.

— Il a exilé Trotski. Je ne vois pas en quoi il avait raison.

— La Russie, comme la Chine, a besoin d'un gouvernement uni et Trotski a créé un groupe d'opposition, alors...

— Taisez-vous, coupa Valentina. Arrêtez de parler de la Russie. Qu'est-ce que vous en connaissez tous les deux ? »

Elle se leva et se versa un grand verre de porto.

« C'est Noël. Réjouissons-nous. »

Elle leur lança un regard furieux et avala son verre d'un trait.

Lydia et Valentina partirent tôt et n'échangèrent pas un mot sur le chemin du retour. Toutes les deux ruminaient des pensées qu'il valait mieux ne pas partager.

Le soir du réveillon du Nouvel An, tout changea.

Au moment où Lydia s'avança dans la clairière près de la rivière aux lézards, elle comprit. L'argent avait disparu. Le ciel était très bleu et l'air si glacial qu'elle avait l'impression qu'il rongeait ses poumons. Heureusement, son manteau neuf la protégeait du froid. Les arbres étaient nus comme des squelettes. Lydia était venue pour ajouter une nouvelle marque sur le rocher, même si cela lui paraissait inutile.

Mais le tumulus n'était plus là. Les roches qu'elle avait entassées au pied du rocher étaient éparpillées. Sa poitrine se serra et elle s'affola. Elle tomba à genoux, enleva ses gants et fouilla le sol sablonneux. Bien qu'ailleurs il fût gelé, à cet endroit il était labourable. Le bocal n'avait pas disparu et à la place des trente dollars qu'elle y avait mis, elle trouva une plume. Elle fut soulagée. Chang était en vie.

En vie.

Il était venu, là.

Avec des gestes désordonnés, Lydia dévissa le couvercle du bocal et en ôta la plume blanche, douce, parfaite. Elle la posa dans la paume de sa main et l'examina encore. Quel était le message?

Blanche. La couleur du deuil. Cela signifiait-il qu'il était mort? Mourant? Ou bien… Une plume de colombe. La paix? L'amour? Une promesse d'avenir?

Quoi donc?

Elle resta longtemps agenouillée, la plume dans le creux de sa main, le visage fouetté par le vent qu'elle ne sentait presque pas. Elle finit par envelopper la plume dans son mouchoir, qu'elle plia et glissa sous sa combinaison. Elle tira ensuite son canif de sa poche, se coupa une mèche de cheveux, la plaça dans le bocal dont elle referma le couvercle avant de l'enterrer de nouveau. Elle reconstruisit le tumulus.

À ses yeux, c'était une pierre tombale.

Un bruit dans le sous-bois derrière elle lui fit tourner la tête. Deux pies se télescopèrent en plein vol dans un éclair d'ailes noir bleuté, en poussant des cris rauques affolés. Lydia eut des frissons dans le dos. Elle poussa un hurlement de joie et fit un pas en avant pour l'accueillir.

Ce n'était pas Chang.

La déception la foudroya.

Une longue main aux ongles jaunes écarta une branche de houx pour pénétrer dans la clairière et, pendant une fraction de seconde, elle put distinguer une silhouette mince vêtue de haillons.

Ce n'était pas Chang.

Puis l'intrus disparut. Aussitôt, Lydia se mit à courir à ses trousses, coupant à travers les buissons sans se soucier des ronces et des épines. Le sentier était très étroit et sinuait sous les bouleaux. Ici et là, d'épais buissons pouvaient servir de cachettes.

Elle ne voyait plus celui qu'elle poursuivait. Elle arrêta de courir pour écouter, immobile. Elle entendait seulement le bruit de son pouls et sa respiration sifflante. Elle attendit. Une crécelle qui planait haut dans les airs lui tint compagnie. Lydia parcourait les bois des yeux à l'affût d'un mouvement. Une branche bougea à sa gauche, dans un massif de sureaux assailli par le lierre où une grappe de baies gelées s'agrippait encore à une ramure et un pinson sautillait de branche en branche.

Était-ce l'oiseau qui avait fait frémir les feuilles ?

Elle avança doucement. Elle sortit le canif replié de sa poche et l'ouvrit. Elle s'approcha un peu plus du massif en scrutant chaque enchevêtrement de broussailles, chaque puits d'ombre, quand soudain un homme bondit presque devant son nez et se mit à courir avec des mouvements désordonnés. Il zigzaguait et trébuchait. Elle n'eut aucun mal à le rattraper et, le cœur battant à tout rompre, posa une main sur son épaule. Cela suffit à le faire tomber et il se retrouva face contre terre. Lydia s'accroupit à côté de lui, couteau à la main. Elle ne se souciait pas de savoir si elle oserait s'en servir.

L'homme n'opposait aucune résistance. Il se tourna sur le dos et posa les mains sur sa tête. Il était terriblement maigre. Il avait le teint jaunâtre ; ses yeux semblaient rouler dans leurs orbites ; ses pommettes saillaient et des lésions à vif lui zébraient le visage. Elle ne parvenait pas à se faire une idée de son âge. Peut-être une vingtaine ou une trentaine d'années. La peau craquelée de ses mains pelait comme celle d'un homme bien plus vieux.

Lydia le saisit par sa tunique en lambeaux qui sentait l'urine.

« Dis-moi, où est Chang An Lo ? » lui demanda-t-elle lentement, en espérant qu'il parlait anglais.

Il remua la tête en la dévisageant.

« Chang An Lo. »

Il leva un doigt décharné et le pointa vers elle.

« Lydia ?

— Oui. »

Elle reprit espoir. Seul Chang avait pu lui parler d'elle.

« Je suis Lydia. »

Elle l'aida à se relever.

« Chang An Lo ? demanda-t-elle de nouveau en se maudissant de ne pas avoir appris davantage le chinois.

— Tan Wah, dit-il en désignant sa poitrine.

— Tu es Tan Wah ? Je t'en prie, conduis-moi à Chang An Lo. »

Elle fit un geste en direction de la ville.

Il approuva du chef et se mit en chemin tant bien que mal à travers le sous-bois. Lydia n'avait pas lâché sa tunique. L'impatience lui donnait la chair de poule.

Ils se dirigeaient vers le port. Lydia avait donc cherché au bon endroit. Dans l'univers des anonymes. Le monde sans loi où les armes gouvernaient et où l'argent pouvait tout. M. Liu ne s'était pas trompé. Chang était là, tout près, qui l'attendait. Elle l'entendait respirer. Elle tira sur la tunique de Tan Wah parce que, sans Liev, elle se sentait mal à l'aise dans ce quartier dangereux.

Elle s'était habituée à l'odeur. Le quai grouillait de monde. Les gens se bousculaient, jurant et crachant, pour éviter les pousse-pousse. Seuls ceux qui poussaient des brouettes et les porteurs d'eau se frayaient un passage dans la cohue. Cette fois-ci, Lydia ne scrutait pas leurs visages. C'est pourquoi elle ne fit pas attention au vieillard courbé sous le tas de bois chargé sur ses épaules. Ses cheveux clairsemés lui tombaient sur le visage. Il se fondait dans la foule grise. Elle le remarqua seulement lorsqu'il lui barra la route. Elle lut dans ses yeux une expression cupide.

Il tira un poignard de sous sa tunique et, sans dire un mot, l'enfonça jusqu'à la garde dans le ventre de Tan Wah.

Lydia hurla.

Tan Wah toussa et tomba à genoux, les mains sur sa blessure. Lydia lui saisit le bras pour le soutenir, mais le vieil homme tranchait déjà la gorge de son guide. Le sang gicla. Lydia reçut des éclaboussures chaudes.

«Tan Wah!» cria-t-elle.

Elle s'agenouilla sur le sol à côté de lui. Ses yeux injectés de sang étaient grands ouverts, mais il était mort.

«Tan Wah», murmura-t-elle d'une voix haletante.

On la tirait par l'épaule. Elle se releva d'un bond, se libérant, puis hurla:

«Aidez-moi! Cet homme est mort, il lui faut… S'il vous plaît, allez chercher la police… Je…»

Seule une femme, la tête couverte d'un chapeau maintenu par un foulard, s'arrêta. Elle portait sur le dos un enfant enveloppé dans un châle. Elle se baissa, tapota la joue de Tan Wah comme pour vérifier que son esprit avait quitté sa dépouille et se mit à fouiller les poches de la tunique. Lydia l'injuria et la fit reculer violemment. Folle de rage, elle ne parvenait pas à parler. Elle poussa un grognement animal.

La femme se fondit dans la foule indifférente. Lydia sentit des mains sur son ventre. Dans sa confusion, elle pensa d'abord que quelqu'un essayait de l'aider à retrouver l'équilibre. Puis elle comprit. Le vieil homme défaisait les boutons de son manteau pour le lui voler. C'était donc ça qu'il voulait. Il avait tué Tan Wah pour un manteau.

Elle lui cracha au visage et tira son canif de sa poche. S'il ne l'avait pas poignardée, c'est parce qu'il ne voulait pas abîmer le manteau. Elle lui enfonça la lame de toutes ses forces dans le bras, jusqu'à sentir la résistance de l'os. Un gémissement aigu s'échappa de sa gorge et il lâcha prise.

Lydia s'appuya de tout son poids sur le tas de bois qu'il portait sur les épaules et l'homme tomba sur les pavés. Elle fit volte-face et s'enfuit en courant.

Lydia remarqua soudain un visage blanc, des cheveux blonds, des yeux bleus, un uniforme. Elle traversa la rue à toute allure et s'accrocha au bras de l'homme qui descendait les marches d'une maison de jeu bruyante. Il sentait le whisky.

« Excusez-moi, dit-elle d'une voix haletante. Excusez-moi…

— Eh bien, la belle, que vous arrive-t-il ? Calmez-vous. »

C'était un soldat américain. Elle reconnut l'uniforme de la marine. Comme il aurait flatté l'encolure d'une jument nerveuse, il lui frotta le dos pour l'apaiser.

« Qu'y a-t-il ?

— Un homme… Un homme a tué mon… mon ami. Pour rien. Il l'a poignardé. Il voulait mon…

— Calmez-vous, vous êtes en sécurité avec moi, mon petit.

— Mon manteau.

— Saloperies de voleurs. Venez. Allons chercher la police pour régler cette affaire. Ne vous affolez pas. »

Il l'accompagna pour remonter la rue.

« Qui était votre ami ?

— Un Chinois.

— Quoi ! Un chinetoque. Nous ferions mieux de ne rien faire. »

Il s'arrêta et, la tenant fermement par la taille, évita une chèvre qui bêlait, pitoyablement pendue par les pattes à un poteau. Puis il entraîna Lydia sous un porche.

« Vous avez eu une belle frayeur, mademoiselle. Mais écoutez, s'il s'agit simplement d'un pauvre Chinois, vous feriez mieux de laisser la police locale s'en occuper », lui conseilla-t-il d'une voix douce.

Il lui adressa un sourire rassurant, révélant de belles dents blanches.

Brusquement, elle repoussa son bras pour se dégager.

« Lâchez-moi, s'il vous plaît. Si vous ne voulez pas m'aider, j'irai chercher la police moi-même. »

Le marin colla ses lèvres sur celles de Lydia.

Une vague de dégoût la submergea. Elle se débattit, lui griffa le visage, mais il lui maintint les bras derrière le dos, la poussa contre le mur et releva sa jupe. Elle lui donna des coups de pied, tenta de nouveau de se dégager, sans succès. À présent, il tirait sur l'élastique de sa culotte et lui fourrait sa langue poisseuse dans la bouche.

Lydia le mordit jusqu'au sang.

« Salope », grogna-t-il.

Il la gifla puis la bâillonna de la main.

« Fils de pute », siffla-t-elle.

Il éclata de rire.

« Arrêtez ! » cria un homme.

Lydia ne vit que le canon d'un revolver pointé sur la tempe de son agresseur. Le déclic du chien résonna comme un coup de canon sous le porche. Lydia saisit sa chance. Elle donna un violent coup de pied à son agresseur et entendit sa rotule craquer. Il grogna puis recula.

« À genoux ! » lui intima l'homme au revolver.

Le marin savait qu'on ne discute pas avec un homme armé. Il s'exécuta. Lydia regagna la rue, prête à prendre ses jambes à son cou sans se soucier de son protecteur. La galanterie semblait ne pas être désintéressée.

« Lydia Ivanova. »

Elle s'immobilisa et regarda l'homme vêtu d'un grand manteau vert qui venait de l'apostropher et la dévisageait d'un air inquiet. Elle reconnaissait ce visage. Elle reprit ses esprits, refoula l'instinct animal de la fuite et parvint à parler.

« Alexei Serov ! s'exclama-t-elle.

— Cette fois, au moins, vous me reconnaissez. »

Lydia ressentit un profond soulagement.

« Puis-je ? dit-elle en tendant la main vers le revolver.

— Vous n'allez tout de même pas vous en servir ?

— Je vous promets que non. »

Il désarma le pistolet et la laissa le prendre. Elle asséna un violent coup de crosse sur la tête de l'Américain puis rendit l'arme à Alexei.

« Merci », lui dit-elle avec un large sourire.

Il examina son visage, ses cheveux, ses vêtements.

« Venez, dit-il. Je vais vous raccompagner. »

Il lui offrit le bras avec une grande douceur. Lydia eut un mouvement de recul.

« Non, merci, je préfère simplement marcher à côté de vous. »

Sa propre voix lui semblait étrangère.

« Vous êtes sous le choc. Je ne crois pas que vous soyez en état d'avancer sans mon aide.

— Je vous assure que oui. »

Il acquiesça.

« Il y a eu un meurtre, lui dit-elle en montrant du doigt le bas de la rue, tout en sachant que cela ne servait à rien.

— Il y en a tous les jours ici, commenta-t-il en haussant les épaules. Ne vous tracassez pas pour ça. »

Il se mit en route et fit signe à trois hommes qui attendaient tranquillement derrière lui de le suivre. Lydia ne les avait pas aperçus. C'étaient des soldats du Kuomintang.

Il la reconduisit jusqu'à sa porte.

« Votre mère est-elle chez vous ? demanda Alexei.

— Oui », mentit Lydia.

Elle avait besoin de se retrouver seule dans le silence du grenier. Elle avait été si près de trouver Chang An Lo, mais à présent...

Alexei Serov ignora son refus et l'escorta jusqu'au palier. Elle n'avait pas l'habitude de faire entrer qui que ce soit. Même Polly. Mais ce jour-là, ça n'avait pas d'importance. Alexei la fit asseoir sur le canapé et lui prépara plusieurs tasses de thé. De temps en temps, il lui parlait. Lydia recouvrait lentement ses esprits. Alexei parcourait la pièce des yeux.

« Les couleurs sont magnifiques, dit-il en désignant les coussins et les étoffes. C'est très joli. »

Joli ? Comment une personne sensée pouvait-elle trouver ce trou à rats joli ?

Elle but une gorgée de thé en examinant cet homme qu'elle avait laissé entrer. Bien calé sur la chaise, il semblait à l'aise, contrairement à Alfred, toujours nerveux. Elle avait l'étrange impression qu'Alexei Serov serait à l'aise n'importe où. Ou bien n'était-ce qu'une façade ? Son visage, son corps, sa manière de croiser les jambes, toute sa personne dégageait une certaine nonchalance. Ses grandes mains épaisses contrastaient avec sa silhouette élancée.

« Vous vous sentez mieux ? demanda-t-il.

— Oui, je me sens mieux. »

Il rit comme s'il mettait ses paroles en doute, puis ajouta : « Bien. Alors je vais vous laisser. »

Elle essaya de se lever, mais elle était enveloppée dans sa couverture. Quand l'avait-il ainsi emmitouflée ?

Il se pencha et la regarda dans les yeux.

« C'est dangereux pour une femme d'aller dans le quartier des quais. Toute seule, c'est suicidaire.

— Je n'étais pas seule. J'étais avec un ami. Un ami chinois, mais il a été… »

Elle ne parvint pas à prononcer le mot.

« Assassiné ? »

Elle fit oui de la tête.

« Poignardé. »

Ses mains se mirent à trembler et elle les cacha sous la couverture.

« Je dois en avertir la police.

— Connaissez-vous son nom ?

— Tan Wah.

— À votre place, je ne ferais rien. Ça n'intéressera pas la police chinoise, je vous assure. Sauf s'il était riche, bien sûr. Dans ce cas-là, ils considéreraient cette affaire d'un autre œil. »

Le visage de Tan Wah lui apparut, jaune comme la poussière de limon soufflée par le vent.

« Non, il était pauvre, mais il mérite qu'on lui rende justice.

— Connaissez-vous l'homme qui l'a tué ? Savez-vous où le trouver ?

— Non.

— Alors oubliez ça. C'est un simple meurtre de plus.

— C'est cruel.

— C'est l'époque qui le veut. »

Elle savait bien qu'il avait raison, mais quelque chose en elle refusait cet état de fait.

« C'était pour mon manteau. Le meurtrier voulait mon manteau. Tan Wah est mort pour un stupide manteau… »

Elle rejeta la couverture et se leva d'un bond en tirant sur les boutons de son manteau, ôta le vêtement maudit de ses épaules et le jeta sur le plancher. Alexei Serov se leva à son tour, le ramassa et le posa sur le dossier de sa chaise. Puis il alla jusqu'à l'évier et revint avec un bol rempli d'eau et un chiffon.

« Tenez, dit-il. Lavez-vous.

— Comment ?

— Nettoyez votre visage. »

Il lui mit le chiffon dans la main.

« Il faut que je parte, mais je ne le ferai pas à moins d'être sûr que vous… »

Lydia se regarda dans le miroir et l'image qu'il lui renvoya la choqua. Elle était blanche comme un drap et de petites gouttes de sang coagulé lui maculaient la joue et le cou comme des taches de rousseur. Son visage était bouffi à l'endroit où l'Américain l'avait giflée ; une égratignure, résultant sans doute de sa course dans les sous-bois, courait le long de son oreille gauche ; des mèches de cheveux étaient collées par du sang séché. Le sang de Tan Wah.

Elle ne regarda pas ses yeux. Elle avait peur de ce qu'elle pourrait y voir.

Elle se passa le chiffon sur le visage, puis ouvrit le robinet et fit couler sur sa tête un filet d'eau glacée. Elle se sentit tout de suite mieux. Lorsqu'elle se retourna, elle s'attendait qu'Alexei soit parti, mais il était encore là et lui tendait une serviette. Elle s'essuya le visage et frictionna ses cheveux énergiquement, comme pour chasser de son esprit les souvenirs de la journée, puis les démêla si vigoureusement que le manche de la brosse se rompit. Elle s'arrêta, prit une profonde inspiration et eut un rire forcé.

« Merci pour votre gentillesse, Alexei Serov. »

Lorsqu'il claqua les talons et inclina la tête, Lydia le trouva étrange et sa présence lui sembla incongrue.

« Ravi d'avoir pu vous aider. »

Il se dirigea vers la porte et l'ouvrit.

« J'espère que vous vous remettrez rapidement.

— J'ai une question… », lui dit Lydia.

L'œil attentif, il la laissa poursuivre.

« Pourquoi avez-vous des soldats du Kuomintang à vos ordres ?

— Je travaille avec eux.

— Oh.

— Je suis conseiller militaire. Entraîné au Japon.

— Je vois.

— Vous voulez savoir autre chose ?

— Non.

— Eh bien, au revoir.

— *Spasibo, do svidania.* »

Il partit.

Ses pas résonnaient encore quand un cri de surprise s'éleva à l'étage du dessous. C'était Valentina. Après un échange en russe que Lydia ne comprit pas, sa mère entra précipitamment dans la pièce.

« Lydia, je ne veux plus jamais revoir ce Russe ici, tu m'entends ? Jamais. Tu m'écoutes ? Mon Dieu, il fait froid dans cette maudite pièce. Sous aucun prétexte je ne veux cette affreuse famille dans les parages… Lydia, je te parle. »

Mais Lydia avait emporté sa couverture et s'était recroquevillée sur son lit. Elle ferma les yeux.

Excuse-moi, Chang An Lo.

C'était le milieu de la nuit. Allongée sur le dos, Lydia contemplait l'obscurité. Le sang lui battait les tempes. Elle avait réfléchi. Si Chang avait envoyé Tan Wah à la rivière aux lézards, il devait être malade. Ou blessé. C'était la seule explication possible. Sinon il serait venu lui-même. Elle en était certaine. Et maintenant par sa faute, Tan Wah était mort et Chang allait courir des dangers encore plus terribles. Sans Tan Wah, il pourrait mourir. Les larmes qu'elle ne versait pas lui nouaient la gorge.

« Lydia ?

— Oui, maman.

— Dis-moi, *dochenka*, est-ce que tu trouves que je suis une mauvaise mère ? »

Seul un rayon de lune éclairait la pièce. Sa mère avait passé la soirée à boire et avait marmonné dans son lit, ce qui n'était pas bon signe.

« Qu'est-ce que tu veux dire ?

— Allons, tu le sais très bien. »

Lydia fit l'effort de parler. Cette nuit était la dernière qu'elles passaient ensemble dans le grenier.

« Tu ne m'as jamais fait de tarte aux prunes. Tu n'as jamais reprisé mes vêtements. Tu ne t'es jamais inquiétée de savoir si je m'étais brossé les dents. Est-ce que ça fait de toi une mauvaise mère ?

— Non.

— Évidemment. Tu l'as, ta réponse. »

Le vent fit vibrer la fenêtre. Lydia songea un instant que c'était Chang qui tambourinait sur le carreau.

« Dis-moi ce que j'ai fait de bien, *dochenka*. »

Lydia choisit ses mots avec soin.

« Tu m'as gardée. Alors que tu aurais pu me confier n'importe quand à l'orphelinat St. Mary. Tu aurais été libre de faire ce que tu voulais. »

Valentina resta silencieuse.

« Et tu m'as apporté la musique. Toute ma vie j'ai écouté de la musique. Tu m'as fait des bisous. Tu m'as donné des foulards colorés. Tu m'as appris à ne pas garder ma langue dans ma poche, même si tu l'as regretté. Oui, c'est toi qui me l'as appris, insista-t-elle. Tu m'as appris à penser par moi-même et, par-dessus tout, tu m'as laissée commettre mes propres erreurs. »

Un nuage cacha la lune.

Valentina ne disait toujours rien.

« Maman, c'est à toi maintenant. Dis-moi ce que j'ai fait de bien. »

Valentina inspira profondément puis soupira. Il lui fallut une minute avant de commencer.

« Le fait que tu sois en vie me suffit. C'est tout ce qui compte. »

Les paroles de sa mère illuminèrent le grenier et lui firent chaud au cœur. Lydia ferma les yeux.

« Allez, dors maintenant, *dochenka*. Demain est un jour important. »

Mais une heure plus tard, Valentina chuchota :

« Réjouis-toi pour moi.

— C'est difficile d'être heureuse.

— Je sais. »

Lydia se frotta les yeux pour effacer l'image de Chang, seul et malade. Elle pouvait se passer de bonheur. Cependant, elle était fermement décidée à garder espoir.

32

Ce matin-là, Theo trouvait Junchow douloureusement belle. Il avait neigé toute la nuit, si bien qu'à présent la ville était d'une blancheur aveuglante. Ses toits gris s'étaient changés en pentes scintillantes avec des avant-toits recourbés comme des traîneaux prêts à glisser. Même les grandes demeures anglaises n'étaient plus qu'un givre fragile. Le ciel projetait une étrange lumière rose qui illuminait la cour de l'école, où les empreintes d'un animal dessinaient une diagonale.

« Allez, Theo, vas-y, sinon tu seras en retard. »

Il abandonna la fenêtre à contrecœur. Li Mei, vêtue d'une robe de chambre blanche, se tenait à côté de lui. Comme un flocon de neige, songea Theo. Il la prit dans ses bras et posa un baiser sur ses lèvres. Lorsqu'il vit des larmes couler sur ses joues, il relâcha son étreinte et prit le haut-de-forme gris qu'elle tenait à la main. Il lui parut ridicule. Il portait une queue-de-pie et un absurde col blanc empesé. Li Mei lui caressa la joue, respira la fleur à sa boutonnière et ajusta son chapeau sur sa tête.

« Tu as belle allure, mon amour.

— Une belle allure d'idiot», dit-il en riant.

Li Mei rit aussi.

«Accompagne-moi, proposa-t-il.

— Non.

— Pourquoi?

— Ce ne serait pas convenable.

— On s'en moque.

— Non, je ferai autre chose aujourd'hui.

— Quoi?

— J'irai parler à mon père.

— Qu'il aille au diable. Tu as juré que tu ne voulais plus jamais le voir.»

Elle baissa la tête. Ses cheveux voletèrent comme un rideau qui les aurait séparés.

«Je sais. Je manque à mon serment. Je prie pour que les dieux me pardonnent.

— Ne va pas le voir, ma douce. S'il te plaît. Il pourrait te faire du mal et je ne le supporterais pas.

— Ou moi, je pourrais le blesser», dit-elle en levant vers lui ses grands yeux en amande douloureusement beaux.

Theo essayait de se concentrer. La cérémonie fut courte, heureusement. C'était l'avantage des mariages civils par rapport aux religieux, sophistiqués et ennuyeux, qu'il détestait. Dommage pour Alfred, cependant. Il avait été contrarié de ne pas pouvoir échanger des vœux devant Dieu. Mais s'il tenait tant à épouser une femme qui s'était déjà mariée, à quoi s'attendait-il? L'Église anglicane était assez inflexible sur ce genre de principes.

Assis au premier rang derrière le marié, il avait vaguement conscience de la présence des autres invités. Le boléro de Valentina, cousu de minuscules perles qui scintillaient en se soulevant au rythme de sa respiration, l'éblouissait et le troublait. Il concentra son attention sur l'ourlet de la robe, sur les hanches minces sous la mousseline ivoire, sur les douces courbes de sa chute de reins. Il eut soudain envie d'être avec Li Mei. Dans la baignoire. Et de faire courir sa langue le long de sa cuisse pâle.

Il secoua la tête pour chasser ces pensées. Ces derniers temps, il lui était impossible de savoir où son esprit allait se perdre et cela l'inquiétait. Il ôta ses gants et frotta ses mains l'une contre l'autre sans prendre garde au bruit. Une femme lui tapa sur l'épaule. Il s'arrêta. Il n'y avait pas plus de trente invités, des collègues d'Alfred pour la plupart. Theo reconnut un ou deux membres du club. Il remarqua aussi une vieille Russe vêtue de soie qu'il ne connaissait pas et un couple élégant aux cheveux blancs, qui souriait beaucoup. Il se souvint vaguement qu'Alfred lui avait dit qu'ils étaient missionnaires en retraite et habitaient dans la même maison que Valentina.

« Alfred Frederick Parker, voulez-vous prendre Valentina Ivanova pour épouse ? »

Non, ils se trompaient tous. C'était Valentina qui avait choisi Alfred. C'était évident pour tout le monde, sauf pour ce pauvre Alfred. Il s'unissait à cette femme et devenait responsable de sa fille. Theo passa la main sur ses paupières brûlantes. Où était Lydia ?

Il se souvint l'avoir vue plus tôt entrer dans la salle avec sa mère, l'air lointain, se tenant très droite. Il y avait de la noblesse dans le maintien de cette fille, qui avait un air de reine de la jungle avec sa robe verte et ses cheveux roux. Il jeta un coup d'œil de l'autre côté de l'allée centrale et la vit fixer ses mains gantées de vert pâle posées sur ses genoux et tirer sur le bout des doigts avec des gestes nerveux. Il remarqua l'égratignure près de son oreille. Elle avait dû livrer combat dans la jungle.

Theo s'assit plus confortablement sur sa chaise et se risqua à fermer les yeux. Aussitôt, il fut entraîné dans un monde de sampans, de pontons oscillants et de dents jaunes. Il voyait Christopher Mason, sur un radeau dans un bras de la rivière, couvert de serpents qui dévoraient ses yeux et se glissaient dans ses oreilles.

Theo sourit et se mit à ronfler.

«Alors, Theo, mon vieux, qu'en pensez-vous ? Vraiment chouette, non ?

— Oui, vous avez loué une bien jolie maison, Alfred. »
L'endroit était situé à l'est du quartier anglais, près de l'église Saint-Sebastian, dans une avenue bordée d'arbres.

«Votre épouse et vous serez certainement très heureux ici. »
Theo ne mentionna pas Lydia.

«C'est ce que je crois. »
Les deux hommes se tenaient sur la terrasse donnant sur un immense jardin qui, même au cœur de l'hiver, était bien entretenu. Ils fumaient un cigare et avaient presque terminé leur verre de brandy. Theo avait désespérément envie de prendre congé. Ses yeux piquaient. Sa peau le démangeait. Il lui semblait qu'un rongeur lui grignotait les nerfs. Derrière lui, dans le salon, on entendait le bourdonnement des voix enjouées des invités qui prenaient d'assaut le buffet. La musique qui s'échappait de la pièce écorchait les oreilles de Theo.

«Vous partez bientôt ? demanda-t-il.

— Oui. »
Alfred consulta sa montre.

«Le taxi vient pour nous conduire à la gare à trois heures et demie. Nous allons passer une semaine à Datong. Juste nous deux. En lune de miel. Valentina et moi. »
Il souriait tant que Theo crut que ses joues allaient se fendre.

«Vous allez adorer le temple Huayuan.

— J'ai vraiment hâte de le découvrir. Valentina aussi.

— J'imagine. Et la petite ?

— Lydia ?

— Oui. Elle reste ici ? Ou va-t-elle aller chez... »
Theo avait un trou de mémoire. Comment s'appelait la petite blonde ? Sally ? Dolly ? Non, Polly.

«Polly ? »

Pour la première fois de la journée le sourire radieux d'Alfred s'évanouit.

«Elle a décidé de rester ici. Le cuisinier et sa femme logent dans une dépendance et le valet ainsi que le jardinier viennent tous les jours. Elle ne sera pas seule.

— Pas de raison de s'inquiéter alors.

— Eh bien, je ne peux pas dire que cela me réjouisse. Elle a refusé de séjourner chez les Mason, alors qu'ils le lui ont proposé. Et elle ne veut pas que j'engage une femme respectable pour vivre ici avec elle pendant notre voyage.»

Il ôta ses lunettes et les nettoya.

«Ce ne sera qu'une semaine, marmonna-t-il pour lui-même. Et elle aura dix-sept ans cette année. Que peut-il lui arriver en une semaine?»

Theo rit et regarda fixement un caillou humide à ses pieds pour faire cesser les scintillements éblouissants devant ses yeux.

«Ne vous affolez pas, mon cher, cette jeune fille sait comment prendre soin d'elle-même.

— C'est précisément ce qui m'inquiète.

— Qu'est-ce qui te tracasse, mon ange? demanda Valentina qui venait de les rejoindre.

— Oh, je crains qu'il ne se remette à neiger et que notre train ne soit retardé.

— Non, même le temps est avec nous aujourd'hui. Tout se passera bien.»

Elle rit et vint se serrer contre son mari. Alfred lui adressa un sourire radieux. Il passa le bras autour de ses hanches et elle se tourna vers lui comme un tournesol vers le soleil. Theo voyait la fierté illuminer le visage d'Alfred et y lisait un amour tellement pur qu'il avait quelque chose d'indécent. Il s'inquiétait pour son ami.

Il faisait un froid mordant sur la terrasse et Valentina ne portait que sa robe de mousseline crème. Theo vit ses mamelons durcir sous l'étoffe. Il préférait le rouge vif des vêtements de mariage chinois, symbole de bonheur, aux teintes fades privilégiées par les Occidentaux, mais il devait cependant admettre que Valentina était très élégante. Son cou resplendissait de trois rangs de perles aussi pâles que sa peau. Sentant le regard de Theo posé sur elle, elle se tourna et le soutint pendant plus longtemps que nécessaire, puis sourit à Alfred.

« Mon ange, retourne à l'intérieur. On gèle ici et M. Willoughby semble avoir froid.

— Elle a raison, vous êtes un peu pâle. Les femmes remarquent toujours ce genre de choses.

— En effet », répondit Theo.

Il se leva pour rentrer avec l'intention de prendre congé.

Lorsque les jeunes mariés pénétrèrent dans le salon bras dessus bras dessous, les invités se mirent à chanter : « Car c'est un bon camarade... » Puis ils enchaînèrent avec : « C'est une bonne camarade... »

Un bruit de dispute à la porte mit fin à l'ovation. Un hurlement de colère emplit la pièce. Pendant un court instant, Theo se demanda si c'était encore une hallucination. Un homme immense, saoul de toute évidence, se frayait un passage parmi les invités en jurant en russe. Il portait la barbe et avait un œil couvert d'un bandeau. Ses vêtements dégageaient une odeur épouvantable, comme s'il ne les avait pas lavés depuis l'époque de la révolution bolchevique. Les convives observaient l'intrus avec des regards affolés. La pièce elle-même semblait trembler et rétrécir alors que la créature gigantesque s'avançait en titubant dans un concert de grognements.

« Cet homme est ivre. »

« Si seulement j'avais mon arme. »

« Appelez la police. »

« Ne t'approche pas, Johnnie, il pourrait y avoir des blessés. »

Theo s'avança vers l'intrus sans savoir précisément ce qu'il allait faire. Peut-être tirer de son étui le couteau dissimulé dans sa chaussette et qui ne le quittait plus. Ou bien les lumières aveuglantes qui embrasaient ses yeux l'avaient rendu invisible et il pourrait frapper cet homme sans qu'il le voie. Tout pour éviter que son ami ne soit blessé le jour de son mariage.

Soudain, un énorme coude s'abattit sur son visage. Quelqu'un tira Theo par le bras, si bien que le coup suivant l'atteignit à l'épaule. Il tourna la tête et vit la main de Lydia sur sa manche. Puis elle disparut.

Malgré la douleur, Theo tenta de comprendre. Le *tu-fei*, le bandit russe, fonça sur les mariés. Alfred, pourtant toujours calme et courtois, se jeta en avant en poussant un cri d'animal pour défendre sa bien-aimée, mais le géant, bougeant à peine un muscle, lui asséna un coup sur la tête qui l'envoya à terre.

Valentina hurlait en russe. Elle gifla l'assaillant de son mari à plusieurs reprises. Sur la pointe des pieds, elle ressemblait à un chaton face à un lion. L'homme ne la toucha pas. Il grogna en secouant la tête en tous sens puis tituba. Valentina lui cria :

« *Poshyol von.* Sors d'ici, sale porc. *Ubiraisya otsyuda gryaznaya svinya.*

— *Prodazhnaya shura*, rugit-il. Sale pute. »

Theo aida Alfred à se relever.

« Arrêtez, arrêtez ! *Prekratyitye* », lança Lydia.

Elle saisit l'homme par le bras. Il dirigea lentement le regard vers elle.

« *Poshli*, venez, lui intima-t-elle. Venez avec moi tout de suite ou on va vous abattre comme un chien. »

L'incident était clos. Alfred se précipita vers Valentina. La dernière image que vit Theo fut le départ de Lydia, tirant l'intrus par la manche. Curieusement, celui-ci versait des larmes. La vieille femme russe se tenait au milieu de la pièce, les bras levés au ciel, et criait :

« Vous allez payer pour ça. Dieu vous punira. »

Theo se demanda si elle parlait de lui.

33

Lydia devait courir, car même saoul, Liev, comme possédé, marchait à vive allure.

« Que les rats te les bouffent, Liev Popkov, jura-t-elle. Ralentis. »

Il s'arrêta et l'examina d'un œil voilé. Il avait l'air surpris de la trouver à côté de lui.

« Qu'est-ce qui t'a pris ? » demanda-t-elle.

Il secoua la tête et se remit en route d'un pas lourd, plus lentement. Il pleuvait à présent, mais il faisait toujours aussi froid. En partant, Lydia avait attrapé son vieux manteau, car elle avait pris le neuf en horreur, mais il ne la protégeait pas du rude hiver chinois. Elle s'agrippa à Liev. Craignant qu'il ne l'abandonne après l'altercation avec sa mère, Lydia se concentra pour trouver la bonne formulation en russe.

« Pourquoi t'en es-tu pris à ma mère ? Dis-moi. *Pochemu*.

— Une Russe doit épouser un Russe », grogna-t-il.

Il baissa la tête sans rien ajouter.

« Ce sont des âneries. »

Lydia abandonna. Son vocabulaire russe n'était pas assez étendu pour exprimer les émotions qu'elle ressentait. Voir le visage de sa mère déformé par la colère et l'entendre débiter des mots en russe sans les comprendre l'avait ébranlée. Pourquoi Liev avait-il fait irruption chez eux ?

Elle conduisit le grand ours jusqu'aux quais.

« J'ai un plan, lui dit Lydia. J'ai trouvé un homme qui connaît mon ami. Il est mort maintenant, mais je l'ai entendu prononcer le nom de Calfield. Je crois que c'est quelque part par ici.

— Calfield ?

— *Da.* »

Impatiente, elle dirigea l'attention de Liev sur les enseignes le long du quai : Jepherson's Timber Yard et Lamartiere Agence, Green Wheelwright et Winkman's Chandlery avoisinaient des entreprises chinoises.

« Où est Calfield ? Tu dois demander.

— Calfield, reprit-il.

— C'est ça. »

Lydia était restée éveillée pendant des heures à rassembler ses souvenirs du meurtre de Tan Wah. Le couteau, le cri, le sang. Comment un homme aussi maigre pouvait-il perdre autant de sang ? Elle avait ensuite repensé au moment où elle lui avait demandé où se trouvait Chang An Lo. Elle voyait encore le regard absent, le visage imberbe, les dents jaunes et cassées. Les mots qu'il avait prononcés en chinois n'avaient aucun sens pour elle, mais elle réentendit les sons étrangers.

À l'aube, deux syllabes se détachèrent du flot de paroles : *Cal-field.* Tan Wah avait mentionné ce nom.

Elle s'y raccrocha comme un chien à un os. Il avait voulu la conduire jusqu'à Chang. Elle en était certaine. Il avait tendu le bras en direction du quai et dit : « Calfield ».

Il devait s'agir d'une entreprise industrielle ou d'un commerce. Calfield était un patronyme anglais et aucun Britannique n'habitait sur les quais. Elle avait prévu d'aller trouver Liev Popkov dès qu'Alfred et sa mère seraient partis pour la gare, mais l'intrusion du grand Russe avait précipité les événements. Les jeunes mariés étaient certainement trop excités par la perspective de la lune de miel pour remarquer son absence.

« Lydia Ivanova. »

L'ours venait de l'interrompre dans ses pensées. Sa voix était plus calme et son élocution plus aisée.

« *Pochemu* ? Pourquoi veux-tu tant retrouver cet ami ? »

Elle lui lança un regard noir.

« Ce ne sont pas tes affaires. »

Liev grogna puis fouilla dans la poche de son manteau et en tira une liasse de billets qu'il lui mit dans la main. Il referma les doigts de Lydia pour cacher l'argent aux regards indiscrets.

« Deux cents dollars. »

Lydia eut un haut-le-cœur. Lui rendre son argent signifiait qu'il en avait fini avec elle.

« Ne pars pas. *Nye ostavlyai menya.* »

Il ne répondit pas. Il ôta la longue écharpe enroulée autour de son cou, la posa sur les cheveux mouillés de Lydia et lui en couvrit les épaules. La laine sentait la sueur, le tabac et l'ail, mais cette attention l'apaisa. Il n'allait pas partir.

Mais Lydia se trompait : il la laissa seule.

Elle se sentait trahie. Elle n'aurait pas dû, mais c'était plus fort qu'elle. Ils avaient passé un simple marché. Elle avait acheté sa protection pour deux cents dollars. Liev les avait déjà amplement gagnés à risquer sa vie dans cette quête. Et il venait de les lui rembourser.

Elle ne comprenait pas.

Elle ne parvenait pas davantage à s'expliquer pourquoi le départ du grand ours la blessait à ce point. Ils avaient fait affaire, rien de plus. Elle le regarda pénétrer dans un *kabak* en sachant que cette fois-ci il ne la rejoindrait pas plus tard. Il voulait boire et elle voulait le supplier de revenir.

Non, elle ne le ferait pas.

Elle s'emmitoufla dans l'écharpe et partit d'un pas vif en longeant les murs, les yeux baissés. Elle se savait en danger.

Elle se rappela l'homme qui avait essayé de l'acheter et le marin américain. Elle fut tentée de se débarrasser des deux cents dollars dans sa poche parce qu'ils augmentaient le risque, mais ne put s'y résoudre.

À présent, elle devait se rendre dans les entreprises européennes et demander. C'était simple.

Elle sentit une main sur son épaule, se retourna et vit un visage qui lui souriait. Elle fit un bond de côté et courut vers la première enseigne anglaise : E.W. Halliday. Le sourire était peut-être bienveillant ; elle ne le saurait jamais. Elle poussa la porte et fut aussitôt déçue. Dans la longue pièce sombre au plafond bas, des ouvriers chinois empilaient des cartons sur des palettes. Une odeur désagréable d'huile s'échappait de la porte à double battant derrière laquelle se trouvaient sans doute les ateliers.

Près de la porte, un Chinois assis à un bureau leva la tête. Il portait des lunettes à monture d'acier et sa moustache fine lui donnait presque l'air européen. Sur son bureau, le téléphone sonnait, mais il ne répondait pas.

« Excusez-moi, dit Lydia, parlez-vous anglais ?

— Oui. Que puis-je pour vous, mademoiselle ?

— Je cherche l'entreprise Calfield. La connaissez-vous ?

— Oui.

— Où se trouve-t-elle ?

— Dans Sweet Candle Yard.

— Pourriez-vous me dire comment m'y rendre ? »

À cet instant, la porte à double battant s'ouvrit, un souffle d'air chaud s'engouffra dans la salle et Lydia eut un aperçu de la prison qu'étaient les ateliers. Des dizaines d'ouvriers affamés se penchaient au-dessus de cuves énormes et, à l'aide de grandes pelles, introduisaient quelque chose dans un liquide fumant qui donnait à leurs visages une teinte rouge vif. La porte se referma sur leur enfer quotidien.

« Descendez la rue de la Chèvre-qui-bondit jusqu'aux entrepôts. Calfield se trouve là-bas. »

L'homme fit un geste dans une direction imprécise, inclina la tête pour la saluer et décrocha le téléphone. Lydia partit, des relents d'huile dans les narines. Une fois dehors, elle chercha les noms des nombreuses rues et ruelles qui partaient du quai. Tous les panneaux étaient en chinois. Laquelle était la rue de la Chèvre-qui-bondit ? Elle pouvait se trouver juste en face sans qu'elle le sache. Un pousse-pousse la dépassa et projeta des éclaboussures visqueuses sur ses chaussures. Ses vêtements étaient trempés et elle frissonnait.

Elle monta sur une pierre devant une pompe à eau d'où pendait une stalactite de glace.

Elle cria à pleins poumons :

« Quelqu'un peut-il me dire où se trouve la rue de la Chèvre-qui-bondit ? »

Plusieurs visages se tournèrent dans sa direction et deux hommes portant des chapeaux en bambou se frayèrent un chemin vers elle. Lydia déglutit. Elle prenait un risque, mais elle avait l'intuition que le temps de Chang était compté ; elle devait à tout prix le retrouver. Soudain, elle sentit des mains la saisir, la soulever et la secouer comme une poupée de chiffon. Elle se débattit.

« Lydia Ivanova. *Niet. Niet.* »

C'était Liev Popkov. Il la secoua encore et la serra dans ses bras, soulagé.

Ils descendirent la rue de la Chèvre-qui-bondit d'un pas rapide. La pluie redoublait. Un attelage de mules tirant une carriole chargée de gros rouleaux de corde les dépassa dans un vacarme de cris et de coups de fouet. Liev Popkov tenait fermement le poignet de Lydia.

Il s'était mis en colère contre elle parce qu'elle avait douté de lui en s'imaginant qu'il entrerait dans un bar pour un autre motif qu'y obtenir des informations. Il la disputa d'être partie au lieu de l'avoir attendu. Sa colère rassura Lydia. Il ne l'effrayait pas plus qu'il n'avait effrayé sa mère. Le fait que tous les hommes aient pris peur pendant la fête du mariage alors que sa mère s'était interposée l'intrigua. Pour la première fois, Lydia se demanda si Valentina connaissait mieux Liev Popkov qu'elle ne le disait.

« Voici les entrepôts », dit Lydia.

Devant eux se dressaient de grands bâtiments tristes, sans fenêtres, avec des toits en tôle ondulée. C'était là qu'on entreposait les marchandises destinées à l'importation et à l'exportation en attendant que les douaniers aient pris leur part. Quelques gardiens en uniforme, arme à la hanche, patrouillaient sans conviction, se souciant plus de ne pas se mouiller que de surveiller les bâtiments. Dans cette zone, les cours étaient encore pires que les rues. Il s'en dégageait une odeur putride et des tas de chiffons détrempés gisaient au pied des murs, sur les seuils et dans le caniveau.

Lydia savait que sous ces misérables lambeaux de tissu se trouvaient des êtres humains, mais elle ne pouvait dire s'ils étaient encore en vie. La crainte atroce que Chang puisse se trouver parmi eux la poussa à s'approcher d'un pas de porte où elle crut reconnaître un front familier. Mais ce n'était pas Chang. Les yeux de cet homme étaient vides, sans lueur d'espoir. Il avait la peau couverte de furoncles noirs et du sang mêlé de bave s'écoulait de sa bouche.

Lydia repensa aux deux cents dollars dans sa poche. Avant qu'elle ait eu le temps d'en sortir quelques billets, Liev la poussa.

« *Tchuma.* La peste, lui dit-il avec un air dégoûté. Il sera mort avant la nuit. »

Il lui arracha l'argent des mains et le glissa dans sa propre poche.

La peste.

Ce simple mot la fit frissonner. Elle avait entendu Alfred en parler. Il lui avait dit que l'épidémie s'était déclarée dans l'armée et que, après la défaite des seigneurs de la guerre, les soldats avaient regagné leurs villages et l'avaient répandue comme une traînée de poudre. La famine causée par l'incendie des champs avait fait fuir les paysans vers les villes où ils avaient craché leurs poumons dans les caniveaux et où ils étaient morts de froid dans leurs haillons. Lydia retira son manteau et le posa sur le squelette tremblant.

« Espèce de folle, *glupaya dura* », lui lança Liev.

Son inquiétude pour Chang l'oppressait. Elle reprit son chemin parmi les entrepôts. Calfield devait se trouver là. Il le fallait.

L'enseigne Calfield & co., pièces détachées, s'étalait en lettres noires devant leurs yeux. Liev avait enlevé son manteau et l'avait posé sur les épaules de Lydia, ce qu'elle avait accepté uniquement parce qu'il portait une tunique de cuir pour le protéger de la pluie. Ils explorèrent chaque centimètre carré autour de l'entrepôt.

« Rien ici », marmonna Liev.

Il leva les yeux vers le ciel noir puis regarda le visage trempé de Lydia. Elle serra la mâchoire pour ne plus claquer des dents.

« Rentrons, dit Liev.

— *Niet.* Je continue. »

Elle contourna une fois de plus la rangée de bâtiments en tôle ondulée et parcourut du regard l'étendue de terre à l'abandon derrière. Rien ne poussait ici et les mauvaises herbes avaient été arrachées pour être mangées, mais à une centaine de mètres, les branches nues d'un buisson créaient un semblant de vie. Une nappe de brouillard flottait un peu plus loin. Lydia se dirigea dans cette direction.

Le terrain vague était une mer de boue. Lydia glissait et trébuchait, la pluie dans les yeux. Lorsqu'elle atteignit le buisson et qu'elle cessa de regarder où elle posait les pieds, elle aperçut enfin ce qui se trouvait au-delà. Une cavité d'environ deux mètres avec au fond une mare d'eau de pluie à l'origine de la brume. Elle remarqua ensuite, à quelques mètres sur sa droite, des étagères branlantes, à moitié détruites par la pluie.

« Chang ! » cria-t-elle en glissant dans le trou.

34

Lydia le trouva sous un abri de planches, de chiffons et de papier journal supposé le protéger de la pluie. Elle craignit qu'il ne soit déjà mort quand elle découvrit ses yeux fermés et son corps immobile. Sa peau était aussi grise que les flaques d'eau boueuse. Lydia se baissa, entra sous la hutte et, la gorge nouée, s'agenouilla près de Chang. Il était allongé sous des feuilles de journal détrempées par la pluie. Il avait le visage couvert de plaies, mais Dieu merci il n'avait pas de ganglions enflés.

Elle le toucha. Il était glacé et lui faisait l'effet d'un cocon gelé. Elle arracha le papier et eut le souffle coupé à la vue de son corps. Il n'avait plus que la peau sur les os. Les larmes lui piquaient les yeux. Chang dégageait une odeur de chair en décomposition, une odeur de mort.

Non, il n'était pas mort. Elle ne le permettrait pas.

Elle ôta le lourd manteau de Liev de ses épaules et en couvrit le corps de Chang. « Tiens bon, mon amour », lui dit-elle. Sa propre voix lui parut étrangère. Elle se pencha sur lui, lui caressa le front, posa les lèvres sur sa bouche puis ne bougea plus, espérant lui insuffler sa force et lui transmettre la chaleur qui le maintiendrait en vie. Ses lèvres gercées et couvertes de croûtes frémirent faiblement sous les siennes.

« Liev ! cria-t-elle. Viens. »

Elle n'avait pas besoin de l'appeler ; il était déjà là. D'un coup de coude, il défonça l'abri précaire, se baissa et hissa Chang sur ses épaules. Lydia ajusta le manteau pour le protéger de la pluie.

« Un pousse-pousse, il nous faut un pousse-pousse, dit-elle.

— Aucun ne voudra me prendre. Je suis trop lourd. Et ce garçon a l'air trop malade.

— Est-ce que tu peux le porter jusqu'au quartier anglais ? »

Un sourire se dessina sur les lèvres de Liev.

« Est-ce qu'un tigre peut attraper un faon ? »

Le verrou de la porte de derrière était fermé, mais Liev parvint à l'ouvrir d'une simple pression de l'épaule. Lydia s'assura que le jardin de sa nouvelle maison était désert. Heureusement qu'il faisait presque nuit et qu'il pleuvait encore. Dans ce quartier, on ne passait pas inaperçu quand on était couvert de boue et qu'on transportait un homme. Pour plus de sécurité, elle avait fait passer Liev dans la ruelle qui longeait l'arrière des jardins.

« Dépêche-toi », murmura-t-elle en montrant l'abri de jardin.

Elle avait à peine prononcé ces mots que Liev en poussait la porte. Lydia était glacée de peur à l'idée que Chang soit mort pendant le trajet. Elle lui caressa les cheveux pendant que Liev déposait son corps sur le sol. Elle lui toucha la joue et frissonna de soulagement, mais aussi de terreur. Sa peau était brûlante. Les croûtes sur ses lèvres étaient ouvertes et du sang mêlé de pus y perlait.

« Attends-moi ici », ordonna-t-elle à Liev.

Elle traversa le jardin en courant. Elle réfléchit à ce dont elle avait besoin : couvertures, vêtements, nourriture, boisson chaude… ou bien de la glace ? Fallait-il de la glace pour soigner une fièvre ? Des pansements, des médicaments. Mais lesquels ? Elle n'en savait rien, elle avait besoin d'aide, elle avait besoin de… Oh non ! De la lumière aux fenêtres. Y avait-il quelqu'un dans la maison ou les domestiques avaient-ils laissé les lampes allumées pour elle ?

Elle se dirigea vers la porte de la cuisine, tourna la poignée. La pièce était vide. Le cuisinier avait dû aller se reposer après son dur travail pendant la fête. Elle referma doucement la porte derrière elle et fut légèrement étourdie par la chaleur qui régnait à l'intérieur. Comme elle laissait des traces de boue sur les carreaux noir et blanc, elle enleva ses chaussures et gagna le hall sur la pointe des pieds.

Elle aperçut son reflet dans le miroir et s'y reconnut à peine. Elle avait l'air d'un épouvantail trempé. L'écharpe de Liev collait à sa tête et à ses épaules. Sa robe maculée de boue la moulait à tel point que c'en était indécent. Ses lèvres étaient bleues ; ses doigts blancs ; son regard affolé.

Soudain, elle entendit des voix qui venaient du salon. Celle de sa mère et celle d'Alfred.

La panique l'envahit. Pourquoi n'étaient-ils pas dans le train ?

« Non, Alfred, pas avant de l'avoir vue. Pas avant d'être sûre qu'elle est… »

Lydia n'attendit pas la suite. Les valises étaient posées devant la porte d'entrée.

Sans faire un bruit, elle monta l'escalier. Une fois dans sa chambre, elle enleva sa robe et ses sous-vêtements puis les jeta dans son armoire. Elle se frotta les cheveux, le visage et le corps avec un vieux chandail, passa une vieille robe, un cardigan et retourna au rez-de-chaussée.

Elle entra dans le salon, un sourire forcé aux lèvres.

« Coucou, maman, je ne m'attendais pas à te voir.

— Lydia ! s'exclama Alfred. Dieu merci, tu es là. Ta mère s'est fait un sang d'encre. Où étais-tu ?

— Dehors.

— Dehors ? Ce n'est pas une réponse, ma petite. Présente au moins des excuses à ta mère. »

Valentina, raide, regardait fixement Lydia, une cigarette à la main. Ses joues étaient rouges comme si elle avait trop chaud, mais Lydia connaissait bien sa mère : elle avait peur.

Mais pourquoi ? Elle savait bien qu'elle traînait souvent dans les rues de la concession. Elle le faisait depuis des années. Pourquoi cette terreur soudaine ?

« Lydia, qu'est-ce qui ne va pas ? demanda Valentina.

— Tout va bien. »

Valentina aspira une longue bouffée de tabac et recracha la fumée en poussant un petit grognement, comme si elle avait reçu une tape dans le dos. Elle portait encore sa robe de mousseline, mais avait délaissé le boléro pour une veste en cuir. Son mascara avait coulé.

« Excuse-moi, maman, je ne voulais pas vous retarder. Je vous croyais partis depuis longtemps. Avec tous ces invités, je ne pensais pas que vous remarqueriez mon…

— Allons, Lydia », coupa Alfred.

Elle voyait qu'il faisait de son mieux pour garder son calme.

« Évidemment que nous voulions te dire au revoir. Tiens, prends ça. »

Il lui tendit une enveloppe.

« Elle contient de l'argent au cas où tu aurais besoin de quoi que ce soit avant notre retour. Mais Wai, le cuisinier, te préparera tous tes repas, tu ne devrais pas avoir à t'en servir. Sauf pour aller au cinéma, peut-être. »

Lydia n'avait jamais vu de film. Dans d'autres circonstances, elle aurait sauté de joie.

« Merci.

— Tu vas te débrouiller sans nous ?

— Oui.

— Anthea Mason a dit qu'elle passerait de temps en temps pour voir si tout va bien.

— Ce n'est pas la peine. Je suis désolée de vous avoir fait rater votre train. Y en a-t-il un autre ce soir ? »

Elle regarda sa mère.

« Je ne voudrais pas perturber votre lune de miel.

— Eh bien, en fait…, commença Alfred.

— Oui, continua Valentina sur un ton gêné. Nous pouvons faire un changement à T'ien-tsin. Alfred, mon cœur, veux-tu bien aller me chercher un verre d'eau ? Je meurs de soif. »

Valentina se passa la main sur le front.

« C'est sans doute à cause de l'émotion… »

Elle ne poursuivit pas.

« Avec plaisir, ma chérie. »

Alfred se tourna vers Lydia.

« Rassure ta mère pour qu'elle parte l'esprit tranquille. »

Il quitta la pièce.

Aussitôt, Valentina jeta sa cigarette au feu et s'approcha de Lydia.

« Dis-moi, vite. Que s'est-il passé ? »

Lydia se sentait soulagée. Oui, elle pouvait tout raconter à sa mère, elle saurait quoi faire, où acheter des médicaments, où trouver un médecin, elle pourrait…

Valentina lui saisit le bras.

« Dis-moi ce que ce sale géant voulait.

— Comment ?

— Popkov.

— Quoi ? »

Valentina la secoua.

« Liev Popkov. Tu es partie avec lui. Qu'est-ce qu'il t'a dit ?

— Rien.

— Tu mens.

— Non. Il était juste saoul. »

Valentina regarda sa fille dans les yeux puis la prit dans ses bras et la tint contre elle. Lydia sentait son parfum musqué. Elle serrait sa mère. Son corps fut soudain secoué de tremblements incontrôlables.

«Lydochka, arrête.»

Valentina caressa les cheveux mouillés de sa fille.

«Je ne pars qu'une semaine. Je sais que nous n'avons jamais été séparées aussi longtemps, mais ne sois pas triste. Je reviens vite.»

Elle posa un baiser sur la joue de Lydia et fit un pas en arrière.

«Que vois-je? Des larmes? De la part de ma *dochenka* qui-ne-pleure-jamais? Allons.»

Valentina jeta un coup d'œil pour vérifier que la porte était toujours fermée, se servit un verre de vodka, le but d'un trait puis en remplit un pour Lydia.

«Tiens. Ça va te faire du bien.»

Lydia refusa d'un signe de tête. Elle était sans voix.

Valentina haussa les épaules, but la vodka et reposa le verre. Ses joues n'étaient plus rouges.

«Ma chérie, dit-elle en prenant le visage de Lydia dans ses mains. Ce mariage représente un avenir meilleur pour nous deux. Avec le temps, tu finiras par trouver Alfred sympathique. Je te le promets. Ne sois pas triste.»

Elle s'efforça de sourire.

«S'il te plaît, apprenons à être heureuses.»

Lydia serra sa mère dans ses bras.

«Va à Datong, maman. Sois heureuse.

— C'est bien, mesdames, embrassez-vous. Je ne veux pas voir de mines boudeuses, surtout pas aujourd'hui.»

Alfred leur adressa un sourire radieux, tendit un verre d'eau à sa femme et donna une petite tape dans le dos de Lydia.

«J'ai passé un coup de fil. Le taxi devrait être là d'une minute à l'autre. Impatiente? demanda-t-il à sa femme.

— En effet.

— Bien.»

Ensuite ce fut un manège de manteaux, de valises et d'embrassades de dernière minute. Puis, lorsque Valentina et Alfred passèrent le seuil, Lydia demanda:

« J'ai le droit d'acheter un cadenas pour la cage de Sun Yat-sen ?

— Bien entendu, répondit Alfred sur un ton gai. Mais pourquoi veux-tu enfermer ton lapin ?

— Pour qu'il soit en sécurité. »

Lydia lava Chang avec précaution. Frôlant la peau meurtrie avec un linge humide imbibé de désinfectant. Elle jeta ses haillons pouilleux sous la pluie.

Son corps maigre faisait peine à voir. Sur sa poitrine, Lydia compta six brûlures en forme de S. Lorsqu'elle ôta les bandes de tissu qui lui couvraient les mains, l'odeur lui donna un haut-le-cœur et, malgré tout son soin, des bouts de peau noircie restèrent collés aux bandages. Ensuite, elle vit les vers blancs par dizaines qui dévoraient la chair de Chang An Lo. Elle recula, horrifiée.

Liev leva la tête en entendant Lydia crier. Il était assis par terre, appuyé contre le mur près de la cage de Sun Yat-sen, la bouteille de vodka qu'elle lui avait apportée à la main.

« Ah, *otchlino* ! grogna-t-il. Laisse-les, ils mangent le mal et nettoient les plaies. »

Sa tête retomba sur sa poitrine et il se mit à ronfler bruyamment. Lydia approcha la lanterne des mains de Chang et les examina. C'était impressionnant. Un de ses auriculaires avait disparu. Il semblait avoir été tranché. La blessure avait laissé écouler du pus et, sur la peau déchirée de ses mains enflées, les vers grouillaient.

Elle les retira minutieusement en se répétant qu'ils n'étaient pas pires que les coquerelles. Lorsqu'elle eut terminé, elle rinça les plaies avec de l'eau et du désinfectant, puis après un instant d'hésitation, elle replaça un ver dans chaque main. Liev Popkov savait sûrement ce qu'il disait. Il avait fatalement vu des blessures d'arme à feu et de sabre pendant la révolution, il devait connaître son affaire.

Elle tamponna ensuite les blessures avec du opodeldoc qu'elle avait trouvé dans l'armoire à pharmacie. Par endroits, l'os était à nu. Elle enveloppa les mains de Chang avec de la gaze. Il ne réagissait pas. Seuls quelques tressaillements de paupière montraient qu'il était vivant.

À l'aide d'une cuillère, elle versa un peu d'eau avec du miel sur ses lèvres et en fit couler deux gouttes dans sa bouche toutes les demi-heures, de peur qu'il ne s'étouffe.

Lydia n'avait jamais vu un homme nu. L'épaisse toison et l'élasticité du pénis la surprirent. Mais curieusement, elle n'était pas gênée. Lorsqu'elle ôta les chiffons qui cachaient l'entrejambe de Chang, Liev poussa un grognement pour exprimer sa désapprobation, mais il était trop occupé à boire pour insister.

Après avoir tamponné la poitrine de Chang, elle la protégea avec une couverture et lui lava le ventre. Quand avait-il mangé pour la dernière fois ? Elle pensait connaître la faim, mais pas à ce point. Elle entreprit ensuite de lui laver le sexe. Les poils étaient collés par du sang séché et envahis de poux. Elle imagina sa douleur et d'un geste doux et hésitant, elle recueillit son pénis dans la paume d'une main pour le nettoyer de l'autre. La douceur de la peau l'étonna. Sa verge semblait tellement fragile. Le tracé des veines bleues accentuait cette impression. Était-ce à cause de la vulnérabilité de cet organe que les hommes désiraient tant les femmes ? Pour le protéger du monde extérieur ?

« Je te protégerai, Chang An Lo, je le jure, dit-elle dans un souffle. Comme tu m'as protégée. »

Puis elle lui nettoya les jambes et les pieds. Elle suivit du bout du doigt la cicatrice à l'endroit où elle l'avait recousu. Pour finir, elle coupa ses poils pubiens pour le débarrasser des parasites.

Durant cette première nuit aux côtés de Chang, Lydia lutta contre l'envie de le conduire à l'hôpital. Si les Serpents noirs lui avaient fait ça et s'il avait préféré risquer la mort sous l'abri de Tan Wah pour éviter d'être capturé en se rendant chez un médecin ou chez ses amis communistes, elle devait y renoncer. Il savait que les Serpents noirs avaient des yeux partout.

«Tu aurais pu me demander de l'aide à moi», lui murmura-t-elle plus d'une fois en caressant ses pommettes saillantes.

Elle devait trouver quoi faire. La situation était plus qu'inquiétante. Personne ne lui permettrait de garder Chang ici. Elle savait qu'on lui dirait que ce n'était pas une chose à faire pour une jeune fille. On crierait au scandale. On le conduirait à l'hôpital chinois, où les Serpents noirs l'attendraient avec leurs couteaux et leurs fers. Non. Ne pas faire appel à des adultes bien intentionnés. Elle devait se débrouiller seule. Elle leva les yeux et vit le grand ours roulé en boule sur le sol. Elle n'était pas seule.

Elle s'approcha de lui et lui tapa sur l'épaule.

«Liev, réveille-toi.»

35

Theo roulait vite. Il était en colère. À tel point qu'il avait laissé la pâte noire dans le tiroir ce matin-là. Il souffrait et il suait par chaque pore tant son corps réclamait la fumée porteuse de rêves, mais il lui fallait garder l'esprit clair. Il était encore très tôt et la brume matinale flottait au-dessus des toits sans brise pour la dissiper. La journée semblait retenir son souffle. Theo gara la Morris Cowley devant les portes de chêne noir et cracha sur les lions de pierre. Les lions protecteurs du foyer. Eh bien, pas pour cette fois.

Le gardien s'inclina si bas que les rabats de son chapeau matelassé frôlèrent le sol.

« Mon maître Feng Tu Hong ne vous attend pas aujourd'hui, noble professeur.

— Ce n'est pas ton honorable maître que je viens voir, Chen, mais sa pourriture de fils. »

Le gardien ne sourit pas vraiment, mais son visage, d'habitude si impassible, s'anima légèrement.

« J'envoie mon inutile femme avertir l'éminent fils de votre arrivée et... »

Theo n'attendit pas la suite. Il traversa les cours à grandes enjambées. Derrière lui, le bruit des pas d'une femme aux pieds bandés le hérissa.

« Po Chu, espèce de crachat de diable enculeur de porcs, si tu touches encore une fois à Li Mei, je t'enfonce une lame entre les yeux jusqu'à l'œsophage.

— Waouh ! Tu parles comme un tigre, Theo Willoughby, mais la nuit tu rampes comme un ver pour manger le pavot. Les hommes des sampans me l'ont dit.

— Ce que je fais sur le fleuve ne te regarde pas. Mais estime-toi heureux que la fumée de la nuit dernière m'empêche d'invoquer Kuan Ti, le grand dieu de la guerre, et de lui demander de transpercer ton cœur pâle de sa lance pour ce que tu as fait à Li Mei.

— Cette salope en avait besoin.

— Fais attention, Po Chu. Li Mei est ton honorable sœur.

— Ma sœur ne coucherait pas avec un *fanqui*. Il fallait qu'on le lui rappelle.

— Avec un coup de poing au visage ?

— Oui, par tous les dieux. Il le fallait.

— Parce qu'elle est venue faire la paix avec votre père ?

— Non. Parce qu'elle pensait que mon vénérable père serait assez fou pour lui donner ce qu'elle voulait sans contrepartie.

— Ils ont conclu un marché ?

— *Ai-ay !* Le professeur ne connaît pas sa putain aussi bien qu'il croit.

— Respire profondément, Po Chu, parce que si tu la traites de putain encore une fois, je te ferai rendre ton dernier souffle. Quel est ce marché ?

— Elle a supplié. Tu aurais dû la voir. Elle pleurait en gémissant comme un crocodile.

— Pourquoi suppliait-elle ?

— Elle voulait que notre honorable père mette fin au trafic avec cet idiot de Mason. Évidemment, le grand Feng Tu Hong, dans sa sagesse, n'a pas été touché par sa scène de fille des rues.

— Je t'ai averti, vermine d'égout.

— Mais il lui a proposé un marché. Il lui a dit qu'il acceptait si…

— Si quoi?

— Si elle s'inclinait neuf fois à ses pieds et revenait vivre ici en fille dévouée. Ah! Mais elle a sali l'honorable nom de Feng Tu Hong. Elle avait besoin qu'on lui rappelle ce que le respect veut dire. Alors je l'ai frappée. Plusieurs fois.

— Comme ça? »

« Bon sang, mon vieux, qu'avez-vous fait? »

Theo frotta son menton blessé et sa lèvre fendue. Christopher Mason l'observait d'un air gêné.

« J'ai trébuché sur mon chat. Je suis venu parce que votre domestique m'a dit que je vous trouverais ici. J'ai à vous parler.

— Maintenant?

— Oui, maintenant. »

Mason jeta un regard à sa femme et aux deux filles à l'autre bout de la pièce. S'asseoir avec ce bâtard de Mason, tout sucre tout miel, dans la maison d'Alfred en son absence, le lendemain de son mariage, avec sa belle-fille rôdant près de la porte-fenêtre comme un chien de garde lui faisait un effet étrange. Lydia était débraillée et avait des cernes gris sous les yeux. Elle n'arrêtait pas de lancer des regards impatients à ses invités pour leur suggérer de partir, mais Anthea Mason semblait décidée à prendre soin d'elle.

« La pauvre Lydia a mal dormi, et quoi de plus normal, seule dans cette grande maison, gémit-elle en souriant à Lydia. Je suis venue ce matin et devinez ce que j'ai dé-couvert. Elle a donné leur semaine, avec leurs salaires, au jardinier et au valet et a dit au cuisinier de ne lui servir que le souper. Pourriez-vous lui expliquer qu'il lui faut accepter d'avoir des domestiques maintenant qu'elle vit dans de bonnes conditions comme nous? Vous êtes son professeur, elle vous écoutera.

— Pour l'amour du Ciel, Anthea, arrête, lança Mason. Tu es venue la voir comme tu t'y étais engagée et elle va bien. »

Il se tourna vers Theo.

« Je suis ici uniquement parce que j'amène ma femme et ma fille à l'écurie pour leur montrer mon nouveau cheval. C'est un cheval splendide avec une endurance d'éléphant, capable de battre celui de sir Edward n'importe quand. Vous allez voir.

— Je veux voir Sun Yat-sen, annonça Polly en ouvrant grands les yeux.

— Quelle bonne idée, sourit Anthea. Où est-il ?

— Quel nom crétin pour un animal », grogna Mason.

Cependant, il se leva et se dirigea vers la porte-fenêtre.

« J'avais un lapin noir et blanc aux oreilles tombantes quand j'étais enfant, Polly. Il s'appelait Daniel. Joli petit animal. Bien, jeune fille, allons donc voir…

— Pas aujourd'hui. »

Lydia avait posé la main sur la poignée de la porte-fenêtre.

« Et pourquoi ça ?

— Le déménagement l'a perturbé.

— Lydia, s'il te plaît, insista Polly. Tu m'as dit qu'il était content dans la remise. Plus maintenant ?

— Oui, mais…

— Très bien, dit Mason en poussant Lydia. J'aime bien les lapins. »

Il se précipita dans le jardin. Polly lui emboîta le pas.

Anthea les regardait.

« Il aime tous les animaux », dit-elle à Theo en souriant.

Elle rejoignit son mari et sa fille dehors.

« C'est avec les êtres humains qu'il a un problème », grommela Theo pour lui-même.

Il regarda Lydia qui lui parut aussi mal en point que lui. Il avait l'impression qu'un hachoir lui coupait la tête en deux. Lydia, immobile, les mains posées sur la vitre, regardait la remise au fond du jardin. Polly était en train d'ouvrir la porte.

« Monsieur Willoughby », dit Lydia à voix basse.

Elle regardait le père de son amie caresser les oreilles de Sun Yat-sen. Les Mason, sans prendre garde au froid, admiraient le petit animal blanc que Polly tenait dans ses bras.

« Qu'y a-t-il, Lydia ? »

Theo remarqua que Lydia observait maintenant un tas de chiffons sales au fond du jardin. Le jardinier n'aurait pas dû laisser ses déchets devant la maison. Mais comme Lydia lui avait accordé des congés…

« Où puis-je acheter des médicaments chinois ?

— Tu es souffrante ?

— Non.

— Tu n'as pas l'air en forme pourtant. »

Elle se tourna lentement vers lui et le dévisagea.

« Vous non plus. »

Comme si elle venait de faire une bonne plaisanterie, il éclata d'un gros rire qui lui donna la nausée.

« Il y a un herboriste dans la rue des Cent-Pas. Mais je doute qu'il parle anglais.

— Pouvez-vous m'accompagner ? »

Malgré le trou béant dans sa tête qu'il voulait remplir de fumée d'opium, il répondit :

« J'imagine que oui. Une fois que je me serai entretenu avec Mason.

— Je vais le chercher. »

« Eh bien ? »

Mason, agité, arpentait la pièce.

« Ce n'est pas l'endroit pour avoir cette discussion. »

Theo savait bien que deux *gentlemen* n'étaient pas censés aborder ce genre de sujet un dimanche matin. Ils devaient parler de chevaux, de cricket, de voitures ou du marché des valeurs mobilières au pays. Ou même de cette loi scandaleuse que le premier ministre Baldwin avait fait passer, accordant le droit de vote aux femmes dès vingt et un ans, comme si des écervelées de cet âge comprenaient quoi que ce soit à la politique. En revanche, aborder le sujet de la drogue était inacceptable.

«Écoutez-moi attentivement, Mason. Les choses ont changé pour moi. Je ne veux plus traiter avec Feng. J'en ai assez de vous servir d'appât à tous les deux.

— En ce moment vous n'êtes bon qu'à ça. Regardez-vous, mon vieux, vous tremblez.

— Aucune importance. Vous ne m'écoutez pas, Mason. Je suis en train de vous dire que notre arrangement est terminé. Je n'aurai plus rien à faire avec les Serpents noirs et leur trafic d'opium. Grand mal m'a pris de m'en mêler. Vous m'avez forcé la main dans une période où…

— Ne me faites pas rire. Vous vouliez cet argent.

— Je protégeais les intérêts de mon école.

— Ne vous voilez pas la face, Willoughby, et ne faites pas l'original. Je méprise les gens de votre espèce. Vous vous pensez supérieur parce que vous connaissez la langue païenne de ce peuple et comprenez le charabia religieux de leur Confucius et de leur Bouddha, mais vous êtes comme tout le monde. Vous avez été gourmand.

— Autant que vous, vous voulez dire.»

Mason rit, ravi comme si on venait de lui faire un compliment.

«Exactement.»

Il passa la main sur ses cheveux brillants, l'air satisfait.

«Je ne sais pas ce qui vous a mis à bout comme ça, mais vous feriez bien de vous reprendre.

— Je suis heureux que vous compreniez enfin. Je suis en train de me rétablir. Plus de nuits sur le fleuve. Plus d'opium. Terminé. C'est un commerce dégoûtant.

— Allez au diable, Willoughby! Nous savons tous les deux que cet imbécile de Chinois ne fera plus affaire avec moi si vous cessez d'être mon intermédiaire.

— Dommage.

— Ne me menacez pas.

— Je ne vous menace pas, je vous dis ce que je pense.

— Espèce d'inconscient ! Je vais aller tout droit à la police et vous pourrirez en prison avant votre prochaine crise de tremblements.

— Mason, je vous dis d'abandonner. Notre marché vousa déjà suffisamment rapporté. C'est terminé maintenant. Laissez tomber. Trouvez-vous un nouveau projet et terminons-en comme des hommes distingués. »

Theo tendit la main à Mason en s'assurant qu'elle ne tremble pas.

Mason prit son temps. Plusieurs fois son regard passa du visage de Theo à la main qu'il lui tendait.

« Allez au diable », railla-t-il.

Puis il gagna la terrasse.

« Polly, Anthea ! cria-t-il. C'est l'heure. Je veux voir ce dont mon cheval est capable. »

Il se retourna et regarda Theo d'un œil noir.

« Je pourrais avoir à le fouetter. »

Theo eut envie de le tuer, là, tout de suite. Il glissa la main sur le couteau qu'il avait dans la manche et dut se rappeler qu'il était sous l'effet de l'opium. Si seulement il pouvait tirer quelques bouffées sur sa pipe, juste une dernière fois, le vacarme cesserait dans sa tête. Il quitta la pièce d'un pas nerveux. Une fois dans l'entrée, il s'arrêta. Lydia était assise sur la dernière marche de l'escalier et le regardait d'un air inquiet. Il n'aimait pas ça. Cela signifiait qu'elle avait entendu sa conversation avec Mason.

« S'il te plaît, Lyd, continue.

— Non.

— Pourquoi ?

— Ton père t'attend.

— Laisse-moi au moins regarder.

— Non. Une autre fois.

— Demain ?

— Non.

— Oh, Lydia, pour l'amour du Ciel ! Je veux juste voir ta nouvelle chambre, pas l'intérieur du coffre-fort de M. Parker. Pourquoi tu refuses ?

— Désolée, Polly, il y a trop de désordre.

— Arrête. Tu habites ici depuis vingt-quatre heures.

— N'insiste pas.

— Qu'est-ce qui t'arrive, Lyd ? Tu as l'air...

— Je vais très bien. Tu as aimé tenir Sun Yat-sen dans tes bras ?

— Oh oui. Il est vraiment mignon. Papa l'a bien aimé aussi.

— Ton père t'appelle. »

Appuyé dans l'encadrement de la porte, Theo attendit que les deux amies se disent au revoir. Des jeunettes, enthousiastes. Elles ignoraient que la vie prenait un malin plaisir à vous trancher la tête quand vous ne vous y attendiez pas.

36

Les pommettes de Chang semblaient s'effriter et sa peau être sur le point de se craqueler. Il était blanc comme un drap et il avait de gros cernes violets autour des yeux. Mais c'était sa bouche qui inquiétait le plus Lydia. Elle se souvenait de ses lèvres pleines. Comme un symbole de force vitale. Elles semblaient inanimées à présent.

Elle lui toucha le bras. Chang, allongé sur le lit de Lydia, était bien vivant, mais brûlant.

Elle trempa de nouveau le torchon dans le bol d'eau froide. Il s'en dégageait une drôle d'odeur à cause des herbes. Pour guérir la fièvre, lui avait dit M. Theo, pour refroidir le sang. Elle lui tamponna tendrement le front, les tempes, la gorge et la tête. Elle était tout de même rassurée qu'il n'ait plus de parasites. Elle caressa sa joue.

Elle le veilla toute la journée. Au crépuscule, elle écouta la pluie et le vent. Les couleurs quittaient la pièce où il faisait de plus en plus sombre ; Lydia continua de laver Chang jusqu'à connaître son corps presque aussi bien que le sien. Elle enduisit les blessures infectées d'onguents chinois étranges, changea ses pansements et versa des tisanes fortifiantes entre ses lèvres gercées. Ce faisant, elle lui parlait. Elle se força même à rire, une fois, pour que sa voix lui rappelle la vie et le bonheur, lui insuffle l'énergie perdue. Mais il n'ouvrit pas les yeux.

Ses membres restaient immobiles quand elle changeait les bandages et Lydia songeait que cela devait le faire atrocement souffrir. Parfois, il murmurait, affolé. Elle approchait son oreille si près de la bouche de Chang qu'elle pouvait sentir son faible souffle sur sa peau, mais elle ne comprenait pas ce qu'il disait.

Cependant, lorsqu'elle appliqua de l'index un baume sur ses lèvres, il entrouvrit la bouche et la ferma sur le doigt de Lydia. Ce geste était incroyablement intime. Plus intime que tenir le sexe de Chang dans sa main et de le laver. Elle ressentit une grande euphorie et posa un baiser sur son front.

Ce moment lui permit de tenir jusqu'au bout de la nuit.

Lydia avait la gorge nouée. Chang n'aurait pas voulu des préparations *fanqui*, elle en était certaine. Mais les médicaments chinois ne faisaient pas encore effet. Les heures passaient et l'aspect de sa peau ne s'améliorait pas. Elle tint le bras de Chang entre ses mains et ne le lâcha pas. Elle ne le laisserait pas.

Les premières lueurs de l'aurore filtraient par la fenêtre. Lydia était emmitouflée dans son manteau et avait bordé Chang avec une couverture, car il faisait froid dans la pièce. Lydia était horrifiée par son ignorance : la chaleur du chauffage serait-elle bonne pour le malade ? Devait-elle plutôt lui mettre une bouillotte sous les pieds ? Ou alors ouvrir la fenêtre pour faire baisser sa température ?

Elle ne savait quoi décider.

Elle fut prise de sueurs froides. Elle était épuisée. L'herboriste avait dit à M. Theo qu'elle semblait avoir un *chi* très faible et il avait insisté pour qu'elle achète une infusion. Mais Lydia était plus intéressée par les mélanges qu'il concoctait pour soigner la fièvre, les brûlures et les plaies infectées de Chang An Lo.

En pénétrant dans la boutique de l'herboriste, Lydia avait ressenti un vif soulagement. Des bocaux en verre coloré de toutes tailles occupaient les étagères. De grands bols en céramique contenaient des fleurs séchées et le sol était jonché d'écorces d'arbres qui exhalaient une odeur délicieuse. Mais c'est l'herboriste qui rassura Lydia plus que tout, car il respirait la santé.

Elle avait tendu l'enveloppe d'argent à M. Theo pour qu'il règle les achats. Dieu soit loué, il y en avait assez. Ou plutôt Alfred soit loué. Un peu malgré elle, elle ressentit de la gratitude pour son beau-père. Elle savait que sans lui elle n'aurait pas pu se payer les services de Liev et n'aurait pas retrouvé Chang.

M. Theo parla peu. Il lui demanda simplement si tout cela était pour son ami chinois.

«Je préférerais ne pas en parler, si ça ne vous dérange pas», répondit-elle.

Il haussa les épaules comme un grand pantin désarticulé. Lydia remarqua qu'il achetait aussi des préparations. En d'autres circonstances, elle aurait posé des questions, mais elle n'avait que Chang An Lo à l'esprit.

Le lendemain, à la première heure, Lydia se rendit chez son ancienne voisine.

«Quels sont les symptômes? lui demanda Mme Yeoman.

— Une forte fièvre, des pertes de connaissance, des plaies infectées et des brûlures.

— Qu'en est-il de l'état général du patient? Est-il en bonne condition physique ou est-il sous-alimenté, comme la plupart des Chinois à Junchow? Cela peut faire toute la différence.

— Il est très faible. Et très maigre.

— Je serai ravie de venir le soigner, tu sais, s'il a besoin d'assistance médicale. Dis-moi où…

— Non, je vous remercie beaucoup, mais j'aimerais mieux pas. Il n'acceptera pas l'aide d'une Européenne.

— Mais il accepte la tienne ?

— Non, je donne les médicaments à sa famille.

— Lydia, je me réjouis de voir que tu te préoccupes des pauvres gens de ce pays. Nous sommes tous les enfants de Dieu et pourtant, tant d'Occidentaux traitent les Chinois plus mal que des chiens. C'est une honte de voir une chose pareille, particulièrement quand...

— S'il vous plaît, madame Yeoman, je dois faire vite.

— Excuse-moi, tu sais comme je peux être bavarde. Voici la liste pour le pharmacien. M. Hatton dans la rue Glebe est très bien. Il ouvre sa boutique au chant du coq et il te donnera de bons conseils si tu lui dis que tu viens de ma part.

— Merci. Et excusez-moi de vous avoir dérangée de si bonne heure.

— Ne t'inquiète pas. Mais ne t'attire pas les reproches de ta mère.

— Bien entendu. Je vais à la bibliothèque aujourd'hui pour écrire un devoir sur *Le Paradis perdu*.

— C'est bien. Ta mère doit être fière. »

« Ah, petit moineau, tu reviens déjà nous voir ? Ton beau-père t'a déjà mise dehors ?

— Bonjour, madame Zarya. Je suis juste venue demander quelques conseils à Mme Yeoman.

— Ha ! Et tu partais sans même dire *dobroyie utro* à ton professeur de russe favori ? Je viens de préparer des *pirozhki* que tu dois absolument goûter.

— *Spasibo.* Une autre fois. Je dois filer. Excusez-moi. *Prastitye menya.*

— Petit moineau, j'aimerais que tu m'accompagnes à une grande fête russe. Un *bal.* »

Le moment était malvenu.

« Je suis trop occupée, mais je vous remercie.

— Occupée ! Occupée ! *Blin !* Qu'est-ce que ça veut dire ? Il faut que tu voies les grandes fêtes que donne ton peuple.

— Désolée, je dois partir maintenant. Amusez-vous bien.

— C'est la comtesse Serova qui reçoit. »

Cette information piqua l'intérêt de Lydia. La villa Serov. Elle avait envie de voir la richesse dans laquelle vivait l'aristocratie russe.

« Vraiment?

— *Da.* La semaine prochaine.

— Je vais y réfléchir.

— Bien. Tu vas venir.

— Je vais y réfléchir. »

Chang respirait encore. Elle se sentait oppressée chaque fois qu'elle le quittait, même seulement quelques minutes pour aller chercher de l'eau propre ou jeter les vieux bandages qu'elle enfouissait dans la poubelle en évitant que Wai ne la remarque. Le cuisinier qui vivait dans une dépendance avec son épouse silencieuse semblait tout à fait se satisfaire de ne lui préparer qu'un repas par jour et de ne pas s'occuper d'elle. Tous les soirs il lui servait de la soupe, du poulet et du *trifle*. Elle mangeait seulement le dessert et portait la soupe à l'étage pour en faire avaler quelques cuillerées à Chang.

Parfois elle lui chantait des chansons ou lui lisait *Les Grandes Espérances*. Elle comprenait exactement la souffrance de Pip, le marginal dévoré d'ambition, pourtant si honteux.

« Dickens et la vie londonienne sont à mille lieues de nous, n'est-ce pas, Chang? »

Elle lui parla de Rikki Tikki Tavi, la mangouste indienne, et lui fit remarquer que le passage dans lequel elle engloutit les œufs du gros serpent s'avérait très drôle.

« Tu vois, on peut tuer les serpents, même les serpents noirs. »

Elle lui fredonna une chanson populaire russe: « Ya vstretil vas » en lui épongeant le front et les bras avec de l'eau dans laquelle elle avait versé quelques gouttes d'huile de camphre pour favoriser la transpiration et faire baisser la fièvre. «S'il vous plaît, mon Dieu, pourvu que ce soit efficace», murmura-t-elle.

Chang An Lo crut entendre la voix des dieux quand les bruits du temple lui parvinrent. Le tintement des petites cloches en cuivre et les chants murmurés dans la fumée d'encens. Cette rivière sonore le tira de la boue épaisse. Il sentit son visage se dégager de la vase qui l'étouffait. Elle s'était insinuée dans sa bouche, ses yeux et son esprit, les privant du souffle vital, et il savait que bientôt il rencontrerait Yang Wang Yeh, le grand juge des âmes humaines.

Il flottait.

Emporté par le courant sonore, il s'élevait vers la lumière.

Enfin, il vit Lydia et son cœur se remit à battre. Le beau visage de Lydia. Il murmura le nom de Kuan Yin, la déesse qui comprenait la douleur. Dans ce moment de lucidité, il se souvint que, quand son père avait voulu l'immoler, elle avait repoussé le feu de ses mains. La douleur aux mains. Kuan Yin, douce et vénérée déesse chinoise de la clémence, ma souffrance n'est rien comparée à la tienne.

Un tout petit oiseau roux se posa sur sa poitrine. L'éclat de son plumage dissipa les ténèbres boueuses. L'oiseau chantait deux notes, inlassablement: «Pitié.»

37

Li Mei ne voulait pas que Theo voie son visage.

« Li Mei, s'il te plaît, arrête. »

Mais elle garda le visage enfoui dans l'oreiller. Sa honte était plus grande que sa douleur.

« Mon doux amour, laisse-moi laver ton visage et embrasser tes bleus pour les soigner », murmura Theo.

Elle se recroquevilla.

Theo se pencha sur le lit et lui embrassa la nuque.

« Pardonne-moi, mon amour. Je vais te laisser tranquille. Je t'ai rapporté des remèdes de chez l'herboriste. Celui dans le pot noir est pour la douleur et l'autre pour la peau. »

Il attendit, brûlant d'envie de la prendre dans ses bras, mais sachant bien qu'elle voulait plus que tout lui cacher les preuves de son déshonneur.

« Li Mei ? »

Elle resta silencieuse.

« Li Mei, écoute-moi. Ne retourne jamais chez ton père. Quoi qu'il arrive. Il te battrait jusqu'au sang et ferait de toi son esclave. Ne t'approche plus de lui ni de ta pourriture de frère. Promets-le-moi. »

Elle ne répondait toujours pas.

Il posa la main sur la courbe harmonieuse de sa hanche.

« Et moi, je te promets de ne plus toucher à l'opium. »

Les épaules de Li Mei tremblaient. Elle pleurait en silence.

Cette nuit-là, Theo ne se coucha pas plus qu'il honora son rendez-vous sur le fleuve. Il descendit dans le hall de l'école, demanda au jeune valet de lui apporter des cordes et de l'attacher au grand fauteuil en chêne qui trônait au fond. Theo passa la nuit assis.

Personne excepté le chat n'entendit ses gémissements et ses cris. Les tigres sculptés sur les bras du fauteuil semblaient se moquer de lui.

Quand vint enfin la première lueur du jour, Theo regardait encore le diable droit dans les yeux.

38

L'épuisement avait eu raison de Lydia. Elle se réveilla en sursaut encore assise sur la chaise, mais son buste était tombé sur le bras de Chang. Elle se leva, affolée, car elle ne voulait surtout pas l'écraser.

Il faisait froid et sombre et elle avait mal à la tête. Elle enleva les vêtements qu'elle portait depuis deux jours, passa une robe de chambre, souleva le drap et se glissa dans le lit.

Aussitôt, elle n'éprouva plus le besoin de dormir. Elle s'allongea sur un côté, se pressant doucement contre le corps nu de Chang, puis elle posa la main sur son ventre et appuya la joue contre son épaule. Il sentait bon le camphre.

« Chang An Lo », murmura-t-elle.

Elle ferma les yeux et ressentit une sensation étrange dans la poitrine.

Était-ce cela le bonheur ?

Elle fit des cauchemars.

Valentina fixait un collier en métal au cou de Chang et y attachait des chaînes. Il était nu. Sa mère le traînait ensuite dans la neige au cœur d'une forêt secouée par une tempête. On entendait des loups hurler. Le ciel rouge semblait saigner sur la neige. Un cavalier se tenait sur un grand cheval. Un manteau vert. Un fusil. Un bruit de balles dans les pins. Un trou dans la jambe de sa mère. Lydia cria. Une balle déchira la poitrine de Chang. Une autre se logea entre les côtes de Lydia. Elle ne ressentit aucune douleur, mais elle cessa de respirer. Elle voulut crier, mais pas un son ne sortit de sa gorge…

Elle s'éveilla en grelottant.

Il faisait jour dans la pièce. Son pouls se calma. Elle tourna la tête et poussa un petit cri.

Chang, le visage tout près du sien, la regardait fixement.

« Bonjour, murmura-t-il.

— Bonjour. »

Elle lui adressa un large sourire affectueux.

« Tu es ressuscité. »

Chang examina le visage de Lydia pendant un long moment, puis fit oui d'un mouvement presque imperceptible de la tête et marmonna quelque chose d'une voix trop basse pour qu'elle comprenne. Elle fut gênée de s'apercevoir que sa jambe était posée sur celle de Chang, que son bras et sa hanche étaient collés aux siens. Elle rougit puis se glissa hors du lit. Elle regarda Chang et, les paumes de main l'une contre l'autre, inclina brièvement la tête.

« Je suis heureuse que tu sois réveillé, Chang An Lo. »

Ses lèvres bougèrent sans qu'aucun son ne s'en échappe.

« J'aimerais te donner des médicaments et à manger. Tu en as besoin », dit-elle doucement

Il acquiesça de nouveau et ferma les yeux. Mais Lydia savait qu'il ne s'était pas rendormi. Elle était affolée d'une façon nouvelle. Elle craignait d'avoir offensé Chang par son audace, qu'il soit dégoûté par ses manières de chat de gouttière et qu'il ne veuille plus qu'elle le soigne, le fasse manger ou le touche. Ce n'était rien en comparaison de la peur de le voir mourir, d'être privée de son regard…

Stop. Stop.

Il était réveillé, c'était tout ce qui importait.

«Je vais chercher de l'eau chaude», lui dit-elle.

Le contact des doigts de Lydia réchauffait la peau de Chang comme un rayon de soleil. Il avait froid et se sentait vide comme un reptile après une nuit de gel et Lydia ramenait son corps à la vie.

Les sensations lui revenaient et avec elles la douleur.

Il tenta d'y puiser de l'énergie. Puis il se concentra sur les mains de Lydia pendant qu'elle lui enlevait ses bandages. Elles n'étaient pas vraiment belles avec leurs ongles carrés plutôt qu'ovales et leurs pouces curieusement longs, mais leur agilité l'était. Ces mains allaient le guérir.

Cependant, lorsqu'il aperçut les siennes, mutilées, il ne put maîtriser la douleur plus longtemps. Elle se propagea dans sa tête. Son visage se décomposa et retourna dans la vase.

Chang ouvrit les yeux.

«Lydia.»

Elle garda les yeux rivés sur le bol en métal où elle préparait une mixture très parfumée. Un rayon de soleil se posa sur les cheveux et la joue de Lydia. Elle étincelait.

«Lydia.»

Elle ne réagit toujours pas.

Chang ferma les yeux. Il comprit qu'il n'avait prononcé aucun son. Il essaya de nouveau, se concentrant sur les muscles de sa bouche. Ils étaient engourdis.

«Lydia.»

Cette fois, elle releva la tête.

«Re-bonjour. Comment tu te sens?

— En vie.

— Bien. Continue, dit-elle en souriant.

— D'accord.

— Bien.»

Debout à côté du lit, elle le regardait. Immobile, elle tenait à la main une cuillère d'où coulait un liquide rougeâtre. Chang entendait les gouttes tomber dans le bol. Elle restait là, à l'observer. Chang eut la sensation que plusieurs heures s'écoulaient. Le visage de Lydia flottait devant ses yeux. De grands yeux ronds, un long nez: un visage de *fanqui*.

« Tu veux quelque chose contre la douleur ? »

Il cligna des yeux. Elle le regardait encore. Il fit oui de la tête.

« Donne-moi des nouvelles de Tan Wah », lui demanda-t-il.

L'annonce de la mort de son ami l'affligea, mais ce fut Lydia qui versa des larmes.

Il n'ouvrit pas les yeux de peur qu'elle ne s'arrête de lui masser les jambes. Il lui semblait qu'elles étaient des bambous juste bons à mettre au feu, mais petit à petit il sentit le sang affluer dans ses muscles atrophiés, les réchauffant.

Lydia fredonnait une chanson qui plut à Chang, même si elle n'avait pas le rythme agréable de la musique chinoise. Elle chantait aussi bien qu'un oiseau.

Merci, Kuan Yin, chère déesse de la clémence. Merci de m'avoir amené la fille renard.

« Où est ta mère ? »

Chang s'aperçut que jusque-là son esprit embrumé n'avait rien perçu d'autre que cette pièce et cette fille. Mais après une nuit d'un sommeil agité par le chagrin d'avoir perdu Tan Wah, il retrouvait sa perspicacité.

Il commençait à sentir le danger.

Lydia lui sourit pour le rassurer, mais il devinait son inquiétude.

« Elle est à Datong pour sa lune de miel. Elle ne sera pas de retour avant samedi. »

Puis elle ajouta :

« On est jeudi.

— Où est-on ?

— Dans notre nouvelle maison. Il n'y a personne d'autre que nous.

— Les serviteurs ne sont pas "personne". »

Lydia rougit.

« Le cuisinier loge dans une dépendance et je le vois rarement, et j'ai donné leur semaine au valet et au jardinier. Je ne suis pas idiote. Je sais que celui qui t'a fait ça n'était pas plein de bonnes intentions.

— Pardonne-moi, la fièvre rend mes paroles stupides.

— Je te pardonne », répondit-elle en riant.

Chang ne comprit pas pourquoi cela l'amusait, mais ce rire le réchauffa et il s'endormit.

« Chang, réveille-toi. Tout va bien. Ne crie pas. Tu es hors de danger. »

Lydia le secouait. Il s'éveilla.

Il était en sueur et son cœur battait violemment dans sa poitrine. Les yeux lui brûlaient et sa gorge était sèche.

« Tu faisais un mauvais rêve. »

Lydia, penchée au-dessus du lit, lui avait posé la main sur la bouche. Il sentait le goût de sa peau. Le cauchemar se dissipa lentement. Il oublia la douleur aiguë à son sexe et l'odeur de chair brûlée à ses narines.

« Respire », murmura Lydia.

Il inspira et expira profondément à plusieurs reprises. La tête lui tournait. Il faisait sombre dans la pièce tout juste éclairée par la lueur d'un lampadaire qui se glissait sous un rideau. Il discernait les formes de l'armoire, de la coiffeuse et des bouteilles de remèdes. Et la silhouette de Lydia. Elle tenait la main au-dessus de son front, sans oser le toucher. Il inspira de nouveau.

« Tu frissonnes, lui dit-elle.

— J'ai besoin d'une bouteille. »

Il y eut un bref silence puis Lydia dit :

« Je t'en apporte une. »

Elle alluma la lampe. Chang aurait préféré l'obscurité. Lydia souleva le drap et il s'allongea sur le côté. Ce simple mouvement lui fit presque perdre conscience. Lydia glissa une bouteille à large goulot sous son pénis. Il avait du mal à uriner, car il sentait la gêne de Lydia. Le bruit de l'urine contre le verre lui écorchait les oreilles.

Lorsqu'il eut terminé, elle observa la bouteille à la lumière et dit :

« Un grand cru.

— Comment ?

— Un grand cru, comme pour le vin, dit-elle en souriant.

— Beaucoup trop foncé.

— Il y a quand même moins de sang que la dernière fois.

— Les médicaments font effet.

— Tous. »

Elle montra en riant les fioles colorées et les sachets posés sur la table.

Ils formaient un étrange mélange de culture occidentale et orientale. Lydia semblait aussi à l'aise avec l'une que l'autre, ce qui faisait l'admiration de Chang. Elle avait l'esprit ouvert et elle était prête à s'enrichir de tout ce qu'elle découvrait.

Il reposa la tête sur l'oreiller. La sueur perlait à son front.

« Merci. »

L'effort l'avait épuisé, mais il n'oublia pas de sourire à Lydia. Les Occidentaux souriaient facilement. Encore une différence culturelle. Chang avait remarqué l'importance qu'elle accordait à ce signe.

« Je me sens humilié.

— Il ne faut pas.

— Regarde-moi. Je ressemble à un faucon sans ailes. Tu devrais mépriser une telle faiblesse.

— Ne dis pas ça. Je vais te dire ce que je vois. Je vois un homme courageux qui se bat et qui serait mort s'il ne refusait pas aussi obstinément d'abandonner.

— Tu aveugles ton esprit avec des mots.

— Non. Toi, tu laisses la maladie t'aveugler. Attends que je t'aie guéri. »

Elle posa une main fraîche sur le front brûlant de Chang.

« C'est le moment de te donner de la quinine. »

Pendant le reste de la nuit, elle lui administra des médicaments et l'épongea. De temps en temps elle lui parlait. Il s'entendit lui parler aussi, mais sans avoir la moindre idée de ce qu'il lui disait.

«Alcoolat de nitrate de potassium et acétate d'ammonium avec de l'eau camphrée. »

Il se souvint du ton de sa voix alors qu'elle prononçait ces mots savants en lui administrant des remèdes à la cuillère, mais ce n'étaient que des sons sans signification.

« M. Theo a dit que, selon l'herboriste, cette préparation faisait des miracles pour combattre la fièvre, alors… S'il te plaît ne recrache pas. Essayons encore. Voilà. C'est bien. »

Le linge frais sur sa peau. L'odeur du vinaigre et des herbes. De l'eau citronnée sur ses lèvres. Les cauchemars à l'assaut de son esprit.

À l'aube, il sentit le feu dans son sang commencer à s'éteindre. Il se mit alors à trembler si violemment qu'il se mordit la langue. Il sentit Lydia s'asseoir à côté de lui, s'appuyer contre la tête de lit et l'entourer de ses bras. Elle le serrait très fort.

On sonna à la porte. Chang sursauta et vit Lydia relever la tête comme pour humer l'air. Leurs regards se croisèrent. Ils savaient tous les deux qu'il était pris au piège.

«Ce doit être Polly. Je vais me débarrasser d'elle», dit Lydia d'un ton ferme.

Il fit oui de la tête. Lydia gagna la porte et la referma derrière elle. Qui que soit cette Polly, il la maudissait.

39

« **B**onjour, mademoiselle Ivanova. J'espère qu'il n'est pas trop tôt pour une visite.

— Alexei Serov. Je ne vous attendais pas. »

Il se tenait sur le pas de la porte, plus grand et désinvolte que jamais dans son manteau au col en fourrure. C'était la dernière personne que Lydia avait envie de voir.

« Je m'inquiétais pour vous.

— Vraiment ? Pourquoi ?

— Vous étiez très affectée par la mort de votre ami la dernière fois que nous nous sommes vus.

— Ah oui. Bien sûr. Excusez-moi, je… Oui, vous avez fait preuve d'une grande gentillesse dans ce moment difficile. Je vous en remercie. »

Elle recula, prête à fermer la porte, mais il n'avait pas terminé.

« J'ai appelé votre ancienne logeuse et elle m'a dit que vous viviez ici.

— Oui.

— Elle m'a appris que votre mère s'était remariée.

— C'est vrai.

— Félicitez-la de ma part. »

Il inclina la tête et elle songea que Chang le faisait avec beaucoup plus de grâce.

« Je n'y manquerai pas. »

Il esquissa un sourire.

« Même si votre mère n'a pas paru très heureuse de me voir dans votre ancien appartement.

— Non, en effet. »

Un silence gêné s'installa, mais Lydia ne fit rien pour le rompre.

« Je vous dérange ? demanda Alexei.

— Oui, veuillez m'excuser, mais j'étais occupée.

— Alors permettez-moi de vous présenter mes excuses. Je ne vous retiens pas plus longtemps. J'ai été moi-même très occupé, sinon je serais venu vous voir plus tôt pour m'assurer que vous alliez bien.

— Occupé avec le Kuomintang ?

— Oui. Au revoir, mademoiselle Ivanova.

— Attendez. »

Elle parvint à lui sourire et ajouta :

« Veuillez m'excuser de ne pas vous avoir fait entrer. C'est très impoli. Peut-être aimeriez-vous une tasse de thé ?

— Avec plaisir, merci.

— Je vous en prie, entrez. »

Maintenant qu'elle l'avait fait asseoir et lui avait servi une tasse de thé, Lydia avait du mal à obtenir les informations qu'elle voulait. Chaque fois qu'elle essayait d'orienter la conversation vers un sujet militaire, il le contournait en parlant de l'opéra chinois qu'il avait vu la veille. Lorsqu'elle lui parla franchement des nombreuses affiches communistes qu'elle avait vues en ville réclamant que l'accès aux parcs de la concession internationale soit autorisé aux Chinois, il éclata d'un rire méprisant.

« Et ensuite ils voudront aussi avoir accès à nos clubs et aux terrains de croquet. »

Elle ne savait pas s'il la taquinait ou s'il était sérieux. Il parlait sur un ton aimable et amusé, mais elle n'était pas naïve. Alexei inspectait la nouvelle maison de Lydia. Celle-ci avait l'impression qu'il jouait un jeu avec elle. Elle buvait son thé, un peu inquiète.

« Les communistes sont donc encore actifs à Junchow malgré les efforts des troupes d'élite du Kuomintang, commenta-t-elle.

— Il semblerait. Mais on les pousse comme des rats dans la rivière. Le drapeau du Kuomintang flotte partout pour rappeler à la population qui est au pouvoir maintenant. »

Il sourit, les paupières à demi fermées, puis ajouta :

« Au moins, la bannière égaye un peu la ville avec ses couleurs vives.

— Savez-vous ce qu'elles symbolisent ?

— Ce sont juste des couleurs.

— Non. En Chine, tout a un sens.

— Et alors ? »

Il s'installa plus confortablement dans le fauteuil, les bras posés sur les accoudoirs. Lydia songeait qu'il devait ressembler au jeune tsar sur son trône du Palais d'hiver et son arrogance la dégoûtait.

« Éclairez-moi, mademoiselle Ivanova.

— Le rouge représente le sang et la souffrance de la Chine.

— Et le soleil jaune ?

— Il symbolise la pureté.

— Et le fond bleu ?

— La justice.

— Je vois. Vous semblez en savoir beaucoup sur la Chine.

— Je sais que les Serpents noirs de Junchow combattent à la fois les communistes et le Kuomintang pour prendre la direction du Conseil. »

Il écarquilla les yeux. Lydia sentit qu'elle avait marqué un point.

« Mademoiselle Ivanova, vous êtes russe. Comment avez-vous entendu parler des Serpents noirs ?

— J'écoute. J'ai remarqué le tatouage. Le fait que je sois une femme et que je n'aie pas encore dix-sept ans ne signifie pas que je n'ai pas conscience de la situation politique ici. Je ne fais pas partie de celles qui restent assises toute la journée à broder ou à boire du champagne. Je suis lucide. »

Il se pencha vers Lydia. Toute expression amusée avait disparu de son visage.

« J'ai eu l'occasion de voir les risques que vous prenez. Je vous conseille vivement d'éviter tout contact avec les Serpents noirs. En ce moment, ils sont plus dangereux que jamais.

— Et pourquoi ?

— Parce que leur chef et son fils dirigent des bandes rivales. Feng, le père, a fouetté Po Chu en public et celui-ci recrute des fidèles pour s'assurer une alliance avec le Kuomintang. Mais chacun joue contre tous les autres en déplaçant les pièces de l'échiquier.

— Le fils va-t-il dominer son père ?

— Je ne sais pas. Il est téméraire. Il a déjà les moyens de créer d'énormes problèmes.

— Comment ça ?

— Il dispose d'explosifs. La semaine dernière, il a fait dérailler un train en provenance de la province de Funan qui en transportait et un capitaine de l'armée du Kuomintang m'a révélé hier que ses espions estiment la situation dangereuse.

— Cela signifie-t-il que Tchang Kaï-chek va envoyer d'autres troupes ?

— Sans aucun doute.

— Vous serez encore plus occupé alors. À conseiller. C'est bien ce que vous faites ? Vous conseillez le Kuomintang en matière de stratégie militaire.

— Tout à fait.

— Vous est-il jamais venu à l'idée que les gens de cette organisation ne valent pas mieux que les seigneurs de la guerre ? Que Tchang règne en dictateur et que vous l'aidez ? »

Alexei arbora aussitôt son sourire satisfait. Il saisit sa tasse, mais il avait oublié qu'elle était vide et la reposa.

« Vous êtes peut-être très bien informée, mais il est déplorable que vous ignoriez que la Chine, comme la Russie, est un pays immense. Il est composé d'une grande diversité de gens et de tribus qui se couperaient la gorge si un dictateur de la trempe de Tchang Kaï-chek ne les en empêchait pas. Les communistes ont des idéaux honorables, mais dans un pays comme celui-ci, ils feraient des ravages. Mais ils ne parviendront jamais au pouvoir. Leurs réponses sont trop simplistes. Alors oui, je travaille dur pour le système politique et militaire qui les délogera de leurs cachettes et les anéantira. »

Lydia se leva.

« De toute évidence, vous êtes très occupé. Je ne voudrais pas vous retenir plus longtemps. »

Il parut surpris, puis inclina la tête.

« Bien sûr. Vous m'avez dit être occupée aussi quand je suis arrivé. »

Il se leva avec un mouvement élégant. Sa coupe en brosse détonnait avec la douceur de son physique. Lydia, soudain consciente du décalage entre le costume chic d'Alexei, sa robe froissée et sa coiffure négligée, eut envie de se passer la main dans les cheveux. Mais après tout, elle n'avait rien à faire du regard que portait sur elle cet homme arrogant qui soutenait un dictateur sans pitié. Sa mère avait raison, qu'il aille au diable.

Elle raccompagna son invité, lui tendit son manteau et se sentit obligée de lui serrer la main.

« Au revoir et encore merci pour votre aide. »

Il prit sa main un instant et l'examina comme s'il essayait d'y découvrir des secrets. Lydia la retira.

Il lui lança un regard intrigué.

« Ma mère donne une fête la semaine prochaine. Peut-être aimeriez-vous vous joindre à nous ? Lundi à huit heures. Venez. »

Il eut un petit rire moqueur.

« Nous pourrons parler des mouvements des troupes. »

Derrière lui, dans la voiture qui arborait un fanion du Kuomintang, son chauffeur chinois vêtu de l'uniforme militaire l'attendait patiemment.

« Je vais y réfléchir », dit Lydia avant de refermer la porte.

Elle monta l'escalier quatre à quatre, entra dans la chambre et se mit aussitôt à parler.

« Chang, tout va bien, je… »

Elle s'interrompit net. Le lit était vide, le drap tiré et la couverture avait disparu.

« Chang ? Non », dit-elle dans un souffle en se précipitant vers la fenêtre ouverte.

Pas de corps écrasé sur la terrasse. Rien non plus dans le jardin. Une douleur sourde la saisit à la poitrine.

« Chang », appela-t-elle doucement.

Quelque chose bougea derrière elle. Elle se retourna et vit la porte se refermer. Chang An Lo se tenait là, le visage pâle, enveloppé dans la couverture. Un bandage pendait à son poignet droit. À la main gauche, il tenait les ciseaux dont elle se servait pour découper les pansements.

40

Theo avait l'impression de mourir, mais il avait l'air plus en forme. Il portait son plus beau costume, gris à fines rayures, avec une chemise blanche et sa cravate en soie préférée. Un vrai diable étranger. Digne et raide. Feng Tu Hong allait trouver un ennemi, mais un ennemi respectable.

Il gara la Morris Cowley dans une ruelle de la vieille ville, jeta quelques pièces à un gamin des rues pour qu'il garde sa voiture puis se joignit à la foule qui se rendait vers la place. La violence du vent obligeait les passants à baisser la tête sous leurs chapeaux en bambou tressé. Theo exposa son visage au vent et son mal de tête s'apaisa. Il avait besoin d'y voir clair. Il se fraya un chemin dans la foule où il n'aperçut aucun autre *fanqui*. Il passa sous l'arcade au dragon et gagna la place sans prêter attention aux regards hostiles qu'on lui lançait. Seul Feng Tu Hong lui importait.

« Excusez-moi, honorable étranger, venir ici aujourd'hui n'est pas sage. »

L'homme qui venait de s'adresser à Theo était petit et élégant : il portait la robe jaune des moines et sa tête rasée rutilait. Il sentait le genièvre et arborait un sourire extasié.

Theo s'inclina.

« Je suis venu parler au président du Conseil. Sur son invitation.

— Alors vous êtes entre bonnes mains.

— C'est discutable.

— Tout est discutable. Mais ceux qui croient en la vérité et qui suivent le chemin avec entêtement parviendront à l'éveil.

— Merci, saint homme. Je me souviendrai de cette maxime. »

Qing Qui Guang Chang. La place de la Main-Ouverte. Theo songea qu'elle était mal nommée. Ceux qu'il allait voir serreraient le poing de peur.

L'endroit était pavé et entouré de maisons de thé et de magasins dont les drapeaux colorés flottaient au vent. Une étonnante défense d'éléphant dorée décorait le linteau de l'entrée du théâtre qui dominait sur un côté. Le décor semblait s'animer, sous les avant-toits incurvés, comme un talisman sculpté agité devant les dieux. Ce jour-là, le marché aux oiseaux et aux épices faisait relâche. Devant l'entrée principale du théâtre avait été installée une petite estrade de bois de deux mètres carrés et cinquante centimètres de haut sur laquelle trônait Feng Tu Hong, assis dans un fauteuil en ébène.

Theo se tenait à côté de lui.

Tout autour de la place s'attroupaient des groupes impatients. Ils étaient venus des champs, de leurs bureaux ou des cuisines pour qu'on les distraie, pour fuir pendant un bref instant leur labeur quotidien. La démonstration de pouvoir les attirait parce qu'elle les rassurait. Dans ce monde instable et confus, certains principes demeuraient. Les bonnes vieilles méthodes. Theo observait ces spectateurs pitoyables.

Feng leva un doigt. Aussitôt, la foule s'ouvrit pour laisser passer un long cortège de soldats portant l'uniforme gris du Kuomintang. Ils saluèrent le président du Conseil, puis se disposèrent en carré, fusil à l'épaule, face à la foule. Theo examinait leurs visages inexpressifs et s'arrêta sur celui d'un soldat qui cachait difficilement sa fierté. Il semblait tout frais sorti de l'école militaire de Tchang Kaï-chek à Whampoa.

Le prestige de l'uniforme, traditionnel en Occident, était inconnu en Chine, où l'armée était mal considérée, mais Theo avait remarqué un changement parmi les dernières recrues de Tchang Kaï-chek. Ils étaient endoctrinés et croyaient en leur mission. De plus, ils recevaient un salaire convenable. Theo admirait le savoir-faire de Tchang Kaï-chek. Cependant, il craignait que le développement de la Chine ne prenne du temps. Tchang était conservateur, malgré ses prises de position révolutionnaires. Et pourtant, les jeunes recrues avaient une foi inébranlable en leur chef suprême ; ce devait être bon pour la Chine.

« Theo Willoughby ! »

À contrecœur, Theo dirigea le regard vers Feng. Il était vêtu de sa robe de cérémonie en satin bleu brodé sur une tunique dorée molletonnée qui lui donnait l'air plus imposant que jamais. Il portait un grand chapeau noir qui rappelait à Theo la coiffe des juges qui condamnent à la pendaison.

« Guette le premier homme. »

Theo ne comprit pas tout de suite le sens de cette phrase, mais lorsque se fit entendre un lent roulement de tambour et que de chaque angle de la place s'avança un moine soufflant dans un long pipeau émettant une plainte retentissante, il comprit. On conduisait au milieu de la place huit prisonniers, mains attachées derrière le dos et torse nu malgré la température hivernale. Sauf la femme, que Theo reconnut. C'était la femme du bateau, celle qui lui avait donné Yeewai. Devant elle se trouvaient le capitaine de la jonque et, derrière, six autres membres de l'équipage.

«Tu vois? demanda Feng.

— Je vois.»

Theo savait ce qui allait se passer. Il l'avait déjà vu faire sans s'habituer au spectacle. Le capitaine fit s'agenouiller les prisonniers puis leur intima de s'incliner devant le président.

Le visage de Feng était impassible.

La foule hurla son approbation lorsqu'un homme imposant s'avança lentement jusqu'au centre de la place, armé d'une épée qu'il fit tournoyer au-dessus de sa tête avec dextérité. Deux des prisonniers, tout juste sortis de l'enfance, se mirent à pleurer et à demander grâce. Theo eut envie de leur crier de ne pas gaspiller leurs derniers instants. L'épée s'abattit sur trois cous. La projection de sang déclencha des acclamations parmi les spectateurs. Une jeune femme sortit de la foule, se jeta aux pieds de Feng Tu Hong et les embrassa avec dévotion.

«Débarrassez-moi de cette conne!» cria Feng en lui donnant des coups de pied.

Un soldat s'avança et lui tira les cheveux pour la mettre debout. Elle avait un visage magnifique déformé par le désespoir. Elle hurla et la prisonnière releva la tête puis s'écria: «Ying, ma fille chérie!» ce qui lui valut un canon de fusil contre la gorge.

«Je vous en prie, grand et honorable président, ne tuez pas mes parents, s'il vous plaît, je ferai tout ce que vous voudrez. Je vous en supplie...», implora la jeune femme en sanglotant.

Le soldat l'emmena.

«Attends.»

Feng souleva le bâton d'ivoire posé sur ses genoux et le pointa en direction du capitaine du Kuomintang.

L'officier s'approcha de l'estrade au pas militaire, sans cacher son animosité envers le président.

«Jetez la vieille prisonnière en prison pour dix jours et ensuite libérez-la. »

Il fit un signe en direction de la jeune fille, qu'un serviteur conduisit hors de la place. Elle tremblait. Le capitaine s'inclina et cria un ordre. Il ne cachait pas sa désapprobation. La prisonnière fut poussée hors de la place.

Theo se pencha vers Feng Tu Hong.

«Si je vous offre suffisamment d'argent, ferez-vous de même avec les autres prisonniers ? »

Feng éclata de rire, révélant trois dents en or, et se tapa sur la cuisse.

«Vous pouvez me supplier, Willoughby. Ce serait divertissant. Je pourrais même prétendre réfléchir à votre demande. Mais j'y répondrais par la négative. Leurs vies ne peuvent être épargnées qu'à un seul prix.

— Lequel ?

— Ma fille.

— Que le diable vous emporte. »

«Vous êtes *fanqui*. Vous tremblez sous l'effet de la maladie des rêves. Sept hommes ont été tués aujourd'hui par votre faute, alors je pense que vous ne trouverez pas le sommeil ce soir.

— Non, Feng Tu Hong, vous vous trompez. Je dormirai comme un bébé parce que je serai dans les bras de Li Mei et que le sein que chercheront mes lèvres sera le sien.

— Que les chauves-souris dragons vous dévorent ce soir, rejeton de sorcière.

— Écoutez-moi, Feng. Si je suis venu ici, c'est uniquement pour vous dire que rien ne me fera renoncer à Li Mei. Elle ne reviendra jamais chez vous.

— C'est votre putain et elle déshonore le nom de ses ancêtres.

— Elle a repris le nom de sa mère, Li, parce que c'est vous qui lui infligez le déshonneur avec votre commerce diabolique. Elle se demande comment elle peut suivre la voie juste quand elle doit vivre chaque jour en sachant que son père détruit des vies humaines avec sa violence dévastatrice et la fumée porteuse de rêves.

— L'opium est la boue des étrangers. C'est ceux de votre espèce qui l'ont portée jusqu'à nos rives. Vous nous avez appris à en faire commerce. Et à présent, les livraisons continuent tous les soirs sans que Mason nous informe des mouvements de bateaux de patrouille qui nous traquent la nuit. Alors, c'est votre faute si d'autres se font prendre et meurent les uns après les autres sur cette place de la Main-Ouverte.

— Non, Feng. C'est vous qui avez leur sang sur les mains, pas moi.

— Theo Willoughby, vous pouvez les sauver.

— Comment?

— En honorant notre marché.

— Jamais.

— Je jure que leurs cris dans l'au-delà vous poursuivront en prison.

— Si je comprends bien, vous avez parlé avec cette charogne de Mason.

— En effet, j'ai eu cet honneur. Je suis attristé de savoir que parce que je ne ferai pas affaire avec lui sans votre aide, il envisage de vous livrer à sir Edward. Et ensuite, Theo, qui s'occupera de votre maîtresse ? »

41

Il neigeait. De gros flocons tombaient d'un ciel blanc et rendaient le trottoir glissant. Lydia se dépêchait. Elle avait horreur de laisser Chang An Lo seul à la maison.

« Pouvez-vous l'arranger ? » demanda Lydia à Mme Camellia.

La couturière regarda la robe verte en mauvais état avec la tendresse d'une mère.

« Je vais faire de mon mieux, mademoiselle Ivanova.

— Merci. »

Lydia passa ensuite chez M. Hatton, le pharmacien de la rue Glebe, dont la vitrine était décorée de grands pichets bleus, rouges et ambre. Elle racheta des bandages, de l'acide borique, de la teinture d'iode. Quand elle sortit, la rue était toute blanche et les toits des voitures qui y circulaient étaient coiffés de neige. En descendant la rue Wellington pour se rendre au petit kiosque de l'angle, Lydia sentait la douceur des flocons sur sa joue et clignait des yeux quand ils s'accrochaient à ses cils. Elle acheta des nouilles servies dans un gobelet en carton et du *bai cai*. Elle se dépêcha de rentrer.

« Lydia Ivanova. »

Elle leva les yeux et, à l'angle de l'avenue Ebury où elle habitait à présent, elle vit Liev Popkov appuyé contre un arbre.

« Liev ! » cria-t-elle avec joie avant de courir vers lui.

Il lui tendit les bras et la serra contre lui. Lydia avait l'impression d'étreindre un mammouth laineux.

« Merci, Liev, *spasibo,* merci », lui dit-elle d'une voix douce.

Le pardessus de Liev sur lequel elle avait posé la joue était froid et mouillé, mais Lydia s'en foutait tant elle était heureuse de revoir le grand Russe. Le sac de nourriture encore à la main, elle le prit dans ses bras. Soudain, les émotions qu'elle avait étouffées refirent surface et elle se mit à trembler. Elle aurait perdu l'équilibre si Liev ne l'avait pas tenue contre lui.

Il poussa un grognement réconfortant.

Lydia cessa de trembler, serra Liev plus fort et réussit à sourire.

« *Luchshye ?* demanda-t-il. Tu te sens mieux ?

— *Gorazdo luchshye.* Beaucoup mieux.

— Bien.

— Tu veux entrer et venir voir Chang An Lo ? Lui aussi voudrait te remercier.

— Il n'est donc pas encore mort ?

— Non. Il est vivant. *Poydiom.* Viens. »

Elle lui tira la manche, mais Liev ne bougea pas.

« Non, Lydia Ivanova. Je me fous de ton Chinois.

— Pourquoi l'as-tu aidé alors ? »

Il haussa ses larges épaules.

« Pour toi. »

Il tira une liasse de billets de sa poche puis les fourra dans celle du manteau de Lydia. Elle savait que c'étaient les deux cents dollars.

« Non, Liev. Ils sont à toi.

— Je ne cherche pas à me faire payer.

— Mais tu m'as tellement aidée. Je ne comprends pas. Pourquoi avoir risqué ta vie avec moi ?

— Parce que tu es la petite-fille du général Nicolaï Sergei Ivanov. »

Il porta son énorme main contre le bord de son chapeau en fourrure pour faire le salut militaire.

« Comment ?

— Je suis honoré de te servir.

— Attends un peu. Tu viens de dire que tu as connu mon grand-père ? »

Avant qu'il n'ait pu répondre, un bruit d'explosion paralysa Lydia. Une colonne de fumée noire s'éleva au-dessus des toits enneigés du cœur de la ville et se mêla aux nuages menaçants.

« Une bombe, remarqua aussitôt Liev. Rentre vite chez toi.

— Attends. »

Mais Liev descendait déjà la rue de sa lourde démarche. Lydia courut chez elle.

Chang s'attendait à lui trouver un air effrayé, mais ce ne fut pas le cas.

« Ton ami Alexei Serov disait vrai. Les bombes commencent à exploser.

— Tu as entendu ?

— Tout Junchow a dû entendre. »

Lydia était entrée dans la pièce avec une énergie qu'il lui enviait. Au lieu de la peur, elle dégageait une aura positive, un *chi* fluide. Ses yeux brillaient.

« Lydia, dit Chang en souriant, tu irradies d'une énergie qui se propage dans la pièce. Plus que le bruit de la bombe. »

Elle le regarda, un peu perplexe, puis éclata de rire en secouant sa chevelure flamboyante.

« C'est une bonne chose pour nous. Tant que les Serpents noirs se font la guerre, ils nous laissent tranquilles.

— Il y a un monde derrière ces murs, Lydia. Tu ne peux pas l'ignorer.

— Aujourd'hui, oui. »

Elle lui sourit.

« Tiens, mange. »

Il fit des rêves de feu. Parfois, les flammes, vacillantes et lumineuses, étaient dans les cheveux de Lydia. D'autres fois, brûlant dans son propre sang, elles le dévoraient. Le feu de la douleur et celui de la haine le consumaient.

« Chang An Lo. »

Il ouvrit les yeux et eut un réflexe défensif. Une main approchait de son visage. Mais elle ne tenait pas un tisonnier brûlant, simplement un linge humide, frais et parfumé.

« Tout va bien, murmura Lydia. Tu faisais un cauchemar. »

Le cœur de Chang battait à tout rompre. Il fut pris de nausée. Il savait qu'il avait déjà souvent perdu la face devant Lydia tant il était faible et démuni. Il ne cherchait plus à rester digne, mais ne voulait pas vomir ses nouilles et la regarder nettoyer.

« Tiens. »

Elle lui mit une tasse sous les lèvres. Il but une gorgée de décoction d'herbes amères qui le calma. Le feu et la nausée s'estompèrent. Il but encore. Le moment était venu.

« Lydia.

— Chut, ne dis rien. Il faut que tu te reposes. Je vais te faire la lecture si tu veux.

— Les aventures de Shere Khan sont grandioses, mais tu dois lire Mulan. Elle est célèbre dans la légende chinoise. Elle te plairait, tu lui ressembles beaucoup.

— Elle est pauvre et maigre ?

— Non. Elle prend des risques. Elle est courageuse. »

Lydia rougit et cacha son visage derrière un écran de cheveux.

« Tu te moques de moi. Fais attention à ce que tu dis ou je pourrais renverser cette huile de foie de requin sur toi. »

Il observa l'expression de défi dans les magnifiques yeux ambrés de Lydia. Comment pouvait-elle croire qu'il se moquait d'elle ?

« Lydia, j'ai besoin de faire de l'exercice. »

Il marcha, même s'il avait du mal à appeler ce déplacement de la marche. Lydia portait tout son poids parce que ses jambes se dérobaient sous lui dès qu'il essayait de faire un pas. Elles lui paraissaient aussi molles que les nouilles dans son estomac. Il avait honte, mais elle lui facilitait la tâche.

Elle lui porta d'abord une des chemises à rayures du nouveau mari de sa mère, et même si elle était trop large pour le corps amaigri de Chang, elle couvrait ses cuisses et satisfaisait son besoin de décence. L'odeur de lavande l'étonna et Lydia lui expliqua qu'on en mettait des sachets dans les armoires. Ensuite, elle alluma le radiateur. Enfin, elle glissa un bras autour de sa taille pour l'aider à sortir du lit et le tint contre elle, comme s'ils étaient deux moitiés d'un être unique.

Chang passa un bras autour des épaules de Lydia et ils allèrent jusqu'à la porte, puis de la porte au lit, du lit à la fenêtre, de la fenêtre au radiateur, du radiateur au lit. Marcher : lever un pied. L'autre. Tourner. Lever un pied. Ils avançaient avec une lenteur incroyable. Chang avait la tête qui tournait et parfois sa vue s'obscurcissait. Mais il continuait.

« Assez, dit Lydia d'une voix ferme. Sinon tu vas t'épuiser.

— Mes muscles sont faibles. Je dois leur redonner de la force, murmura-t-il.

— Te soigner ne sert à rien si tu te rends malade ensuite.

— Je ne peux pas me permettre d'arrêter. Le temps passe vite.

— Il le faut. Arrête-toi, s'il te plaît. Nous recommencerons quand tu te seras reposé une heure.

— Tu me réveilleras ?

— Je te le promets. »

Il s'écroula sur le lit et glissa aussitôt dans un tunnel de feu.

« Tu as de la visite, Chang An Lo. Un invité. »

Avant même d'ouvrir les yeux, il saisit le couteau qu'il avait demandé à Lydia après la venue du Russe qui travaillait avec le Kuomintang. Si cet homme revenait, Chang ne mourrait pas sans se battre.

« Dis bonjour. »

Chang écarquilla les yeux et esquissa un sourire. Il ne savait jamais à quoi s'attendre avec la fille renard. Elle était debout près du lit, tenant dans les bras un lapin blanc dont le museau frémissait frénétiquement à cause des odeurs d'herbes.

« Dis bonjour à Sun Yat-sen.

— Sun Yat-sen est le père de la Chine révolutionnaire. Un grand homme noble. Tu insultes sa mémoire en donnant son nom à un misérable animal.

— Ne dis pas n'importe quoi. Et puis comment oses-tu l'appeler un misérable animal ? Regarde-le, il est magnifique, il fait honneur à son nom. »

Chang examina le lapin. Sa fourrure brillait comme la neige sous le soleil et il était fort. Chang lui enviait sa santé. Et les bras de Lydia.

« Très bien. Je te salue avec respect, Sun Yat-sen. »

Il inclina la tête.

« Je suis honoré de te voir ici, mais j'espère un jour t'avoir dans mon assiette. Avec de la sauce *hoi sin* et du gingembre.

— Chang ! »

En voyant l'expression scandalisée de Lydia, il se mit à rire.

La nuit était le moment le plus difficile. Elle changeait ses bandages et renouvelait les cataplasmes sur ses brûlures. Il ne lui disait pas à quel point cela le faisait souffrir ni qu'il restait ensuite éveillé de longues heures. Mais la douleur avait des avantages : elle le détournait d'autres pensées.

Lydia s'assit sur la chaise et posa la tête sur la couverture. Chang en sentait le poids sur sa hanche. Il glissa doucement la main hors du drap. Ce soir-là, comme elle était presque guérie, il avait demandé à Lydia de l'envelopper dans de la gaze pour être plus libre de ses mouvements.

Il lui coupa une mèche de cheveux qu'il cacha sous le matelas puis lui caressa tout doucement la tête. Lydia murmura dans son sommeil et Chang se demanda quels rêves la hantaient. Il approcha les doigts de la bouche de Lydia pour sentir la chaleur de son souffle. Il ferma les yeux. Puis il enroula une mèche de cheveux autour de son doigt. Mais cela ne suffisait pas ; il ressentait un désir pressant pour elle.

Malgré la douleur de ses membres, il l'attira près de lui sur le lit. Il retenait son souffle. Elle ne se réveilla pas, mais murmura : « J'ai abîmé ma robe. » Cela le fit sourire.

Il songea qu'elle ne lui en voudrait pas. Il y avait une couverture entre eux et Lydia était habillée, alors la situation n'avait rien d'indécent.

Mais il savait que la mère de Lydia le tuerait si elle les trouvait dans cette position. La chaleur du corps de Lydia réchauffait le sien. Elle ne s'était pas trompée en disant qu'elle le guérirait. Pas avec des potions ou des herbes, mais par sa présence. Sentir son odeur lui purifiait le sang.

Il passa un bras autour d'elle et posa un baiser sur sa joue.

42

Lydia avait chaud. Lorsqu'elle s'étira, elle se rendit compte qu'elle était allongée sur le lit. Elle ouvrit les yeux et vit le visage de Chang.

« Bonjour, dit-il d'une voix douce.

— Salut. Comment je suis arrivée là ?

— Tu avais besoin de dormir, et pas sur une chaise. Tu te sens mieux ?

— Beaucoup mieux. Et toi ? Tu as bien dormi ?

— Oui. »

Elle savait qu'il mentait, mais avoir cette conversation dans le lit lui paraissait tellement étrange qu'elle renonça à exiger de lui la vérité. Il tendit la main et lui toucha furtivement l'oreille. Elle avait envie qu'il continue, qu'il caresse son visage ou ce qui lui plairait.

Ils restèrent à se regarder sans rien dire. Cela leur paraissait naturel. Quand elle se pencha vers lui et embrassa ses lèvres, ils ne ressentirent pas de gêne, mais un sentiment de plénitude et un désir urgent. Si puissant que Lydia en avait presque mal. Mais Chang ferma les yeux et elle se souvint qu'il était malade et avait besoin de se reposer.

Lorsqu'elle sortit du lit, il ne la retint pas. La tête sur l'oreiller qui portait encore l'empreinte de celle de Lydia, il respirait péniblement.

Elle attrapa des vêtements propres et alla à la salle de bains. Elle se fit couler un bain moussant, s'y plongea et se frotta pour chasser la frustration. Ensuite, elle s'enroula une serviette sur la tête, passa une robe et le cardigan en laine jaune très douce que Valentina lui avait offert.

Elle se regarda dans le miroir pour tenter de voir ce que Chang voyait. Sa mère avait raison, grâce à Alfred, elle avait mieux mangé ces derniers mois et elle s'était un peu étoffée. Même si elle n'était pas aussi plantureuse que Polly, sa silhouette était devenue plus féminine.

Elle sourit et s'étonna de voir le reflet d'un nouveau sourire.

Cette fois-ci, lorsqu'on sonna à la porte, Lydia s'y attendait un peu.

« C'est sans doute Polly », dit-elle avant de descendre ouvrir.

« Salut, Lyd, je suis venue voir comment tu vas. Tu ne te sens pas trop seule ?

— Oh, Polly, tu tombes au mauvais moment, je…

— Bonjour, Lydia. Comme tu as l'air en forme ! Tu es rayonnante. Et cette couleur te va à ravir.

— Merci, madame Mason. Ce n'est plus la peine de venir. Je me débrouille très bien.

— Je veux juste m'en assurer, comme je l'ai promis à M. Parker. Nous nous inquiétions que la bombe t'ait effrayée, n'est-ce pas, Polly ?

— Non, je ne me suis pas fait de souci. Moi j'ai trouvé ça excitant, dit Polly en souriant. J'ai dit à maman que ça ne te ferait pas peur.

— Tu as le temps de déguster une de tes pâtisseries préférées ? demanda Anthea en tendant malicieusement une boîte à gâteaux. Des macarons. »

Lydia n'était pas vraiment d'humeur à en manger.

« Maman les a faits juste pour toi », tenta Polly pour convaincre Lydia.

Elle adressa un sourire radieux à Lydia lorsque celle-ci s'écarta pour les laisser entrer.

Elle fit asseoir son amie et sa mère dans le salon.

« Comme cette pièce est jolie, s'enthousiasma Anthea Mason. Les couleurs sont charmantes.

— Maman a choisi les teintes. Les meubles sont à M. Parker. »

Lydia trouvait le bar et le canapé Chesterfield un peu trop foncés et tristes, mais sa mère avait entrepris de rendre la pièce plus gaie en introduisant les touches colorées des coussins et des rideaux. Mais Lydia n'avait pas la tête à parler décoration. Elle se balançait d'un pied sur l'autre.

« Comment va Sun Yat-sen ?

— Bien.

— Et le cuisinier ? Il s'occupe de toi ?

— Oui.

— Il te prépare de bons petits plats ?

— Oui.

— Mais je suis sûre que tu as encore un peu de place pour mes macarons ?

— Oui. Merci.

— Et une tasse de thé peut-être ?

— Oh, bien sûr. Je vais le préparer.

— Demande au cuisinier de le faire. Je sais que tu as donné congé au valet, même si je ne comprends vraiment pas pourquoi.

— Je n'en ai pas pour longtemps. »

Lydia se rendit à la cuisine, prépara du thé rapidement et le porta au salon.

« Où est Polly ? demanda-t-elle.

— Oh, je crois qu'elle est allée jeter un œil à ta chambre. Ça ne te dérange pas j'espère ? »

Lydia posa le plateau et courut à l'étage.

Elle arriva trop tard. Polly était déjà dans la chambre, immobile, et dévisageait Chang An Lo, couché sur le lit le couteau à la main.

« Oh, bon sang, Polly, tu aurais dû attendre. »

Lydia saisit son amie par l'épaule et l'obligea à lui faire face.

« Écoute-moi. Tu ne dois rien dire, d'accord ? À qui que ce soit. Même pas à ta mère. »

Polly tourna la tête vers Chang et le regarda, effrayée comme si c'était un tigre.

« Qui est-ce ?

— Un ami. »

Polly écarquilla les yeux.

« Pas le communiste de la ruelle quand même ?

— Oui.

— Mais qu'est-ce qu'il fait ici ?

— Il est blessé. Polly, si tu parles de lui à qui que ce soit, tu mettras sa vie en danger. Tu dois à tout prix te taire, sinon il se fera tuer. »

Polly eut le souffle coupé et passa la main dans sa frange d'un geste nerveux, révélant un vilain bleu sur son front. Lydia ressentit une vive colère en l'apercevant.

« Et n'en parle surtout pas à ton père. Jamais. Tu me le promets ? »

Lydia prit Polly dans ses bras.

« Tout va bien, ne te mets pas dans tous tes états. On n'a rien fait de mal. »

Polly la fixait avec un regard sceptique.

« Tu ne crois pas que laisser un Chinois occuper ton lit pendant l'absence de ta mère est un comportement condamnable ?

— Non. Je ne fais que le soigner. De toute façon, je te jure qu'il partira dès qu'il ira mieux. »

Ce que Lydia lut dans le regard de Polly l'effraya.

« Tu ne me feras pas changer d'avis, dit Polly d'une voix calme.

— S'il te plaît, Polly.
— Mais si je le disais à ma mère…
— Non. Tu dois te taire. »
Elle prit son amie par le poignet et le serra un peu.
« Pour moi. »
Elle embrassa Polly sur la joue puis ajouta :
« S'il te plaît, Polly, fais-le pour moi. »

Lydia aidait Chang An Lo à marcher dans la chambre.
« J'ai réfléchi et j'ai trouvé ce qu'on va faire samedi. »
Chang transpirait. L'effort était presque insoutenable,
mais il tenait bon.
« Samedi, je m'en vais », dit-il.
La gorge de Lydia se serra. C'était la première fois qu'il
parlait de partir.
« Non justement. Tu peux rester. »
Il tourna la tête vers elle et esquissa un sourire.
« Oui, ta mère et ton beau-père seront ravis de m'accueillir.
— Je veux que tu restes. »
Il l'attira plus près de lui.
« Je me suis dit que tu pourrais rester dans l'abri de
jardin. J'y ai mis un cadenas, personne ne pourra ouvrir
sauf moi. Ils ne sauront pas que tu y es. Alfred et ma mère
seront trop occupés pour remarquer que j'ai mis les affaires
du jardinier dans le garage, donc… »
Chang étouffa un rire si gai qu'il fit battre plus fort le
cœur de Lydia.
« Je t'aime, Lydia Ivanova. Même les dieux ne peuvent
pas t'arrêter. »
Il n'avait pas refusé. C'était l'essentiel. Elle se raccrochait
à cette idée.
À la tombée de la nuit, Chang sombra, épuisé, dans un
sommeil agité. Il gémissait et marmonnait en mandarin.
L'intrusion de Polly les avait perturbés, mais Lydia avait
assuré Chang du silence de son amie. Cependant, Polly
avait été choquée. Qui savait comment elle réagirait après
avoir réfléchi ?

« Polly, ne me laisse pas tomber », murmura Lydia pour elle-même.

Avant de fermer les rideaux, elle regarda par la fenêtre et se sentit parfaitement en sécurité malgré l'incertitude de la situation. Cela lui semblait tellement absurde qu'elle éclata de rire. Un communiste reconnu dans son lit, sa mère sur le point de rentrer et un beau-père grincheux qui allait mettre son univers sens dessus dessous, et pourtant... Elle se sentait bien.

Elle observa un faisan rachitique qui cherchait sa nourriture dans la neige et elle songea que pour la première fois de sa vie elle n'avait ni faim ni froid. Mais ce qui la rendait heureuse, c'était la présence de Chang.

Il la réveilla pendant la nuit.

Elle était allongée sur le lit sous la couverture, mais sur le drap. Elle s'était brossé les dents, avait passé une jolie chemise de nuit. Dans l'obscurité silencieuse de la pièce, ses sens s'aiguisaient. Elle entendait la respiration de Chang et sentait l'odeur de sa peau. Elle n'était pas pressée de s'endormir.

« Lydia, dit-il soudain en lui saisissant fermement le bras.

— Qu'est-ce qu'il y a ? Tu as mal ? »

Il tremblait et claquait des dents.

« Non. C'est juste la douleur des rêves », répondit-il.

Elle s'installa sur le côté et, serrant de son bras la poitrine de Chang, le tint très fort contre elle. Même à travers le drap, elle sentait son cœur battre à tout rompre. Il posa sa joue moite contre le front de Lydia, inspira profondément puis expira lentement. Ils restèrent ainsi un long moment.

« Tu n'as jamais demandé, lui dit-il.

— Demandé quoi ?

— Ce qui m'est arrivé.

— Je me suis dit que tu me le dirais si tu voulais. »

Il hocha la tête.

« Mais peut-être que si tu me racontes maintenant, tu te sentiras libéré et tes rêves redeviendront paisibles. »

Il prit de nouveau une profonde inspiration et se mit à parler d'une voix blanche.

«Il n'y a pas grand-chose à dire. Ils m'ont déshabillé et m'ont mis dans une caisse métallique. J'ai survécu. Pendant trois mois, peut-être plus. Je ne sais plus trop. Une caisse avec des parois de la longueur d'un bras et des trous d'aération. Ils me donnaient à manger quand bon leur semblait. Ils me faisaient sortir pour s'amuser. Me tailler les doigts. Me brûler la poitrine. Et d'autres choses que je n'ai pas envie que tu entendes.»

Sans dire un mot, Lydia lui caressa la joue puis le cou.

«Un jour, ils ont manqué de vigilance. Ils m'ont fait sortir et ont laissé leurs couteaux trop près de moi. Ils me croyaient à moitié mort. Ils pensaient que je n'étais pas une menace, mais ils se trompaient. Ma main pouvait encore enfoncer une lame dans un ventre.»

Il s'interrompit. Ses tremblements avaient cessé. Lydia sentait la rage qui habitait Chang comme une cuirasse d'acier sous la peau.

«Je me suis enfui. Mais je ne pouvais pas me réfugier chez mes amis. Je les aurais mis en danger.

— Alors tu es allé voir Tan Wah.

— Oui. Personne ne savait que je le connaissais. Et il n'y a que les opiomanes pour s'approcher de l'endroit où il vivait. Je le croyais en sécurité.»

Il poussa un gémissement rauque.

«Mais je me suis trompé.

— Non, tu avais raison. Il est mort par ma faute. Parce que quelqu'un voulait mon manteau. Je suis désolée.

— Excuse-nous, Tan Wah», dit Chang à voix basse.

À présent, c'était Lydia que la colère envahissait.

«Qui t'a fait ça? Les Serpents noirs? Le Kuomintang? Dis-moi.»

À cause de l'obscurité, Lydia ne pouvait pas voir l'expression de Chang, alors elle posa les doigts sur son visage et fut surprise d'y sentir un sourire.

« Pourquoi veux-tu savoir ? Tu as l'intention d'aller les tuer pour me rendre justice ?

— C'est tout ce qu'ils méritent. »

Il rit et s'approcha d'elle.

« C'est difficile de tuer quelqu'un ? demanda Lydia.

— Tu le ferais si tu n'avais pas le choix. »

Il l'embrassa sur les lèvres. Cette fois-ci, le baiser était si passionné qu'il lui affola les sens.

« Qui était-ce ? insista-t-elle.

— Décidément, tu ne renonces jamais.

— Dis-le-moi. »

Chang soupira.

« C'était Feng Po Chu. Son père, Feng Tu Hong, est chef des Serpents noirs et président du Conseil.

— Po Chu ? Celui qui a volé des explosifs ? Pourquoi t'a-t-il fait ça ?

— Parce que je l'ai humilié.

— Comment ? »

Chang resta un moment sans dire un mot, si bien que Lydia crut qu'il ne lui révélerait pas ses secrets, mais finalement il lui raconta l'épisode.

« Je l'ai fait marcher nu, pieds et poings liés, jusqu'à son père dont je pensais avoir la protection, mais... »

Il s'interrompit pour suivre du doigt le dessin de l'oreille de Lydia.

« Je me trompais. »

Soudain, Lydia se souvint de l'accord entre Chang et Feng dont lui avait parlé M. Theo.

« Merci de m'avoir raconté. »

Après quelques instants de réflexion, Lydia se leva, alluma la lampe de chevet, plongea le regard dans celui de Chang et enleva sa chemise de nuit.

Les yeux de Chang brillaient de désir.

Elle souleva le drap et s'allongea contre lui. Le corps nu de Chang était chaud et doux comme de la soie. Elle lui caressa doucement la poitrine et fit glisser sa main le long de son ventre jusqu'à ses hanches. Elle connaissait parfaitement la forme de chacun de ses muscles.

Soudain elle se sentit mal à l'aise. C'était idiot, mais elle ne savait pas quoi faire ensuite. Son cœur battait la chamade et elle avait peur qu'il ne l'entende. Alors qu'elle commençait à se dire qu'elle n'aurait pas dû le rejoindre sous le drap, Chang s'appuya sur le coude et la contempla avec un regard pénétrant qui dissipa ses craintes.

Il approcha lentement ses lèvres de celles de Lydia, y déposa de brefs baisers, puis l'embrassa sur le menton, les tempes, les joues. Chaque fois que les lèvres de Chang touchaient sa peau, elle ressentait une chaleur intense, presque insoutenable, qui irradiait entre ses cuisses. Elle s'entendit gémir doucement.

«Lydia», murmura Chang avant de l'embrasser encore.

Il lui caressa les seins puis décrivit des cercles en frôlant la peau de son ventre.

Elle pressait sa hanche contre celle de Chang, tâtonnait, caressait chaque muscle de son dos, l'arrondi de ses épaules, de ses fesses. Elle lui offrit sa bouche. La sensation de leurs langues qui se rencontraient provoqua un frisson tel que Chang se figea, leva la tête et la regarda d'un air inquiet.

Cela la fit rire, ronronner presque. Elle le prit dans ses bras et l'attira contre elle. Il l'embrassa dans le cou comme s'il allait la dévorer et goûta ses seins du bout de la langue. Elle avait l'impression que les courbes de son corps fondaient pour épouser les formes de Chang. Elle était stupéfaite que deux corps puissent n'en faire qu'un.

Elle léchait la peau de Chang dont le goût salé faisait vibrer ses reins. Il lui suça le mamelon. Une vague de désir la submergea. Elle glissa la main jusqu'au sexe de Chang et l'entoura des doigts.

Chang gémit. Son pénis palpitait dans la main de Lydia. Elle aurait voulu l'y garder pour toujours.

Elle prit la main de Chang et la posa entre ses cuisses. Il la caressa, doucement d'abord, puis plus vigoureusement.

Lydia gémit ; Chang l'imita. Elle perdit la notion du temps. Avec ses cuisses, elle entoura les hanches de Chang et sentit la chaleur de son sexe contre le sien.

Il s'allongea sur elle et lui couvrit les paupières de baisers. Lorsqu'elle rouvrit les yeux, il la regardait avec une telle tendresse et un tel désir qu'elle sut qu'elle se souviendrait de cet instant jusqu'à sa mort.

« Mon amour, dit-il dans un souffle. Dis-moi que c'est ce que tu veux. »

Pour toute réponse, elle le serra plus fort entre ses cuisses. Il la pénétra doucement en chuchotant à son oreille.

Elle ne pensait plus à rien. Son univers se résumait à ce moment, à cette sensation nouvelle d'union. Lorsque le frisson ultime de jouissance les secoua, Lydia eut l'impression que les dieux de Chang venaient de l'accueillir dans l'au-delà.

Cette nuit-là, Chang ne fit pas de cauchemars. Lydia les avait chassés.

Chang ne parvenait pas à détacher son regard du visage de Lydia. Elle avait posé la tête contre son épaule et il frottait sa joue contre ses cheveux. Ses idées se bousculaient. Il songeait aux pans cachés de l'avenir, mais s'efforça de revenir à l'instant présent. À ce moment parfait.

Il tenta de se concentrer, d'apaiser ses sens, mais il n'y parvint pas tant il s'émerveillait d'être avec elle, de sentir son corps, son odeur. Sa renarde. Il revécut chaque seconde de leur étreinte. Les gémissements de plaisir de Lydia, la sensation de ses dents sur ses clavicules, ses muscles à l'intérieur si puissants, ce moment de clarté quand…

Assez. Il ne devait penser ni au passé ni à l'avenir, mais se concentrer sur l'instant présent. Inspirer. Expirer. Les dieux lui avaient confié un trésor dont peu faisaient l'expérience dans cette vie. Il n'allait pas laisser la peur qu'on le lui prenne un jour gâcher sa joie. Il posa les lèvres sur le front de Lydia et l'écouta respirer. Il devait réfléchir à ce qui serait bien pour elle.

«Tu es fatigué ? »

Les yeux de Lydia scintillaient comme deux grands lacs d'ambre.

«Non, répondit-il en souriant. Je me sens mieux. Beaucoup mieux. J'ai retrouvé ma force.

— Bien. »

Il l'embrassa sur l'oreille.

« Tes oreilles sont parfaites. On dirait de la porcelaine. »

Elle rit puis glissa sa cuisse sur le ventre de Chang. Il lui caressa les seins et il sentit de nouveau ses muscles reprendre vie. Cette fois-ci elle le chevaucha fougueusement. Il la regardait. Son visage était tellement expressif.

La liberté avec laquelle elle s'abandonnait à la passion était nouvelle pour Chang et attisait son désir. Mais elle l'émouvait aussi comme jamais personne ne l'avait ému. Et, alors qu'il faisait danser ses doigts le long des hanches de Lydia en la regardant trembler, il se demanda si ce n'était pas lui qui était vierge.

43

L ydia était allongée, immobile. Elle ne voulait pas déranger l'obscurité.

Tout avait changé. Comme si elle devait se familiariser avec un nouveau corps qui obéissait à un instinct qu'elle ignorait avant la nuit passée.

Elle sourit puis partit d'un petit rire qui s'éleva dans la pièce silencieuse. Elle s'imagina la réaction de Valentina si elle entrait dans la pièce. La surprise d'abord, puis la fureur, mais rien qui puisse toucher Lydia. Pas dans ce nouveau corps désirable.

Elle n'était plus vierge. Cette pensée la fit frissonner de plaisir, même en imaginant sa mère affolée, si elle venait à l'apprendre, lui prédisant que plus aucun homme ne voudrait d'elle. Ce point de vue lui paraissait si grotesque qu'il la fit sourire. Elle ne désirait que Chang An Lo.

« C'est l'heure du déjeuner, mon amour. Je sais, je sais, il ne fait pas encore jour, dit-elle en riant avec un geste vers la fenêtre, mais je meurs de faim. »

Chang sentit Lydia s'éloigner de lui.

« C'est toi que je veux manger, dit-il en souriant.

— Non. Tu auras des œufs durs et des rôties. Il faut que tu gardes tes forces. Tu pourrais en avoir besoin bientôt. » Elle se leva avec un rire espiègle et gagna la salle de bains. Chang était impressionné par le confort de la maison. Il l'entendit se faire couler un bain en chantant. Il sourit tout en sachant qu'il allait devoir la préparer à l'avenir.

« Raconte-moi ton enfance. »

Lydia était assise au bout du lit et mangeait des restes de la veille, une mixture qu'elle avait appelée *trifle*. De temps en temps, elle se penchait pour en glisser une cuillère dans la bouche de Chang. Il trouvait le goût sucré écœurant et s'étonnait qu'elle semble l'apprécier.

« Mon enfance était fantastique. Des professeurs particuliers, des domestiques, des esclaves. Mon père était un grand mandarin. Il portait une plume de paon à son chapeau et les tuiles de notre maison étaient dorées. Ce sont des signes de prestige. Il était conseiller de l'impératrice Tzu Hsi ; elle lui faisait confiance. En 1911, après le renversement de la dynastie Qing par le noble Sun Yat-sen, ma famille a échappé de justesse à la mort parce que les compétences de mon père en matière de finance étaient utiles au nouveau gouvernement. Mais… »

Chang serra les dents et blêmit.

« Les seigneurs de la guerre se sont entretués et l'ont pris.

— Et le reste de ta famille ?

— Ils sont tous morts. Décapités à Pékin sur ordre du général Yuan Shi-kai.

— Je suis désolée, mon amour. Perdre tous ses proches… »

Il hocha la tête comme pour chasser les images de son esprit.

« Je me suis enfui et j'ai décidé d'aller vivre avec des moines pour avoir une vie plus simple. Dans un temple dans les montagnes.

— Mais je croyais que les communistes n'étaient pas croyants.

— C'est vrai. Mais ce n'est pas facile de supprimer la superstition dans l'esprit humain. »

Il l'attira contre lui et l'embrassa.

«Je t'aime, ma belle renarde. »

Elle le regarda dans les yeux.

«Je t'aime, Chang An Lo, et je ne laisserai personne nous séparer.

— Vivons l'instant présent, mon amour. Personne ne peut nous l'enlever. »

« Il est temps d'y aller, dit Chang.

— Où?

— Dans la remise.

— Pourquoi si tôt? Ce n'est que vendredi et le jour ne s'est pas encore levé. Alfred et ma mère ne doivent rentrer que demain. Il nous reste encore la journée pour…

— Excuse-moi. Je dois le faire aujourd'hui avant l'aube.

— Pourquoi?

— Pour me tenir prêt. Pour rester en vie. Et s'ils rentraient plus tôt? Ils appelleraient la police.

— Mais je veux que tu finisses de guérir. Tu as encore de la fièvre.

— Je sais que je suis affaibli.

— Pas tant que ça.

— C'est vrai. Tu vois comme tu me donnes de la force.

— S'il te plaît, attends demain. »

Avant le lever du jour, ils apportèrent draps, couvertures, médicaments, bougies, nourriture et eau dans la remise. Lydia devait aider Chang à marcher. Il s'inquiétait de ne pas arriver jusque là.

« Tu aurais dû attendre demain », se fâcha-t-elle lorsqu'il s'écroula dans l'entrée.

Il rampa jusqu'au mur et s'y adossa pendant que Lydia lui préparait un lit de fortune. La tête lui tournait et ses jambes tremblaient. Mais il était heureux de la voir efficace et pleine d'entrain.

« Merci, dit-il alors qu'elle l'aidait à se coucher. Ne m'en veux pas.

— Je ne suis pas fâchée, j'ai simplement peur que tu t'en ailles.

— Regarde-moi. Est-ce que j'ai l'air assez fort pour monter sur le toit et m'envoler ? »

Elle rit à gorge déployée.

« Dors maintenant.

— Et toi ?

— Je vais aller au marché t'acheter des vêtements. »

Il lui prit la main.

« Des plumes de paon et des chaussons dorés, ce serait bien. »

Lydia sourit.

« Je pensais plutôt à un haut-de-forme et une queue- de-pie. »

Il n'avait aucune idée de ce qu'elle voulait dire, mais il posa la main de Lydia sur ses lèvres.

Elle lui sourit.

« Et ne donne pas de fêtes pendant mon absence. »

Quelqu'un tirait sur le cadenas à la porte de la remise. Chang bondit hors des couvertures, le couteau à la main, puis s'accroupit derrière la porte.

« Mademoiselle Lydia ? Vous êtes là ? C'est Wai. »

Le cuisinier. Chang était un peu rassuré, car cet homme devait être idiot pour la croire à l'intérieur alors que le cadenas était fermé. La remise n'avait aucune fenêtre, sauf une petite ouverture. Il entendit le cuisiner s'éloigner en marmonnant quelque chose au sujet du vent glacial, mais il resta sur ses gardes.

Chang mesurait l'écoulement du temps au déplacement du rectangle de lumière sur le sol.

Il admira l'habileté d'une araignée occupée à tisser sa toile et aurait bien donné un autre doigt à couper pour avoir son agilité.

Il ne savait pas sous quelle forme allait se présenter le danger, mais il le sentait proche.

Lorsque le soleil ne perça plus par la fenêtre, Chang commença à s'inquiéter pour Lydia. Il s'enveloppa dans une couverture et fit un petit balluchon de médicaments au cas où il lui faudrait partir. De la main droite, il retira le bandage à sa main gauche puis l'examina. Elle était encore enflée et du pus suintait à la base du doigt amputé.

Il eut un accès de rage, mais se maîtrisa en se concentrant sur sa respiration, puis il fit longuement travailler ses phalanges.

Quand Lydia aperçut Chang, le sourire qu'il lui adressa ne la trompa pas.

« Désolée d'avoir été si longue. Il ne faut pas que tu t'inquiètes pour moi. »

Elle se pencha et l'embrassa sur les lèvres.

« Qu'est-ce que tu fais à côté de la porte ? Tu devrais être couché.

— J'ai fini de me reposer. »

Elle ne fit aucun commentaire et ouvrit les paquets qu'elle lui avait apportés. Son sourire radieux illuminait la remise et apaisait Chang.

« Ils ne sont pas neufs, mais ils sont en bon état. »

Elle lui montra les vêtements : un pantalon ample, une tunique et une grosse veste matelassée, et une paire de bottes. Chang était touché qu'elle soit allée au marché chinois pour ne pas l'obliger à porter des habits d'Occidental. Elle lui avait aussi rapporté une sacoche en cuir, usée, mais très belle.

« Merci pour ces cadeaux.

— Ta main, dit Lydia en fronçant les sourcils. Qu'est-ce que tu as fait ? Elle saigne. Laisse-moi refaire ton bandage.

— Non, ça suffit. »

Elle lui décocha un regard désapprobateur.

« J'ai trouvé la sacoche au marché anglais et j'ai entendu parler de bombes. Deux de plus la nuit dernière. »

Elle remarqua le balluchon et le défit.

« Tu as l'intention de sortir ? demanda-t-elle sur un ton détaché.

— Non.

— On dit aussi que ce sont les communistes qui posent les bombes. Huit personnes ont été tuées devant une boîte de nuit et on parle de rechercher les syndicalistes. Tout le monde est en colère.

— Les gens ont peur, murmura Chang en essayant de rester calme malgré la douleur provoquée par l'antiseptique.

— Tu crois vraiment que ce sont les communistes ?

— Non. C'est Po Chu. Il est rusé.

— Mais il ne gagne rien à… »

La porte s'ouvrit brusquement. Une bourrasque fit voler les cheveux de Lydia dont une mèche se colla au visage de Chang. Il aperçut tout de même la silhouette qui se tenait dans l'encadrement de la porte. Il ramassa son couteau.

Lydia se leva d'un bond en poussant un cri de surprise.

« Alexei Serov ! Qu'est-ce que vous faites ici ? »

Elle se planta devant lui, mais Chang avait vu son regard glisser de ses mains à la tache de sang séché sur le sol.

« Suivez-moi », lui intima Lydia en sortant de la remise.

Elle ferma la porte, la cadenassa et se dirigea vers la maison.

44

« Vous connaissez la sanction pour ceux qui hébergent un fugitif?

— Attendez, qu'est-ce qui vous fait croire qu'il en est un? C'est un ami. Il est blessé et il a besoin d'aide. C'est aussi simple que ça.

— Il a besoin d'être caché dans une remise? demanda Alexei Serov, sceptique.

— Je ne vois vraiment pas en quoi cela vous regarde », se fâcha Lydia.

Ils étaient debout dans le salon. Lydia ne lui avait pas proposé de s'asseoir et ne l'avait pas débarrassé de son beau manteau ni de son écharpe en soie. Elle n'avait aucune envie de discuter et aurait voulu qu'il parte.

« Et pourquoi fouiniez-vous autour de mon abri de jardin? »

Lydia sentit qu'elle aurait pu formuler plus poliment sa question.

« Comment? Mademoiselle Ivanova, vos propos sont insultants. J'ai frappé à la porte et votre domestique m'a dit que vous vous trouviez dans la remise avec votre lapin. C'est lui qui m'a suggéré d'y aller. »

Wai. Maudit soit-il.

« Dans ce cas, je vous présente mes excuses. Je ne voulais pas vous offenser. J'ai simplement eu le sentiment que vous vous…

— Immisciez ?

— Oui. »

Il lui lança un regard interrogateur, s'approcha d'elle en tapotant avec impatience le revers de son manteau puis lui dit doucement :

« Vous prenez un gros risque. Encore une fois. Nous vivons une époque violente, mademoiselle Ivanova et vous devriez vous montrer prudente. Les bombes qui explosent, les complots qui bloquent toute négociation, les dangers qui guettent ceux qui ne savent pas où ils mettent les pieds : ce sont des choses dont vous n'avez pas conscience. Des gens meurent tous les jours pour avoir commis des actes moins condamnables que les vôtres. »

Elle avait perdu de son assurance et cela dut se voir sur son visage, car Alexei ajouta :

« Ne vous inquiétez pas, je ne mords pas. »

Elle sourit et fit comme si de rien n'était.

« Merci pour votre conseil, mais ces affaires ne me concernent pas.

— Que voulez-vous dire ? »

Il le savait très bien pourtant.

« Que je suis au courant de ce qui se passe à Junchow, mais…

— Vous n'êtes pas impliquée ?

— Exactement.

— Et l'homme dans la remise n'est pas communiste ?

— Non. »

Il éclata de rire.

« Vous ne mentez pas très bien. »

Elle était piquée au vif. Ses mensonges avaient toujours été convaincants.

« Ce que j'aimerais savoir, dit-elle poliment, c'est la raison de votre visite.

— Ah oui. »

Il porta la main à la poche de son manteau et en sortit un carton d'invitation qu'il tendit à Lydia.

« De la part de ma chère mère. »

Lydia saisit la carte épaisse couleur ivoire estampée des armoiries dorées de la famille Serov: un aigle aux ailes déployées sur un bouclier. Lydia était invitée à une soirée dansante à la villa Serov, rue Lamarque, le lundi suivant à vingt heures.

Lundi lui semblait loin. Elle devait d'abord se préoccuper de la fin de semaine avec Chang.

« Pour faire les choses comme il se doit, ajouta Alexei sur un ton aimable avant de lui adresser un petit sourire supérieur.

— Merci. Je vais y réfléchir, mais je ne peux pas prévoir ce que je ferai la semaine prochaine avant le retour de ma mère. »

Il eut l'air étonné, comme s'il n'avait pas l'habitude qu'on refuse une invitation de sa famille, mais il s'en tint là.

« Bien entendu. Je comprends. »

Elle le raccompagna jusqu'à la porte. Il s'avança dans l'allée, se retourna, regarda Lydia un long moment puis lui dit :

« N'oubliez pas mon conseil. »

C'en était trop.

« Alexei Serov, occupez-vous de vos affaires et laissez-moi m'occuper des miennes. »

« Surprise, ma chérie ! »

Lydia se figea. Elle était montée dans sa chambre pour y chercher un chandail avant d'aller rejoindre Chang dans la remise pour lui raconter l'entrevue avec Alexei.

« Lydia, on est rentrés.

— J'arrive, maman. »

Dans l'entrée, Alfred et sa mère secouaient leurs manteaux en riant au milieu des bagages et des paquets.

« Ma chérie. »

Valentina tendit les bras et Lydia s'y précipita. Sa mère la serra si fort contre elle que Lydia eut l'impression qu'elle ne voudrait plus jamais desserrer son étreinte. La gorge de Lydia se noua.

« Je t'ai manqué ? demanda Valentina.

— Tu étais partie ? Je ne l'avais même pas remarqué.

— Vilaine fille. »

Valentina se mit à rire.

Alfred les rejoignit et d'un geste maladroit tapota Lydia dans le dos.

« Content de voir que tu vas bien. Mais où est Deng ?

— Le valet ? »

Lydia, encore dans les bras de sa mère, respirait le parfum de ses cheveux.

« Je lui ai donné sa semaine.

— Mais pourquoi donc… ? Peu importe. Je vais porter les valises à l'étage moi-même. Un peu d'exercice ne fait pas de mal. »

Lydia et sa mère restèrent encore dans les bras l'une de l'autre.

« Ça t'aurait plu, Lydia. »

Alfred lui sourit et tira une bouffée sur sa pipe d'un air ravi. Lydia préférait le parfum aromatisé du tabac d'Alfred à celui, irritant, des cigarettes de sa mère. Ils étaient assis au salon après avoir soupé d'un excellent filet mignon suivi d'un sabayon à l'ananas. Wai déployait ses talents de cuisinier maintenant que son maître était rentré. Alfred avait allumé un feu dans la cheminée en sifflotant. Lydia le trouvait changé. Il ne cessait de parler, de siffler, de chantonner. Il avait l'air heureux.

« Un jour, Lydia, je t'emmènerai visiter les grottes de Yungang. Elles sont incroyables. Il faut que tu voies les talents architecturaux que possédaient déjà les Chinois il y a deux mille ans. Mon Dieu, nous n'avons rien de comparable en Angleterre.

— J'aimerais bien y aller, oui.

— Oh, *dochenka*, il faudra aussi que tu voies le bouddha assis. Il est sculpté à même la roche et fait deux mètres de haut. »

La radio diffusait une sorte de jazz rythmé qu'Alfred fredonnait. Lydia buvait une limonade et essayait de faire la conversation, mais ses pensées se tournaient vers Chang.

Il fallait remettre de l'eau chaude dans la bouillotte, changer les cataplasmes sur les brûlures et elle aurait déjà dû lui donner sa décoction.

« Ma chérie, tu as l'air absente. Je te parlais de l'organisation des grottes sacrées et des tombes. Elle fonctionne selon un système qui s'appelle *feng shui*. Il est utilisé depuis plus de deux mille ans. Il impose de bâtir sur des sites… Quel était le mot, mon ange ?

— Favorables ? proposa Alfred.

— C'est ça. Sur des emplacements favorables. »

Valentina se montrait très enthousiaste. Elle semblait avoir abandonné son attitude indifférente. Lydia trouvait cela étrange et ne parvenait pas à savoir si elle s'était libérée ou si elle adoptait ce comportement pour Alfred. Lui, en tout cas, était transporté de joie.

« Je connais le *feng shui*, maman. Les Européens ne semblent pas en tenir compte ici. Ils construisent des routes qui passent sur des sites sacrés et les missionnaires érigent des églises qui font de l'ombre aux cimetières chinois ancestraux et y dérangent les morts. Ne ris pas, maman. C'est vraiment important pour eux. Et ils pensent que les flèches de nos clochers percent le ciel et empêchent les esprits des dieux de retourner sur terre. *Feng shui* signifie "vent et eau".

— Vraiment? Tu en sais des choses. N'est-ce pas Alfred que ma fille est cultivée?

— Oui, très. »

Il gratifia Lydia d'un large sourire.

Mais elle savait bien que si Valentina avait demandé à Alfred si sa fille était vert pomme avec des pois roses il aurait donné la même réponse.

Lydia se leva.

« C'est agréable de vous avoir de nouveau à la maison, mais je crois que je vais aller me coucher, si ça ne vous dérange pas.

— Déjà?

— J'ai sommeil, dit-elle en tournant la tête vers Alfred. C'est la chaleur de ce feu. Je vais juste aller voir comment va Sun Yat-sen avant de monter. Il est encore un peu désorienté…

— Je ne suis pas d'accord, dit Alfred sur un ton ferme. Je ne veux pas que tu te promènes dehors la nuit.

— Mais il ne fait pas noir avec la lune.

— Non, va te coucher. Ton lapin peut attendre demain. »

Il lui sourit, mais il était sérieux. Lydia se souvint de sa promesse en échange des deux cents dollars.

Affolée, elle dirigea le regard vers sa mère, mais celle-ci était devant le bar en train de se servir un verre de vodka et un brandy pour son mari.

« S'il te plaît, Alfred, dit Lydia d'une voix cajoleuse.

— Pas ce soir. Dors bien. »

Lydia acquiesça d'un hochement de tête.

« Bonne nuit, maman », dit-elle.

Elle embrassa sa mère et même Alfred, en lui souhaitant une bonne nuit.

Une fois à l'étage, elle dessina une grande lettre A sur une feuille de papier et y enfonça des épingles.

Chang et Lydia étaient allongés parmi les couvertures sur le sol poussiéreux de la remise. Ils regardaient la lune qui décrivait son arc dans le ciel. Lydia aurait aimé qu'elle soit pleine pour pouvoir faire un vœu, mais elle devait encore attendre une semaine, car pour l'instant sa face était aussi inquiétante que la réalité. Leurs corps emmêlés lui donnaient l'impression qu'ils ne faisaient plus qu'un.

Ils étaient silencieux depuis un long moment. Le rectangle de lumière éclairait leur peau de reflets argentés et faisait glisser des ombres sur leur visage tandis que leurs lèvres se frôlaient. Plus tôt, ils avaient fait l'amour avec une urgence nouvelle, comme s'ils savaient que le temps leur était compté.

Lydia avait attendu avec impatience dans sa chambre qu'Alfred dorme, puis elle avait traversé la pelouse gelée.

« Tu vas bien ? lui avait demandé Chang lorsqu'elle était entrée.

— Non, je ne vais pas bien du tout. »

Il l'avait embrassée sur la bouche.

« Ma mère est rentrée plus tôt, comme tu le craignais, et j'étais coincée à la maison à imaginer ton inquiétude à propos de la visite d'Alexei Serov. Qu'il aille au diable ! Pourquoi a-t-il fallu qu'il vienne ? Mais je ne crois pas qu'il nous trahira. Il m'a déjà aidée. Parfois c'est un imbécile arrogant, mais il n'est pas si méchant au fond. Le danger c'est qu'il veuille accomplir son devoir de militaire.

— Arrête, mon amour. »

L'expression dans le regard de Chang fit tout oublier à Lydia. Il l'enlaça, s'enroula avec elle dans la couverture dont il s'était couvert les épaules, et pour la première fois depuis des heures, elle se sentit en sécurité. Dans une remise, dans le froid, avec tout ce qui pouvait mal tourner, elle se sentait en sécurité. Le regarder la rendait heureuse. Et lorsqu'elle n'était pas avec lui, elle ne pensait qu'à lui et se consumait de désir.

« Je dois partir demain, dit-il.

— Non. »

Il lui embrassa la tête. Elle l'entendit prendre une profonde inspiration. Elle devait lui faciliter la tâche parce qu'elle le sentait de nouveau fiévreux. Cette journée l'avait fatigué, mais il avait refusé ses soins. Il avait seulement bu la décoction.

« Te quitter va me briser le cœur en mille morceaux, mais je ne peux pas rester plus longtemps. C'est risqué pour toi. Je t'aime trop pour te mettre en danger. »

Elle le serra contre elle sans rien dire. Elle avait peur de ne pas trouver les mots qu'il fallait.

Il lui caressa l'oreille du bout des doigts.

« Il faut que je quitte Junchow… »

Elle avait mal.

« Mais ce sera difficile. Les troupes du Kuomintang contrôlent tous les accès. Je dois me cacher ailleurs… »

Lydia retint son souffle

« Jusqu'à ce que j'aie repris assez de forces pour fuir par la rivière. »

Lydia ferma les yeux.

« Embrasse-moi », murmura-t-elle.

Il lui donna un long baiser puis glissa la main entre ses jambes et la caressa. Cette fois, ils prirent leur temps. Au clair de lune.

Ils décidèrent que Chang partirait avant l'aube. Lydia avait apporté le reste de l'argent et en avait caché une partie dans la sacoche, une autre dans une botte et avait glissé quelques billets sous le bandage d'un pansement à la cuisse.

« Pas de pousse-pousse, lui demanda-t-il.

— Pourquoi ?

— Les conducteurs ont la langue trop bien pendue. Ils sont à la solde des Tongs. Les Serpents noirs pourraient me retrouver. Et toi aussi. Je marcherai.

— Je vais demander son aide à Liev.

— Non, ma bien-aimée. Je ne veux pas qu'on puisse remonter jusqu'à toi. J'ai échappé à Po Chu. La honte doit lui être plus douloureuse qu'un coup de poignard dans le ventre et il s'efforcera de détruire quiconque... »

Lydia lui posa un doigt sur les lèvres et se lova contre lui sous la couverture.

« Dors, murmura-t-elle. L'aube n'est pas encore là. Reprends des forces. »

Mais lorsque le ciel se teinta de gris, Lydia sut que Chang An Lo n'irait nulle part ce jour-là. La fièvre empirait.

45

« Il y a une drôle d'odeur dans cette pièce », remarqua Valentina.

Dans la chambre de Lydia, elle enlevait des cheveux cuivrés de la brosse à cheveux.

« Ce sont les herbes. J'ai essayé des tisanes chinoises pendant ton absence.

— Pourquoi donc ?

— Comme ça », répondit Lydia en haussant les épaules.

Assise au bord du lit, crispée, elle parcourait la pièce des yeux à la recherche d'éventuels indices qui la trahiraient, mais ne trouva rien. Elle se demandait ce que sa mère voulait. Après un déjeuner assez solennel en famille, Lydia s'était précipitée dans sa chambre et Valentina l'avait rejointe peu de temps après. Lydia trouvait que sa mère avait l'air fatiguée. Valentina s'assit sur le rebord de la fenêtre. Il neigeait de nouveau.

« Alors, qui est-ce ?

— Comment ?

— Qui est l'heureux jeune homme ? »

Le cœur de Lydia s'emballa.

« Mais de quoi parles-tu ?

— *Dochenka*, je ne suis pas idiote.

— Je ne vois pas du tout ce que tu veux dire. »

Valentina mit la main dans sa poche et l'espace d'un instant Lydia craignit qu'elle n'en tire une preuve irréfutable, mais elle sortit simplement son étui à cigarettes. Elle en choisit une, tapa le bout sur l'étui en écaille, l'alluma, tira une bouffée et envoya la fumée vers Lydia.

« Ma chérie, tu t'es regardée dans le miroir ces derniers jours ? »

Lydia jeta un coup d'œil au miroir, mais elle ne vit que sa chemise de nuit posée sur le dossier d'une chaise. Elle eut peur qu'il n'y ait une tache de sang sur le tissu.

« Maman, je veux aller donner à manger à Sun Yat-sen. Tu tiens vraiment à me parler ?

— Ah, petite menteuse. Qu'est-ce que tu as fait la nuit dernière ? Ne me regarde pas comme ça, tu es allée dans la remise. »

Lydia avait les mains moites. Elle les frotta sur la couverture.

« Comment tu le sais ? »

Valentina se mit à rire.

« Parce que je n'arrivais pas à dormir. Je suis venue voir si tu étais réveillée, comme avant dans le grenier, mais tu n'étais pas dans ton lit, coquine.

— Ah.

— Tu le sais bien. Tu as désobéi à Alfred. Tu es allée nourrir ta précieuse petite vermine dès que tu nous as crus endormis, c'est ça ?

— Oui, répondit Lydia dans un murmure.

— *Dochenka*, ce lapin ne vaut pas la peine de faire fâcher ton beau-père. »

Un silence pesant s'installa.

« Tu ne crois pas ?

— Oui, bien sûr.

— Bien. »

Valentina tira une longue bouffée sur sa cigarette puis en pointa l'extrémité incandescente vers Lydia.

« Maintenant, ma chérie, dis à ta maman qui rend si heureuse. »

Lydia rougit.

« Je ne sais pas ce que tu…

— Ne joue pas les idiotes. Tu crois que je ne t'ai pas vue regarder dans le vide pendant le déjeuner. Comme Alfred. Vous êtes bien atteints tous les deux.

— Atteints ?

— Oui, par l'amour. »

Lydia manqua de s'étouffer.

« Ne dis pas n'importe quoi. »

Sa mère lui fit une drôle de petite grimace.

« Tu crois que j'ai oublié ce sentiment ? Lydia, ma chère enfant, tu as changé.

— En quoi ?

— Tes yeux brillent et tu souris pour toi-même quand tu crois que personne ne te regarde. Même ta démarche est différente. Alors qui est ce jeune homme ? Un camarade de classe ?

— Bien sûr que non, répondit Lydia avec dédain.

— Qui alors ?

— Oh, maman, c'est juste quelqu'un que j'ai rencontré. »

Valentina vint s'asseoir près de Lydia. Elle lui prit le visage dans les mains et la regarda droit dans les yeux avec un air sérieux.

« Qui qu'il soit, tu peux garder son nom secret s'il le faut. Mais écoute-moi bien. Pas de bêtises d'accord ? Tu dois finir l'école et aller à l'université. Peut-être à Oxford si nous sommes en Angleterre à ce moment-là. C'est ton projet, tu te souviens. Alors tu dois suivre mes conseils cette fois-ci. Ne fais pas de bêtise.

— Oui, maman.

— Bien. Je suis contente que tu comprennes. »

Lydia esquissa un sourire qui fit rire Valentina.

« Ne t'inquiète pas, on va en rester là pour le moment. Mais tu lui diras que je lui arracherai le cœur avec une cuillère rouillée s'il fait de la peine à ma fille.

— Ne raconte pas de sottises, dit Lydia en prenant sa mère dans ses bras. Tu m'as manqué.

— Vraiment? Comme un chien manque à un chat?»

Lydia tint la main de sa mère dans la sienne.

« Et toi? Est-ce que tu es heureuse avec Alfred?»

Aussitôt Valentina prit son expression enthousiaste.

« Oh oui, ma chérie, c'est un ange. L'homme le plus gentil de tous les temps.

— Et il t'adore.

— C'est vrai aussi.

— Je veux que tu sois heureuse.

— Ma chérie, je le suis. Regarde-moi. »

Elle le prouva avec un large sourire. On s'y serait presque laissé prendre si son regard avait pétillé.

« Tu vas avoir plein de jolies choses comme tu voulais.

— Comme je voulais. »

Valentina écrasa sa cigarette dans une coupelle sur la table de chevet et en alluma une autre.

« Mais il y a une chose que ce cher Alfred veut que j'aie et que je ne désire pas.

— Quoi donc?

— Un bébé. »

Lydia en resta bouche bée.

« Ne t'inquiète pas, ça n'arrivera pas. Oh, pour l'amour du Ciel, qu'est-ce qu'il t'arrive? Pourquoi tu pleures?

— Un bébé, murmura Lydia en essuyant ses larmes du revers de la main. Un frère ou une sœur. Maman, ce serait merveilleux. Ça te plairait. »

Dans un élan d'enthousiasme, elle voulut embrasser sa mère, mais Valentina la repoussa.

« Quoi? Tu es folle, *dochenka*.

— Pas du tout. Ce serait parfait. Et je t'aiderais.

— Qu'est-ce que tu connais aux bébés ?

— Rien, mais j'apprendrais. Oh, s'il te plaît, maman, dis oui à Alfred. Il paiera une *amah* pour faire les tâches ingrates et je chanterai des chansons à mon petit frère… ou ma petite sœur, comme tu le faisais quand…

— Arrête. Arrête tout de suite. »

Valentina frotta la main de Lydia entre les siennes. Puis elle se leva brusquement, se campa devant Lydia, mains sur les hanches, en lui lançant un regard noir.

« Ce n'est pas le fils Serov, j'espère ?

— Comment ?

— Doux Jésus ! Nous l'avons croisé hier en rentrant. Dis-moi que ce n'est pas lui.

— Oh, maman…

— Dis-moi que ce n'est pas lui, demanda Valentina en saisissant le poignet de Lydia pour qu'elle se lève. Tu ne dois pas t'en approcher.

— Non, ce n'est pas lui, répondit-elle en libérant son poignet qu'elle frotta. Je ne peux pas le supporter. »

Valentina fronça les sourcils.

« Oh, *dochenka*. Que le Seigneur peigne ta langue en noir. Comment savoir quand tu dis la vérité ? »

On sonna à la porte.

Il y avait trop de bruits de voix. Lydia était inquiète. Ce ne pouvait pas être des amis d'Alfred, car on le croyait encore en lune de miel. Elle gagna le palier en silence et observa entre les barreaux de la rampe. La scène lui coupa le souffle. Les forces de l'ordre avaient envahi l'entrée.

« Excusez-nous, monsieur Parker, dit un policier anglais, je comprends votre refus, mais nous avons l'autorisation de fouiller votre maison. »

Il tendit un document à Alfred. Celui-ci le prit, mais n'y jeta même pas un œil.

« C'est une honte », se plaignit-il.

Lydia descendit l'escalier. Elle ne pouvait pas sortir sans qu'ils la voient. Valentina se tenait derrière Alfred. Elle saisit le bras de sa fille.

« Oh, Lydochka, comme c'est excitant ! Toute une meute, comme des loups. »

Quatre policiers se tenaient dans le hall, courtois, mais l'air sévère. Lorsqu'elle regarda à l'extérieur, Lydia s'affola. Cinq soldats portant l'uniforme gris du Kuomintang attendaient patiemment sous la neige.

Les voix devinrent confuses. Elle devait sortir tout de suite.

« Qu'est-ce qu'ils cherchent, maman ?

— Un communiste. Un terroriste chinois. Quelqu'un a raconté qu'il se cache ici. Comme si nous pouvions ne pas l'avoir remarqué. N'est-ce pas complètement absurde ? »

Elle partit d'un petit rire, mais s'arrêta net en voyant l'expression sur le visage de sa fille. Elle attira Lydia au fond de l'entrée.

« Non, non, dit-elle dans un souffle.

— Maman, tu dois faire en sorte qu'Alfred les retienne ici. J'ai besoin de temps, tu comprends ? » murmura Lydia en serrant la main de sa mère.

Valentina était blême, mais elle s'approcha de son mari et passa un bras autour de sa taille.

« Mon ange, ronronna-t-elle, pourquoi ne fais-tu pas entrer ces charmants officiers dans… »

Elle jeta un coup d'œil au salon, mais au grand soulagement de Lydia, elle sembla se rappeler sur quoi donnaient ses fenêtres.

« La salle à manger. Nous pourrions discuter de la situation autour d'un…

— Non, ma chérie. Laissons-les en finir.

— Merci, monsieur, refusa poliment le policier. Nous vous dérangerons le moins possible.

— Non, franchement Alfred. Je trouve cela… inacceptable. »

Intrigué par le ton de la voix de Valentina, il se tourna vers elle. Lydia était impressionnée. Alfred vit l'expression dans le regard de Valentina, enleva ses lunettes comme s'il était sur le point de les nettoyer, mais les rechaussa. Il lança un bref regard à Lydia, toussa et se retourna vers les hommes en uniforme.

« Tout bien réfléchi, je suis d'accord avec ma femme. Comment osez-vous envahir ma maison sans raison ? Une explication s'impose.

— Je vous ai déjà donné la raison de cette visite. Nous coopérons avec nos homologues chinois puisque la concession internationale ne fait pas partie de leur juridiction. C'est clair. »

Alfred se redressa.

« Je dois contester. Et j'en parlerai au *Daily Herald*. »

Il fit un geste de la main en direction de Lydia.

« Laisse-nous, Lydia. »

Puis, d'un air hautain, il dit aux officiers :

« Je ne veux pas que ma fille soit mêlée à ce… scandale. »

Lydia retira mentalement les épingles qu'elle avait piquées la veille dans la feuille de papier et, sans un mot, elle quitta l'entrée.

« Les soldats sont là. Dépêche-toi. »

Mais Chang se préparait déjà. Il s'était levé, mais cherchait son équilibre. Elle s'approcha de lui et l'embrassa furtivement.

« Pour te donner des forces, dit-elle en souriant.

— C'est toi ma force », dit-il en mettant sa veste.

Il était déjà habillé et avait chaussé ses bottes.

Lydia ramassa la sacoche dans laquelle elle avait mis les médicaments la veille et passa un bras autour de la taille de Chang.

« Allons-y.

— Non. »

La fièvre n'affectait pas sa lucidité.

« Tu dois te débarrasser des preuves », dit-il en montrant les couvertures.

Lydia les roula en boule et les fourra avec la bouillotte dans un grand sac puis le couvrit de paille sale de la cage de Sun Yat-sen.

« Merci, *xie xie*, Sun Yat-sen », dit Chang d'un ton solennel.

Lydia aurait ri si elle en avait été capable.

La neige les sauva. Les gros flocons formaient un écran qui dissimulait leurs silhouettes. Ils gagnèrent la rue principale et se mirent à courir.

Lydia ne savait pas comment Chang y parvenait. Le froid mordait son visage. Les soldats du Kuomintang ne trouveraient rien chez elle, ils iraient alors chercher dehors. Elle jetait des coups d'œil par-dessus son épaule, mais ne distinguait aucune silhouette. Elle se raccrocha à l'idée que, si elle ne voyait personne, personne ne la voyait. La neige tombait dru. Dans la rue, les gens pressaient le pas sans se préoccuper du couple en fuite.

Lydia devait trouver un endroit sûr où conduire Chang.

Elle le soutenait et sentait qu'il faisait des efforts pour ne pas trop peser sur elle. Il trébucha. Il se rattrapa de sa main blessée, mais ne dit rien et se releva. Plus ils couraient, l'un contre l'autre, plus elle l'aimait. Il avait tellement de volonté. Il savait contrôler la douleur et la fatigue. Seul un muscle de sa mâchoire trahissait son effort.

Elle leur fit prendre la rue Laburnum sur la gauche. Puis tout de suite à droite et encore à droite. Elle haletait et n'avait pas d'autre idée que de chercher refuge dans le quartier des quais. L'abri de Tan Wah, s'il tenait encore debout. Même si Liev avait démoli le toit, c'était mieux que rien. Mais il leur restait beaucoup de chemin à parcourir et Chang faiblissait.

« Les quais », souffla-t-elle.

Il acquiesça.

« Tu vas tenir ? »

Il fit oui de la tête.

Elle ralentit le rythme. Elle n'allait pas le laisser souffrir. Il leur fallait traverser le grand carrefour des rues Prince et Fleet puis descendre tout droit jusqu'aux quais. Mais quand ils atteignirent l'intersection, Lydia aperçut deux agents de police emmitouflés dans leurs manteaux bleu marine.

Sans ralentir, elle le guida à travers les voitures. Un des policiers la regarda, regarda Chang puis s'adressa à son collègue. Ils s'avancèrent vers eux à grands pas. Chang ne pouvait plus courir. Lydia essaya de trouver un motif valable pour expliquer qu'une Européenne aide un Chinois à marcher dans la tempête de neige.

Elle n'avait pas d'idée.

Les policiers se rapprochaient dangereusement. Un homme qui poussait une charrette jura, car une voiture avait failli le heurter. Lydia distingua le visage du conducteur. Elle s'approcha et frappa à la vitre de la berline.

« Monsieur Theo. »

La vitre s'abaissa et son professeur la dévisagea.

« Bon sang ! Mais qu'est-ce que tu fais ici ? »

Son regard glissa vers Chang An Lo.

« Et merde ! »

Les policiers arrivaient presque à hauteur de la voiture.

« Je… pourriez-vous nous conduire ? »

Elle vit que Theo remarquait les agents de police. Chang An Lo avait de plus en plus de mal à respirer.

« Vous n'êtes pas en fuite au moins ?

— Bien sûr que non. »

Il savait qu'elle mentait. Elle le voyait bien.

« Montez. »

46

Quel revirement intéressant !

Theo, appuyé contre le montant de la porte de sa chambre d'ami, souriait malgré le mal de tête qui ne le quittait pas ces derniers temps.

Po Chu allait l'adorer.

Le jeune Chinois était allongé sur le lit. Bon sang ! Il était dans un état lamentable. *Ne meurs surtout pas. J'ai besoin de toi vivant.*

Lydia, assise sur une chaise près du lit, parlait à Chang d'une voix trop basse pour que Theo puisse entendre ce qu'elle disait.

Lydia Ivanova, tu m'as offert un beau cadeau.

Theo la raccompagna en voiture. Il avait presque été obligé de la traîner hors de la chambre, car elle ne voulait pas partir. Elle devait rentrer pour s'expliquer avec Alfred.

Il laissa Chang en compagnie de Li Mei, qui lui tamponnait le front avec les potions que contenait sa sacoche, et promit à Lydia qu'elle pourrait revenir quand Valentina et Alfred l'y autoriseraient.

Elle avait failli lui cracher au visage, mais s'était ravisée et avait accepté. Elle avait regardé Li Mei d'un œil méfiant, mais avait finalement admis que Chang était entre bonnes mains.

« Je te donne ma parole : Li Mei va bien s'occuper de lui », lui avait-il assuré.

Dire que Valentina était fâchée eût été un euphémisme. Theo n'avait jamais entendu une femme tenir un tel langage. Alfred non plus. Elle insulta copieusement sa fille en russe et en anglais. Lydia écouta sans rien dire. Elle baissa la tête à quelques reprises, mais le reste du temps elle regarda sa mère dans les yeux.

Le mécontentement d'Alfred, en revanche, était silencieux. Une réaction très anglaise. Theo tenta de partir, mais son ami le retint.

« Un instant. Je voudrais que vous m'expliquiez en détail ce qui s'est passé, mais je dois d'abord régler le problème avec Lydia. »

Pendant que Theo attendait, il servit trois grands verres de whisky et en but un.

« Arrête, Valentina, ça suffit », intima Alfred à son épouse.

Elle cessa de crier, lança un regard noir à Alfred puis à Lydia, ajouta quelque chose en russe et prit le verre que Theo lui tendait. Elle le vida d'un trait et eut une moue de dégoût.

« Je déteste le whisky. »

Elle versa de la vodka dans son verre.

Alfred s'adressa à sa belle-fille sur un ton calme, mais ferme.

« Lydia, tu ne fais partie de ma famille que depuis une semaine et déjà tu portes atteinte à ma réputation. »

Il marqua une pause pour permettre à Lydia d'intervenir, mais elle garda la tête baissée sans rien dire, comme elle le faisait en classe quand Theo la réprimandait.

« Nous sommes tous énervés et nous risquons de regretter nos paroles, alors monte dans ta chambre et restes-y vingt-quatre heures pour réfléchir. Je te ferai porter tes repas. Maintenant, file.

— Mais je ne peux pas. Il faut que…

— Pas de "mais".

— S'il te plaît. Il est malade et…

— Lydia, ne rends pas les choses plus difficiles. »

Elle voulut implorer l'aide de sa mère, mais celle-ci lui tournait le dos.

« File », répéta Alfred.

Elle quitta la pièce. Theo était surpris, il ne l'avait jamais vue obéir aussi facilement. Ce vieil Alfred possédait-il des pouvoirs magiques ? Theo but une gorgée de whisky. Il était mal à l'aise de se trouver mêlé à ce genre de discussion familiale. Sale histoire. Il alluma une cigarette et ressentit l'effet apaisant de l'alcool sur ses douleurs. Seigneur ! Combien de temps mettraient-elles pour passer cette fois-ci ? Alfred lui parlait, mais les pensées de Theo étaient tournées vers Chang. Et Po Chu.

« Laisse ça, Theo. C'est un travail d'ouvrier.

— Non, ça me fait du bien. »

Theo sablait un pupitre.

« Est-ce que tu l'as dit à Chang An Lo ? demanda-t-il à Li Mei.

— Non.

— Tu vas le faire ?

— Non. »

On n'entendit plus que le frottement du papier de verre. Li Mei, assise sur un pupitre, l'observait. Elle portait la robe chinoise lilas qu'il aimait bien et avait attaché ses cheveux avec une barrette en améthyste. Malgré les heures passées au chevet du malade, elle était radieuse. Ses bleus commençaient à s'estomper.

« Si je lui apprends que je suis la sœur de Po Chu, il voudra partir, dit-elle.

— Sans doute. Est-ce que ce serait gênant?

— Oui. Mon frère l'a blessé et c'est mon devoir de réparer. Si je peux. »

Theo leva la tête et la regarda.

« Tu as encore lu les *Analectes*? »

Li Mei sourit.

« Dans le *Lun Yu*, Confucius énonce de nombreuses vérités.

— Po Chu sera furieux s'il découvre que Chang est ici.

— Il ne le saura pas. N'est-ce pas, Theo? »

Comme Theo ne répondait pas, elle reposa la question. Theo arrêta de sabler puis s'essuya les mains.

« Mon amour, après ce que ton frère t'a fait, j'ai envie de le blesser par tous les moyens. Si Po Chu apprend que Chang est chez nous, il aura la satisfaction de venir le tuer, mais s'il ne sait pas ce qu'est devenu le prisonnier qui lui a échappé, ça le hantera. Alors non, je ne lui dirai rien.

— Merci. »

Theo se remit à sabler.

« Theo?

— Oui.

— Nous savons tous les deux que tu pourrais t'en servir pour conclure un marché avec mon père. Pour qu'il empêche Mason de te dénoncer à sir Edward.

— Bien sûr.

— Est-ce que tu vas l'utiliser?

— J'y ai pensé. Qu'est-ce qui nous importe le plus, Li Mei? Que j'aille en prison ou que ce jeune homme meure? Que préconise ton Confucius pour un tel cas de conscience? »

Li Mei se mit à pleurer en silence.

Theo toucha le front de Chang. Il était brûlant. Chang ouvrit brusquement les yeux et le regarda d'un air méfiant.

« Je vais mieux, bafouilla-t-il.

— Je ne crois pas, non, répondit Theo.

— Lydia ?

— Elle va bien, mais elle ne peut pas venir te voir. Alfred et Valentina le lui ont interdit. »

Le visage du jeune homme se crispa. Il semblait souffrir et Theo songea que sa douleur ne devait pas être seulement physique. Il avait de la peine pour lui.

« Ne t'inquiète pas. Elle sera là demain. C'est la rentrée. Je lui dirai de venir te parler pendant la récréation. »

Chang parut se détendre.

« *Xie xie.* »

Theo se dirigea vers la porte.

« Pourquoi m'aidez-vous ?

— D'après toi ? »

Chang lança à Theo un regard noir qui le glaça.

« Parce que tu as besoin d'aide toi-même. Peut-être que m'aider te rendra service. C'est une question d'équilibre », répondit Chang.

Theo trouva cette remarque agaçante par sa pertinence. Il avait accepté le chat pour la même raison. On récolte ce que l'on sème. Toutes les religions s'accordaient sur ce point.

« Tu veux quelque chose de plus fort contre la douleur ? »

Chang refusa d'un hochement de tête.

« De l'opium peut-être ? proposa Theo.

— Non.

— Tu es un homme avisé. »

47

Était-il mort ? En prison ? Lui manquait-elle ? Souriait-il à Li Mei comme il lui souriait ?

Si seulement elle n'avait pas passé ce marché avec Alfred… Elle lui avait déjà menti, elle l'avait volé. Alors pourquoi se sentait-elle liée par cette promesse absurde ?

Elle était couchée sur le lit à l'endroit où Chang avait dormi. Elle n'avait pas trouvé le sommeil. Toute la nuit, elle avait enfoui son visage dans l'oreiller pour y respirer l'odeur de Chang, mais celle des herbes la couvrait. Elle s'était levée à l'aube. Il ne neigeait plus, mais le ciel était chargé de nuages gris. Elle avait observé par la fenêtre la masse blanche de la remise pendant un long moment, puis s'était recouchée et avait pris l'oreiller dans ses bras.

Elle pouvait manquer à sa parole. Quitter la maison avant qu'Alfred et Valentina soient réveillés. Mais elle était convaincue que sa mère ne dormait pas. Elle devait se retourner dans son lit. Lydia s'inquiétait beaucoup pour Valentina. Elle ne l'avait jamais vue aussi fâchée. Lydia préféra penser à Alfred, cela lui faisait moins de peine.

Elle pouvait ne pas tenir la promesse qu'elle lui avait faite.

Elle ferma les yeux et respira profondément, comme elle avait vu Chang le faire quand la douleur était trop forte. Mais elle était trop préoccupée pour réussir à se détendre.

Elle pouvait trahir Alfred. Elle l'avait déjà fait.

Mais cette fois-ci, c'était différent.

Désespérée, elle se tourna et elle se laissa aller au souvenir du corps de Chang contre le sien. Au goût de sa peau. À son regard quand il lui disait «Je t'aime». Il l'aimait vraiment.

Mais plus que tout, c'était la colère qui la rongeait comme un acide et lui brûlait l'estomac. Alexei Serov, ce chien, l'avait trahie.

«Bonjour, Lydia.»

Elle n'avait pas envie de parler.

«Je t'ai dit bonjour.»

Elle soupira.

«Bonjour, Alfred.

— Voilà qui est mieux. Tiens, du café.

— Merci.»

Elle prit la tasse et la posa sur la table de chevet. Elle était assise sur le lit, tout habillée, et ne fit pas l'effort de se lever.

«Il faut que nous parlions, dit Alfred.

— Vraiment?

— Nous devons nous comporter en adultes.

— Dis ça à ma mère.»

Il la dévisagea, enleva ses lunettes, les nettoya puis les rechaussa.

«Je peux m'asseoir?»

Elle fut surprise qu'il le lui demande. Elle hocha la tête.

«Merci.»

Il s'installa et croisa les bras sur sa poitrine. Lydia attendait. Il prenait son temps.

«Ce que tu as fait la semaine dernière est très mal et ta mère et moi sommes très fâchés. Tu devrais avoir honte.

Mais je crois que ce n'est pas le cas. J'ai parlé à Wai et il m'a dit qu'il t'avait tout juste aperçue et que tu as passé ton temps dans la remise ou dans ta chambre. Tu étais avec ton ami chinois, n'est-ce pas ? »

Elle acquiesça.

« Et c'est un communiste en fuite. Je n'ai pas l'intention de te demander à quel point vous êtes intimes, dit-il en rougissant, mais je te fais suffisamment confiance pour savoir que tu n'aurais pas… agi de manière inconsidérée. Immorale ou contraire à la religion, s'empressa-t-il de conclure.

— Alfred, il était malade. Je l'ai soigné. Est-ce contraire à la religion ?

— Bien sûr que non. C'est même recommandé. Le bon Samaritain, n'est-ce pas ?

— Le bon Russe. »

Alfred sourit.

« Exactement. »

Il semblait se détendre un peu. Lydia prit sa tasse de café.

« Mmh, il est bon. Merci. »

Alfred appuya le dos contre le dossier de sa chaise et décroisa les bras.

« Nous devons discuter de la suite des événements. Je ne tiens pas à ce que nous souffrions inutilement. »

Lydia se garda bien de manifester son soulagement.

« Aussi je dois te rappeler la promesse que tu m'as faite. »

Lydia se passa la main sur le visage pour cacher sa déception.

« Alors quels sont tes ordres ?

— Lydia, je n'aime pas beaucoup ce ton. Et le terme "ordres" me semble bien mal choisi. Cependant, tu ne dois pas revoir ce communiste. C'est trop dangereux.

— Oh, s'il te plaît.

— J'insiste. »

Lydia enfouit son visage dans ses mains pour dissimuler son émotion. Après un long silence, Alfred s'assit près de Lydia sur le lit.

« Allons, allons, c'est pour le mieux. Ne pleure pas », la consola-t-il en lui tapotant l'épaule.

Elle ne pleurait pas, mais elle avait l'impression qu'on lui arrachait le cœur.

« Alfred, dit-elle les mains sur la bouche, comment te sentirais-tu si je te disais que tu ne devais jamais revoir ma mère ?

— C'est différent.

— Non.

— Oh, ma petite Lydia. Tu es trop jeune pour ressentir un désespoir pareil.

— S'il te plaît, Alfred, laisse-moi le voir. »

Il lui caressa les cheveux et elle sut qu'il allait refuser. Elle se redressa et brusquement, lui sourit.

« Maman m'a dit que tu voulais un bébé. »

Il rougit et détourna le regard.

« Je trouve ça merveilleux.

— Vraiment ?

— Oui, vraiment.

— Formidable. »

Lydia lisait le ravissement dans les yeux d'Alfred. Par ailleurs, elle était touchée qu'il se soucie de son opinion.

« Alors que dirais-tu d'un nouveau marché ?

— Comment ?

— Je ferai tout ce que je peux pour convaincre maman d'avoir un autre enfant si tu…

— Non.

— Si tu me laisses rendre visite à Chang An Lo pendant qu'il est chez M. Theo.

— Écoute, Lydia, je…

— M. Theo sera dans la pièce avec nous. S'il te plaît. Il faut que je voie s'il va mieux.

— Ce marché ne me dit rien de bon. »

Il eut une mimique fâchée, mais son regard s'était adouci.

« Ça compte tellement pour moi », dit Lydia d'une voix douce.

Alfred prit une profonde inspiration. Il ne savait plus sur quel pied danser.

« Un bébé, ce serait merveilleux », insista-t-elle.

Alfred sourit malgré lui.

« Ah, tu sais te montrer très convaincante, jeune fille.

— Alors je peux voir Chang ?

— Bon, d'accord. Tu peux. Pas la peine de prendre cet air ravi. Je t'autorise une visite et seulement demain quand tu iras à l'école. Pour lui dire au revoir. »

Lydia le laissa poursuivre.

« J'arrangerai ça avec M. Willoughby. Bien, n'en parlons plus. »

Lydia posa la main sur celle d'Alfred.

« Alfred, s'il te plaît, accorde-moi deux visites. »

Il éclata de rire, ce qui surprit Lydia.

« Quel sacré caractère ! Très bien. Tu pourras aller le voir deux fois. Sous la surveillance de Willoughby.

— Merci. »

Alfred embrassa Lydia sur la joue.

« Très bien. »

Il se leva.

« Tu parleras à maman pour la convaincre ?

— Bien entendu.

— Je lui parlerai pour le bébé. Si tu lui achetais un piano, ça aiderait. »

Alfred acquiesça, ne sachant que dire.

« Alfred, pour quelqu'un qui n'a jamais eu d'enfant, je trouve que tu fais un bon père. »

Il rougit de nouveau et quitta la pièce tout sourire.

« Maman. »

Valentina avait le visage caché derrière un journal, mais Lydia doutait qu'elle le lise vraiment. C'était sa manière de s'octroyer quelques instants de répit. Le souper avait été un peu pesant, mais plus tard au salon Alfred avait demandé à Lydia si elle savait jouer aux échecs et Lydia avait accepté une partie.

Il avait sorti un magnifique échiquier avec des pièces en ivoire. Lydia en apprit beaucoup sur le jeu, sur elle-même, sur Alfred. Sa patience était impressionnante, mais, contrairement à elle, il manquait de spontanéité. Ce trait de caractère faisait à la fois la force et la faiblesse de Lydia. Elle devait apprendre à la maîtriser.

« Merci, dit-elle lorsqu'il la mit échec et mat.

— Tu as tout ce qu'il faut pour devenir une bonne joueuse, si tu…

— Réfléchis plus avant d'agir. Je sais.

— Exactement, dit-il en souriant. Exactement. »

Il laissa seules Lydia et Valentina pour aller ranger l'échiquier.

« Maman. »

Valentina baissa doucement le journal.

« Est-ce que Liev Popkov connaissait ta famille ? »

Valentina resta impassible, mais Lydia sentit que cette question lui déplaisait.

« Il a travaillé pour mon père dans le temps », répondit Valentina avant de reprendre sa lecture fictive.

Le sujet était clos.

48

Lorsque Chang An Lo ouvrit les yeux, il vit le visage de Lydia. Pendant un bref instant, il crut que c'étaient encore les dieux qui lui accordaient de rêver d'elle, mais il sentit la pression de sa main sur son poignet et le chatouillis de ses cheveux sur sa joue.

« Tu es réelle », chuchota-t-il.

Elle lui fit ce sourire qui le désarmait et il sut qu'il ne rêvait pas. Lydia se pencha sur lui et posa un baiser sur ses lèvres.

« Pour te prouver que je suis là », murmura-t-elle.

Il la tint contre lui, sentit sa joue fraîche contre son visage brûlant de fièvre, respira l'odeur enivrante de ses cheveux et de sa peau, écouta le sang battre à ses tempes. Elle était pleine de vie, d'ardeur. La perdre serait comme se noyer dans la boue.

« Comment te sens-tu ?

— Mieux.

— Tu es brûlant.

— Je me sens mieux à l'intérieur. Te voir éloigne la fièvre. »

Elle rit et posa la tête sur la poitrine de Chang, qui lui caressa les cheveux. Il aimait qu'elle les laisse dénoués, ce qu'une Chinoise ne se serait jamais permis.

« Lydia, dit-il doucement.

— Nous n'avons pas beaucoup de temps », murmura-t-elle en regardant vers la porte ouverte.

Theo, une cigarette dans une main et un cahier d'exercices dans l'autre, était appuyé dans l'encadrement, mais leur tournait le dos en s'efforçant de paraître absorbé par sa lecture.

« Tes parents ?

— Ils m'ont interdit de te voir plus de deux fois tant que tu seras ici. Mais nous n'avons pas discuté de l'avenir. »

Ses yeux ambrés brillaient.

« J'ai une proposition à te faire. »

Lydia se sentit soudain intimidée, mais elle brûlait aussi d'impatience.

Son énergie faisait un peu oublier ses ténèbres à Chang, même s'il savait que leur avenir ensemble était plus qu'incertain.

« Qu'est-ce qui fait ainsi vibrer ta voix ? »

Elle se pencha plus près et plongea son regard dans celui de Chang.

« On pourrait partir ensemble.

— Tu me provoques. »

Cependant un espoir fou l'envahit et ranima son corps.

« Non, je suis sérieuse, lui murmura-t-elle. J'ai bien réfléchi. Tu as dit vouloir quitter Junchow. Je partirai avec toi. Il me reste de l'argent et je peux peut-être en avoir plus. Il y en aura assez pour payer un passeur qui nous fera traverser la rivière à la nuit tombée et ensuite on pourrait...

— Non.

— Oui, ce ne sera pas dangereux si on se déplace de nuit et qu'on dort pendant la journée. Ce sera long, je sais, mais on pourrait aller dans un village très loin d'ici et je porterais une tunique chinoise et un grand chapeau pour passer inaperçue et j'apprendrais le mandarin et...

— Non.

— Écoute-moi, mon amour. J'y ai bien réfléchi. Tu ne peux pas rester ici, alors il n'y a pas d'autre solution.

— Lydia, arrête, s'il te plaît.

— Je ne suis pas idiote. Ce ne serait pas pour toujours. Je sais que quand tu seras rétabli, tu voudras aller dans un camp communiste et continuer à te battre contre Tchang Kaï-chek. Mais je viendrai avec toi. Je sais que des femmes s'entraînent pour combattre dans l'armée de Mao Tsé-toung, alors rien ne m'empêche de combattre moi aussi. »

Lydia avait beaucoup à faire après l'école. D'abord récupérer la robe. Elle se dépêcha de traverser la ville jusqu'au salon de couture.

« Merci, madame Camellia, elle est comme neuve. »

La couturière inclina gracieusement la tête.

« Je vous en prie, mais essayez de ne plus la mouiller.

— Mettez la note sur le compte de mon beau-père.

— Certainement, mademoiselle Parker. »

Mademoiselle Parker ? Cela amusait Lydia. Elle se dirigeait maintenant vers la demeure des Mason pour s'assurer que Polly n'était pas malade, car elle n'était pas venue à l'école. Lydia se demandait si son amie l'évitait depuis qu'elle avait découvert Chang dans son lit. Dans la fraîcheur de cet après-midi ensoleillé, la ville lui paraissait moins hostile. Ou bien était-ce la perspective de la quitter ?

Lydia Ivanova, sympathisante communiste, combattante pour la paix. Elle prononça ces mots à voix haute et cela lui plut. Elle se laissa même aller un instant à penser : Lydia Chang, puis Chang Lydia, comme aurait dit un Chinois. C'était enivrant, mais prématuré. Elle n'était pas encore prête. Bien sûr, Chang An Lo avait refusé sa proposition. Elle ne s'attendait pas à autre chose. Il ne voulait pas la mettre en danger. Mais à voir ses lèvres pincées et son regard surpris, elle savait qu'il était d'accord. Quand elle l'avait serré dans ses bras, elle avait senti son cœur battre à tout rompre.

Elle prit un raccourci à travers l'un des quartiers les plus pauvres de la concession internationale, descendit un chemin enneigé derrière l'église Saint-Saviour et traversa un petit parc, qui ressemblait plutôt à une terre non cultivée avec ses trop nombreux buissons. C'est alors qu'elle remarqua la Buick tape-à-l'œil du père de Polly garée le long d'un trottoir, sous les arbres, à bonne distance des habitations crasseuses. Les larges marchepieds de la berline crème et noir brillaient dans le soleil de la fin d'après-midi, au-dessus de la neige grise des caniveaux.

Si Mason rentrait, il pourrait la conduire chez lui et lui dire pourquoi Polly n'était pas venue à l'école. Elle s'avança vers le véhicule et aperçut un spectacle dont elle aurait préféré ne pas être témoin. Sur le siège avant, Christopher Mason, en bras de chemise, se trémoussait, allongé sur Valentina.

Lydia tourna les talons et se mit à courir.

« Salut, Lyd. »

Polly n'avait pas l'air malade. Ni contente de voir son amie.

« Pourquoi tu n'es pas venue à l'école aujourd'hui ?

— Je ne me sentais pas bien.

— Oh, dommage.

— Sans doute quelque chose que j'ai mangé.

— OK. »

Il y eut un silence gêné. Lydia commençait à douter que Polly la fasse entrer.

« Je t'ai apporté le nouvel emploi du temps. Et des cartes qu'on a dessinées en géographie. »

Lydia ouvrit son sac et se mit à fouiller.

« Oh… merci. »

Polly recula.

« Entre. Tu veux un chocolat chaud ? Ma mère est à son club de bridge, mais il y a du gâteau au gingembre si tu en veux.

— Oui, merci. »

La plupart des cuisines, destinées aux serviteurs, étaient ternes, mais comme Anthea Mason adorait préparer elle-même toutes sortes de plats, la leur était moderne et lumineuse. Le sol était revêtu de linoléum, les murs étaient carrelés et la cuisinière en émail marbré beaucoup plus belle que le modèle noir standard. On entendait les voix de domestiques s'élever du cellier. Polly prépara les tasses de chocolat sans rien dire.

Lydia meubla le silence en racontant la rentrée. James Malkin avait une jambe dans le plâtre parce qu'il était tombé du toit de son garage en récupérant un cerf-volant. Polly se dérida un peu.

Lorsqu'elles s'assirent pour manger, Polly évitait encore le regard de Lydia.

« Polly, il est parti », dit Lydia.

Le regard inquiet de son amie croisa celui de Lydia.

« Qui ?

— Tu sais bien. Chang An Lo.

— Parti où ?

— Je ne sais pas.

— Est-ce que les soldats l'ont pris ?

— Non. Il s'est enfui. Alors tu n'as plus à t'inquiéter de ce que tu as vu. »

Polly poussa un long soupir de soulagement.

« Je suis contente.

— Moi aussi. »

Les deux amies échangèrent un sourire puis Lydia se leva et prit Polly dans ses bras.

Polly se détendit et serra Lydia à son tour. Elles éclatèrent de rire et gagnèrent le salon, tasses à la main.

« Attends-moi ici, Lyd. Je vais monter copier les cartes. Je n'en ai pas pour longtemps. »

Dès que Polly quitta la pièce, Lydia se dirigea sur la pointe des pieds jusqu'au bureau de Christopher Mason. La porte était ouverte. Lydia en fut étrangement déçue. Si on ne ferme pas à clef, c'est qu'on n'a rien à cacher. Elle pénétra dans la pièce dont les volets étaient à demi fermés et ferma la porte derrière elle. Les rangées de livres sur les étagères lui paraissaient menaçantes. Comme si elle était prise au piège, elle avait des frissons dans le dos.

Elle devait commencer par le bureau. L'agenda de l'année 1929 était posé au milieu. Elle feuilleta les pages du mois de janvier et lut l'entrée de ce jour-là à 15 h 30. Les lettres *VP*. Plus *VI*. Lydia eut envie de jeter l'agenda par la fenêtre.

Elle regarda dans les tiroirs et, sous un chiffon, découvrit un revolver de l'armée qui sentait l'huile. Elle le braqua sur la porte, le désarma, l'arma et le remit à sa place. Elle trouva aussi des feuilles de comptes, des fournitures de bureau, quelques lettres d'Angleterre mentionnant une certaine Jennifer et un certain Gaylord, un presse-papiers en jade, une boîte de cigares, des ciseaux à ongles et, dans le tiroir du bas, une photo du chat, Achille. Rien d'intéressant.

Elle inspecta ensuite une grande commode en chêne aux grosses poignées de cuivre. Les trois premiers tiroirs contenaient des bouteilles de produits chimiques, du papier photographique, une boîte en carton avec d'innombrables pellicules. Mason était donc photographe amateur. Elle se rappela la fois où elle l'avait croisé à la bibliothèque, un livre de photos à la main.

Le tiroir du bas lui fit espérer une découverte intéressante, car il était fermé. Où cacherait-elle une clef dans cette pièce ? L'étagère. Elle passa les doigts sur la tranche supérieure des livres, mais Mason avait pu aménager une cachette pour la clef dans n'importe quel volume. Elle monta sur le grand fauteuil en cuir et passa la main au-dessus de l'étagère. Elle ne sentit rien que de la poussière. Elle déplaça le fauteuil, tenta encore. Cette fois, ses doigts rencontrèrent un objet métallique.

« Lydia ? »

Polly l'appelait de l'étage. Lydia descendit et ouvrit la porte.

« Oui ? répondit-elle.

— J'ai presque fini.

— Prends ton temps.

— J'en ai pour deux secondes. »

Lydia referma la porte, remonta sur le fauteuil et récupéra la clef. Elle avait la gorge sèche. Elle n'était pas sûre de vouloir découvrir le contenu du tiroir. Ses pensées se bousculaient. Elle inspira profondément, expira lentement et tourna la clef dans la serrure.

Le tiroir contenait des photographies retenues par des élastiques. Des photos de femmes nues. Sans doute des prostituées, comme elle en avait vu dans les rues près des quais. Elle découvrit la photo d'une femme sur un tapis en peau d'ours, jambes ouvertes, une main posée sur le pubis. Le modèle souriait, mais son regard était absent.

Lydia reconnut sa mère. Sa mâchoire se crispa de colère. Elle regarda le reste des photos. Quatre autres de Valentina. Une vingtaine d'Anthea Mason. Deux de Polly.

Lydia eut envie d'hurler.

Elle rangea les photos dans son sac.

« J'ai terminé ! » cria Polly du haut de l'escalier.

Lydia sortit ses livres d'école de sa sacoche et y jeta les négatifs. Elle lança la clef dans le tiroir, le ferma et, ses manuels sous le bras, quitta la pièce.

« Ça ne te dérange pas, ma chérie ?

— Bien sûr que non. J'ai des devoirs à faire. »

Lydia dévisageait sa mère qui feuilletait le dernier numéro du magazine *Paris World* en fumant une cigarette. Elle ne parvenait pas à chasser de son esprit cette question lancinante : pourquoi sa mère avait-elle fait ça ?

Valentina se tourna vers Alfred.

« Nous ne rentrerons pas tard, n'est-ce pas, mon ange ? »

Alfred adressa un regard complice à Lydia. Il l'avait conduite à l'école le matin même et Lydia lui avait confié qu'elle trouvait sa mère un peu tendue depuis l'histoire de Chang et des soldats. Elle lui avait suggéré de l'emmener souper au club ou danser au *Flamingo*. Alfred avait trouvé l'idée excellente.

« Eh bien, je ne sais pas à quelle heure nous serons de retour », dit-il à sa femme avec un regard admiratif.

Elle était à couper le souffle dans sa robe du soir noir et blanc décolletée. Après ce qu'elle avait vu, cette tenue mettait Lydia mal à l'aise.

Alfred tendit à sa femme son manchon en vison et l'aida à passer son manteau.

« Amusez-vous bien », dit Lydia d'une voix enjouée.

Dès qu'elle entendit la voiture s'éloigner, elle se rendit à l'étage et sortit la robe verte de son sac.

« Petit moineau, je croyais que tu avais oublié ta vieille amie.

— Non. Je suis même officiellement invitée, dit Lydia en montrant la carte.

— Formidable. »

Mme Zarya ricana de joie. Elle donna le bras à Lydia.

« Tu es ravissante. Tu as l'air d'une dame dans ta jolie robe.

— Assez pour pouvoir danser ? »

Mme Zarya fit blouser sa grande jupe de soie avec une coquetterie étrange.

« Peut-être. Tu dois attendre d'être invitée. »

La villa Serov, au bout de la rue Lamarque, avec ses portiques et sa longue allée encombrée de voitures et de chauffeurs, était encore plus impressionnante que Lydia ne l'avait imaginé. Des chandeliers de cristal éclairaient les salons où déambulaient des centaines d'invités en tenue de soirée. Partout, on parlait russe.

Lorsque Mme Zarya la présentait, Lydia ne manquait pas de dire « *Ochyen priatno* », « Enchantée », mais elle ne portait aucune attention au nom de ces personnes. Elle était venue uniquement pour voir Alexei, qui ne semblait pas être là. En début de soirée, Lydia resta près de Mme Zarya parce que l'odeur familière de naphtaline que dégageait son ancienne logeuse la rassurait dans ce luxueux environnement. De vieux aristocrates avec des barbes à la Souvorov venaient flirter avec Mme Zarya et faire le baisemain à Lydia. Des femmes portant de longs gants blancs exhibaient leurs bijoux. Lydia perdit le compte des couronnes ornées de diamants qu'elle apercevait.

Elle se demanda ce que Chang An Lo penserait de tout cela. Combien d'armes pouvait-on acheter pour le prix d'une seule de ces pierres précieuses ? Combien de ventres creux les énormes boucles d'oreilles en or de cette grosse dame pourraient-elles remplir ? Lydia fut surprise de constater qu'elle raisonnait comme Chang, et heureuse de ne pas envier toutes ces richesses, mais d'y voir plutôt un moyen de rétablir l'équilibre d'une société injuste. Cette notion était nouvelle pour elle. Chang lui avait dit que c'était ce dont son pays avait besoin. Elle observa un homme bedonnant prendre une coupe de champagne de ses doigts boudinés ornés de grosses bagues en or, sans même un regard pour le serviteur qui lui tendait le plateau.

Lydia en fut choquée. Elle regardait les choses d'un œil nouveau.

« Lydia Ivanova, je suis enchantée que vous ayez pu venir. »

La comtesse Serova, le port plus majestueux que jamais, portait une robe de satin couleur crème à col montant.

« Et vous portez une nouvelle tenue. Je commençais à croire que vous n'aviez qu'une seule robe. Le vert vous va à ravir. »

Lydia fut déconcertée par ce mélange d'insulte et de compliment.

« Je vous remercie pour votre invitation, comtesse. Votre fils est-il là ce soir ? » demanda-t-elle sans s'embarrasser de politesse.

Son hôte la dévisagea et, sans répondre, se tourna vers Mme Zarya.

« Olga Petrovna Zarya, comme vous avez l'air jeune ce soir ! »

Mme Zarya parut flattée et fit une révérence, mais Lydia n'écouta pas la suite, car une jeune femme se pencha vers elle et lui dit à l'oreille :

« Il est dans la salle de bal. »

Lydia s'excusa et s'y dirigea.

La pianiste, vêtue d'une robe à paillettes qui découvrait ses épaules, rayonnait, installée devant un piano à queue. Elle jouait une œuvre moderne et décadente de Chostakovitch. Ses boucles blondes sautillaient en rythme. Lydia trouva cette exagération du jeu exaspérante. Pourquoi la comtesse n'avait-elle pas demandé à Valentina de venir jouer ?

La pièce était magnifique. Le haut plafond était décoré de fresques représentant des héros mythologiques tout en muscles et des déesses nébuleuses. Dans des cadres dorés, d'immenses portraits montraient des membres de la famille Serov, dont le regard hautain semblait destiné à intimider les invités. Les miroirs renvoyaient le reflet scintillant des chandeliers, illuminant les danseurs souriants. Lydia remarqua un groupe d'hommes en pleine discussion parmi lesquels se trouvait Alexei, qui lui tournait le dos. Elle s'approcha d'eux.

« Alexei Serov. J'aimerais vous parler », dit-elle froidement en posant sa main sur son épaule.

Il se retourna aussitôt et le large sourire qu'il lui adressa l'exaspéra. Elle eut envie de le gifler.

« Bonsoir, mademoiselle Ivanova. Quelle joie de vous voir parmi nous. »

Il claqua des doigts pour appeler un domestique.

« Un verre pour mon invitée.

— Non merci, je ne compte pas rester. »

Le détachement dans la voix de Lydia sembla confondre Alexei. Il la dévisagea.

« Quelque chose ne va pas ? » demanda-t-il en se passant la main dans les cheveux.

C'était la première fois que Lydia le voyait manifester de la gêne.

« J'aimerais vous parler. Seul à seul, s'il vous plaît. »

Il fit un pas en arrière et, un demi-sourire aux lèvres, dévisagea Lydia. Elle se foutait bien de son petit regard provocant. Encore un homme qui avait des choses à cacher.

« Certainement. »

Il lui saisit fermement le bras et la conduisit à travers la salle jusqu'à un miroir orné de feuilles de vigne dorées qui masquait une porte. Ils pénétrèrent dans une pièce sans fenêtre aux murs décorés de têtes d'animaux empaillées et simplement meublée d'une chaise longue. Un sanglier avec des défenses de trente centimètres semblait fixer Lydia d'un œil menaçant. Elle détourna le regard.

« Alexei Serov, vous me faites horreur avec vos mensonges. »

Il était décontenancé, mais il n'en laissait rien paraître. Il se passa lentement la main sur le menton, découvrant des boutons de manchettes dorés.

« Vous m'insultez ?

— Non. C'est vous qui m'avez insultée en pensant que je ne comprendrais pas qui a envoyé les troupes du Kuomintang chez nous.

— Des troupes ?

— Oui. Et nous savons tous les deux pourquoi.

— Excusez-moi, je ne comprends pas ce dont…

— Ne prenez pas la peine de nier. Vos mensonges éhontés ne feraient qu'aggraver votre cas. Je pourrais être en prison par votre faute. Vous en avez conscience ? Et mon ami pourrait être mort. Alors je suis venue ce soir pour vous dire... »

Lydia haussait le ton, incapable de s'exprimer avec le détachement qu'elle avait prévu.

« ... d'avertir vos amis que votre plan a échoué. Je vous considère comme un moins que rien, un répugnant gigolo à la solde de Tchang Kaï-chek et de ses hommes de main qui a fait semblant d'être mon ami alors que...

— Lydia, arrêtez.

— Non, je ne m'arrêterai pas, crétin. Vous m'avez trahie. »

Alexei saisit le bras de Lydia et la secoua.

« Arrêtez. »

Il approcha le visage de celui de Lydia. Ils échangèrent un regard noir. Elle l'entendit déglutir.

« Lâchez-moi », lui ordonna-t-elle.

Il s'exécuta.

« Au revoir », dit Lydia sur un ton glacial.

Elle se dirigea vers la porte.

« Lydia Ivanova, au nom du Ciel, qu'est-ce qu'il vous prend ? Comment osez-vous venir ici pour porter de telles accusations sans me laisser le temps de m'expliquer ? Pour qui vous prenez-vous ? »

Lydia s'arrêta, mais ne se retourna pas. Elle ne pouvait pas regarder ce traître. Il y eut un silence pendant lequel elle entendit battre son cœur.

« Bien. Écoutez-moi maintenant, dit Alexei d'une voix incroyablement calme. Je ne sais rien des troupes qui sont venues chez vous.

— Allez au diable avec vos mensonges !

— Je ne vous ai pas dénoncée. Ni votre communiste chinois. Je n'ai dit à personne ce que j'avais vu chez vous, je vous donne ma parole.

— La parole d'un menteur n'a aucune valeur. »

Pour le grand plaisir de Lydia, Alexei avait l'air furieux.

« Je vous dis la vérité, poursuivit-il sur un ton sec.

— Pourquoi devrais-je vous croire ?

— Pourquoi pas ?

— Parce que qui d'autre aurait pu envoyer des soldats pour emmener Chang An Lo ? Vous étiez le seul au courant.

— C'est absurde. Et le cuisinier ?

— Wai ?

— Vous croyez qu'il ne savait pas ? Mademoiselle Ivanova, vous avez beaucoup à apprendre au sujet des domestiques si vous pensez qu'ils ignorent ce qui se passe dans une maison. »

Alexei avait repris le contrôle de la situation. Il semblait plus détendu.

« Ils ont des yeux partout et les oreilles aux aguets.

— Mais pourquoi Wai aurait fait une chose pareille ?

— Pour l'argent. Ce genre d'information est bien payé.

— Mon Dieu ! »

Lydia était abasourdie.

« Merde alors, marmonna Lydia.

— Je vous jure que je ne vous ai pas dénoncés. »

Lydia se força à soutenir son regard. Exprimer sa colère était facile, présenter ses excuses l'était moins.

« Je suis désolée. »

Elle avait envie de quitter la pièce, de fuir cette villa avant de mourir de honte. Les mots ne voulaient pas sortir.

« Je vous prie d'accepter mes excuses, Alexei. »

Il ne sourit pas. Il plissait les yeux. Lydia ne parvenait pas à déchiffrer l'expression de son regard. Peut-être même refusait-elle de connaître sa pensée.

« J'accepte vos excuses. »

Il fit une révérence pour la forme. Lydia sursauta quand il claqua les talons. Alexei lui tendit le bras.

« Puis-je vous reconduire au salon ? Cette conversation est terminée. »

Lydia hésitait.

« Et en signe de notre amitié retrouvée, j'espère que vous me ferez l'honneur de la prochaine danse. »

Un sourire se dessina sur son visage, comme s'il devinait les efforts que cela exigerait de Lydia.

« La dernière fois, vous m'avez dit que j'étais trop jeune pour danser », objecta-t-elle.

Il n'y avait qu'un homme dans les bras duquel elle avait envie de danser.

« C'était il y a six mois. Vous étiez encore une enfant. Vous êtes une très belle jeune femme à présent. »

Il eut une expression amusée.

« Même si vous ne vous comportez pas en conséquence », ajouta-t-il.

Lydia ne put s'empêcher de rire.

« Alexei, je suis désolée d'avoir utilisé des mots aussi blessants. Je sais me montrer respectueuse quand j'essaie, mais vous semblez toujours être là quand il ne faut pas.

— "Répugnant gigolo à la solde de Tchang Kaï-chek", vous n'y êtes pas allée de main morte. »

Elle lui prit le bras.

« Allons danser. »

Une fois débarrassée de cette corvée, elle se sentirait mieux.

49

Theo était assis dans son bureau avec le chat sur les pieds. Il était trois heures du matin et il faisait froid. Le vent faisait trembler les carreaux, entrait sous la fenêtre et lui rappelait comme il soufflait la nuit sur le fleuve, poussant les sampans qui se glissaient entre les bateaux avec leur pêche. Theo essayait de puiser de la volonté dans les mots de Bouddha.

Si tu veux connaître ton avenir
Regarde-toi dans l'instant présent,
Car l'avenir en découle.

Il réfléchit.

Son avenir se déciderait mercredi.

Ce jour-là, Christopher Mason devait rencontrer sir Edward pour dénoncer l'implication de Theo dans le trafic d'opium.

Il lui restait vingt-quatre heures pour prendre une décision.

Vide ton bateau, toi qui cherches
Et tu voyageras plus vite.
Réduis le poids des désirs et des opinions
Et tu atteindras le nirvana plus tôt.

Theo songea que cela correspondait à son aspiration, mais il en vint à la conclusion qu'il ne se connaissait pas très bien. Le jeune Chinois dans le lit à l'étage percevait sûrement mieux sa personnalité que lui-même. Il avait senti sa faiblesse. Cela se lisait dans son regard. Chang An Lo était préparé à l'avenir. Il avait déjà allégé son fardeau. La prison les attendait peut-être tous les deux, mais Theo pouvait-il affronter l'enfer d'une cellule puante, l'enfermement?

Si tu veux te débarrasser de ton ennemi
La voie de la sagesse est de comprendre que ton ennemi est une
illusion.

Mais ni Feng Tu Hong ni Christopher Mason n'étaient des illusions pour Theo. En vérité, Feng pouvait arrêter Mason. Mais en échange, il voudrait récupérer Chang, malgré son conflit avec Po Chu. Ou peut-être précisément parce qu'ils étaient en conflit.

Et ensuite? Si Theo acceptait les conditions? Qu'est-ce que Li Mei penserait de lui?

Que penserait-il de lui-même?

Il se pencha pour caresser le chat, qui ronronna quelques instants avant de le mordre.

50

La porte de la chambre de Lydia s'ouvrit et Valentina entra à pas feutrés.

« Qu'est-ce qu'il y a, maman ?

— Je n'arrive pas à dormir.

— Va réveiller Alfred.

— Il a besoin de sommeil.

— Moi aussi.

— Bah, tu dormiras en classe demain.

— Maman !

— Chut. Je vais te parler du *Flamingo*. Il y avait une femme qui portait une broche Fabergé, mais sa tenue était horrible. Pousse-toi. »

Lydia fit de la place à sa mère qui s'allongea sous la couverture.

« Tu t'es bien amusée ce soir ? demanda Lydia.

— C'était supportable.

— Tu as dansé ?

— Évidemment. C'était le meilleur moment. Quand tu auras l'âge, je t'emmènerai et tu verras comme c'est amusant. L'orchestre a joué du jazz… »

Lydia n'écouta pas la suite. Elle posa la joue sur l'épaule de sa mère et respira son parfum. Elle se demanda si Chang An Lo était réveillé. À quoi pensait-il ? Elle avait peur qu'il ne parte. Sans elle. Mais ils savaient tous les deux que son état l'en empêchait. Il avait besoin d'elle. Autant qu'elle avait besoin de lui. Évidemment, la suite des événements serait difficile. Elle ne l'ignorait pas, de même qu'elle savait leur avenir hasardeux, mais être ensemble ne serait-ce que pendant quelques mois, pendant que Chang se rétablirait, leur laisserait le temps de réfléchir à l'étape suivante.

« Alors ? demanda Valentina.

— Alors quoi maman ?

— J'ai dit : qui est ton bolchevique chinois ?

— Il s'appelle Chang An Lo et il est communiste. Mais, se hâta-t-elle d'ajouter, sa famille était riche sous le dernier empereur et il est instruit. Un peu comme toi, d'une certaine manière…

— Je ne suis pas communiste et je ne le serai jamais, lança-t-elle. Les communistes prennent les grands pays nobles, les écrasent au marteau, les dépècent à la faucille. Regarde ma pauvre Russie désolée, *Rusmatushka*.

— Maman, dit Lydia d'une voix douce, les communistes ne font que commencer. Il faut leur laisser du temps. Ils doivent d'abord nous débarrasser de la tyrannie et de la brutalité qui s'exercent depuis des centaines d'années. C'est ce qu'ils font en Russie en ce moment et c'est ce dont la Chine a besoin. Ce sont les seuls qui construiront une société juste où chacun sera entendu. Tu verras que ces deux pays deviendront les plus grands du monde.

— Ah, tu es folle, ma chérie. Ce bolchevique a empoisonné ton esprit et t'a ôté toute lucidité.

— Tu te trompes. J'ai les idées plus claires que jamais.

— Bah, c'est une simple amourette.

— Non. Je l'aime vraiment.

— Ne dis pas de bêtises. Tu es trop jeune pour connaître l'amour.

— Tu n'avais que dix-sept ans quand tu t'es enfuie pour épouser papa. Et tu l'aimais. Alors comment oses-tu affirmer que je n'aime pas Chang An Lo ? »

Un silence s'installa dans l'obscurité. Lydia pensa à Chang et eut l'impression qu'il se trouvait dans la pièce avec elle. La connexion était immédiate et elle était sûre qu'il tournait ses pensées vers elle, couché dans le lit chez M. Theo. Elle sourit. Elle s'imagina au bord de la rivière aux lézards, sous le soleil, bercée par le bruit du courant.

« Écoute-moi, maman. »

Enfin, elle pouvait parler de lui. C'était facile. Elle raconta à sa mère qu'il lui avait sauvé la vie, puis qu'elle lui avait recousu le pied. Elle lui parla des funérailles chinoises, puis de l'obstination avec laquelle elle l'avait cherché. Cependant, elle se garda bien de lui parler de l'histoire du collier de rubis et de leurs ébats amoureux.

Lorsqu'elle eut terminé, elle eut l'impression de flotter.

« Oh, ma chérie. »

Valentina embrassa sa fille sur la joue.

« Tu es folle à lier.

— Je l'aime, maman, et il m'aime aussi.

— Ça ne peut pas continuer, *dochenka.*

— Oui.

— Non.

— Oui. »

Valentina prit la main de Lydia et la serra comme un étau.

« Je suis désolée, mon cœur, ça va te briser le cœur, mais tu survivras, crois-moi. Nous sommes arrivées jusqu'ici, toi et moi, et je ne vais pas te laisser tout foutre en l'air maintenant que j'ai fait en sorte de pouvoir financer tes études. Tu pourrais devenir médecin, avocate ou professeur. Avoir un bon métier, bien payé. Tu serais fière de toi. Tu n'aurais jamais à dépendre d'un homme pour manger ou t'acheter ce qui te fait plaisir. Ne gâche pas tout.

— Maman, est-ce que tu as écouté tes parents quand ils t'ont dit ça ?

— Non, mais…

— Alors je ne le ferai pas non plus. »

Valentina s'assit brusquement.

« Tu feras ce que je te dis, Lydia. Et je dis que cette histoire avec le bolchevique chinois est terminée. Même si je dois t'attacher au lit et te nourrir au pain et à l'eau pour le restant de tes jours. Tu m'entends ? »

Lydia n'avait pas l'intention de rétorquer comme elle le fit, mais sous l'effet de la colère, elle contre-attaqua.

« Si je racontais à Alfred ce que j'ai vu dans la Buick aujourd'hui, il t'enfermerait pour toujours toi aussi. »

Valentina poussa un cri strident. Lydia aurait voulu pouvoir ravaler ses mots. Valentina balança les pieds sur le sol et garda le silence.

« Pourquoi maman ? Tu as Alfred. »

Sa mère fouilla dans la poche de sa robe de chambre pour en sortir une cigarette, mais apparemment elle était vide.

« Ça ne te regarde pas », répondit Valentina d'une voix étranglée.

Lydia s'approcha d'elle et posa la main sur son épaule.

« Pourquoi ? » demanda-t-elle encore.

Valentina haussa les épaules comme si elle n'en savait rien et que cela n'avait pas d'importance.

« C'est une simple aventure.

— Maman, j'ai vu la façon dont tu le regardes. Tu le hais.

— Bien sûr que je le hais, que son âme grille en enfer.

— Est-ce à cause des photos ? »

La gorge de Valentina se noua.

« Je les ai, dit Lydia en caressant le dos de sa mère. Et les négatifs aussi.

— Comment tu as fait ?

— Je les ai volés.

— Ah, pour ça, tu es douée.

— Oui.

— Merci, dit Valentina dans un souffle.

— Alors maintenant ça me regarde aussi.

— Très bien. Puisque tu as posé la question… Il n'y avait pas de bourse d'études pour la Willoughby Academy. Tu venais de passer quatre ans à l'école publique et je savais qu'elle ne t'apporterait rien. Alors j'ai cherché la meilleure école privée et rencontré le responsable de l'éducation à Junchow. Je lui ai fait une proposition : créer une bourse et te l'accorder. En échange de…

— Toi ?

— Oui. »

Lydia prit sa mère dans ses bras et la berça doucement. « Maman.

— Je n'ai pas réussi à me débarrasser de lui, même après le mariage. À cause des photos.

— Je vais les brûler, dit Lydia en resserrant son étreinte.

— Tu feras ce que je te demande ? Tu cesseras de voir Chang ? »

Lydia s'emmitoufla dans son manteau et marcha sur la pelouse gelée. Le garage lui cachait la maison des Mason. Elle avait eu le temps de compter les briques du mur, car elle attendait depuis une heure.

Un corbeau, perché sur une branche de l'eucalyptus sous lequel elle se tenait, s'envola dans un bruissement de feuillage et en deux lents battements d'ailes survola le garage avant de s'élever dans les airs. Le ciel bleu parsemé de nuages cotonneux rappelait à Lydia une bille avec laquelle elle avait joué, petite.

Soudain, elle entendit une portière claquer puis un moteur rugir plus bas dans la rue Walnut. C'était bon signe : les habitants partaient travailler. Elle n'aurait plus longtemps à attendre. Avant le lever du jour, elle était sortie dans son uniforme d'écolière, après avoir griffonné un mot disant qu'elle allait à la bibliothèque pour terminer ses devoirs. Alfred et Valentina ignoraient qu'elle n'ouvrait qu'à 8 h 30. Lydia avait été soulagée d'éviter le déjeuner avec Alfred. Il était étrange le matin : de temps en temps, il levait les yeux de son gruau et plissait le front, l'air de se demander qui étaient ces deux étrangères à sa table.

Lydia tapa dans ses mains pour les réchauffer et poussa un long soupir. Elle essaya d'inspirer profondément, mais les paroles de sa mère l'oppressaient.

« Monsieur Mason.

— Grands dieux, tu m'as fait peur. »

Il était si chic, il avait l'air si convenable avec son chapeau mou et son manteau d'alpaga. Il portait une valise en peau de lézard noir sous le bras et avait ses clefs de voiture à la main. L'image d'un homme respectable. Un pilier de la bonne société auquel Lydia voulait arracher les yeux pour les donner à manger aux corbeaux.

« Que fais-tu à rôder près de mon garage ?

— J'attendais simplement pour vous parler.

— Oh, pas maintenant. Je dois me dépêcher d'aller au bureau.

— Oui, maintenant. »

Quelque chose dans le ton de la voix de Lydia le poussa à s'arrêter pour la regarder. Il se méfiait.

« Ça ne peut pas attendre ?

— Non.

— Très bien. »

Il ouvrit la porte du garage.

« J'ai les photographies. »

Mason en laissa tomber ses clefs. Il se baissa pour les ramasser puis tenta le bluff.

« Lesquelles ?

— Ne faites pas l'innocent. »

Il se redressa, bomba le torse et s'approcha de Lydia.

« Écoute, jeune fille, je suis très occupé et je ne vois pas de quoi tu parles. »

Avec un grand geste du bras, elle le gifla. La claque résonna dans le silence du petit matin. Lydia était étonnée, mais pas autant que Mason. Un instant, la joue marquée de l'empreinte des doigts de Lydia, il eut les yeux embrumés. Il leva le poing, mais Lydia recula pour esquiver le coup.

«Voilà ce que ressent votre femme quand vous la frappez, espèce de pervers. Prendre des photos de votre propre fille nue…»

Il bondit sur elle. Elle lui échappa.

«Qu'est-ce que sir Edward Carlisle dirait de ça?

— Il faut que tu comprennes, fillette, qu'il ne s'agit pas…

— Je n'écouterai pas vos mensonges, rat d'égout. Sir Edward vous renverrait sur-le-champ.»

Il blêmit. Il avait du mal à déglutir, mais son regard restait vif. Il leva une main manucurée en signe de paix.

«D'accord, Lydia. Faisons un marché. Tu n'es pas idiote. Je te donne dix mille dollars en échange des photos et des négatifs.»

Dix mille dollars.

Une fortune. Elle en était tout étourdie.

«Tu peux les avoir comptant, cet après-midi.»

Il l'observait attentivement. Il sortit son portefeuille de sa poche et en tira une épaisse liasse de billets qu'il agita sous le nez de Lydia.

Dix mille dollars.

Avec cette somme, on pouvait acheter n'importe quoi. Passeports, visas, pianos, places de bateau en première classe. Elle pourrait fuir avec sa mère en Angleterre. Elle pourrait étudier à Oxford, comme sa mère le voulait. Tout était là, dans la main de Mason. Elle n'avait qu'à accepter et elle pourrait mettre Chang An Lo en sécurité.

Mais est-ce qu'il quitterait la Chine?

Mason essaya maladroitement de sourire.

«Tu acceptes?»

Elle ouvrit la bouche avec l'intention de dire oui.

«Non.

— Ne sois pas stupide, bon sang. C'est une occasion unique.

— Mais vous récupéreriez les photos.

— Je les détruirai, je te le promets.

— Je ne vous fais pas confiance et tant que j'aurai ces photos en ma possession, je serai sûre que vous laisserez Polly tranquille. Et votre femme. Et ma mère. »

Il se détourna et rangea l'argent.

« Ne vous approchez plus de ma mère.

— Va te faire voir. »

Il donna un violent coup de pied dans un pneu de la voiture.

« Monsieur Mason. »

Il ne la regarda pas.

« Et laissez Theo Willoughby tranquille par la même occasion. »

Mason poussa un grognement qui glaça le sang de Lydia.

« Ne t'inquiète pas pour lui. Feng et son fils s'en occuperont. »

Il lui lança un regard haineux qui la fit frissonner.

« Tout comme ils s'occuperont de toi.

— Comment ça ?

— Maintenant, ils savent qui a soigné ce communiste.

— Qui ?

— Ne fais pas l'innocente. Celui qu'ils recherchent. Celui que tu as soigné.

— Je n'ai pas fait ça.

— Oui. Polly me l'a dit.

— Polly ?

— Eh oui, ton amie loyale. Tu veux encore la protéger ? Elle me l'a dit et je leur ai transmis l'information. Ils sont sans doute chez toi en ce moment même. »

Il éclata de rire.

« Tu ne croyais pas vraiment que je donnerais dix mille dollars à une petite conne comme toi ? Toi et ta pute de mère... »

Lydia n'écouta pas la suite, car elle courait déjà chez elle.
« Maman ! » cria-t-elle.
Il n'y eut pas de réponse. Lydia appela le valet.
« Où est ma mère ?
— Elle est sortie.
— Si tôt ?
— Mon maître et elle sont partis en voiture.
— Seuls ?
— Oui, oui. »
Lydia avait paniqué pour rien, mais cela ne signifiait pas
pour autant que le danger avait disparu. Elle se rendit au
salon et regarda par une porte-fenêtre. Elle posa le front
contre la vitre glacée et se demanda comment on pouvait
riposter quand on ne voyait pas son ennemi. Tout lui parut
soudain trop lourd.
Son regard fut attiré vers la remise. Elle ouvrit la porte
et s'y dirigea. L'air froid lui fit du bien. Elle entendit un
bruit, comme si un rat grignotait une planche.
Le cadenas était encore fermé, mais son support était
arraché. Lydia paniqua. Elle poussa la porte et hurla.
Du sang. Partout. Sur les murs, le plafond, le plancher.
« Sun Yat-sen ! » cria-t-elle.
Le lapin reposait au milieu d'une mare de sang, la fourrure tachée de rouge. Même sa bouche saignait. Lydia
s'agenouilla à côté de lui.
« Sun Yat-sen », murmura-t-elle en le prenant dans ses
bras.
Il était encore chaud, encore vivant, mais une de ses
pattes était secouée de spasmes et son cou était tranché.
Elle lui caressa les oreilles et le berça en chantant jusqu'à
la dernière convulsion.
Lydia, la tête baissée vers lui, était agitée de sanglots.
Lorsque le coup l'atteignit, il mit fin à sa peine. L'obscurité
l'engloutit.

51

Chang An Lo ouvrit les yeux. Quelque chose ne tournait pas rond. Il le sentait. Il avait l'estomac noué.

Il tendit l'oreille, mais les cris des enfants qui jouaient dans la cour auraient masqué le bruit des bottes d'un soldat dans l'escalier. Il se glissa hors du lit en silence, prit la boucle de cheveux roux sous l'oreiller et tira le couteau dissimulé sous le matelas. Ensuite, il se cacha derrière la porte. Il sentait l'odeur du sang.

Li Mei, impassible, regarda le couteau dans la main de Chang.

«Qu'est-ce qui se passe? demanda-t-elle en posant le plateau qu'elle portait.

— Un vent froid dans mon esprit.

— Tout va bien. Theo Willoughby est un homme honorable. Tu peux lui faire confiance.»

Chang ne dit rien. Il la regarda verser de l'eau chaude dans un bol rempli d'herbes séchées. Il avait remarqué qu'elle le faisait toujours devant lui. Certainement pour lui montrer qu'elle n'ajoutait rien à la décoction et qu'il n'avait pas à craindre l'empoisonnement. Il la respectait pour ça. Toujours calme et attentive, elle s'occupait bien de lui, mais la détermination que Lydia mettait à le tirer de la mâchoire des dieux et à insuffler le feu dans ses veines lui manquait.

«Des nouvelles? demanda-t-il doucement.

— Les ventres gris sont dans le port. Des centaines d'entre eux. Ils fouillent les bateaux.

— À la recherche de boue étrangère?

— Qui sait.»

Elle lui tendit le bol et il inclina la tête pour la remercier. Ses cheveux sentaient la cannelle.

«Les gens disent, mais qu'en savent-ils, qu'on emmène les communistes par bateau jusqu'à Canton dans les camps de Mao Tsé-toung. Le bruit des fusils résonne aujourd'hui.

— Merci, Li Mei.»

Elle s'inclina.

«Je suis honorée, Chang An Lo.»

Elle quitta la pièce dans un froissement de soie.

Chang avait encore l'odeur du sang dans les narines.

«Elle n'est pas venue.

— Non, j'ai bien peur qu'elle ne vienne pas à l'école aujourd'hui.

— N'est-ce pas étrange?

— Non, pas vraiment à cette période de l'année. C'est le trimestre de l'épidémie de grippe, répondit Theo.

— Hier elle allait bien.

— Ne t'en fais pas. Je suis sûr qu'elle va bien. En toute honnêteté, je soupçonne Alfred de l'avoir bouclée dans sa chambre pour l'empêcher de te voir. Tu ne peux pas vraiment en vouloir à ce brave homme. Elle est encore jeune.

— Je ne lui en veux pas. C'est son père maintenant.

— Voilà.

— Elle a besoin d'être protégée.

— Très juste.
— Mais pas par lui. »

La jambe de Lydia la faisait souffrir. Elle avait mal à la tête et grelottait de froid.

Lorsqu'elle parvint à ouvrir les yeux, elle ne vit rien. Elle les referma, les rouvrit. Toujours du noir. Elle bougea le bras et sentit son coude heurter quelque chose de dur. Elle toucha sa hanche, sa cuisse. Elle était nue.

Elle pensa qu'elle faisait un de ces cauchemars terrifiants où on est nu en public.

Elle ferma les yeux et se rendormit, sachant qu'elle se réveillerait bientôt.

L'obscurité, cependant, avait quelque chose d'étrange.

52

« L'opium a tué mon père. »
Theo fut stupéfait de s'entendre prononcer ces mots. Il ne l'avait jamais dit à personne, pas même à Li Mei. C'était comme s'il venait de régurgiter une pierre coincée depuis trop longtemps dans la gorge.

Le jeune Chinois, assis dans le lit, n'avait pas l'air bien. Son visage décharné était grisâtre et il avait de gros cernes. Ses bras pendaient comme ceux d'une marionnette et dans ses yeux noirs Theo discerna de la haine. Les communistes détestaient les étrangers qui venaient dans leur pays, mais qui pouvait le leur reprocher ? Cependant, le fait qu'ils refusent de voir que les Occidentaux apportaient entreprises, trains, électricité, expertise bancaire, énervait Theo. La Chine avait besoin de l'Occident plus que l'inverse. Mais cela avait un prix.

Chang s'exprima avec émotion.

« Je sais que ça se produit ici en Chine. La mort et l'opium marchent sur le même chemin. Mais je ne pensais pas que ça arrivait aussi en Angleterre.

— Les gens sont partout les mêmes, répondit Theo.

— Beaucoup de *fanqui* pensent autrement.

— Oui, et mon père en était un. Il croyait dur comme fer à la suprématie des Britanniques et à celle de sa famille en particulier.

— Un deuil inconsolable se dissimule derrière vos paroles. Un autel dans cette maison honorerait l'esprit de votre père.

— Il y a aussi mon frère aîné. »

Maintenant qu'il avait commencé, il ne s'arrêtait plus. Un autel ? Pourquoi pas ? Toutes les maisons chinoises en possédaient un pour permettre aux esprits des ancêtres d'être heureux et bien nourris. Cependant, il craignait de ne plus avoir un toit très longtemps et doutait que ce genre de tradition se pratique en prison.

« Ronald, mon frère, avait tout : il était beau, il avait un diplôme de Cambridge et faisait la fierté de mon père.

— Votre père avait de la chance.

— Pas vraiment. Papa lui a légué l'entreprise d'investissement familiale, mais elle a commencé à décliner. Mon frère s'est mis à l'opium pour pouvoir dormir et... Oh, ensuite vous savez ce qui se passe, c'est toujours la même histoire. Il a fait couler l'entreprise et escroqué les clients. Alors... »

Theo se tut. Il ne comprenait pas pourquoi ces souvenirs refaisaient surface à cet instant ni pourquoi il les racontait à ce communiste chinois. Était-ce parce que, comme son père avant eux, Chang An Lo et lui voyaient leurs espoirs réduits à néant ?

Chang l'invita à poursuivre.

Theo prit une cigarette, mais il ne l'alluma pas. Il la fit rouler entre ses doigts.

« Alors mon père a pris son fusil. Il a tué mon frère. Derrière le bureau où il était assis. Puis il s'est fait sauter la cervelle. C'était... atroce. Il y a eu un scandale effroyable et ma mère a fait une surdose de je-ne-sais-quoi. Après les funérailles, je suis venu ici. Voilà. Dix ans après, je suis encore là.

— La Chine est honorée.

— Question de point de vue.

— Je suis sûr que Li Mei partage mon opinion. »

Theo avait envie de le croire.

« Puis-je vous poser une question ? demanda Chang.

— Allez-y.

— Est-ce que l'union d'un Européen et d'une Chinoise pose beaucoup de problèmes ? Dans votre monde.

— Ah ! »

Theo caressa la broderie fine de sa robe chinoise et éprouva tout à coup de la sympathie pour le jeune homme.

« Pour être honnête, oui. D'énormes difficultés. »

Chang ferma les yeux. Theo lui tapota l'épaule.

« C'est extrêmement compliqué. »

53

Lydia avait l'impression d'être enfermée dans une carapace glacée.

Elle essayait de la briser, sans succès. Elle sentait ses organes s'endormir, l'un après l'autre. Ils l'abandonnaient. Ils détestaient le froid. C'est seulement quand elle sentit de la chaleur entre ses jambes qu'elle se réveilla.

Elle ouvrit les yeux. Pour constater que l'obscurité était totale. Elle essaya de bouger, mais elle avait envie de dormir. Où se trouvait-elle ?

La douleur lui arrivait par saccades. Dans la jambe, à la tête. Sa joue touchait quelque chose de dur.

Elle avait ramené les genoux sur la poitrine. Elle se rendit compte qu'elle était allongée en chien de fusil. Elle tendit le bras et toucha une surface métallique. Les battements de son cœur résonnaient comme le tonnerre à son oreille.

Où était-elle ?

Elle tenta de s'asseoir. Elle dut s'y reprendre à trois fois. Lorsqu'elle réussit, elle se sentit plus mal encore. Pas à cause de la douleur aiguë dans sa jambe, ni parce que sa tête tournait et que des éclairs l'aveuglaient, mais parce que sa tête heurta le plafond. Elle était enfermée dans une boîte en métal.

Elle se souvint des mots de Chang.

Ils m'ont mis dans une caisse métallique.
Trois mois, peut-être plus.

Son estomac se serra et elle vomit un liquide amer puis se mit à crier.

Elle essayait de se frayer un chemin parmi les toiles d'araignée. Elles lui collaient aux yeux. Une araignée s'introduisit dans sa narine.

Dès qu'elle ouvrit les yeux, elle eut envie de retourner à son cauchemar. La réalité était pire. Elle s'accroupit et tâtonna pour estimer les dimensions de sa cellule. Les bras pliés, ses coudes touchaient les parois. Elle ne pouvait pas étendre les jambes. Elle examina son corps. Elle avait une bosse à l'arrière de la tête, mais pas de coupures, de fractures ni de doigt coupé. Ç'aurait pu être pire.

Elle s'inquiétait de frissonner en permanence, car ses réserves d'énergie s'épuisaient.

De temps en temps, elle perdait connaissance, ce qui la terrifiait presque autant que l'enfermement. Est-ce que le coup sur la tête lui avait endommagé le cerveau? Ou bien les évanouissements étaient-ils un moyen de repousser la peur?

Elle se roula en boule et se frictionna le corps pour se réchauffer.

Inspirer. Compter jusqu'à dix. Expirer. Lentement. Inspirer. Compter. Expirer.

Garder le contrôle. Se concentrer.

La panique reprenait sans cesse le dessus.

« Chang An Lo », murmura-t-elle.

Le réconfort qu'elle ressentit à entendre sa propre voix l'étonna.

« Comment as-tu fait pour ne pas devenir fou? »

Elle avait réfléchi à trois choses. Tout d'abord, elle se trouvait dans la boîte depuis moins d'un jour, sinon elle aurait uriné plus d'une fois, même si elle n'avait pas bu. Ne pas penser à ça. Sa bouche et sa gorge étaient sèches. Crier n'avait rien arrangé. Elle avait été stupide de gaspiller ses forces.

Ensuite, elle devait se trouver dans une cave, car la température semblait constante.

Enfin, la boîte devait être pourvue de trous d'aération, sinon elle serait déjà morte. Elle passa les doigts sur les parois pour les trouver.

54

Quel homme étrange.

Chang ne comprenait pas le professeur. Il ne possédait pas la sagesse d'un homme instruit. Parfois il portait des vêtements d'Occidental, d'autres fois des tenues chinoises. Il parlait tantôt mandarin, tantôt anglais. Il mangeait des plats chinois et couchait avec une Chinoise, mais il buvait au *Ulysses Club* avec son ami *fanqui*. Il y avait des recueils de poésie de Han-Shan dans sa bibliothèque et pourtant il était fou comme un Anglais. Il voulait prendre plusieurs chemins à la fois.

Cela le rendait dangereux.

Et la boue étrangère avait fini de le changer en étoile de ninja.

Les rêves où Lydia apparaissait devenaient plus fréquents et angoissants.

Il était avec elle dans une cave, dans les montagnes. Dehors, des loups hurlaient continuellement. Le blizzard s'engouffrait dans la cave. Mais au milieu de la tempête, ils étaient dans les bras l'un de l'autre ; les cheveux de Lydia faisant fondre la neige et éclairant l'obscurité. Les mains de Chang étaient intactes quand il la déshabillait. Lydia avait une cicatrice circulaire sur un sein, la trace d'un coup de couteau, et lorsqu'il lui prit le visage entre les mains, il se changea en museau de lapin blanc aux yeux rouges. Il avait un fil de fer serré autour du cou.

« Chang An Lo. »

C'était Li Mei.

« Bois ça. »

Il avala la décoction.

« Elle n'est pas venue ?

— Non. »

Li Mei lui posa un linge frais et parfumé sur le front et éponge a la sueur de son visage.

« Patience. La fille aux cheveux de feu viendra demain. Elle t'aime. »

Il ferma les yeux et se concentra sur le souvenir de Lydia en train de rire puis sur son regard enthousiaste quand elle lui avait fait part de son projet de devenir une résistante communiste. Son cœur battait assez fort pour réveiller les dieux. Il l'aimait. Il la voulait près de lui pendant le combat. Elle était au centre de son être, elle était dans son souffle et dans chacune de ses pensées. L'amour était un terme trop faible. Il tenta de l'atteindre en pensées, mais il ne trouva que les ténèbres.

Puis une idée lui vint à l'esprit.

« Li Mei ?

— Oui.

— Demande au professeur s'il veut bien venir. »

Lydia trouva les trous. Elle en compta six, dans un coin en haut. Elle pouvait y glisser le petit doigt. Elle sentit un tissu sur la boîte.

L'espoir de le faire glisser était cruel. Elle essaya de ne pas y penser. La lumière pénétrerait peut-être. Elle lui paraissait plus vitale que l'eau. Lydia voulait s'assurer que le coup ne l'avait pas rendue aveugle. Elle passa un auriculaire dans un trou et fit bouger le tissu d'un millimètre. L'opération allait être longue. Elle posa le coude sur son genou et continua en s'efforçant de ne pas trop espérer.

Qu'allaient-ils faire d'elle?

Pourquoi était-elle là?

Qui la retenait prisonnière?

Les Serpents noirs? Po Chu? Le Kuomintang?

Quand la ferait-on sortir?

Qu'avait-on l'intention de lui faire?

La faire parler?

Comment?

Avec des couteaux? Des pinces? En la fouettant? En la marquant au fer rouge? En la violant?

Chang An Lo, mon amour, donne-moi la force.

Le tissu glissait. Soudain, elle le sentit tomber. Rien ne changea. Pas de lumière. Pas une lueur. Déçue, elle fondit en larmes.

Non. Il ne fallait pas pleurer et risquer de s'épuiser un peu plus. Il ne fallait pas s'apitoyer.

Elle était épouvantée de l'importance qu'avaient prise ces quelques trous. Pour affronter ce qui l'attendait, elle devait garder le contrôle. Pour survivre. Elle approcha le visage des ouvertures et inspira profondément.

Elle lécha les gouttes de condensation à la surface du métal et se sentit plus optimiste. Elle songea qu'on remarquerait son absence et qu'on se mettrait à sa recherche si elle ne rentrait pas à la maison ce soir.

Pour ce qu'elle en savait, la nuit était peut-être déjà bien avancée. Peut-être qu'on la cherchait en ce moment même avec des chiens et des torches. Ses frissons s'arrêtèrent un instant et elle ouvrit les yeux. Elle voulait se préparer à leur arrivée.

Maman, ne prends pas ça à la légère. C'est ma vie qui est en jeu. Maman. Fais quelque chose.

Valentina gifla Chang An Lo.

« Espèce de sale porc de jaune, où est Lydia ? Qu'est-ce que tu as fait d'elle ? Où tes amis l'ont-ils emmenée ? Parle, saloperie de kidnappeur. Si elle est blessée je jure que... »

Theo saisit le poignet de Valentina et l'éloigna de Chang.

« Assez. Cela ne sert à rien. »

Elle jura en russe et Theo s'attendit à recevoir une claque lui aussi, mais Valentina se libéra et regarda tour à tour les trois hommes présents dans la pièce comme si elle allait leur arracher les yeux.

« Trouvez-la ! » hurla-t-elle.

Le visage cramoisi de rage, elle passa la main dans sa chevelure dépeignée.

« Toi, le communiste, tu sors d'ici et tu la ramènes. Parce que si tu ne le fais pas, je te dénonce à la police et tu seras pendu, alors... »

Theo l'interrompit.

« Laissez-le parler. Alfred, pour l'amour de Dieu, calmez-la. Elle a perdu la tête. Chang An Lo n'a pas kidnappé Lydia, il n'a pas quitté la maison et puis de toute façon, regardez-le. »

Chang titubait. Son visage était cireux, sauf à l'endroit où Valentina l'avait giflé.

« Il va tomber.

— Non, rétorqua Chang. Mme Parker a raison.

— Comment ?

— On doit commencer les recherches tout de suite. »

Sa voix tremblait et Theo se demandait si c'était dû à la fièvre, à la gifle de Valentina ou à la disparition de Lydia. Quoi qu'il en fût, il avait l'air mal en point.

Alfred, qui se tenait jusqu'alors près de la porte sans rien dire, se manifesta.

« Prévenez la police. Elle saura quoi faire. Les agents ont l'habitude des kidnappings. Ils la localiseront et poursuivront les coupables. S'il y en a. Ne cédons pas à la panique, ma chère. Elle est peut-être simplement allée faire quelque chose sans nous avertir. Tu sais comment elle est.

— *Gospodi!* Ne me prends pas pour une idiote. »

Valentina se tourna vers Chang.

« Dis-moi, le communiste, que s'est-il passé ?

— Je ne sais pas vraiment, mais j'ai mon idée.

— C'est-à-dire ?

— Les Serpents noirs la retiennent prisonnière.

— Qui sont ces vermines ?

— Une organisation secrète, expliqua Theo. Mais pourquoi voudraient-ils Lydia ? »

Chang ne gaspilla pas ses forces à répondre. Il chaussait déjà ses bottes.

« Vous avez raison, madame Parker, je vais y aller.

— Du calme, mon vieux, vous n'êtes pas en état d'aller arpenter les rues. »

Chang attrapa son manteau et lança sèchement :

« Et Lydia, dans quel état est-elle ?

— La police…, reprit Alfred.

— Si vous la faites intervenir, dit Chang en regardant Valentina, les choses traîneront et la nouvelle de la disparition se répandra. Cela pourrait être fatal à Lydia. Et puis vous devrez leur dire que j'étais ici et le professeur ira en prison. »

Alfred intervint.

« Écoutez, jeune homme, ce n'est pas… »

Valentina fit signe qu'elle abandonnait.

« M. Willoughby peut moisir en prison pour l'éternité, je m'en fous, mais qu'on me ramène ma fille. Trouve-la. »

Theo ne s'offusqua pas. La passion se moquait bien de la raison. Sinon, il n'aurait pas vécu avec Li Mei. Et les méthodes de recherches de Chang seraient sans doute plus efficaces que celles de la police, tant qu'il tenait debout, bien sûr.

« Mais la police voudra d'abord l'interroger, fit observer Alfred, pour savoir quel… »

— Vous perdez votre temps, Alfred », dit Theo en posant la main sur l'épaule de son ami.

Chang sortit de la pièce.

« Que Dieu vous garde », murmura Alfred.

Theo croyait plus à l'efficacité du couteau de Chang.

55

Lydia attendait dans le noir, tous les sens aux aguets. Elle savait qu'ils finiraient par venir lorsqu'ils seraient sûrs qu'elle était affaiblie, pour commencer, comme lui avait dit Chang, à « s'amuser ». Cette idée la paralysait.

Pour se défendre, il lui faudrait puiser dans ses ressources mentales et elle commença à se préparer. Aux questions, à la douleur.

La nudité, le froid et l'obscurité totale lui avaient paru insurmontables quelques heures plus tôt, mais à présent, elle les reléguait dans un coin de son esprit.

C'était une affaire de priorités.

Elle se remémora en détail des événements joyeux de son enfance avec sa mère : des éclats de rire, des contes russes à l'heure du coucher, l'interprétation de la *Danse des cygnes* de la main gauche pendant que sa mère jouait de la droite. Elle repensa aussi au plongeon dans la rivière par une chaude journée d'été pour ramener des squelettes de poisson à la maison et aux batailles de boules de neige dans la cour de l'école avec Polly.

Pourquoi son amie l'avait-elle trahie ? Lydia l'avait pourtant suppliée de garder le silence. Et même si Polly avait cru bien faire en racontant tout à son père, ses bonnes intentions s'avéraient inutiles maintenant que Lydia était dans cette boîte.

Elle chassa Polly de ses pensées. Elle avait besoin de se rappeler de bons souvenirs pour être forte. La rivière aux lézards. Le contact de la peau chaude de Chang An Lo. L'odeur de ses cheveux. Son sexe dans sa main. En elle.

Elle pouvait survivre.

Elle survivrait.

Le bruit retentit comme un coup de fusil. Il fallut un moment à Lydia pour l'identifier. On tirait un verrou pour ouvrir la porte. Ensuite vint un bruit de pas sur le plancher. Quelqu'un descendait-il un escalier ? Elle s'y était préparée pour maîtriser la panique. Se concentrer. Respirer.

Mais son pouls s'emballa. La terreur s'emparait d'elle.

« Il y a quelqu'un ? » demanda-t-elle.

Pour toute réponse, elle obtint un filet éraillé en mandarin et un coup sur la boîte. Elle ne dit plus rien. Au moins, de la lumière s'infiltrait par les trous d'aération. Même si ce n'étaient que de maigres lueurs, elle leur consacra toute son attention. Provenaient-elles d'une bougie ? D'une lampe à huile ? Elle parvenait à voir son corps. Elle avait un bleu sur la cuisse. Après un temps aussi long dans l'obscurité, la lumière l'aveuglait un peu, mais elle en aurait voulu plus encore.

On traînait quelque chose sur le sol. Lydia se tenait immobile.

Soudain, de l'eau coula par les trous. Elle plaça son visage dessous, ouvrit la bouche et, sans réfléchir, but. Aussitôt, elle sentit le goût affreux d'un liquide sablonneux. Elle vomit puis se frotta la langue avec le poignet.

L'eau continuait de couler.

« Hé, arrêtez », dit-elle.

Un rire masculin retentit puis on frappa sur la boîte.

« *Qing*. S'il vous plaît. Arrêtez! »

Le débit augmenta. La boîte commençait à se remplir et Lydia claquait des dents.

Se concentrer.

Respirer profondément.

Elle avait de l'eau jusqu'à la taille. Elle tambourina contre le métal.

« *Qing*. S'il vous plaît. »

Mais le rire devint retentissant: un ricanement frénétique.

Le sang lui battait aux tempes dans un tintamarre assourdissant. Pourquoi voulaient-ils la noyer? Pour donner une leçon à Chang An Lo?

Mon amour. Mon amour.

L'eau glacée atteignit sa poitrine puis son cou. Lydia avait l'impression d'être paralysée. Dans un accès de rage, elle martela de nouveau la paroi métallique.

« Laissez-moi sortir, sales meurtriers, bâtards du diable. Je ne veux pas mourir, je ne veux pas... »

Le niveau de l'eau arriva jusqu'à sa bouche. Elle inspira une dernière fois, retint sa respiration et ferma les yeux. L'eau pénétrait dans ses narines. Ses genoux furent agités de tremblements qui se propagèrent à tout son corps. Dans ses pensées l'attendait le sourire de Chang An Lo. Elle embrassa ses lèvres chaudes.

Chang s'accroupit dans le jardin près de la remise. D'une certaine façon, ici, il se sentait plus près de Lydia. L'aube colorait à peine le ciel, mais une grive lançait déjà son cri d'alarme du haut d'un saule nu. Un chat *fanqui*, dont la silhouette se fondait dans la pénombre, faisait le tour de la pelouse gelée, le poil ébouriffé par le vent soufflant des collines du nord.

Chang était entré dans l'abri de jardin, y avait vu le sang et posé la main sur la cage vide. Il avait promis à Chu Jung, le dieu du feu et de la vengeance, de lui rendre grâce toute sa vie et de lui faire des offrandes si le sang était celui du lapin et pas celui de Lydia.

Il avait passé la nuit à chercher ceux dont les yeux voyaient. À deux reprises, il avait joué du couteau parce qu'il avait été empoigné par des hommes à la solde de Po Chu. La fièvre n'avait pas trop affaibli ses réflexes : un coup de talon dans le foie, un coup de poing du tigre à la gorge et la lame de son couteau dans les côtes, pour être bien sûr. Mais avant d'envoyer ses assaillants rejoindre les esprits de leurs ancêtres, Chang leur avait demandé où se trouvait Po Chu, où étaient son quartier général et ses refuges.

L'un des hommes avait répondu et Chang avait suivi la piste qu'il lui avait fournie, mais elle l'avait guidé dans une ruelle sombre où planait la mort. Po Chu se montrait prudent. Il ne restait jamais longtemps au même endroit, s'esquivant la nuit avec la vigilance de la chauve-souris face au danger. Chang ne parvenait pas à approcher Po Chu.

«Po Chu, je jure par les dieux que je te traquerai et que je te ferai manger tes entrailles si tu touches à un cheveu de ma fille renard !» hurla-t-il dans les rues obscures de la vieille ville où dans des recoins des yeux l'observaient. Chang portait l'odeur du sang et ils le sentaient.

Il attendit l'aube. Il lui semblait que du plomb coulait dans ses veines, car il était changé en porteur de mort. Elle le suivait, marchait en silence dans ses pas, lui soufflait son haleine putride dans le cou. D'abord Tan Wah, maintenant Lydia. Chang savait qu'elle allait mourir bientôt. Même si c'était lui que Po Chu voulait capturer et que Lydia était seulement un appât, le fils diabolique de Feng Tu Hong se délecterait de la tuer. Il lui trancherait la gorge pour se venger de la honte que lui avait infligée Chang. S'il avait cru une seule seconde que s'il se constituait prisonnier, Po Chu libérerait Lydia, il se serait mis à genoux et aurait jeté son couteau. Mais il savait que Po Chu les tuerait tous les deux. Après s'être amusé avec eux.

Chang arracha une poignée d'herbe gelée et se l'enfonça dans la bouche pour retenir un cri de douleur. Aimer vous déchirait le cœur. Ce sentiment l'attendrissait et faisait battre son cœur quand les corbeaux venaient le déchirer de leurs becs voraces. Chang se prit la tête dans les mains. L'amour le rendait aussi vulnérable qu'un chaton endormi. Comment pouvait-il combattre quand tout ce qu'il désirait était de protéger non plus la Chine, mais Lydia ?

Il mordit son moignon de doigt et laissa la douleur l'envahir. Cependant, elle ne le libéra pas du boulet qui entravait sa marche. Il se rappela la doctrine de Mao Tsé-toung selon laquelle les besoins de la partie doivent être subordonnés à ceux de l'ensemble. Il savait que c'était la seule manière de progresser, mais à cet instant précis, ses convictions lui étaient aussi utiles qu'un âne dans une maison de jeu.

Lui, fort et déterminé, était un élément important dans le combat communiste. Elle n'était qu'une fille. Une *fanqui*.

Il restait encore un moyen de la trouver et de la sauver, même s'il signait son arrêt de mort. Est-ce que ce serait trop égoïste ? Donner sa vie pour celle de la fille qu'il aimait, au lieu de l'offrir à son pays ?

Lydia, dis-leur ce qu'ils veulent entendre. Ne leur montre pas les dents.

Il recracha l'herbe, se releva et se mit en chemin à grandes enjambées dans la lumière matinale.

56

La boîte fut remplie d'eau à deux reprises encore. L'opération durait chaque fois un peu plus longtemps. Lydia vomissait, inspirait la moindre bouffée d'air. Sa vue se troublait. Elle avait envie de mourir, mais son instinct de survie était plus fort.

L'homme au rire satisfait appréciait sa tâche. Il n'arrêtait pas de taper sur la boîte, monologuant d'une voix aiguë en mandarin. Quand Lydia était sur le point d'étouffer et que, les poumons en feu, elle voyait des étoiles devant ses yeux, il ouvrait une petite trappe en bas de la boîte. Lydia, à moitié morte, souffrait atrocement.

Elle perdit la notion du temps.

Elle se pinça la joue pour s'assurer qu'elle était encore en vie. Encore elle-même. Mais elle commençait à en douter.

Quand elle entendit le verrou s'ouvrir de nouveau, elle tressaillit. Elle inspira pour remplir ses poumons. Engourdie par le froid et la panique, elle se recroquevilla, attendant la prochaine torture. Mais cette fois-ci, au lieu du bruit d'un tuyau qu'on traîne, ce fut du bois. La lueur s'intensifia.

Se concentrer. Respirer. Ne pas pleurer.

Soudain, le couvercle de la boîte vola. Une main agrippa les cheveux de Lydia pour la faire sortir. La lenteur avec laquelle elle déplia ses membres ankylosés lui valut un coup sur l'oreille. Devant elle se tenait un Chinois aux yeux rapprochés et au visage anguleux. Il avait les dents rouges et, l'espace d'un instant, Lydia crut qu'elles étaient tachées de sang, qu'il mangeait une créature vivante, puis elle remarqua les graines rouge foncé qu'il tenait dans la paume de sa main.

« *Guo lai! Gi nu.* »

Lydia, les yeux plissés dans la faible lumière, regarda autour d'elle. Comme elle l'avait deviné, elle était dans une cave. Dans un angle, elle aperçut des rats. La boîte était un cube en métal posé sur un socle en bois avec une bouche d'évacuation en dessous et une petite échelle appuyée sur un côté. Lydia, trop faible, dégringola.

Ne pleure pas. Ne supplie pas.

Crache-lui à la gueule.

Lydia ne pleura pas, ne supplia pas, ne cracha pas. Elle fit ce qu'on lui demandait. Son geôlier lui passa des menottes en bois aux poignets et une corde autour du cou puis il la conduisit hors de la cave dans un couloir étroit et humide et lui fit monter cinq marches. Devait-elle essayer de se libérer?

Elle avait à peine la force de marcher. Quand elle trébuchait l'homme n'avait aucun mal à la traîner en tirant sur la corde. Pas de fuite pour l'instant. L'homme ouvrit une porte.

La chaleur la réchauffa. Elle eut envie de pleurer de bien-être, et même si cela lui parut fou, elle ressentit une vive gratitude pour ses geôliers.

Puis des rires retentissants l'étourdirent. L'intensité de la lumière lui fit mal aux yeux. Elle cilla puis observa la pièce. Un haut plafond aux poutres sculptées, un sol au carrelage rouge orné de motifs, de petites fenêtres à barreaux, des murs tendus de riches draperies brodées et des banquettes de bois alignées tout autour. Des hommes qui la montraient du doigt en riant. Vêtus de noir. Une ambiance de mort.

Un poing se leva près de son visage. Elle pencha la tête pour esquiver le coup. Les hommes éclatèrent de rire, révélant des bouches rouges, mais celui qui avait tenté de la frapper ne parut pas amusé. Il avait de larges épaules, un visage gras et luisant. Il devait avoir une trentaine d'années et les autres semblaient lui être soumis. Curieusement, il portait un costume occidental. Il jura en mandarin.

« Ah ! Voilà la pute du bouffeur de merde sans doigts, dit-il en anglais à la grande surprise de Lydia. Toi aussi tu vas perdre tes doigts. Et tes yeux. Et les rats dévoreront tes sales seins blancs. »

Ces menaces furent proférées d'une voix blanche par un jeune garçon d'une quinzaine d'années au regard affolé. Il se tenait derrière l'homme qui avait voulu la frapper. Il venait de traduire les insultes de son aîné.

Soudain elle reconnut ce dernier. Elle l'avait vu aux funérailles où Chang l'avait emmenée. C'était l'homme vêtu de blanc prostré derrière le cercueil. Le frère de Yuesheng, le fils de Feng Tu Hong, Po Chu. Elle cracha au visage de celui qui avait torturé Chang An Lo. Il la frappa violemment et grogna :

« *Ni ei xi xue hui vhun.*

— Tu vas apprendre le respect, traduisit le jeune garçon.

— Libérez-moi », siffla Lydia.

Elle sentit le goût du sang dans sa bouche.

« D'abord tu réponds aux questions.

— Je suis la fille d'un important personnage de la presse. Libérez-moi tout de suite ou l'armée anglaise va venir…

— *Bao chi !*

— Silence. »

Po Chu la saisit par les cheveux et lui tira la tête en arrière. Il lui cria au visage. Son haleine sentait l'alcool.

Il braqua le regard sur les seins de Lydia puis ses cuisses. Elle ferma les yeux.

Il lui lâcha les cheveux et tira violemment ses poils pubiens. Malgré la douleur, elle ne cria pas. Pendant que les hommes se réjouissaient du spectacle, Lydia pensa à Chang. Elle aperçut des marques de morsures sur ses avant-bras. Elle songea avec frayeur que, tel un renard pris au piège, elle avait dû se mordre dans la boîte.

Elle se redressa.

« Sir Edward Carlisle vous écorchera vivant. »

Le jeune garçon traduisit et Po Chu éclata de rire.

« Où est Chang An Lo ?

— Je ne sais pas.

— Oui, tu le sais. Parle.

— Il a fui quand les troupes du Kuomintang sont venues.

— Tu mens. »

Po Chu parlait et le jeune garçon traduisait.

« Dis la vérité. »

Cette fois-ci la demande s'accompagna d'une gifle.

« Dis la vérité. »

Elle reçut une nouvelle gifle.

« Dis la vérité. »

Les claques se succédèrent. La lèvre de Lydia se fendit. Ses oreilles bourdonnaient.

La pointe d'un couteau l'entailla tout près de l'œil et glissa le long de sa paupière inférieure.

« Il est mort ! » cria-t-elle.

La lame s'immobilisa. Les coups cessèrent. Lydia haletait.

« Quand ? Comment ? » demanda-t-il en suivant les contours du sein de Lydia avec la pointe du couteau.

Lydia sentit le sang couler.

« De maladie.

— Quand ?

— Samedi. Je l'ai amené aux quais. Je l'ai soigné… dans une vieille cabane… il est mort. »

Des larmes coulèrent sur ses joues. C'était facile. Po Chu semblait la croire. Il recula, un sourire aux lèvres, lança son couteau en l'air et le rattrapa avec un mouvement habile du poignet puis regarda fixement Lydia.

« *Guo lai.*

— Viens », traduisit le jeune garçon.

Po Chu saisit la corde et traîna Lydia à travers la pièce jusqu'à un paravent dans un angle.

« Regarde. »

Po Chu replia le paravent.

Elle aurait préféré étouffer dans la boîte.

Deux rangées d'objets étaient disposées sur une table comme des instruments chirurgicaux. Des pinces, des lames, dentelées ou fines comme des aiguilles, des marteaux, des chaînes, des colliers de cuir et des menottes.

Lydia ne parvenait plus à respirer. Son corps lui semblait anesthésié. Elle sentit un liquide chaud lui couler le long des cuisses ; son organisme tentait d'évacuer la peur. Elle ne ressentait aucune honte, elle avait laissé ce sentiment derrière elle depuis longtemps.

« Tu vois, sale pute », lança Po Chu.

Lydia sentit le plaisir anticipé dans la voix de Po Chu.

« Dis la vérité. »

Elle hocha la tête, consentant à parler.

« Où est Chang An Lo ?

— Il est mort. »

Po Chu attrapa une tenaille à dents métalliques, la soupesa, fronça les sourcils et pinça le mamelon de Lydia. Elle cria. Le sang coula. De rage, elle lui hurla au visage. Si la corde ne l'en avait pas empêchée, elle lui aurait arraché les yeux avec les dents.

« Bien, maintenant, dis la vérité », lui ordonna Po Chu en souriant.

Son menton était couvert du sang de Lydia.

57

Les hommes en uniforme gris qui entouraient Chang le malmenèrent. Un coup dans les côtes, un à l'aine. Il ne les rendit pas. Il reçut un coup de crosse sur sa main blessée et se contenta de cracher. Le quartier général, situé dans un bunker en béton aux limites de la vieille ville, caché dans l'ombre des murs d'enceinte, était gardé par deux jeunes officiers désireux d'impressionner leurs supérieurs. Lorsqu'ils aperçurent Chang dans la brume matinale, ils écarquillèrent les yeux, firent claquer leurs bottes, levèrent leur fusil puis le conduisirent dans le bureau de leur capitaine.

« C'est toi le chien de communiste qu'on recherche, lui lança l'officier du Kuomintang avec délectation. Je suis le capitaine Wah. »

Il ôta sa casquette et fouilla parmi les piles de papiers couvrant son bureau. Après quelques instants, il prit une feuille et la tint à bout de bras pour l'examiner. C'était un portrait de Chang qui circulait dans les postes de police et les casernes. Chang se demanda avec amertume lequel de ses amis avait rendu ce service et pour quel prix.

Wah observa Chang et alluma un cigare.

« On va d'abord t'interroger, rat d'égout, puis un magistrat ordonnera ton exécution. Vous autres communistes n'êtes que des peureux qui rampez comme des vers. Tu mourras, sois-en certain, alors n'aggrave pas les souffrances de la Chine par une loyauté inutile envers une cause perdue. Par le grand Bouddha, nous débarrasserons le pays de sa vermine. »

Même affaibli par la fièvre et menottes aux poignets, Chang savait qu'il pouvait casser les dents de Wah avant que le soldat qui gardait la porte n'ait le temps de réagir. C'était tentant, mais comment pourrait-il aider Lydia avec une balle dans la tête ?

« Honorable capitaine, dit Chang en s'inclinant humblement, j'ai des informations à vous fournir, comme vous l'imaginez dans votre sagesse, mais je ne les transmettrai qu'à un seul homme. »

Wah eut l'air contrarié.

« Vous seriez sage de me parler », dit-il sur un ton sec.

Il se leva puis se pencha sur son bureau d'un air menaçant.

« Faites ce que je vous ordonne ou votre agonie sera longue.

— Un seul homme. Le Russe. Celui dont le Kuomintang écoute les conseils. »

L'officier se frotta le menton. Il semblait réfléchir. Il mordit le bout de son cigare et le cracha sur le sol.

« Je crois que je vais vous exécuter tout de suite.

— Si vous le faites, je vous jure que le Russe vous fera fouetter jusqu'au sang », murmura Chang en s'inclinant.

58

Theo monta dans la Rolls-Royce quand elle s'arrêta en ronronnant sur le bord du trottoir.

Il respira l'odeur du cuir.

« Bonne journée à vous, Feng Tu Hong.

— Vous avez demandé à me voir, Willoughby. Je suis ici. Je vous écoute. »

Theo, assis sur la banquette arrière à côté de Feng Tu Hong, observa son ennemi. Il était enveloppé dans un long manteau gris à grand col de fourrure argentée et portait des gants de chevreau gris pâle, mais même dans cette tenue, il avait l'air d'un buffle prêt à charger.

Theo sourit.

« Vous avez l'air en forme, Feng.

— Oui, mais je ne suis pas enchanté.

— Je vous suis reconnaissant que vous m'accordiez quelques instants de votre journée chargée.

— Pour un homme comme moi avec autant d'affaires sur les bras et sans un fils pour l'épauler, elles le sont toutes. »

Theo observa la nuque du chauffeur à travers la cloison vitrée. Dans la rue, quelques flocons de neige volaient au vent. Feng lui avait fourni l'entrée en matière, mais Theo devait procéder avec précaution.

«Je suis attristé de savoir que Po Chu ne vit plus chez vous. Le cœur d'un père doit être lourd quand son fils unique le quitte avec des mots si durs.

— Fille ou fils, le cœur d'un père saigne.

— Je suis venu vous parler de Po Chu.

— C'est un scarabée inutile qui n'a sa place que dans les égouts.

— Je crains qu'il ne les quitte bientôt pour la prison.»

Feng enfonça le cou dans son col et jeta un regard noir à Theo.

«Vous mentez.

— Non, je dis la vérité. Votre fils a kidnappé une *fanqui*, la belle-fille d'un journaliste britannique qui fera appel à la puissante armée de son pays pour éliminer les notables de Junchow si elle n'est pas libérée immédiatement.»

Feng agrippa la canne en ivoire qu'il avait sur les genoux. Il ne disait rien et respirait bruyamment.

«Une telle antipathie entre nos peuples nuira à... vos affaires, poursuivit Theo.

— Que voulez-vous, Willoughby? grommela Feng.

— Je veux savoir où Po Chu la retient prisonnière.

— Ah! Vous m'enlevez ma fille et maintenant vous voulez mon fils. Prenez garde, l'Anglais, à ce que je ne vous enlève pas la tête.

— Non, Feng, c'est la prisonnière que je veux, pas votre fils. Si je peux la récupérer rapidement, Po Chu ne sera pas blessé. Je suis venu vous avertir du danger qui l'attend.

— Mon fils m'a désobéi comme son frère et sa sœur l'ont fait avant lui. Il est banni de ma maison, mais ça m'attriste, car quelle que soit la jeunesse de mes maîtresses, je ne peux plus avoir de fils. Ma tige est encore verte, mais ses graines sont sèches même si je mange de la viande de tigre. Je vieillis.»

Il passa la main dans ses cheveux grisonnants avec dégoût.

«J'ai besoin de mon fils.

— Les tribunaux anglais le feront pendre. »

Feng regarda Theo avec une expression désespérée.

« Je veux qu'il vive, si inutile soit-il.

— Il lui reste une chance si je retrouve la fille avant que les autorités n'interviennent. »

Feng se pencha vers Theo, qui s'efforça de ne pas laisser paraître son animosité. Il n'oubliait pas que cet homme avait fait atrocement souffrir Li Mei et causé ses propres problèmes avec Mason.

« Très bien, Willoughby. Je vous fais confiance, puisque je n'ai pas le choix. Po Chu est beaucoup trop prudent pour laisser aucun de mes gens l'approcher, mais vous, c'est différent. Peut-être pouvez-vous lui parler puisqu'il ne voit pas en vous une menace. »

Il poussa un profond soupir qui agita tout son corps.

« Mes yeux secrets me disent qu'il se cache dans une ferme avec ses hommes. Près des Sept Bois, à l'est de la ville. »

Ses yeux noirs étaient rivés sur Theo.

« Sauvez-le, professeur. Pour moi. Pour son père. »

Theo fit oui de la tête.

« Quand ce sera terminé, si Po Chu est vivant, je vous donnerai mon prix », conclut-il.

Il descendit de voiture.

« Alfred.

— Dieu merci, Theo, vous êtes venu. »

Alfred, d'ordinaire d'une tenue irréprochable, portait une veste froissée. Il avait l'air épuisé.

« Alors, ça a marché ?

— J'ai des informations.

— Vous l'avez trouvée ?

— Pas encore. »

Theo accepta le verre de whisky que lui tendait Alfred.

« Comment va Valentina ?

— Elle est folle de rage. Doux Jésus, je ne supporte pas de la voir souffrir ainsi. La police est plus qu'inutile ; les recherches sont si lentes.

— Vous n'auriez pas dû la prévenir si tôt.

— Désolé, mon vieux, mais il le fallait. Écoutez, je ne leur ai pas dit que l'ami chinois de Lydia était un communiste en fuite, alors vous ne devriez pas faire l'objet de poursuites. Mais dites-moi vite ce que vous savez.

— Ils la séquestrent dans une ferme. »

Theo ne savait pas ce qu'il devait révéler à Alfred parce qu'il ne voulait pas que la police dispose de toutes les informations. Cependant il aurait besoin de quelqu'un pour le soutenir.

« Je vais y aller incognito pour tenter de passer un marché avec Po Chu.

— Formidable.

— Vous m'accompagnez ?

— Bien entendu.

— Prenez une arme. »

« Écoute, Alfred, demandez à Liev Popkov de venir avec vous.

— Qui ?

— Allons, tu dois bien te souvenir de lui. Le Russe saoul qui a fait irruption à la fête de notre mariage. Je sais où il vit et je peux envoyer quelqu'un le chercher tout de suite.

— Ah oui. Bonne idée. Il est bien bâti.

— Faites attention tous les deux. Monsieur Willoughby, je ne veux pas perdre mon mari.

— Ne t'inquiète pas, Valentina. Si Dieu le veut, je reviendrai. Avec Lydia. C'est ma fille aussi maintenant.

— Oh Alfred, si tu le fais, j'embrasserai le sol sous tes pas jusqu'à ma mort... que Dieu le veuille ou non. Viens par ici.

— Doucement ma belle, Theo nous regarde.

— Qu'il regarde. »

La route était si cahoteuse qu'elle eut presque raison du carter de la Morris Cowley de Theo. C'était un chemin de terre perdu dans les champs encore nus qui s'étendaient à perte de vue. Au printemps, quand le blé commencerait à pousser, ils seraient verts, mais c'était l'hiver et ils semblaient couverts de cendre. Déprimants sous un ciel plus gris encore. Theo jurait en se battant avec le volant pour éviter les trous. Alfred fumait sa pipe sans rien dire et le calme avec lequel il tirait les bouffées irritait Theo, dont le cœur s'emballait. Bon sang, il aurait aimé emporter sa pipe porteuse de rêves pour calmer ses nerfs.

« Alfred, soyez aimable et cessez d'envoyer des signaux de fumée, je vous prie. »

Alfred dévisagea son ami un instant, puis baissa la vitre et jeta sa pipe sur la route.

« C'est mieux ? »

Theo ne répondit pas. Il se concentrait sur la conduite. À l'arrière, le grand Russe s'esclaffa.

La route conduisait à un chemin de berger. Theo gara la voiture derrière les quelques pins que Feng Tu Hong avait appelés un bois. Les trois hommes continuèrent à pied et s'accroupirent à environ cinq cents mètres de la ferme pour l'observer. Elle comprenait plusieurs bâtiments d'un étage en bois, qui formaient trois côtés d'un carré. Le quatrième était un mur de pierre avec un grand portail en chêne.

Ils attendirent une demi-heure. Une volée de corbeaux apparut dans le ciel et se posa sur la terre nue devant la maison pour chercher de la nourriture. Lorsque l'un d'eux s'envola et vint croasser dans les airs au-dessus des trois hommes, Theo espéra que ce n'était pas un mauvais signe.

« Toujours rien », lança-t-il lorsque la montre d'Alfred sonna deux heures.

Ils regardaient fixement le portail dans l'espoir qu'il s'ouvre.

« Nous ferions aussi bien d'aller voir de plus près. Po Chu et moi avons de vieux différends à régler.

— Vous connaissez cet homme ?

— Oh oui. C'est le frère de Li Mei.

— Vous auriez dû le dire.

— Je viens de le faire.

— Alors c'est une affaire personnelle ?

— Non, je suis venu pour Lydia.

— Je vois. »

Soudain, le Russe borgne s'étira et marcha jusqu'à un petit buisson.

« Restez ici. »

Il fit un signe pour attirer leur attention sur la montre de Theo.

« Dans une heure.

— Vous voulez que nous restions ici pendant une heure ? demanda Alfred.

— *Da.*

— Et ensuite ?

— Vous allez là, répondit Liev avec un geste vers le portail.

— Et vous ? Où serez-vous ? »

Le Russe grommela quelque chose dans sa langue et pénétra dans le buisson. Avec son grand manteau gris, il se fondait dans le paysage.

« Dieu tout-puissant », marmonna Theo.

Alfred ôta ses lunettes et les nettoya méticuleusement.

Theo frappa au portail. Alfred fit tinter une petite cloche en bronze pendue à une chaîne et presque aussitôt une petite ouverture s'ouvrit. Un Chinois les dévisageait.

« Je suis venu parler à Po Chu. Informez votre maître que le vénérable Theo Willoughby est ici. Faites vite. Le froid est pareil au souffle du diable », dit Theo en mandarin.

L'homme regarda Theo puis Alfred et encore Theo.

« Il n'est pas là », dit-il avant de refermer l'ouverture.

Alfred tambourina du poing sur la porte.

« Ouvrez, bon sang. »

À leur grande surprise, ils entendirent une clef qu'on tournait dans la serrure et la porte s'ouvrit. Devant eux, un vieux Chinois coiffé d'une tresse était étendu sur le sol. À côté de lui se tenait Liev, une bûche à la main.

« Liev ! s'exclama Alfred. Comment…

— Peu importe comment il est entré, coupa Theo. Commençons notre fouille. »

Il sortit son revolver. Le Russe, quant à lui, tira deux pistolets à long canon de sa ceinture et Alfred agita un petit Smith & Wesson en direction des bâtiments. Theo était dans un état d'excitation qu'il apprécia presque autant que l'opium par une nuit d'orage sur le Peiho. Il courut jusqu'à la porte la plus proche, mais à l'intérieur les pièces étaient vides. Ils fouillèrent chaque bâtiment et chaque remise de fond en comble et ne trouvèrent qu'un fermier, ses deux fils et quelques femmes. L'une d'elles leur apprit que Po Chu était parti deux jours plus tôt avec ses hommes. Liev poussa un grognement de frustration. Ils étaient arrivés trop tard.

59

Assise les genoux contre la poitrine, une main sur sa blessure pour arrêter le saignement, Lydia essayait de supporter la douleur. Elle n'aurait pas cru se réjouir d'être de nouveau dans la boîte, mais elle avait pleuré de soulagement quand ils l'y avaient enfermée.

Elle s'en était tenue à sa première version. Si elle parvenait à convaincre Po Chu de la mort de Chang, elle pourrait peut-être survivre. *Non. Ne pense pas à ça. C'est trop irréaliste. Pense à la seconde qui va venir. Pense à l'instant présent.*

Il l'avait frappée encore à quelques reprises, mais rien de plus. Il semblait avoir satisfait un besoin vital en regardant couler le sang de Lydia et en se léchant le menton pour le goûter. Mais comme un toxicomane, il en voudrait plus. La douleur cuisante avait cependant tiré Lydia de la torpeur dans laquelle elle s'était glissée et où la mort l'attendait les bras ouverts. Avoir mal signifiait être en vie.

Elle invoqua sa petite armée pour éloigner la peur: Chang, sa mère, Alfred. Même Polly.

Je peux y arriver. Je suis douée pour la survie.

Elle entendit le verrou qu'on ouvrait.

Elle gonfla ses poumons d'air, prête à affronter l'eau. Mais au bruit, les pas qui se rapprochaient semblaient plus lourds et moins assurés que les autres fois. Que lui verserait-on dessus ? De l'huile bouillante ? De l'acide ?

Le couvercle s'ouvrit. Po Chu la saisit par les cheveux. Elle s'extirpa tant bien que mal de la boîte puis il la jeta au sol en ricanant. Elle se leva, mais tomba aussitôt. Encore un rire méchant. Elle reçut un coup de pied aux fesses et parvint à se lever.

Po Chu était saoul. Son haleine et la sueur qui perlait à son front sentaient le *maotai*. Il lui saisit le bras et la poussa contre un mur. Il lui mordit les lèvres et l'embrassa à pleine bouche. Elle suffoquait.

Il eut un rire qui ressemblait au hennissement d'un cheval. Il lui maintint les poignets et se pressa contre elle. Elle ne résista pas. Au contraire, elle se frotta contre lui. Haletant, il suça son sein blessé, lui causant une douleur aiguë, mais elle gémit en continuant d'onduler. Il lui lâcha un poignet et elle glissa la main dans son pantalon. Le grognement de plaisir qu'il poussa la dégoûta. Il passa un bras autour de sa taille et libéra l'autre poignet de Lydia pour baisser son pantalon. Elle s'occupait de son pénis pour le distraire pendant qu'elle glissait la main sous sa veste, où ses doigts rencontrèrent étui à pistolet.

Elle écarta les jambes en tirant l'arme du holster, plaça le canon contre les côtes de Po Chu puis appuya sur la gâchette.

Rien ne se passa.

Il lui cria quelque chose en lui postillonnant au visage et tenta de saisir le revolver, mais elle lui asséna un coup de crosse sur la tête. Po Chu tomba à genoux, mais il s'agrippa à Lydia pour se relever.

Elle avait le souffle coupé, mais toute sa lucidité.

Elle se souvint des mots de Chang : *Tu tuerais s'il le fallait.*

Elle chercha le cran de sécurité, visa le visage de Po Chu et tira.

La déflagration le projeta à terre. Son visage s'était changé en cratère noir vomissant des éclats d'os. Lydia tenait l'arme d'une main tremblante. Elle n'éprouva aucun malaise, contrairement à ce qu'elle craignait, poussa un cri retentissant de satisfaction et se mit à courir.

Elle se perdait dans les couloirs à la recherche d'une porte de sortie, mais toutes ouvraient sur une nouvelle pièce. Elle entendait des voix derrière elle. Elle tirait sur des ombres. Une balle lui écorcha l'épaule. Elle se jeta dans une pièce où deux petits enfants tremblaient de peur sous une peau de tigre, saisit un tabouret et le lança sur une fenêtre. La vitre se brisa et un vent froid s'engouffra dans la pièce.

Elle sauta dehors, sentant à peine la douleur, et se retrouva dans un potager. Elle fut surprise qu'il ne fasse pas nuit, mais elle ne savait pas si la faible lumière grise était celle de l'aube ou du crépuscule. Elle se tourna, tira dans le vide et reprit sa course. Elle passa devant une étable. Des chiens aboyaient. Elle atteignit un champ puis un sentier. Elle entendait les balles siffler derrière elle et des hommes crier. Soudain, elle tomba sur des Chinois disposés en rang. Quelqu'un la saisit. *Non, pas maintenant qu'elle venait de s'enfuir!*

« Non! hurla-t-elle en pointant le revolver sur le visage de l'homme qui la tenait.

— Lydia, c'est moi. »

Elle cessa de crier, baissa son arme, cilla.

« Tenez. »

On lui passa un manteau sur les épaules.

« Tout va bien. Vous êtes en sécurité maintenant. »

Elle reconnut enfin l'homme qui se tenait devant elle.

« Alexei Serov », dit-elle.

Aussitôt, elle lui vomit sur la poitrine.

60

« **M**aman?
— Qu'y a-t-il ma chérie?
— Tu n'as pas besoin de rester là toute la nuit.
— Chut. Dors maintenant.
— Je vais bien, tu sais.
— Bien sûr. Alors ferme les yeux et fais de beaux rêves. »

Valentina, assise sur une chaise basse à côté du lit de Lydia, les coudes sur la couverture, le menton sur les mains, contemplait le visage de sa fille. La fatigue avait creusé ses rides. Pour la première fois, Lydia imaginait à quoi elle ressemblerait quand elle serait vieille. Elle lui adressa un sourire furtif. Elles savaient toutes les deux que les rêves de Lydia n'étaient pas agréables. À l'hôpital, les médecins lui avaient administré des drogues contre la douleur qui l'avaient étourdie, mais ne lui avaient pas épargné les cauchemars, alors depuis qu'elle était rentrée, elle refusait de prendre quoi que ce soit et restait éveillée.

Sa mère veillait à son chevet depuis trois jours pour être là chaque fois que Lydia ouvrait les yeux. Quand elle fredonna l'ouverture de *Roméo et Juliette* au petit matin, Lydia pleura.

« Où est-il, maman ?

— Qui ? »

Lydia tendit la main pour la poser sur celle de Valentina.

« Tu sais bien qui.

— Il est prisonnier.

— Où ?

— Comment le saurais-je, *dochenka* ?

— Qui l'a fait prisonnier ?

— Les Chinois, évidemment. Tu sais comment ils sont : toujours querelleurs.

— Tu veux dire que le Kuomintang l'a arrêté ?

— Oui, je suppose. Ceux qui portent ces affreux uniformes de paysans.

— Il est en vie ? »

Valentina poussa un soupir théâtral et l'expression de son visage s'adoucit.

« Oui. Ton fichu communiste est vivant.

— Comment tu le sais ?

— J'ai demandé à Alfred de se renseigner. Pas la peine de prendre cet air réjoui. Il n'est pas pour toi. Oublie-le.

— Je l'oublierai le jour où j'oublierai de respirer.

— *Dochenka !* Tu en as suffisamment supporté. Arrête ces idioties.

— Je l'aime, maman.

— Alors tu dois lutter contre cet amour.

— Je ne peux pas. Encore moins qu'avant. »

Valentina se redressa sur sa chaise, reposa doucement la main de Lydia sur la couverture, resserra les pans de son kimono et croisa les bras.

« Très bien, ma chérie. Alors dis-moi. Qu'est-ce qui se trame dans ta petite tête obstinée ? »

Il y eut un long silence. L'horloge du rez-de-chaussée sonna trois heures.

« Maman, j'ai failli mourir dans cette boîte, dit Lydia d'une voix douce.

— S'il te plaît, ma chérie, ne parle plus de ça.

— Je croyais que survivre suffirait, mais je me trompais. »

Il était sept heures et quart et le jour se levait à peine quand Lydia descendit dans la cuisine. Valentina était dans la salle de bains, et à en juger par l'odeur d'huile de bain qui s'en échappait, elle allait y rester encore un moment. Alfred serait donc seul et vulnérable.

« Bonjour.

— Bon sang, Lydia, tu m'as fait peur. »

Il lisait le journal, assis à la table de la cuisine devant un bol de gruau fumant.

« Ne devrais-tu pas être couchée ? »

Lydia se glissa sur la chaise en face de lui.

« J'ai besoin de tes conseils. »

Alfred posa son journal.

« Je ferai tout ce que je peux pour t'aider. Dis-moi.

— Maman m'a dit que tu t'étais renseigné sur Chang An Lo.

— Oui.

— Je dois aller le trouver. Alors…

— Non.

— Alfred, sans lui je serais morte.

— Eh bien, je crois plutôt que c'est ce charmant Russe qui…

— Non. C'est Chang An Lo qui a envoyé les troupes chinoises à ma recherche. Alexei Serov me l'a dit lui-même. Alors tu comprends, j'ai besoin de lui parler. »

Alfred semblait mal à l'aise. Il remua son gruau, y ajouta un peu de sucre, puis hocha tristement la tête.

« Je suis désolé, Lydia, je ne peux pas t'aider. Il n'a pas droit aux visites.

— Où est-il ?

— À la prison de Chou Dong, au bord de la rivière. Mais écoute-moi. »

Il poussa une assiette de rôties vers Lydia. Elle en prit une pour lui montrer qu'elle appréciait son aide.

« Ton kidnapping a causé un scandale, avec l'enquête de police sur la mort de Feng Po Chu et tout le reste. »

Lydia sursauta.

« Je croyais qu'ils avaient dit que j'étais innocente. Que c'était de la légitime défense.

— C'est vrai. »

Alfred lui tapota la main, mais Lydia sentait que son sens de la justice était ébranlé.

« Tu vois, sir Edward Carlisle pense que plus tôt cette affaire sera oubliée, mieux ce sera, parce qu'elle a créé beaucoup de tensions entre les Chinois et nous. Si tu commences à te plaindre de l'emprisonnement de ce communiste, les choses ne feront qu'empirer. Alors si tu veux mon conseil, reste en dehors de tout ça. Remets-toi au lit et restes-y jusqu'à ce que tout soit réglé. Je suis vraiment désolé, Lydia, je sais que c'est difficile, mais c'est mieux ainsi, ma chérie. »

Lydia beurra sa rôtie, y versa du miel et la coupa en deux.

« Mieux pour qui ?

— Pour toi. »

Elle dévisagea son beau-père. Il semblait vraiment inquiet.

« Est-ce que tu pourras me conduire à la villa Serov avant d'aller au travail, s'il te plaît ?

— Ce ne sera pas nécessaire.

— Comment ça ?

— Alexei Serov passe ici tous les matins. À neuf heures et demie, il est sur le pas de la porte pour s'informer de ta santé.

— *Chyort !* Pourquoi personne ne me l'a dit ?

— Allons, Lydia, tu sais ce que ta mère pense de lui. Elle va sans doute m'en vouloir de te l'avoir dit. »

Lydia s'autorisa un peu d'espoir.

«Alexei, dites-moi ce qui s'est passé. S'il vous plaît. Il faut que je sache. »

Il eut l'air soulagé ; Lydia en déduisit qu'il s'attendait à une requête plus difficile. Assis jambes croisées sur le canapé, ses gants posés avec soin à côté de lui, il était plus décontracté que jamais. Cependant, ses traits étaient crispés.

« Vous avez l'air d'aller beaucoup mieux », dit-il.

Comme c'était un gentil mensonge, Lydia ne fit pas de commentaire. Jusqu'à présent, leurs conversations avaient été ponctuées de silences gênés. Les formules de politesse convenues ne semblaient pas suffire. Plus maintenant en tout cas.

« Dites-moi comment vous m'avez retrouvée.

— Ce n'était pas compliqué, mais… »

Il rit de bon cœur.

« … pas un mot à sir Edward. Il me prend pour un héros.

— Moi aussi, dit-elle en souriant.

— Je n'ai pas accompli un acte de bravoure. J'ai simplement fait appel à mes contacts.

— Mais pourquoi Chang est-il venu vers vous ? »

Il se pencha, le regard soudain très dur, et Lydia vit le militaire en lui.

« Il a appris le différend entre Feng et Po Chu et a entendu dire que Po Chu se ralliait à la cause du Kuomintang contre son père. Ce qui signifiait que ses espions sauraient où le trouver. Alors votre communiste a été malin. Qui vous connaissait et possédait une influence sur les Chinois ? »

Il haussa les épaules, prenant le ciel à témoin.

« Moi. Et le seul moyen de me contacter rapidement était de passer par le Kuomintang.

— Mais maintenant il est en prison. »

Alexei la dévisagea.

« Oui.

— Ne pouvez-vous pas intervenir pour le faire libérer ? S'il vous plaît.

— Allons, Lydia, ce n'est pas un jeu. Tchang Kaï-chek et l'armée du Kuomintang sont en guerre contre les communistes. Tous les jours, des gens sont tués, parfois par centaines. Chang savait ce qui l'attendait quand il s'est rendu. Je ne peux rien pour lui.

— Mais il n'a fait que coller quelques affiches. Ce n'est sûrement pas suffisant pour… »

Alexei éclata d'un rire dédaigneux.

« Ne dites pas n'importe quoi. C'est un décrypteur de codes confirmé. Un des meilleurs. C'est pour cette raison que le Kuomintang l'interroge avant… »

Il s'interrompit.

Le silence qui suivit fut si lourd qu'ils entendirent Valentina faire les cent pas dans l'entrée. Lydia avait dû beaucoup insister pour convaincre sa mère de les laisser seuls, par politesse envers leur invité.

« Alexei.

— Quelle que soit votre requête, la réponse est non.

— Vous êtes bien placé, Alexei. »

Il prit ses gants et se leva.

« Il est temps pour moi de partir. »

Les murs du bureau d'Alexei Serov étaient peints en jaune vif en haut et la partie basse en vert olive. Son bureau était en métal gris et le sol était un plancher de bois. Lydia s'assit sur une chaise en bois tourné en considérant la pièce avec dégoût puis regarda Alexei parcourir des dossiers. Lydia trouva qu'il survolait les documents à une vitesse incroyable. Il l'énervait. Comment pouvait-il rester assis là calmement alors que, à l'autre bout du bâtiment, Chang An Lo était… ? Quoi au juste ?

En train de souffrir? Sur un chevalet de torture? Enchaîné? Mort?

Elle interrompit la lecture d'Alexei pour lui demander si Chang allait venir. Alexei soupira et la regarda d'un air agacé.

« J'ai donné l'ordre qu'on le conduise à mon bureau. Je dépasse déjà le cadre de mes fonctions. Je ne peux pas faire plus. Nous sommes en Chine. Soyez patiente. »

Elle attendit pendant près de trois heures.

Enfin, la porte s'ouvrit.

Quand Chang An Lo aperçut Lydia, il lui sembla que son cœur recommençait à battre. Sa chevelure et son sourire illuminaient la pièce. Il aurait dû se douter qu'elle viendrait, qu'elle trouverait un moyen de le voir. Il n'aurait pas dû perdre espoir.

Lydia se leva d'un bond. Alexei lui lança un regard d'avertissement. Elle se tint à distance de Chang et se contenta d'observer son visage en tripotant les boutons de son manteau comme pour lui dire qu'elle l'aurait enlevé si elle avait pu. Deux soldats chinois se tenaient au garde-à-vous derrière lui. Chang savait qu'il ne devait pas laisser la moindre chance à ces vers au ventre jaune d'ajouter l'empreinte des balles de leurs fusils aux cicatrices qui marquaient déjà son dos. Mais il était sûr qu'ils ne comprendraient pas l'anglais.

« Chang An Lo, je vous ai fait venir pour répondre à quelques questions », dit Alexei.

Chang avait les yeux rivés sur Alexei.

« Vous voir me comble de joie et les battements de mon cœur résonnent comme le fracas du tonnerre. »

Alexei écarquilla les yeux. Lydia laissa échapper un petit ricanement.

« Je ne sais pas combien de temps je pourrai rester ici, alors il y a des choses que je dois dire. Tu es ma lune, mes étoiles et l'air que je respire. T'aimer, c'est vivre. Alors si je meurs… je continuerai d'exister en toi. »

Alexei ne voulait pas entendre plus.

« Pour l'amour du Ciel, ça suffit », lança-t-il.

Chang tourna la tête vers Lydia et leurs regards se croisèrent. Il ressentit un tel désir pour elle qu'il retrouva le goût de vivre.

Soudain, Alexei ordonna aux gardes de quitter la pièce puis les suivit à l'extérieur.

« Vous avez deux minutes, pas une de plus. »

Chang An Lo s'approcha, ouvrit les bras et Lydia s'y blottit.

61

Theo sortit la pipe du tiroir avec précaution. Il fit courir ses doigts le long du tuyau en ivoire et sentit que ses ornements lui parlaient. Le besoin de la savoir là, dans sa table de chevet, au cas où, était si puissant qu'il lui fallait la détruire. Depuis cette journée étrange avec Alfred et Liev Popkov, il avait réellement pris conscience de la fragilité de son existence. Il ne devait plus la mettre en danger.

Peut-être était-ce le fait d'avoir tenu un revolver dans la main, ou la mort violente de Po Chu, ou encore l'exécution prochaine de Chang An Lo.

La mort chuchotait à son oreille.

Ou alors il avait eu le déclic en lisant la lettre de Mason l'informant qu'ils ne se verraient plus. Ce courrier l'avait déconcerté. Qu'est-ce qui avait bien pu le faire changer d'avis?

Il savait seulement qu'il attendait plus de la vie. Pour lui-même, pour son école, pour Li Mei. Il leva les yeux de sa pipe et la regarda. En signe de deuil pour son frère, elle ne portait ni bijoux ni maquillage et ses cheveux étaient tirés en chignon sévère dans lequel elle avait piqué une fleur blanche. Assise sur le rebord de la fenêtre, les mains posées sur les genoux, elle observait Theo. Seul un léger frémissement de ses lèvres trahissait son désir de le voir se débarrasser de sa pipe. Theo la souleva des deux mains au-dessus de sa tête comme une offrande aux dieux et pendant un instant il eut envie d'inhaler la douce fumée, mais il la lança violemment sur le pied de lit en cuivre. L'ivoire vola en éclats.

« Maintenant tu vas dire oui ? » demanda Theo.

Le bonheur faisait briller les yeux de Li Mei.

« Demande-le-moi encore.

— Li Mei, veux-tu m'épouser ?

— Oui. »

« Theo.

— Qu'y a-t-il ?

— Elle est revenue. Elle est devant le portail.

— Qui ?

— La femme de la jonque.

— Ignore-la.

— Peut-être qu'elle veut récupérer son chat.

— Yeewai ?

— Oui, elle lui appartenait. Et maintenant que son mari a été exécuté et qu'on a pris leur bateau et leur fille, il n'y a aucune raison pour que tu ne lui rendes pas son animal.

— Si elle le veut, qu'elle le demande.

— Je n'aime pas cette femme, Theo, ni son chat. De mauvais esprits tournent autour de sa tête.

— Ce sont des superstitions, mon amour. Elle est inoffensive. Mais si ça te fait plaisir, je lui donnerai un peu d'argent quand je sortirai.

— Oui, s'il te plaît. Ce serait bien. »

Lorsque Theo sortit, l'ancienne maîtresse de Yeewai avait disparu. La circulation était lente, les rues noires de monde et il lui fallut plus de temps que prévu pour arriver chez Alfred.

« Content de vous voir, mon vieux. Lydia a hâte de vous remercier. »

Theo n'en eut pas l'impression. Elle se tenait immobile près de la fenêtre du salon. Était-elle souffrante ou sur le qui-vive ? Peut-être les deux. Theo dirigea le regard vers l'endroit qu'elle fixait, dehors, et ne vit rien d'autre qu'un abri de jardin. Lydia avait l'air malade. Ses joues étaient creuses, son teint livide, sa bouche pincée et ses yeux paraissaient plus sombres. Pourtant ils possédaient un éclat qu'il ne leur avait jamais vu.

« Lydia, vient dire bonjour à M. Willoughby », dit Valentina.

Valentina gratifia Theo d'un sourire charmeur et il eut l'impression que, dans la course à la vodka, elle l'avait devancé d'un verre ou deux. Elle portait une tenue de couleur vive, qui révélait la peau laiteuse de son cou et les pulsations à sa base. Elle le touchait sans cesse. Elle souriait beaucoup et son regard joyeux la faisait paraître plus jeune que le jour de son mariage, quelques semaines plus tôt.

« Comme nous avons de la chance de t'avoir de nouveau parmi nous, ma chérie. En bonne santé. Enfin… »

Elle rit, mais le regard qu'elle adressa à sa fille dénotait une certaine gravité.

« … presque en bonne santé.

— Comment vas-tu, Lydia ? demanda Theo.

— Je vais bien maintenant.

— Très bien.

— Allons, ma chérie, sois polie. Remercie M. Willoughby.

— Merci de m'avoir cherchée, monsieur Willoughby.

— Eh bien, c'est réussi. Il mérite mieux que ça pour avoir risqué sa vie. »

Lydia frissonna. Elle sourit et, pendant un moment, elle sembla animée d'un peu de gaieté. Elle tendit la main à Theo.

« Je vous suis sincèrement reconnaissante, monsieur Willoughby.

— C'est ton ami russe que tu devrais remercier. C'est lui qui a fait le sale boulot.

— Liev », dit Lydia.

Elle leva son verre de jus de citron et se tourna vers Liev Popkov, affalé dans un fauteuil. Il observait le fond de son verre de vodka perdu dans sa main épaisse, mais quand il vit Lydia tourner la tête, il leva les yeux et lui sourit. Valentina lui jeta un regard hostile et marmonna quelque chose en russe.

« Et Chang An Lo ? demanda Theo.

— Il est en prison.

— Je suis désolé, Lydia.

— Pas autant que moi. »

Elle s'approcha de Liev et regarda de nouveau par la fenêtre. Ils ne se parlaient pas, mais Theo sentait un lien très fort entre eux. Étrange. Il voyait que Valentina en était contrariée. De toute évidence, l'idée d'inviter Popkov ne venait pas d'elle. Elle se dirigea vers la bouteille de vodka.

« On dirait que la situation est sérieuse pour Chang », chuchota Theo à Alfred.

Son ami portait un nouveau costume très élégant. Valentina avait fait des merveilles.

« Je le crains.

— Exécution ?

— Inévitable, semble-t-il. D'un jour à l'autre.

— Pauvre Lydia. »

Alfred sortit un grand mouchoir blanc avec lequel il s'essuya la bouche comme pour y ranger ses mots.

« À long terme, ce sera sans doute mieux, dit Alfred en hochant tristement la tête. Si seulement elle se trouvait un jeune Anglais parmi ses camarades de classe.

— Pourquoi es-tu si triste, mon ange ? » demanda Valentina en riant.

Elle avait passé un bras autour de la taille de son mari. Theo était amusé de voir son ami à la fois touché et gêné par les marques d'affection prodiguées en public par sa femme. La manière dont Alfred regardait Valentina, exprimant si clairement son amour dans un sourire si retenu, le hanterait par la suite.

Les événements de l'heure qui suivit deviendraient confus pour Theo. Mais il en connaissait la raison : le choc. Ce fut comme un verre qui se renverse sur une page manuscrite, faisant baver l'encre et mêlant les mots les uns aux autres.

« Oh zut ! s'était exclamée Valentina. Je n'ai plus de cigarettes.

— Essayez une des miennes, avait proposé Theo.

— Mon Dieu, non. Elles ont une odeur épouvantable. »

Il lui avait alors proposé de la conduire au magasin qui vendait la marque russe qu'elle fumait et Valentina avait été enchantée. Elle était allée parler à l'oreille de sa fille, lui avait caressé les cheveux. Sans doute lui avait-elle dit qu'elle s'éclipsait. Lydia avait acquiescé d'un signe de tête et avait eu une moue de mécontentement. Il se rappelait avoir ouvert la portière pour Valentina. Et le baiser. La douceur de ses lèvres sur sa joue, l'odeur de son parfum, la main qu'elle avait posée sur sa poitrine. Le bonheur de Valentina était communicatif. Elle était si pleine de vie. Sa fille n'aurait plus affaire à Po Chu ni à Chang An Lo et Alfred lui mangeait dans la main. Qu'aurait-elle pu désirer de plus ?

Lorsque Theo s'installa au volant, il vit Lydia dans l'encadrement de la porte et ne comprit pas pourquoi elle avait voulu les voir partir. Ensuite il remarqua la femme de la jonque qui avait rôdé près du portail de l'école pendant les deux jours précédents. Que faisait-elle là ? La folle se planta devant la voiture. Theo klaxonna. Son visage prit une expression haineuse et elle cracha sur le pare-brise.

« Ah, cette ville regorge de fous », se plaignit Valentina.

Cependant, elle n'avait pas peur. Rien n'aurait pu entamer sa bonne humeur ce jour-là.

« Je vais me débarrasser d'elle. »

Theo descendit de voiture et c'est à ce moment-là que la catastrophe se produisit.

La femme jeta quelque chose sous la voiture. Theo courut vers elle, mais elle prenait déjà la fuite à une vitesse étonnante. Theo accéléra. Il atteignait le portail quand la terre se fendit en deux. Il ne trouvait pas d'autres mots pour exprimer ce qui s'était passé. Le bruit fut assourdissant comme le rugissement de Satan. Theo fut projeté de l'autre côté de la chaussée et il sentit son poignet craquer lorsqu'il atteignit le sol. Il lui sembla que ses oreilles implosaient. Il n'entendait plus.

Il se traîna sur le trottoir et regarda derrière lui. À la place de la Morris Cowley s'était ouvert un cratère fumant avec de lamentables morceaux de métal. La voiture d'Alfred, derrière, était défoncée comme si elle avait été accidentée. Une pluie de bris de verre tombait du ciel. Dix mètres plus loin, sur la pelouse, gisait le corps de Valentina. Lydia, agenouillée à côté, poussait un hurlement que Theo n'entendait pas, et caressait le visage de sa mère.

C'est alors que la scène se brouilla et qu'il tomba dans un gouffre obscur.

62

L'enterrement fut extrêmement pénible. Theo faillit ne pas s'y rendre, mais il devait affronter la situation. Il aurait pu profiter de ses blessures. Elles n'étaient pas graves, mais bien visibles : coupures et bleus au visage, poignet dans le plâtre. S'il ne s'était pas rendu chez les Parker, Valentina aurait été encore en vie. Il fallait qu'il apprenne à vivre avec cette idée. Il ne comprenait pas pourquoi Alfred et Lydia ne lui avaient pas interdit d'entrer dans l'église. Tous les deux étaient vêtus de noir et leurs visages avaient la couleur grise du limon dans lequel on enterrerait bientôt Valentina. Theo prit place sur le banc du fond et Li Mei s'assit à côté de lui. Elle suivait la cérémonie avec curiosité, une fleur banche piquée dans les cheveux.

« Chers amis, louons le Seigneur pour la vie de Valentina Parker, qui nous a apporté de si grandes joies. »

Dans la chaire, le vieux missionnaire aux cheveux blancs comme ceux d'Abraham, qui avait officié au mariage, affichait un large sourire.

« Elle était l'un des astres que Dieu fait briller sur le monde. Et Il lui a fait don de la musique pour notre plus grand plaisir. »

Theo n'avait pas le cœur à écouter. Il n'aimait pas les églises. Il n'aimait pas l'effet délibérément intimidant de leur grandiose architecture qui poussait les fidèles à se considérer comme de misérables pécheurs. Et si Valentina était vraiment l'une de ces merveilleuses lumières, pourquoi s'était-elle éteinte si brutalement? Pourquoi plonger Alfred, l'un des serviteurs les plus dévoués de Dieu, dans cette terrible souffrance? Cela invalidait l'idée d'un Dieu d'amour. Décidément, les Chinois étaient mieux avisés. Les malheurs arrivent parce que les dieux sont en colère. Voilà qui faisait sens. Les hommes se doivent de les apaiser. C'est pourquoi Theo avait suivi le conseil de Chang et installé un autel dans sa maison à la gloire des esprits de son père, sa mère et son frère. Il ne leur donnerait aucune raison de faire du mal à Li Mei. En Chine, les règles étaient différentes.

La Chinoise de la jonque, qui avait lancé la grenade, le savait. Elle avait tenu Theo pour responsable de l'exécution de son mari et du suicide de sa fille sur le lit de Feng Tu Hong et avait mis fin à ses jours avec un autre explosif. Cependant, la menace qu'elle représentait n'avait pas disparu pour autant. Theo avait fait promettre à Li Mei d'être gentille avec Yeewai, juste au cas où. Les esprits étaient imprévisibles.

La réception qui suivit l'enterrement fut pire encore, mais Theo fut heureux de constater que Polly avait soutenu Lydia sans relâche en s'occupant d'elle et en éloignant les indésirables venus lui témoigner leur sympathie. Alfred supportait trop bien le deuil en apparence.

« Si je peux faire quoi que ce soit…

— Merci, Theo, mais non.

— Un souper un de ces jours?

— C'est gentil, mais pas encore. Plus tard peut-être.

— Je comprends.

— Theo.

— Oui?

— J'envisage de demander ma mutation. Je ne peux pas rester ici. Plus maintenant.

— C'est compréhensible. Où iriez-vous ?

— Au pays. Je ne suis pas fait pour ces terres païennes.

— Vous allez me manquer. Et nos parties d'échecs aussi.

— Vous viendrez me rendre visite.

— Et qu'allez-vous faire de Lydia ?

— Je l'emmènerai avec moi pour qu'elle reçoive une bonne éducation. C'est ce que souhaitait Valentina.

— C'est une grande responsabilité. Elle ne connaît rien de l'Angleterre, ne l'oubliez pas. Et on ne peut pas dire qu'elle est… assez raffinée pour y trouver sa place. »

Alfred ôta ses lunettes et les nettoya minutieusement.

« Je la considère comme ma propre fille. »

Theo se demandait si Lydia verrait les choses de cette manière.

« Alfred, il n'y a pas de mots pour vous dire à quel point je suis désolé que la grenade m'ait été destinée. »

Alfred eut une grimace résignée.

« Vous n'y êtes pour rien, Theo. Ne vous sentez pas coupable. C'est ce maudit pays. »

Mais Theo s'en voulait, il ne pouvait pas s'en empêcher. Il décida de rentrer à pied plutôt que de prendre un pousse-pousse, même si cela aurait soulagé ses jambes. Il avait besoin de marcher, de prendre de la distance, de chasser le démon de la culpabilité de son esprit.

Il reviendrait de temps en temps ; Theo devrait apprendre à s'en accommoder. Il savait qu'Alfred avait raison, que l'histoire de la Chine représentait des milliers d'années de violence et que sa beauté extraordinaire était encore piétinée dans la compétition pour le pouvoir. Certains appelaient ça la lutte pour la justice, pour l'égalité et un salaire minimum. Mais cette revendication était faible pour décrire le joug qui oppressait le peuple chinois. Il méritait mieux. Même la femme qui avait lancé la grenade.

« Willoughby, vous allez vous casser l'autre bras, si vous n'êtes pas plus prudent. »

Theo s'écarta vivement de la chaussée où circulait un flot de voitures, de bicyclettes, de pousse-pousse et de brouettes. Un garçon sur un scooter le klaxonna.

« Bonjour à vous, Feng Tu Hong. »

Le passager de la Rolls-Royce noire arrêtée au bord du trottoir ne dégageait plus cette aura de force et de pouvoir comme autrefois. Theo contemplait le visage dévasté du père qui a perdu son fils. Feng portait un bandeau blanc sur la tête.

« Je vous ai cherché, Willoughby. Voulez-vous me faire l'honneur de m'accorder quelques instants ? Une promenade dans mon inutile voiture pourrait vous soulager un peu du fardeau de vos blessures.

— J'accepte, Feng. Merci. »

Ils roulèrent. D'abord dans le silence, chacun d'eux étant trop bouleversé pour trouver les mots qui l'auraient rompu. Les rues grouillaient de passants qui vaquaient à leurs activités sous la lumière vive de cette journée d'hiver. La voiture attirait l'attention et plusieurs personnes s'inclinèrent sur son passage, mais Feng n'y prêtait pas attention.

« Feng, je vous adresse toutes mes condoléances. Je suis désolé de n'avoir pas pu vous aider, mais quand je suis arrivé à la ferme, je n'y ai trouvé que ses habitants.

— C'est ce qu'on m'a dit.

— Votre fille vous transmet ses condoléances.

— Une fille dévouée serait à mes côtés.

— Un père dévoué ne traiterait pas sa fille avec autant de cruauté. »

Feng ne voulait pas regarder Theo et se retranchait dans son monde de ténèbres en inspirant profondément pour maîtriser sa colère. Soudain, Theo songea que cet homme désirait quelque chose et il n'eut pas de mal à deviner quoi.

«Feng Tu Hong, je suis attristé que nous ne puissions pas surmonter nos différends pour le bien de votre fille que nous aimons tous les deux. Dans un moment comme celui-ci où vous vous consumez de douleur pour la perte de votre dernier fils... Je vous invite chez moi.»

Il entendit le vieil homme inspirer bruyamment.

«Votre fille sera honorée de vous servir le thé, même si ce que nous avons à vous offrir est bien peu en comparaison de votre table somptueuse. Mais dans ce moment de profonde tristesse, Feng, il faut enterrer les querelles.»

Feng se tourna lentement vers Theo et réfléchit.

«Je vous remercie. Mon cœur se réjouirait de voir ma fille encore une fois, mais je ne veux pas l'affliger.

— Alors vous êtes le bienvenu.»

Feng se pencha, ouvrit la vitre de séparation et indiqua la nouvelle destination au chauffeur. Lorsqu'il referma la vitre, il remua sur son siège, mal à l'aise, et toussa comme pour se préparer à la visite.

«Theo Willoughby, je n'ai plus de fils.»

Theo acquiesça sans rien dire.

«Il me faut un petit-fils.»

Theo sourit. Ainsi le vieux diable était en position de faiblesse. Cela changeait tout. La décision revenait maintenant à Li Mei.

«Venez, dit Theo d'une voix aimable quand la voiture fut garée dans la cour. Nous allons prendre le thé.»

C'était un début.

63

« Lydia ! »
Lydia, plongée dans un abîme de solitude, était restée si longtemps à regarder de sa fenêtre la pluie tomber dans la nuit que son esprit s'était évadé du monde réel. Elle repensait au jour où sa mère avait dansé dans le grenier, une plaquette de beurre dans une main et dans l'autre une petite miche de ce qu'elle avait appelé du pain au malt. Son odeur et son aspect, qui ne ressemblaient pas au pain qu'elle connaissait, avaient tant enthousiasmé Lydia qu'elle était montée sur une chaise pendant que Valentina beurrait copieusement les tranches. Puis Valentina avait donné la becquée à Lydia comme à un oisillon. Elles en avaient pleuré de rire. À présent, Lydia avait le cœur serré en se rappelant que sa mère avait si peu mangé et avait léché le couteau à beurre avec enthousiasme.

« Lydia ! Viens vite. »

Lydia se précipita dans la chambre d'Alfred. Elle s'arrêta. Pendant un court instant, un espoir fou la saisit. La pièce était remplie d'images de sa mère. Alfred, assis au bord du lit, tenait deux enveloppes dans une main et, de l'autre, agrippait le drap comme pour se raccrocher à la réalité.

«Lydia, regarde ça, dit Alfred d'une voix étranglée. Des lettres.»

Lydia ne parvenait pas à détourner le regard du plancher. Les tenues de sa mère y étaient étalées comme des coquilles vides : robe bleu marine et chaussures assorties, tailleur crème en soie, chemisier et sandales fauves. Bas, gants, chapeaux, bijoux. Sa mère était là sans y être, un foulard à la place du visage.

C'était insupportable. Lydia suffoquait.

«Lydia, dit Alfred d'une voix tremblante, Valentina nous a écrit.»

Sans ses lunettes, il avait l'air nu et vulnérable. Le réveil indiquait quatre heures du matin, mais Alfred n'avait pas ôté son costume de la veille et sa barbe avait bleui ses joues.

«Comment ça ?

— Je les ai trouvées dans son tiroir à sous-vêtements. Une pour chacun.»

Il lâcha le drap et posa les enveloppes contre sa joue.

Lydia s'agenouilla devant lui, posa les mains sur ses genoux et sentit les frissons qui le parcouraient.

«Alfred, Alfred, murmura-t-elle en pleurant sans s'en apercevoir. Nous ne pouvons pas la ramener.

— Je sais ! s'écria-t-il. Mais si Dieu a pu ressusciter son fils, pourquoi je ne peux pas avoir ma femme ?»

Ma dochenka chérie,

Si tu lis cette lettre, c'est que j'ai fait la pire chose qu'une mère puisse faire. Partir. Laisser son enfant. Mais je n'ai jamais été très douée pour le rôle de maman, n'est-ce pas, ma chérie ? Aujourd'hui, je me marie. Je t'écris parce qu'un horrible pressentiment me serre le cœur. Je sais que tu rirais et que tu me dirais que ce n'est que l'effet de l'alcool. Peut-être bien. Peut-être pas.

J'ai des choses à te dire, des choses importantes. Chyort ! Tu me connais, ma chérie. Je ne me livre pas beaucoup. J'ai des secrets. Je les protège comme des bijoux et j'y tiens. Alors je serai brève.

Je t'aime plus que ma propre vie. Si je suis déjà morte et enterrée quand tu liras cette lettre, ne sois pas triste. Je serai heureuse parce que tu es vivante et que c'est tout ce qui compte. De toute façon, je n'ai jamais été très douée pour la vie. Je crois que le diable et moi allons bien nous entendre. Et par pitié, ne pleure pas. Ça abîmerait tes jolis yeux.

Maintenant passons aux choses sérieuses. Je ne sais pas par où commencer alors je vais l'écrire sans tourner autour du pot. Ton père est vivant. Voilà. C'est dit.

Il est dans un camp de travail dans un trou perdu en Russie. Depuis dix ans. Tu imagines ? Comment je le sais ? Lieu Popkov me l'a dit. Il me l'a appris le jour où tu es arrivée dans notre appartement minable et que tu nous as trouvés en grande conver-sation. Le jour où j'ai accepté la demande en mariage d'Alfred. Drôle de coïncidence ? Ah ! J'ai eu envie de mourir, tellement j'étais triste. Mais à quoi ton père pourrait t'être utile, coincé quelque part dans les plaines gelées de Sibérie et sans doute à l'agonie ? Personne ne vit très longtemps dans ces camps de la mort barbares.

Alors je t'ai trouvé un nouveau père. Est-ce que c'est une si mauvaise chose ? Un homme qui s'occupera convenablement de toi. Et de moi. Ne m'oublie pas. J'en avais assez d'être... vide. Maigre et vide. Je voudrais tellement plus pour toi.

Voilà. Ne sois pas fâchée que je ne te l'ai pas dit plus tôt.

Maintenant voici un secret que je n'ai jamais envisagé de révéler. C'est très difficile à dire et il s'en faut de peu pour que je l'emporte dans ma tombe. Tu crois qu'il vaudrait mieux ?

D'accord, ma chérie, je vais te le dire. Je t'entends insister malgré les vers dans mes oreilles. Tu veux connaître la vérité ? Très bien. Je vais te la dire alors, mon petit chat de gouttière, mais ça ne va rien t'apporter de bon.

Je t'ai déjà raconté que, quand j'ai rencontré ton père, il res-semblait à un guerrier viking et son cœur battait si fort que je l'entendais de l'autre bout de la pièce pendant que je jouais du piano pour le tsar Nicolas. Il avait dix ans de plus que moi, mais je me suis juré d'épouser ce dieu scandinave. Ça m'a pris trois ans, mais j'ai réussi. Cependant, comme rien n'est simple dans la vie, et que j'étais trop jeune pour attirer son attention, il avait fréquenté entre-temps la cour du tsar au palais Alexandre de Tsarskoïe Selo. Maintenant, voici le fin mot de l'histoire. Il avait une liaison. Eh oui, mon dieu viking était un homme. La femme qu'il voyait n'était autre que la comtesse Serova et elle attendait un enfant de lui.

Oui. Alexei Serov est ton demi-frère.

La comtesse a eu la bonne idée de quitter la Russie avant que l'ouragan rouge nous atteigne, alors elle a pu prendre son enfant, son argent et ses bijoux. Et a laissé son pauvre mari mourir par l'épée d'un bolchevique.

Maintenant tu sais pourquoi je ne voulais pas d'Alexei chez nous. Il a les mêmes yeux que son père.

Voilà, dochenka. J'ai avoué. Fais ce que tu veux de mes secrets. Je te supplie d'oublier les Russes et la Russie. Deviens une gentille petite anglaise avec mon cher Alfred. C'est ton seul moyen d'avancer. Alors adieu, mon trésor. Souviens-toi de ce que je souhaite pour toi : une éducation anglaise, une carrière et ne jamais rien devoir à un homme.

Ne m'oublie pas.

Allez, j'arrête cette lettre idiote. Je refuse de mourir maintenant, alors ce papier jaunira rangé dans un de mes plus beaux bas de soie. Tu ne sauras rien.

J'ai envie de t'embrasser, ma chérie.

Tout l'amour de ta maman.

Maman, maman, maman.

Un flot d'émotions emporta Lydia. Elle se cacha dans sa chambre. Elle tremblait tant que le papier vibrait entre ses doigts et elle ne pouvait s'empêcher de chanter gaiement.

Papa est vivant ! Papa. Vivant. Et j'ai un frère. Ici même à Junchow. Alexei. Oh maman. Je suis en colère contre toi. Pourquoi ne me l'as-tu pas dit ? Pourquoi n'aurions-nous pas pu partager ces secrets ?

Mais Lydia connaissait la réponse. Pour sa mère, ne rien dire c'était protéger sa fille, une sorte d'instinct de survie.

Maman, je sais que tu me trouves têtue, mais je t'aurais écoutée. Vraiment. Tu aurais dû me faire confiance. Ensemble, nous…

Soudain, Lydia eut une vision de son père. Il n'était plus grand et fort comme dans ses souvenirs, mais maigre et voûté avec les cheveux blancs. Ses pieds étaient enchaînés et ses chevilles couvertes de plaies. Il avait perdu son aura de Viking. Il était sale, il grelottait de froid. Elle cligna des yeux sous l'effet de l'émotion. L'image s'effaça. Mais juste avant qu'elle ne ferme les yeux, Jens Friis lui avait adressé un sourire, celui qu'elle lui connaissait et qu'elle n'oublierait jamais.

« Papa ! » cria-t-elle.

Le lendemain matin, elle installa un grand autel dans le salon. Alfred s'assit et la regarda enlever ce qui se trouvait sur le grand buffet en noyer puis le recouvrir avec des foulards bordeaux et ambre de Valentina. Elle disposa de grandes bougies à chaque extrémité. Au milieu, à la place d'honneur, elle installa une photo de Valentina sur laquelle elle riait, la tête penchée sur le côté, une ombrelle en papier huilé à la main pour se protéger du soleil. Une photo gaie de lune de miel. Elle était si belle qu'elle charmerait les dieux.

Ensuite, Lydia réfléchit à ce dont Valentina aurait besoin et disposa des objets autour de sa photo : brosse à cheveux, miroir, rouge à lèvres, poudrier, vernis à ongles, sac à main bourré de billets subtilisés dans le portefeuille d'Alfred, l'incontournable boîte à bijoux et enfin, juste devant la photo, à un endroit accessible pour Valentina, un verre en cristal rempli à ras bords de vodka russe.

Il fallait autre chose.

Sur la droite, une pile de partitions et sur la gauche un livre sur l'aventure entre Chopin et George Sand, un jeu de cartes au cas où elle s'ennuierait, une coupe de fruits et une assiette de bonbons en pâte d'amandes.

Quoi d'autre?

Elle posa un saladier en laiton sur l'autel et le remplit d'esquisses représentant une maison, un piano, un passeport, une voiture, des vêtements et des fleurs. Elle craqua une allumette qu'elle y jeta. Les flammes les emportèrent vers sa mère. Elle nourrit le feu avec des cigarettes qu'elle y jeta une par une. L'odeur était insoutenable. Lorsque tout fut consumé et que la fumée se fut dissipée, Lydia vaporisa l'autel avec le parfum de sa mère jusqu'à vider le flacon.

C'est à ce moment-là qu'Alfred se leva et, d'un geste lent, comme pour ne pas déranger sa femme, posa son alliance à côté de la photo.

« Eh bien, ne serait-ce pas Lydia, la petite *dyevochka* qui ne parle pas sa langue maternelle?

— Comtesse Serova, *vashye visochyestvo, mozhno mnye pogovoryit Alexeiyem*? Puis-je parler à Alexei?

— Ah, enfin tu apprends. Bien. Non, tu ne peux pas entrer, il est beaucoup trop tôt pour une visite.

— C'est important.

— Reviens plus tard.

— Je dois le voir tout de suite.

— Ne sois pas impolie. Nous n'avons pas encore pris le déjeuner.

— Écoutez, mon père est encore en vie.

— Va-t'en. Va-t'en tout de suite.

— *Niet.* »

« Non. Ma réponse est non. Combien de fois devrai-je le répéter?

— Alexei, je te le demande encore. Parce que je suis ta sœur.

— C'est injuste, Lydia.

— Depuis quand la vie est-elle juste? »

Lydia et Alexei marchaient dans Victoria Park, la tête baissée contre le vent venu de la toundra de Sibérie qui s'était mis à mugir pendant la nuit et qui soufflait dans les arbres sa plainte douloureuse. Il ne neigeait pas encore, mais Lydia sentait que cela ne tarderait pas. Son demi-frère et elle étaient seuls dans le parc.

« C'est insupportable.

— Non, Alexei. C'est un choc, mais tu dois respecter le fait que ta mère n'ait pas nié, même si ça a dû lui être pénible.

— Pénible ?

— D'accord, d'accord. Elle a dû avoir l'impression d'avaler des fils barbelés, mais elle l'a fait. Elle est courageuse.

— Je suis un bâtard danois. *Nyezakonniy sin.* »

Redoublant de vitesse, il quitta l'allée sans tenir compte des pancartes « Pelouse interdite » et se dirigea vers la fontaine.

Lydia lui laissa du temps. Sa fierté avait été mise à rude épreuve et elle avait appris avec Chang l'importance de ce sentiment pour les hommes. Elle continua de marcher lentement sur le sentier de gravier qui serpentait jusqu'à la mare aux carpes koï et à la fontaine au dragon. Sur les bords du bassin, l'eau commençait à se changer en glace. Alexei, appuyé contre la rampe qui ceinturait de l'étang, observait le parcours énigmatique des poissons rouge et argent. Immobile dans son grand manteau noir, on aurait dit une statue.

« Tu n'es pas un bâtard, mais le fils de Jens Friis, corrigea Lydia d'une voix douce.

— Et qui était notre père exactement ? demanda-t-il sans quitter des yeux la pièce d'eau.

— C'était un brillant ingénieur, un créateur inspiré. Le tsar Nicolas et la tsarine l'adoraient et ils ont utilisé ses plans pour rénover le réseau hydrographique de Saint-Pétersbourg. »

Lydia marqua une pause avant de poursuivre.

« Il jouait du violon aussi, mais pas très bien. »

Alexei se tourna vers Lydia.

« Tu te souviens de lui ?

— Un tout petit peu. Je me rappelle son rire quand il me jetait en l'air et le contact de ses grandes mains quand il me rattrapait. Je savais qu'il ne me lâcherait pas. »

Lydia ferma les yeux pour mieux savourer ce souvenir.

« Et son sourire. Il était tout pour moi.

— Je suis désolé pour ta mère. »

Cette remarque la prit au dépourvu et l'espace d'un instant elle eut peur de vomir encore sur son manteau. Elle rouvrit les yeux puis le regarda en fronçant les sourcils.

« Tenons-nous en à notre père. »

Alexei fit oui de la tête. Ses yeux verts firent ressurgir le souvenir enfoui du regard que lui avait adressé leur père lorsqu'il lui avait murmuré à l'oreille de sa voix profonde qu'elle ne devait pas faire un bruit et bien lui tenir la main. Elle fit le tour de la mare en laissant glisser sa main sur la rampe pour rejoindre Alexei qui se tenait encore raide, les mains dans les poches. Elle avait été assez patiente. Plus que patiente. Le temps passait vite.

« Alexei. »

Il tourna la tête vers elle et elle essaya de deviner quel genre d'homme ce frère arrogant pouvait être.

« Aide-moi.

— Lydia, tu te rends compte de ce que tu me demandes ?

— Oui.

— Si je t'aide, je vais perdre mon travail, tu en as conscience ? Et le Kuomintang n'a pas beaucoup de sympathie pour les traîtres.

— Pourquoi travailles-tu pour eux ?

— Parce que je déteste les communistes et tout ce qu'ils représentent. Ils réduisent le peuple à néant, ils détruisent la beauté et la créativité de l'espèce humaine et paralysent la pensée individuelle. Regarde les ravages en Russie. Alors je n'ai aucune envie de sauver la vie d'un communiste, même si c'est ton ami. Je fais tout mon possible pour aider Tchang Kaï-chek à débarrasser cet incroyable pays de ce fléau afin de mettre en place un gouvernement fort et stable. Et je vais continuer.

— Tu te trompes, Alexei. »

Il haussa les épaules.

«Je crois que nous devons accepter nos divergences d'opinion à ce sujet. »

Il avait parlé sur un ton tranchant. Lydia songea qu'il s'était vite remis de ses émotions. Il s'était éloigné d'elle. Elle avait la gorge nouée. Elle rejoignit Chang An Lo en pensée, mais cela n'eut pas beaucoup d'effet. Avec l'énergie du désespoir, elle saisit Alexei par les épaules, l'obligea à la regarder puis elle lui prit les mains et les serra de toutes ses forces.

«Alexei Serov Friis, s'écria-t-elle, je suis ta sœur. Tu ne peux pas me refuser ce que je te demande. »

64

Toute la journée, Lydia attendit dans la remise enveloppée dans sa couverture. Alfred était parti à son bureau ; elle admirait la façon dont il continuait à vivre malgré le gouffre qui s'était ouvert sous ses pieds. En même temps, elle aurait voulu qu'il hurle de rage. Qu'il parcoure les rues en criant son désespoir pour montrer à tout le monde que la vie sans Valentina était insupportable. Mais son caractère réservé de *gentleman* l'en empêchait. Un costume et un brassard noirs suffisaient.

Lydia avait choisi de mettre une longue robe blanche de sa mère au corsage fermé par des boutons de jais et au grand col en dentelle blanche. Lydia savait qu'elle ne lui allait pas, mais elle s'en moquait, car la porter apaisait un peu sa douleur.

Dans la remise, elle observa les taches de sang séché sur les murs et sur le sol, envisagea de les nettoyer, mais se ravisa, car elle aurait eu l'impression de chasser Sun Yat-sen de son souvenir. Elle s'assit sur les couvertures dans lesquelles elle avait dormi avec Chang et regarda le ciel par la petite ouverture. Tandis que les heures passaient, elle répétait doucement le nom de Chang.

Si elle cessait de le prononcer, elle craignait qu'il ne meure. Ce n'était pas plus compliqué que ça.

Soudain, elle eut la chair de poule et elle sut qu'il n'était pas loin. Le ciel était d'un noir d'encre et la flamme de la bougie posée à côté d'elle vacillait, faisant danser des ombres sur les murs.

Ce devait être le vent qui entrait par les fentes entre les planches. Elle voulait le croire. Mais elle entendait le souffle des esprits.

Ils se rassemblaient.

Il était là. Dans l'encadrement de la porte. Il avait l'air défait et portait une couverture sale en guise de manteau. Lydia lut le désir dans ses yeux.

« Chang An Lo », souffla-t-elle en se jetant dans ses bras.

Il rit, referma la porte d'un coup de pied et porta Lydia jusqu'aux couvertures. Les mots étaient inutiles. Ils avaient seulement besoin l'un de l'autre. La puissance de la passion leur faisait presque mal. Ils retrouvaient le goût des lèvres de l'autre, allaient chercher les formes complémentaires de leurs corps qui suscitaient des gémissements de plaisir.

Les mains de Lydia reprirent vie en caressant le corps de Chang. Elle suivit du bout des doigts le tracé de ses cicatrices. Elle eut un haut-le-cœur en découvrant de nouveaux bleus et maudit Po Chu et le Kuomintang avec une telle fougue que Chang se mit à rire jusqu'à ce qu'il remarque le sein meurtri de Lydia. Elle ne comprit pas le flot de paroles qu'il déversa d'une voix dure en mandarin. Il avait un regard furieux, mais plus que ça, il exprimait un désir de vengeance que Lydia ne lui connaissait pas.

« Je regrette que tu aies défiguré Po Chu, Lydia, dit-il, une main posée sur son sein comme pour le protéger.

— Pourquoi ? Cet imbécile le méritait, qu'il brûle en enfer.

— Parce que j'avais envie de m'en charger moi-même, répondit-il rageusement. Mais j'aurais d'abord tranché ses testicules infertiles avant de les lui faire bouffer. »

Lydia posa un baiser sur la poitrine de Chang et sentit son cœur battre sous ses lèvres puis lui caressa les hanches. Chang fit courir sa langue sur le ventre de Lydia jusqu'au creux si doux de sa cuisse. Elle se cambra contre lui, le caressa, le tint dans ses bras, l'aguicha. Lorsqu'il la pénétra, la flamme de leur désir était si ardente qu'ils ne firent plus qu'un. Deux moitiés réunies. Ils restèrent ainsi imbriqués longtemps après l'orgasme, la chaleur de leur souffle sur leur peau nue, leur cœur battant au même rythme.

« Lydia. »

Elle sourit en l'entendant prononcer son nom. Mais elle avait le cœur serré. Elle se blottit dans ses bras, la tête posée sur sa poitrine, une jambe entre celles de Chang, respira sa peau et ferma les yeux pour fixer ce moment dans sa mémoire.

Elle rouvrit les yeux.

« Je sais ce que tu as à me dire, mon amour.

— Il faut que je quitte Junchow.

— Je sais. »

Il la serra fermement contre lui en frissonnant.

« Je dois te laisser ici, lumière de mon âme. En sécurité.

— Je sais. »

Il posa longuement les lèvres sur le front de Lydia.

« Je ne peux pas t'emmener avec moi, mon amour.

— Je sais. »

La gorge de Lydia se serra ; un coup de couteau en pleine poitrine l'aurait moins fait souffrir.

« Quand ce serpent de Po Chu m'a capturée, j'ai compris. Ses hommes n'étaient sans doute pas très différents des partisans dans un camp communiste. À leurs yeux, je resterais toujours une étrangère, l'incarnation détestable de ce qu'ils combattent. Et puis tant que je serais avec toi, tu serais en danger. Je ne le supporterais pas. L'ennemi pourrait m'utiliser pour t'atteindre. »

Chang lui prit le visage entre les mains et lui posa un doigt sur les lèvres. Lydia poursuivit malgré tout.

« Je serais pire que des chaînes. Je sais que tu dois partir seul.

— Seul mon cœur reste enchaîné à toi. Et je jure que je reviendrai le chercher. »

Les yeux de Chang brillaient à la lumière de la bougie, apaisés. Lydia y lut la sincérité de la promesse, mais aussi l'impatience de la lutte qui l'attendait. Elle eut un pincement au cœur.

« Tu ferais bien d'y aller, dit Lydia en riant, ou je prendrai la montagne d'assaut pour te rejoindre. »

Chang baisa le cou de Lydia.

« Les communistes et le Kuomintang détaleraient dans des hurlements d'effroi devant la fureur d'un pareil esprit de renard.

— Je t'ai préparé un balluchon, dit Lydia en montrant du doigt une sacoche en cuir bien remplie, avec une boucle et une longue bandoulière, posée sur le tas de sacs contre le mur. De quoi manger et t'habiller. Un peu d'argent aussi.

— Et un couteau ?

— Évidemment. Un beau. »

Chang sourit, satisfait.

« Je te remercie, mon amour. Ton père est devenu plus généreux ?

— Mon père… »

Lydia s'entendit prononcer ces mots sur un ton contrarié, alors elle se reprit.

« Mon beau-père a d'autres choses à l'esprit. »

Elle lui révéla toute l'histoire : Valentina, la lettre et Alexei. Il la tint contre lui et Lydia, enfin capable d'exprimer sa peine, laissa couler ses larmes pour la première fois depuis la mort de sa mère.

« Est-ce que les troupes du Kuomintang vont continuer de te poursuivre ? demanda Lydia.

— Comme une meute de loups assoiffés de sang.

— Et Alexei ?

— Quand ses supérieurs découvriront qu'il a donné l'ordre de me libérer, il devra s'expliquer devant eux. »

Lydia approuva.

Pendant un instant, Chang plongea son regard dans celui de Lydia puis il écarquilla les yeux et, avec agilité, s'appuya sur son coude, prit le menton de Lydia entre ses mains et le secoua doucement.

« Tu as bien fait les choses. D'une manière qui sert la cause des communistes. Le Kuomintang perdra son conseiller militaire à Junchow. »

Chang parlait d'une voix sereine, mais son visage était blême.

« Et toi... Non, Lydia... Non. Tu t'engouffreras dans la gueule du dragon. »

Elle sourit à Chang puis lui caressa la joue.

« Mon amour, c'est toi qui m'as appris à provoquer le dragon en lui tirant la queue. »

Chang caressa les cheveux de Lydia d'un geste impatient, comme s'il voulait lui voler ses pensées.

« Tu rentres en Russie ?

— Oui.

— Pour chercher ton père ?

— Oui.

— Ce sera dangereux.

— Je te promets d'être prudente.

— Par les dieux, ta route sera plus difficile que la mienne, mais je jure que tu voyageras avec mon âme dans la poche. »

Lydia, euphorique, posa un baiser sur les paupières de Chang.

« Je suis heureuse que tu me comprennes. Ton devoir est de te battre pour tes idéaux, le mien de retrouver mon père.

— Même si je comprends, la crainte me ronge les sangs.

— On va s'en sortir, toi et moi. Toute ma vie j'ai lutté pour manger, comme un chat de gouttière, ma mère m'appelait comme ça. Je croyais qu'il suffisait de survivre. Mais j'ai appris. De toi. Et de ce pauvre Alfred. Même de la barbarie de la séquestration. Il faut une raison de survivre. »

Chang An Lo s'assit, prit Lydia dans ses bras, lui frôla l'épaule des lèvres comme s'il voulait la manger.

« Ma Lydia, le vent de la vie souffle fort en toi.

— L'amour et la loyauté. Voilà mes raisons de survivre. Chang, je veux savoir ce qui a fait tenir mon père dix ans dans un camp.

— C'est de son esprit que l'homme tire sa bravoure. »

Chang se pencha vers le tas de vêtements abandonnés sur le sol.

« J'ai quelque chose pour toi. »

Il sortit une pochette en cuir d'où il tira un pendentif rose qu'il posa dans la main de Lydia.

« C'est un symbole puissant d'amour en Chine. »

Elle l'examina attentivement.

« Un dragon. »

Il était roulé en boule comme un chaton.

« Oui. Sculpté dans du quartz rose. Porte-le tout le temps. Il te protégera et il éloignera les mauvais esprits jusqu'à mon retour.

— Merci, il est très beau. »

Elle l'embrassa. Ils firent de nouveau l'amour, doucement au début, savourant chaque geste, puis avec frénésie jusqu'à l'ultime frisson où ils ne firent plus qu'un. Aussitôt, Lydia sentit Chang sur le qui-vive. Il lui posa la main sur la bouche et chuchota à son oreille :

« Écoute. »

Lydia n'entendit que le vent dans les branches, mais elle avait très peur.

« Tu auras besoin de ce couteau. »

Soudain la porte s'ouvrit et heurta le mur avec fracas. Un officier de l'armée anglaise entra dans la remise, prêt à agir. Derrière lui, les hommes du Kuomintang trépignaient comme des chiens d'arrêt en laisse.

Lydia, enroulée dans une couverture, se leva d'un bond.

« Sortez ! Comment osez-vous venir ici ? C'est une propriété privée.

— Nous avons un mandat, répondit l'officier en agitant une feuille de papier sous les yeux de Lydia. Ne faites pas l'innocente, mademoiselle. Où est-il ? »

Les hommes du Kuomintang fouillaient déjà sous les couvertures, parmi les toiles d'araignée et les boîtes de conserve, comme si leur proie pouvait se cacher sur l'étagère. Quand ils dégagèrent les sacs amassés contre le mur du fond, le capitaine chinois poussa un juron et cria à ses hommes de chercher dehors. Il venait de découvrir un trou. Deux des planches avaient été sciées. Lydia n'avait pas passé l'après-midi à attendre sans rien faire.

« Où est-il ? lança l'officier anglais.

— Il est parti », répondit Lydia.

Puis elle répéta pour elle-même : « Parti. »

65

Après cette nuit, Lydia passa quelques jours l'esprit dans le vague, incapable de donner du sens aux images fugitives qui se succédaient. Seule la visite de Polly lui sembla réelle.

« Lydia, je suis désolée. »

Polly se tenait sur le seuil avec des macarons retenus par un ruban de soie mauve.

« Pardonne-moi, Lyd. J'ai fait ce que je pensais être le mieux pour toi. »

Lydia avait du mal à contenir sa colère, mais elle songea que, si Polly n'avait pas conduit les hommes de Po Chu jusqu'à elle, ils auraient fini par la trouver quand même.

Alors elle sourit à Polly qui la regardait d'un œil inquiet et la prit dans ses bras.

« Tout va bien. Je comprends. Tu croyais prendre soin de moi, mais tu as choisi une mauvaise tactique.

— Mon père...

— Ne dis rien. Oublie ça. Ce n'était pas ta faute. Ton père fait parfois des choses horribles. »

Mais il ne continuerait pas. Christopher Mason ne ferait plus de mal à sa fille. Lydia embrassa son amie sur la joue et lui fit part de son intention de quitter Junchow. Polly pleura et, dans les bras l'une de l'autre, les deux jeunes filles se promirent de se revoir à Londres.

Les journées s'écoulèrent comme un rêve jusqu'au matin où Lydia se retrouva sur le quai de la gare avec Alfred, un filet d'oranges sous le bras et un billet pour Vladivostok à la main. La situation devint si claire à ses yeux qu'elle en fut presque éblouie.

Le ronflement du moteur à vapeur l'enthousiasma. Autour d'elle, les voyageurs se bousculaient, s'apostrophaient en criant. Des portes de wagon claquaient. Un porteur soulevait des bagages. Des marchands lui mettaient sous le nez des plateaux de *baos* et d'arachides grillées et faisaient sonner leur cloche en hurlant la liste de leurs marchandises. Au milieu de la cohue, comme un ruisseau orangé, cinq moines bouddhistes marchaient en file dans un sillon d'encens en psalmodiant des prières. Lydia mit une pièce dans leurs bols à aumône. Pour faire plaisir aux dieux de Chang An Lo.

« Tu vas me manquer, dit-elle à Alfred.

— Ma chère Lydia, je ne peux rien dire pour te convaincre ?

— Non, Alfred. Je te suis très reconnaissante, vraiment. »

Elle le pensait sincèrement. Il avait été incroyable. Lorsqu'il s'était rendu compte qu'il ne la ferait pas changer d'avis, il avait fait jouer tous ses contacts pour lui procurer un visa et un passeport dans des délais très rapides. Tous les deux au nom de Lydia Parker, qu'elle ne pouvait prononcer sans éprouver une sensation étrange.

« Un passeport anglais ouvre des portes, avait insisté Alfred. Il te protégera. Tu disposeras de la puissance de l'Empire britannique pour te soutenir. »

Il avait raison sur ce point, mais Lydia plaçait plus d'espoir en elle-même que dans cet empire, alors à l'insu de son beau-père, elle s'était procuré un autre passeport. Un faux, bien sûr, au nom de Lydia Ivanova. Au cas où. Il faisait partie de sa trousse de survie.

« Promis, je t'enverrai un télégramme dès que possible, Alfred.

— Penses-y. Tu sais que je vais m'inquiéter. »

Elle le regarda et songea qu'elle s'était vraiment attachée à lui. Il avait maigri et ses yeux semblaient plus enfoncés dans leurs orbites. Elle le prit dans ses bras.

« Tu es sûre d'avoir assez d'argent ? lui demanda Alfred.

— Si j'avais une seule pièce de plus cousue dans mes ourlets ou sous la semelle de mes chaussures, il faudrait un second moteur pour que le train passe la montagne. »

Alfred rit.

« Bien, tu as l'adresse de mon notaire à Londres, ainsi tu pourras me joindre si tu veux que je t'envoie de l'argent pour venir en Angleterre. Je ne vais pas rester ici longtemps. »

Lydia tint la main d'Alfred un moment en tentant sans succès de trouver les mots de circonstance.

Finalement elle lui dit en souriant :

« Sois heureux en Angleterre. C'est ce qu'elle voudrait.

— Je sais. »

Il avait les lèvres pincées.

« Prends soin de toi. Que Dieu te garde, lui souhaita-t-il en lui tapotant l'épaule.

— J'ai mon ours avec moi. »

Lydia jeta un regard en direction du wagon. Liev Popkov y avait déjà pris place. Il se caressait la barbe et ce simple geste semblait plus menaçant que méditatif. La valise de Lydia était posée à ses pieds, sans doute plus en sécurité que dans un coffre-fort. Alfred avait ri en voyant deux hommes faire demi-tour quand ils avaient croisé le regard de Liev.

Le chef de train commença à fermer les portes des wagons. L'odeur du métal brûlant monta aux narines de Lydia alors qu'un jet de vapeur envoyait voleter des particules de charbon sur le quai. Le moteur se mit en route. Le coup de sifflet retentit. Son cœur battait très fort et elle avait la sensation de perdre quelque chose qu'elle ne retrouverait plus. Elle sauta sur le marchepied et aperçut alors la longue silhouette d'un homme aux cheveux bruns qui marchait tranquillement le long du quai comme s'il avait tout son temps. Il s'arrêta devant la voiture de Lydia et la salua de son chapeau en fourrure.

« Alexei, je croyais que tu ne viendrais pas, dit Lydia en souriant.

— J'ai changé d'avis. Je n'aime plus cette ville. Il y fait trop froid. »

Il regarda par-dessus son épaule l'entrée de la gare et, même s'il tentait de paraître naturel, Lydia le sentit mal à l'aise.

« Tu as voulu dire trop chaud, j'imagine. Viens, papa sera content de te voir », dit-elle en faisant un pas de côté pour le laisser monter.

Alexei lui adressa un regard qu'elle ne comprit pas, mais il était là et rien d'autre ne comptait. Il serra la main d'Alfred qui bredouilla :

« Veillez sur elle. »

Alexei suivit Lydia dans le compartiment.

« Je vois que nous avons de la compagnie », dit-il d'une voix traînante en observant Liev d'un œil méfiant.

Lydia se mit à rire. Ce long voyage promettait d'être intéressant.

Dans le ciel, les nuages étaient gris et menaçants. Lydia appuya le front contre la vitre vibrante, inspira profondément puis expira lentement. La buée sur le verre lui cacha le paysage. Elle éprouvait à la fois une crainte obscure et une vive curiosité en songeant à ce qui l'attendait. Elle savait qu'elle pouvait y survivre. Comme elle se l'était dit si souvent, elle était douée pour la survie. Ne l'avait-elle pas suffisamment prouvé ? Eh bien, à présent elle allait aider son père à tenir bon.

Elle essuya la vitre avec sa main.

Maintenant, elle avait appris qu'on ne survit pas seul. Chaque rencontre éveillait un écho et les échos résonnaient dans son cœur, nourrissant le tumulte de sa vie.

Parmi les souvenirs, émergeait celui de Chang An Lo. Ils survivraient à cette épreuve, et quand cette période troublée s'achèverait, ils seraient de nouveau réunis, elle en avait l'intime conviction. Elle scruta à l'horizon la ligne douce des collines où on disait que les communistes avaient établi leur camp et, tournant toutes ses pensées vers Chang, elle ferma la main sur son pendentif pour lui porter chance.

Le train se mit en marche.

Remerciements

Je remercie chaleureusement Joanne Dickson de chez Little, Brown pour son enthousiasme et son engagement ainsi que Teresa Chris pour avoir cru en ce roman. Merci beaucoup à Alla Sashniluc pour l'énergie employée à m'aider avec la langue russe et à Yeewai Tang pour la grâce avec laquelle elle m'a aidée pour la langue chinoise.

Un grand merci à Richard pour avoir ouvert mon esprit à la Chine ainsi qu'à Edward et Liz pour leurs précieux encouragements. Je tiens également à remercier le Brixham Group de m'avoir écoutée raconter mes malheurs et de m'avoir donné des conseils judicieux ainsi que Barry et Ann pour m'avoir emmenée jouer avec eux quand j'en avais besoin. Un merci tout spécial à Norman pour sa perspicacité, son soutien et ses tasses de café.

Des romans qui vous transportent, des livres qui racontent des histoires, de belles histoires de femmes. Des livres qui rendent heureuse !

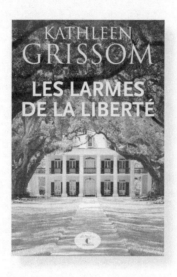

1824. À la mort de ses parents adoptifs, James s'évertue à cacher une partie de son histoire aux gens qui l'entourent, dont Caroline Chardon de qui il est amoureux. Elle porte d'ailleurs leur enfant, fruit d'un amour interdit. Avant que James ne lui dévoile son terrible secret, il apprend que le fils de son fidèle serviteur, envers qui il a une grande dette morale, a été capturé et vendu comme esclave. James décide alors de partir à la recherche du jeune garçon: le retrouvera-t-il à temps? Réussira-t-il à avouer à sa douce promise ce qui le hante depuis tant d'années?

Découvrez les États-Unis au temps des plantations et de l'esclavagisme. Un véritable hymne à la liberté et à la richesse du cœur.

En vente partout où l'on vend des livres et sur
www.saint-jeanediteur.com

Des romans qui vous transportent, des livres qui racontent des histoires, de belles histoires de femmes. Des livres qui rendent heureuse !

Au début du XXe siècle à Shanghai, la petite Violet grandit dans la maison de courtisanes la plus distinguée de Shanghai, tenue par sa mère. Lorsque la situation politique du pays devient instable, celle-ci organise leur départ vers les États-Unis, dont elle est originaire.

Rien ne se passe comme prévu ; Violet est vendue dans une maison close où elle apprend l'art de la séduction et l'étiquette de la parfaite courtisane. Petit à petit, et grâce aux bons soins de ses consœurs, elle s'adapte à sa nouvelle condition. Sa rencontre avec Edward, un client américain avec qui elle vivra le véritable amour, changera littéralement sa vie.

En vente partout où l'on vend des livres et sur
www.saint-jeanediteur.com